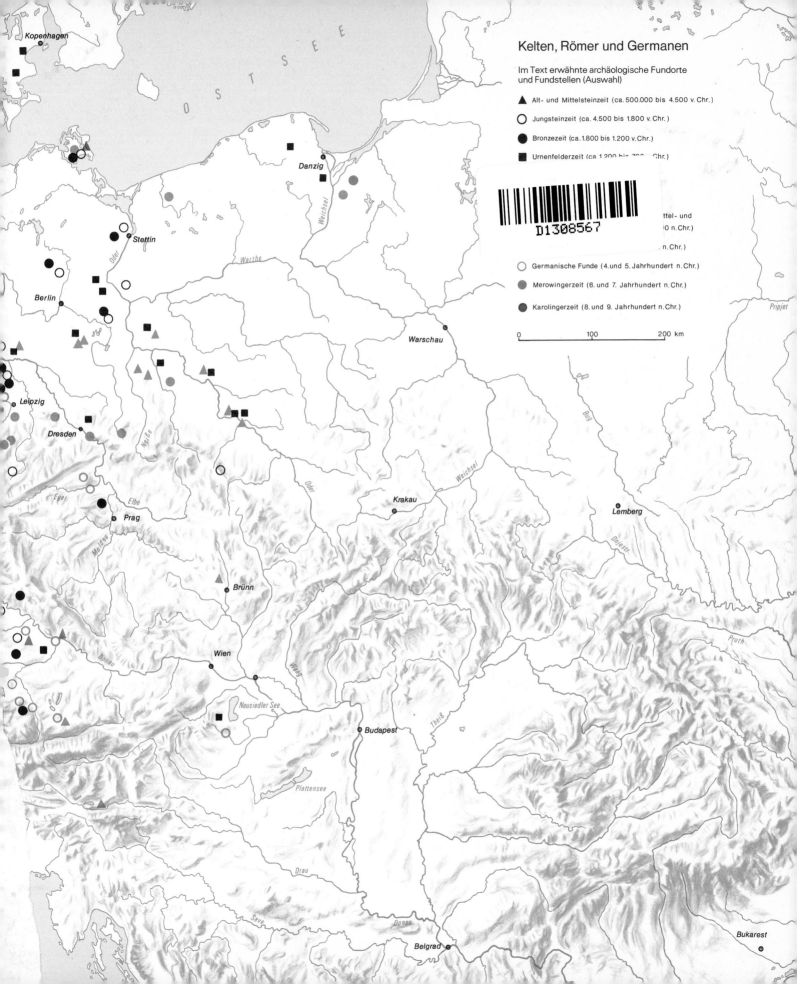

Kelten, Römer und Germanen

Im Text erwähnte archäologische Fundorte
und Fundstellen (Auswahl)

▲ Alt- und Mittelsteinzeit (ca. 500.000 bis 4.500 v. Chr.)

○ Jungsteinzeit (ca. 4.500 bis 1.800 v. Chr.)

● Bronzezeit (ca. 1.800 bis 1.200 v. Chr.)

■ Urnenfelderzeit (ca. 1.200 bis 700 v. Chr.)

ttel- und
0 n.Chr.)

n.Chr.)

○ Germanische Funde (4. und 5. Jahrhundert n. Chr.)

● Merowingerzeit (6. und 7. Jahrhundert n. Chr.)

◐ Karolingerzeit (8. und 9. Jahrhundert n. Chr.)

0   100   200 km

OSTSEE

Kopenhagen

Danzig

Stettin

Berlin

Leipzig

Dresden

Prag

Brünn

Wien

Neusiedler See

Budapest

Warschau

Krakau

Lemberg

Belgrad

Bukarest

Oder

Warthe

Weichsel

Neiße

Elbe

Eger

Moldau

Donau

Waag

Theiß

Plattensee

Drau

Save

Donau

Bug

Weichsel

Dnjestr

Pruth

Pripjet

Wilfried Menghin

KELTEN RÖMER
UND GERMANEN

Archäologie und Geschichte

Prestel-Verlag München

Bibliothek des Germanischen Nationalmuseums Nürnberg
zur deutschen Kunst- und Kulturgeschichte. Neue Folge Band 1

Herausgegeben vom Generaldirektor

CIP-Kurztitelaufnahme der Deutschen Bibliothek

Menghin, Wilfried:

Kelten, Römer und Germanen : Archäologie
und Geschichte / Wilfried Menghin. – München : Prestel 1980.
(Bibliothek des Germanischen Nationalmuseums Nürnberg
zur deutschen Kunst- und Kulturgeschichte : N.F. ; Bd. 1)
ISBN 3-7913-0522-0

© Prestel-Verlag München 1980
Reproduktionen:
Ernst Wartelsteiner, Garching bei München
Brend'amour Simhart & Co. München
Satz, Druck und Bindung: Passavia Druckerei GmbH Passau

Inhalt

ARNO SCHÖNBERGER
zum 65. Geburtstag

Altertumskunde, Archäologie im weitesten Sinne, ist vordergründig betrachtet eine Sachwissenschaft. Gegenstände unterschiedlichster Art aus Gräbern, Siedlungen und von Kultstätten werden seit Jahrzehnten in Schausammlungen und Depots großer und kleiner Museen verwahrt und vermitteln dem Besucher visuelle Eindrücke von der dinglichen Kultur längst vergangener Zivilisationen. Sachbücher, Zeitungsberichte und Filme zu vor- und frühgeschichtlichen Themen fördern ein erstarkendes Interesse an der Vergangenheit. Lange Zeit geltende Vorstellungen erwiesen sich als unrichtig. Die Archäologie, die auch im heimatlichen Bereich ständig neue Ergebnisse bringt, ist populär. Der nationale Standpunkt weicht der Einsicht, daß überregionale und geopolitische Faktoren seit jeher das Geschehen bestimmten.

Absicht dieses Buches ist die Darlegung und Interpretation vorgeschichtlicher Zusammenhänge in Mitteleuropa von der Steinzeit bis in den Beginn des abendländischen Mittelalters, wobei die Bestände der vorgeschichtlichen Sammlung des Germanischen Nationalmuseums den Hauptteil der Bebilderung ausmachen. Es soll nicht nur bei der bloßen Beschreibung prähistorischer Abläufe vor einem breiteren kulturhistorischen Hintergrund bleiben, sondern es soll auch gezeigt werden, wie die Forschung zu ihren Aussagen gelangt. Ergebnis ist das häufig freilich fragmentarische und lückenhafte Bild eines stetigen Entwicklungsprozesses, in dem einzelne, nur archäologisch erschließbare Vorgänge Auswirkungen bis weit in die geschichtliche Zeit haben.

Mein Dank gilt dem Germanischen Nationalmuseum und seinem Generaldirektor Dr. Arno Schönberger, der das Buch angeregt und gefördert hat, sowie dem Prestel-Verlag. Zu danken habe ich auch Herrn Dr. Walter Romstoeck für die Bebilderung und Anregungen sowie meiner Frau für ihr Verständnis und all ihre Hilfe. Vielen Kollegen und Institutionen bin ich für bereitwillig gewährte Unterstützung verbunden, vor allem der Deutschen Forschungsgemeinschaft, die aus ihren Mitteln die Arbeit der Abteilung Vor- und Frühgeschichte fördert. Ganz besonders habe ich Herrn Professor Dr. Walter Torbrügge zu danken, der mir zahlreiche Hinweise gab und die fachkompetent-kritische Durchsicht des Manuskripts übernahm.

Nürnberg, im September 1980   Wilfried Menghin

7

Archäologische Relikte anonymer vorgeschichtlicher Kulturen sind Zeugnisse menschlichen Daseins, lange bevor mit den Schriftquellen geschichtliche Überlieferung einsetzt. Primitive Faustkeile der Altsteinzeit, Keramiken und differenzierte Steingeräte der frühen Ackerbauern, Gräber und Horte der nachfolgenden bronze- und eisenführenden Epochen sowie die Bodenfunde des Frühmittelalters fügen sich großräumig betrachtet zu einem Gesamtbild kultureller Entwicklung, das als ›Vor-Geschichte‹ zu verstehen ist.

Archäologie – Altertumskunde im weitesten Sinn – beschäftigt den Menschen mit unterschiedlicher Intensität und unter wechselnden Aspekten seit dem Altertum. In der klassischen Antike bestand in den Philosophien Hesiods und Platos das Bild einer moralischen Entwicklungslinie, die von dem glücklichen ›goldenen Zeitalter‹ der Urmenschheit über das silberne und bronzene zur damals gegenwärtigen ›eisernen Epoche‹ mit ihrem vermeintlichen sittlichen Verfall führte. Die Antithese bildete die von Lukrez und anderen vertretene Anschauung von den kulturlosen, naturhaften Anfängen der Menschheit, die in einem langen Evolutionsprozeß zur damaligen Zivilisationshöhe aufgestiegen war. Die spekulativen, rein theoretisch begründeten Vorstellungen wirkten, verbunden mit der biblischen Geschichte, bis in das späte christliche Mittelalter nach.

Renaissance und Humanismus bewirkten differenziertere Betrachtungsweisen und eine bewußte Hinwendung zu den Zeugnissen der Vorzeit. Zu Beginn des 16. Jahrhunderts legte Konrad Peutinger mit den ›Romanae vetustatis fragmentae in Augusta Vindelicorum et ejus diöcesi‹ eine erste Sammlung römischer Steininschriften in Augsburg vor. Er besaß die heute nach ihm benannte ›Tabula Peutingeriana‹, die Kopie einer Straßenkarte des weströmischen Reiches aus der Spätzeit, die allerdings erst 1869 in Wien veröffentlicht wurde. Die humanistischen Studien leiteten hier, das heißt nördlich der Alpen, zwar keine planmäßige archäologische Feldarbeit ein, doch wurden jetzt zufällige und denkwürdige Bodenfunde und Denkmäler in den einschlägigen Chroniken vermerkt. Neben den Altertümern der klassischen Antike und Münzen wurden die Gefäße, Waffen, Schmuckstücke und Geräte aus den heimischen Megalithgräbern, Hügelnekropolen und Urnenfeldern als Kuriosa, die zu mancherlei Spekulationen Anlaß gaben, den Kunst- und Raritätenkabinetten in ganz Europa einverleibt. Im 17. und 18. Jahrhundert wandten die um ein neues Geschichtsverständnis und um Aufklärung bemühten Gelehrtengenerationen ihre Aufmerksamkeit verstärkt auf die Bodenfunde, ohne jedoch Ansätze für eine systematische Quellenkunde zu finden. Bevorzugte Ziele früher Ausgrabungstätigkeit waren römische Baudenkmäler in West- und Süddeutschland, deren Bedeutung aufgrund historischer Überlieferung besser zu beurteilen war.

Einleitung

VORGESCHICHTLICHE ARCHÄOLOGIE

9

Zur gleichen Zeit, als mit den Arbeiten von Theodor Mommsen, Leopold von Ranke und anderen die Grundlagen für die modernen, auf kritischem Quellenstudium basierenden Geschichtswissenschaften geschaffen wurden, erfuhr auch die Altertumskunde einen beachtlichen Aufschwung. Allerdings verharrte die Vorgeschichtsforschung noch lange in einem vorwissenschaftlichen Stadium. Das Interesse an ›vaterländischen Altertümern‹ – den Zeugnissen unserer heidnischen Vorzeit – war zwar geweckt und erfuhr im patriotisch gesinnten Deutschland nach den Befreiungskriegen nachhaltige Förderung durch die Obrigkeiten, die zur Einrichtung zahlreicher regionaler Vereinssammlungen mit einem relativ großen Fundus vor- und frühgeschichtlicher Materialien führte. Methoden zur Kategorisierung der Funde aber waren erst in Ansätzen entwickelt und hatten noch keine allgemeine Anerkennung gefunden. Selbst das von dem Dänen Christian Thomsen und anderen seit 1830 vorgestellte Dreiperiodensystem – die Einteilung der Vorgeschichte in Stein-, Bronze- und Eisenzeit – war bis in die siebziger Jahre Thema heftiger Gelehrtendiskussion, die sich hauptsächlich zwischen Nord- und Süddeutschen abspielte. Mit teils deftiger emotionaler Argumentation und spitzer Feder wurde auch um die ethnische Deutung des Fundmaterials gerungen, für die bereits um die Jahrhundertmitte geschichts- und sprachwissenschaftliche Ergebnisse nutzbar gemacht werden konnten. Kelten, Römer, Germanen oder Slawen – welchem Volkstum gehörten die in den Gräbern der Vorzeit gefundenen Toten an, das heißt von welchem Ethnikum ist unsere physische Existenz abzuleiten, und inwieweit hat es zur Entstehung des deutschen Volkes beigetragen? Die Diskrepanz in den Forschungsmeinungen resultierte im wesentlichen aus der geschichtlichen Entwicklung und den unterschiedlichen Denkmälergruppen in Nord und Süd. Während in West- und Süddeutschland aufgrund der ethnisch-historisch deutbaren römischen und frühmittelalterlichen Altertümer historische Fragestellungen in den Forschungsansätzen dominierten, waren in Nord- und Ostdeutschland wegen fehlender geschichtlicher Bezüge allein die Funde Grundlage archäologischer Bewertungskriterien. In dieser von methodischen und terminologischen Unsicherheiten und Mißverständnissen geprägten Forschungsphase schufen einzelne Arbeiten die Basis für eine systematische Wissenschaft. Forschungsgeschichtlich bedeutsam ist beispielsweise die Schrift ›Das germanische Todtenlager von Selzen in der Provinz Rheinhessen‹ der Gebrüder Wilhelm und Ludwig Lindenschmit, die schon 1848 verbindliche Maßstäbe für die zukünftigen archäologischen Sachbeiträge setzte.

Durch die allgemeine vaterländische Euphorie nach der Reichsgründung erfuhr die vorgeschichtliche Archäologie in Deutschland eine weitere Popularisierung, die dem heutigen Trend in nichts nachstand. Ungehindert von gesetzlichen Regelungen und begünstigt durch den wirtschaftlichen und verkehrstechnischen Aufschwung der Gründerzeit, wurden archäologische Ausgrabungen vielerorts zum Sonntagsvergnügen. Mit Gehrock, Vatermörder und Zylinder, Picknick-Korb und Damen fuhr man zum Urnenstechen. Teilweise auch unter kommerziellen Aspekten betrieben, fand diese Grabungskonjunktur nachhaltige Förderung durch große Museen und andere interessierte Institutionen. Um einerseits die Fundausbeute vor Verstreuung und Verlust zu bewahren und andererseits ihre Sammlungen zu komplettieren, kauften sie über Agenten, Antiquare oder direkt bei den privaten Raubgräbern ›Schauobjekte‹ in großer Zahl. So verfuhr auch das Germanische Nationalmuseum in Nürnberg, dessen Direktoren bis zum Ersten Weltkrieg bemüht waren, archäologische Materialien aus dem ganzen Reich zu sammeln, um die kulturgeschichtliche Entwicklung von den Anfängen an zu belegen. Da zu dieser Zeit bereits viele Landesmuseen Sammlerehrgeiz entwickelt hatten, konnte dem Vorhaben naturgemäß kein umfassender Erfolg beschieden sein, doch genügen die reichen und vielseitigen Bestände dieses Museums zur Illustration und exemplarischen Darstellung von Archäologie und Geschichte in Deutschland vom Neandertaler bis zu Karl dem Großen. Es ist eine Sachbeschreibung aus musealer Sicht, in der auch vor dem Hintergrund großer kulturgeschichtlicher Abläufe immer nur Teilaspekte vorzeitlichen Lebens erfaßt werden können.

Methodische Grundlagen

Das Anwachsen des Fundstoffes in den Museen und die allgemeine Weiterentwicklung der Kultur- und Geschichtswissenschaften in der zweiten Hälfte des 19. Jahrhunderts zwang allmählich zur systematischen Sichtung des Materials. Planmäßige Untersuchungen zu einzelnen Kulturerscheinungen, der Vergleich von Fundgruppen wie Waffen, Schmuck, Gerät und Gefäßen in ihrer linearen Entwicklung, ihr zeitliches und räumliches Verhältnis zueinander, führten zur Herausbildung von Methoden, welche durch typologische Vergleiche die chronologische Ordnung der Sachaltertümer ermöglichten.

Die Masse des prähistorischen Fundstoffes stammt von Wohnplätzen und aus Gräbern, wobei die Grabinventare mit ihren brauchtumsmäßig bedingten Beigaben, welche alle zum selben Zeitpunkt in den Boden gelangten, als sogenannte ›geschlossene Funde‹ die Basis für die periodische Gliederung bilden. Die Methode ist im Prinzip einfach: Auf breiter Materialgrundlage werden einander vergleichbare Sachinventare gegenübergestellt und kombinationsstatistisch geordnet. Ergebnis ist eine relative zeitliche Abfolge der geschlossenen Fundkomplexe, in der sich die typologische Entwicklung bestimmter Funktions-, Sach- und Ornamentformen zeigt, die eine Bestimmung als ›früher‹ oder ›später‹ erlaubt. Leitfunde – charakteristische Einzelformen oder Fundvergesellschaftungen – sind in ihrem Auftreten oft nur auf einen zeitlich oder auch räumlich begrenzten Materialhorizont beschränkt und ermöglichen so die Datierung von weniger typischen Fundkomplexen.

Die sogenannte typologische, eigentlich kombinationsstatistische Methode wurde von dem Schweden Oskar Montelius in seinem Werk ›Om tidsbestämning inom Bronsåldern‹ (Über die Zeitbestimmung in der Bronzezeit) 1885 erstmals ausführlich dargelegt und bald überall in der Vorgeschichtsforschung angewendet. Die Systeme, welche Montelius für Skandinavien und die südlich angrenzenden Räume mit seinen Perioden I-VI für die nordische und Paul Reinecke mit der Gliederung der süddeutschen Bronze- und Eisenzeit in jeweils vier Stufen A-D aufgrund ihrer antiquarischen Studien zu Beginn des 20. Jahrhunderts aufstellten, gelten vielfach ergänzt, modifiziert und verbessert in Grundzügen noch heute. Eine intensivierte Forschung auf ständig erweiterter Materialbasis und kombinierte Arbeitsweisen schufen seither ein Netz von engmaschigen einander ergänzenden Bezugssystemen, wobei die Konzentration bestimmter formaler Erscheinungen, verbunden mit bezeichnenden Fundkategorien, sich im zusammenfassenden Chronologieschema als Material- oder Zeitstufen darstellen (Abb. 43).

Die absolutchronologische Fixierung der vorgeschichtlichen Periodengliederung ist nur in komplizierten stilistischen Vergleichen mit Funden aus den Hochkulturen des Vorderen Orients und der Mittelmeerländer möglich, bis sich datierende Momente in der direkten Nachbarschaft zu den bereits historischen Randgebieten der antiken Welt verdichten. Neben den typologischen Reihenvergleichen, die in der Bronzezeit von Mitteleuropa – mit zahlreichen Zwischengliedern auf dem Balkan – über das mykenische Griechenland und Kreta bis nach Ägypten reichen, werden in neuerer Zeit zunehmend naturwissenschaftliche Methoden zur Altersbestimmung erprobt, die jedoch die klassischen Arbeitsweisen immer nur ergänzen können.

Die Chronologieschemata in ihrer Einteilung des Materials aus so unterschiedlichen Fundkategorien wie Siedlungen, Gräbern, Horten, Fluß- und Opferfunden schaffen die Basis für weitere kulturhistorische und siedlungsgeschichtliche Schlüsse, wobei immer zu bedenken ist, daß die erhaltenen Funde in der Regel nur eine zufällige und willkürliche Auswahl aus dem Sachbesitz vorzeitlicher Bevölkerungen sind. Vor dem Hintergrund paralleler Erscheinungen und eingehender Analyse des Materials und der Fundumstände ermöglichen sie in beschränktem Maße eine Rekonstruktion vergangener Zivilisationen. Masse und Verteilung der Funde und Fundstellen in regionaler und chronologischer Relation erlauben Rückschlüsse auf Gang, Art und Dichte vorzeitlicher

Besiedlung. Ausprägung und Typenreichtum der Gerätschaften sowie ihre Entwicklung sind chronologisches Indiz und zeugen zugleich vom handwerklichen und technischen Vermögen ihrer Hersteller. Aus der Kombination von Schmuck und Kleiderbesätzen ergeben sich Hinweise auf Mode- und Trachtprovinzen im Wandel der Zeit. Grabformen und Bestattungssitten, Horte und Kultgerät gewähren Einblick in die materielle und geistige Kultur der schriftlosen Epochen. Aber auch in den bereits historischen Zeiten ergänzen und korrigieren archäologische Befunde das aus schriftlichen Quellen ermittelte Geschichtsbild.

Zeit und Raum

»Deutsche Vorgeschichte, eine hervorragend nationale Wissenschaft« war ein weitverbreitetes und in der jüngsten deutschen Vergangenheit oft mißverstandenes und mißbrauchtes Schlagwort. Eine ›Deutsche Vorgeschichte‹ gibt es nicht, nur eine Vorgeschichte des späteren deutschsprachigen Raumes. Von Anfang an waren in Deutschland die ihrer Herkunft nach unterschiedlichsten Völker verbreitet, die zudem oft ihre Wohnregion änderten. Im norddeutschen Tiefland stellt sich die Entwicklung zwischen Oder und Elbe anders dar als zwischen Weser, Ems und Rhein. Verbindungen nach Norden beziehungsweise Westen dokumentieren sich im Fundbild, das insgesamt durch regionale Ausprägungen gekennzeichnet ist. Mitteldeutschland mit seinen großen Siedlungskammern tendierte mit zeitlich wechselnder Intensität nach Südosten, Norden und Süden. Die Kleinräume Süddeutschlands, nach Norden durch die Gebirgsstöcke der mitteldeutschen Schwelle, im Osten vom Böhmerwald begrenzt, waren durch die Rhein- und Donauachse und das Flußgebiet des Mains stets Einflüssen von Westen und Südosten ausgesetzt. Nur im Süden bildeten die Alpen über lange Zeit eine Barriere. Im Binnenraum selbst waren die waldreichen Mittelgebirge sicher siedlungsfeindlich. Sie behinderten den Austausch materieller und geistiger Kulturgüter aber nicht grundsätzlich; die breiten Täler der Flußsysteme bildeten die Verkehrslinien (Abb. 90 und 140). Insgesamt muß die Mittelgebirgsschwelle jedoch als Kulturgrenze zwischen Nord und Süd angesehen werden, wobei die Übergänge fließend sind und Hunsrück, Eifel und Westerwald – archäologisch gesehen – kulturell noch Süddeutschland zugehören. Die mannigfache Regionalgliederung begünstigte in allen Teillandschaften besondere Entwicklungen, die von unterschiedlichen Nachbarschaftsverhältnissen beeinflußt wurden. Ein gleichförmiger Kulturraum konnte deshalb erst in geschichtlicher Zeit entstehen. Die Rheinachse und vor allem der süddeutsche Raum wurden aufgrund ihrer zentralen und siedlungs- und verkehrsgünstigen Lage zu Austauschregionen für viele europäische Güter und

Ideen. Archäologische und geschichtliche Zusammenhänge werden daher nur im gesamteuropäischen Bezug begreifbar.

Deutschland, ein Land der europäischen Mitte, war stets Einflüssen von außen aufgeschlossen, wenn nicht überhaupt die geographischen Teilgebiete kulturell und ethnisch nach Nord-, West-, Ost- oder Südeuropa tendierten. Dies wird bei der Nennung der ersten Völkernamen auf deutschem Boden besonders deutlich: Kelten, Römer und Germanen, später auch die Slawen und vor diesen allen viele anonyme Völkerschaften haben aus verschiedenen kulturellen und ethnischen Wurzeln in einem ständigen Assimilationsprozeß zur Entstehung der ›deutschen Nation‹ des Heiligen Römischen Reiches beigetragen.

1 Chronologieschema zur Alt- und Mittelsteinzeit (G/M = Günz-Mindel-Eiszeit; M/R = Mindel-Riss-Eiszeit; R/W = Riss-Würm-Eiszeit).

In den unvorstellbar langen Zeiträumen der Altsteinzeit, dem Paläolithikum, erscheint die Entwicklung menschlicher Kultur kaum wahrnehmbar. Das Dasein war durch die totale Abhängigkeit von der Natur gekennzeichnet. Günz-, Mindel-, Riß- und Würmeiszeit in Süddeutschland sowie Baltische-, Elster-, Saale- und Weichseleiszeit in Norddeutschland bestimmten im Wechsel von Kalt- und Warmphasen Klima, Pflanzen- und Tierwelt Mitteleuropas während des Jahrhunderttausende dauernden Pleistozäns, das heißt des gesamten Eiszeitalters (Abb. 1). Die Tundra im mehrere hundert Kilometer breiten, eisfreien Korridor zwischen alpiner und nordischer Vergletscherung bot sich Tier und Mensch während der Eiszeiten als Lebensraum an.

Die biologische Menschwerdung ist heute noch ein umstrittenes Problem. Die Abstammungslehre, seit Darwin in der Diskussion, erhält durch die ständig fortschreitende Forschung immer wieder neue Aspekte. Ideale Definitionen gibt es nicht.

Fossile Reste des ›Frühmenschen‹, aufrecht gehende Steppenbewohner, wie der *Australopithecus* mit seinen verschiedenen Varianten, wurden vor allem in Süd- und Ostafrika gefunden. Reste anderer menschenartiger Individuen stammen hier und in Südostasien aus dem ältesten Abschnitt des Eiszeitalters. Nicht eindeutig gesicherte Daten weisen auf ein Alter von bis zu 1,85 Millionen Jahren hin (Abb. 2a).

Mit dem ›Homo erectus‹, dem aufrechtgehenden Menschen, werden noch in der älteren Altsteinzeit Hominiden faßbar, die zu den echten Menschen der Gattung ›Homo‹ zu rechnen sind. In Europa wird sie vom *Homo heidelbergensis* vertreten. Der Unterkiefer eines solchen Individuums wurde 1907 in 24 Meter Tiefe in einer Kiesgrube beim Dorf *Mauer,* 10 Kilometer südöstlich von Heidelberg gefunden. Er ist das wichtigste Dokument aus der frühesten Menschheitsgeschichte Europas (Abb. 2b). In der Urtümlichkeit und Robustheit, in der Größe und Dicke des Knochens unterscheidet er sich stark von den Kiefern aller heutigen Menschenrassen. Das Kinn ist nach hinten gerundet, der beim modernen Menschen typische Kinnvorsprung fehlt. Insgesamt gleicht der Unterkiefer dem heutiger Großaffen, unterscheidet sich aber in der Bezahnung, die durchaus menschlich ist. Weitere regionale, zahlreicher und vollständiger überlieferte Formen dieser Gattung, die Eurasien, Afrika und Südostasien vor rund einer halben Million Jahren bevölkerten, sind der Peking-Mensch *(Sinanthropus pekinensis)* und der *Pithecanthropus erectus* aus Java.

Für Europa von besonderer Bedeutung ist die Gruppe des *Homo steinheimensis.* Der namengebende Fundort Steinheim liegt an der Murr, ca. 30 Kilometer nördlich von Stuttgart. In einer der Kiesgruben, die seit langem Reste der eiszeitlichen Fauna lieferte und längst die Aufmerksamkeit der Fossiliensammler gefunden hatte, wurde 1933 in 5,5 Meter

DIE STEINZEIT

Jäger und Sammler

NATUR UND MENSCH

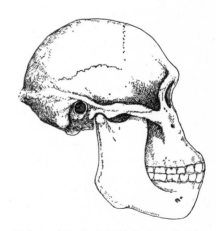

2a   Rekonstruktion des Schädels des Australopithecus africanus. (Nach R. Grahmann / H. J. Müller-Beck)

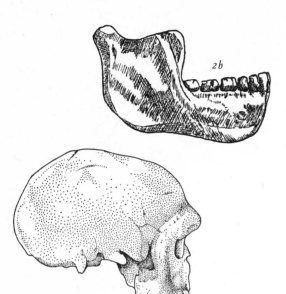

2b *Unterkiefer des Homo erectus heidelbergensis. Mauer bei Heidelberg und (c) Schädel von Steinheim a. d. Murr. (Nach Grahmann / Müller-Beck)*

3 *Fundstellen der Paläanthropen in Europa. (Nach Ivanova)*

Tiefe der Schädel eines ›Homo erectus‹, nämlich des *Homo steinheimensis* gefunden. Er lag unterhalb des Zahnes eines Waldelefanten und über dem eines sogenannten Merck'schen Nashorns, so daß die Fundschicht und mit ihr der Schädel in den älteren Abschnitt der mittleren Altsteinzeit datiert werden kann. Obwohl der Schädel einen noch urtümlichen Eindruck macht, zeigt er entwicklungsgeschichtlich Tendenzen zum Homo sapiens auf und hebt sich in der Gesamtstruktur von den anderen Fossilen des Homo erectus ab. Schädelfragmente dieser Rasse, die trotz ihres hohen Alters möglicherweise eine Vorform des heutigen Menschen bilden, wurden bisher nur in wenigen Exemplaren in Westeuropa gefunden (Abb. 2c, 3).

Die berühmteste und am besten bekannte Gruppe fossiler Menschen sind die Neandertaler. Typenmäßig besitzen sie eine große Variationsbreite und gehören dem älteren und mittleren Abschnitt der jüngeren Altsteinzeit an. Die frühesten Exemplare in Deutschland aus der älteren Steinzeit, deren Schädel höher sind und die Stirn weniger fliehend, fand man in *Ehringsdorf* und *Taubach bei Weimar* an den Hängen des Ilmtales.

Die eigentlichen Neandertaler besitzen Schädel, die durch mächtige Überaugenbögen, stark fliehende Stirn und nach hinten gerundetem Kinn gekennzeichnet sind. Der namengebende Fundort war eine Höhle im *Neandertal bei Düsseldorf*. Bei Steinbrucharbeiten wurden 1856 das

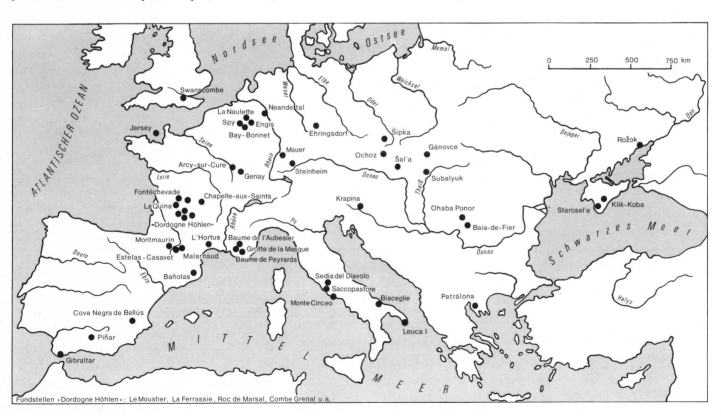

Schädeldach, beide Oberarmknochen, die linke Elle und die rechte Spei-
che sowie einige Bruchstücke von Rumpfknochen eines »urtümlichen
Individuums« gefunden, das unter der Bezeichnung *Homo neanderthalen-
sis* in die Forschung Eingang fand. Im Laufe eines Jahrhunderts kamen
aus West- und Osteuropa, dem gesamten Mittelmeerraum, Asien und
Afrika eine große Zahl weiterer Funde hinzu, oft in Zusammenhängen
mit Steinwerkzeugen, welche die kulturgeschichtliche Zuordnung der
Skelettreste ermöglichten (Abb. 3, 4 a).

Menschen vom Typ Neandertal waren die Träger der älteren jungpa-
läolithischen Steinkulturen. Die Vorstellungen von einem tierhaften
Dasein ist falsch. Kunstvoll geschlagene Faustkeile und Blattspitzen aus
Feuerstein, differenzierte Werkzeuge, eine sicherlich vorauszusetzende
Sozialstruktur der Familien und Jagdgruppen sowie Sprache und ab-
straktes Denkvermögen, Ritualbestattungen, wie sie mehrfach nachgewiesen sind, kennzeichnen den Neandertaler trotz seines urtümlichen
Knochenbaues und der in spekulativen Bildern verbreiteten Vorstellungen vom Primitivmenschen als hochentwickelten Hominiden.

Die ›Homo-sapiens‹-Funde der ausgehenden Eiszeit stimmen in
grundlegenden Zügen mit den heutigen Varianten der menschlichen
Rasse überein. Der jungpaläolithische Menschentypus hat sich wahrscheinlich in den offenen Steppengebieten Nordosteuropas aus Älteren
entwickelt und überlagerte allmählich die weiten Räume Eurasiens. Neandertaler und andere gingen biologisch in ihnen auf. Nur so sind die
unterschiedlichen Variationsgruppen des Homo sapiens in ihrer bis
heute andauernden Vielfalt zu erklären.

Eine Variante vertritt beispielsweise der ›Brünntypus‹, der nach einem Menschenfund in eiszeitlichen Lößschichten bei *Brünn in Mähren*
benannt ist. Der dort regelrecht mit Rötel (s. u.), einer Muschelkette und
einer Elfenbeinstatuette bestattete Mann hatte einen schmalen langen
Schädel, ein schmales hohes Gesicht und ein wenig markantes Kinn.
Archaisch muten die stark ausgeprägten Überaugenwülste, wie sie unter
anderem auch für die Neandertaler typisch waren. (Abb. 4 b).

Eine mehr westliche Verbreitung scheint der ›Cromagnon-Typus‹ gehabt zu haben (Abb. 4 c). Der Name leitet sich von einem Ort im Vézèretal
in der südfranzösischen Dordogne ab, wo Mitte des letzten Jahrhunderts
die Skelettreste von mindestens fünf Individuen eingebettet in Werkzeuge des Jungpaläolithikums gefunden wurden. Die Schädel haben ein
stark gewölbtes Dach, eine hohe steile Stirn, eine vorspringende
schmale Nase und ein ausgeprägtes Kinn, niedrige Augenhöhlen und
breite Backenknochen, die Überaugenbögen sind schwach entwickelt.
Erstaunlich ist die Körpergröße von über 180 Zentimeter eines Mannes
aus der Höhle von *Crô Magnon,* die die des eher kleinwüchsigen Neandertalers um beinahe Haupteslänge übertrifft und damit dem Größen-

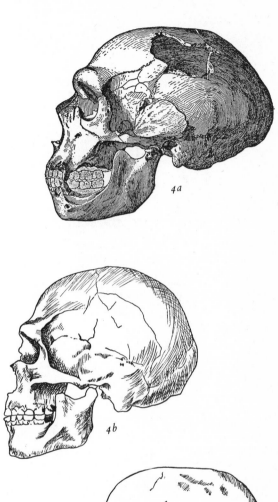

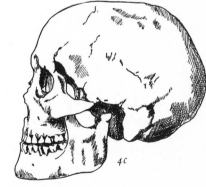

*4 a Schädel eines Neandertalers von La Chapelle-aux-
Saints, Dordogne Nase und Zähne ergänzt. (b) Schädel eines
alten Mannes von Pschedmost vom Brünntypus. (c) Schädel
eines jungen Mannes aus den Grimaldihöhlen bei Menton vom
Cromagnontypus. (Nach Grahmann / Müller-Beck)*

index der heutigen europäischen Bevölkerung ziemlich nahe kommt. Zum ›Cromagnon-Typus‹ muß man auch die in *Oberkassel bei Bonn* gefundenen Reste eines Mannes und einer Frau rechnen, die wegen ihrer geringen Körpergröße und den leicht verstärkten Augenwülsten manchmal als eine eigene Rasse angesehen werden.

›Heidelberger‹ und ›Neandertaler‹, später der ›Cromagnon-Mensch‹, mußten sich unter lebensfeindlichen Bedingungen behaupten. Als Jäger zogen sie in Gruppen dem Großwild nach. Sie jagten Mammut, Wollnashorn, Wildpferd, Höhlenbär, Hirsch und andere jagdbare Tiere, während die Frauen Kräuter und Beeren sammelten. Höhlen und Felsüberhänge dienten als zeitweilige Wohnplätze. Im Freiland schützte man sich mit Zelten aus Tierhäuten und primitiven Windschirmen. Viele dieser Orte sind im Laufe der Zeit immer wieder aufgesucht worden, besonders wo die Jagdmöglichkeiten günstig waren. Die stratigraphische Untersuchung der oft meterdicken Ablagerungsschichten (Sedimente) in den Höhlen und unter günstigen Umständen auch an bestimmten Plätzen im Freiland, aber auch die Einbettung von Steingeräten in diluvialen geologischen Schichten geben im Zusammenwirken von Geologie, Bodenkunde und Paläontologie Aufschlüsse über das relative Alter der kulturellen Hinterlassenschaft der Jagdgemeinschaften (Abb. 1).

Die Altsteinzeit

In den Funden dieser frühesten Menschheitsepoche dominieren Steinwerkzeuge, obwohl ehedem Holz- und Knochengerätschaften den Hauptteil der Werkzeuge ausgemacht haben. Das zeigt beispielsweise eine wohlerhaltene, 2,44 Meter lange Lanze aus Eibenholz, die in einer Kalkmergelgrube bei *Lehringen,* südöstlich von Verden an der Aller gefunden wurde. Die Spitze der Jagdwaffe ist mit einem Steinmesser zugespitzt und im Feuer gehärtet worden, der Schaft weist in der Mitte eine Rippung auf. Das Einzigartige an dem Fund ist, daß die Lanze zwischen den Rippen eines Waldelefanten stak, der in der Warmphase der mittleren Altsteinzeit in dem damals offenen Kalkschlammtümpel zusammengebrochen war. Das urige Tier, ein etwa 45jähriger Bulle von 5 Meter Risthöhe mit starken, säbelartigen Stoßzähnen, ist von seinen Jägern noch an Ort und Stelle aufgebrochen und zerlegt worden, wie eine größere Zahl von messerscharfen Klingen, Schabern und Absplissen aus Feuerstein zeigen, welche dicht bei den Skelettresten lagen.

Lange bevor der Frühmensch in unseren Breiten physisch nachgewiesen werden kann, belegen sogenannte ›Geröllgeräte‹ seine Existenz. Diese sind typisch für das Altpaläolithikum. Es handelt sich um Gerölle, die durch Abschläge scharfe Schneiden und funktionsgerechte Gestalt erhielten. *Pebble tools* aus der vorletzten Eiszeit werden meist in Flußkie-

5 *Pebble tool (Geröllgerät) der älteren Altsteinzeit aus Oberägypten. Darunter Faustkeil aus grau-weiß marmoriertem Feuerstein, Länge etwa 12 cm, von Höngeda in Thüringen. Das Universalwerkzeug der mittleren Altsteinzeit ist aus einer Feuer- bzw. Hornsteinknolle durch Abdrücken von Steinspänen herausgearbeitet und mit scharfen Schneiden versehen. Spitzen und Klingen aus verschieden zugerichteten Feuersteinspänen. Die querläufigen Klingen und Kratzer dienten zum Schaben von Tierhäuten und zum Zerteilen der Beutetiere, während die Spitzen als Bohrer verwendet wurden. Die Arbeitsgeräte aus dem Mittelpaläolithikum waren vermutlich nicht geschäftet. Ihr hohes Alter zeigt die Patinierung der Steinoberfläche. Gefunden bei Weimar-Ehringsdorf, Bez. Erfurt, Thüringen. Germanisches Nationalmuseum, Nürnberg*

sen gefunden, wobei die Entscheidung, ob es sich um Werkzeuge oder um zufällige Bildungen handelt, häufig problematisch ist (Abb. 5).

Das Mittelpaläolithikum vertreten zweiseitig bearbeitete Artefakte aus Feuerstein, Quarziten und Kieselschiefern. Eine fortgeschrittene Abschlagtechnik mit größerer Variationsbreite der Formen ist feststellbar. Faustkeile, Spitzen, Schaber, Kratzer und Bohrer der mittleren altsteinzeitlichen Entwicklung unterscheiden sich durch die Qualität der Flächenretusche und der Umrißformen. Träger dieser Kultur waren Menschen vom Typ der Neandertaler (Abb. 3, 4a).

In die Würmeiszeit (Abb. 1) fällt das erste Auftreten des homo sapiens. Mit dem Aurignacien am Anfang des Jungpaläolithikums beginnt eine Stufe des höheren Jägertums, das sich durch perfektionierte Steinmanufakturen und eine große Varietät von Knochengeräten auszeichnet (Abb. 6). Die Spätstufe des Magdalénien besticht durch die technische und künstlerische Gestaltung des Knochengerätes; vor allem aber durch die Höhlenmalereien beiderseits der Pyrenäen und die in Deutschland gefundenen Elfenbeinplastiken (Abb. 7-12). Die heterogene Zusammensetzung des Fundstoffes der über 30 Jahrtausende währenden Periode des Magdalénien – neben fein retuschierten, formal stark differenzierten Feuersteingeräten treten in großer Fülle Holz-, Knochen- und Hornwerkzeuge auf, die als Pfeil- und Harpunenspitzen, Ahlen, Stichel usw. verwendet wurden – ist ein Indiz für die Bereicherung der materiellen Kultur. Folge der verbesserten Jagd- und Arbeitsgeräte war das offensichtliche Ansteigen des Lebensstandards und damit verbunden ein Bevölkerungszuwachs in West- und Mitteleuropa.

Die wenigen hier angeführten Beispiele vermögen die ungeheuer langen Zeiträume und immensen Materialbestände nur anzudeuten. Die Verknüpfung mit der Geologie und anderen naturwissenschaftlichen Hilfsdisziplinen verleiht der Paläolithforschung ihre eigene Problematik. Erst von der Mittleren Altsteinzeit an lassen sich breite Typenspektren in stratigraphischer Folge bis zum Ende der Steinzeit gegeneinander abgrenzen und von Südfrankreich bis nach Böhmen in Beziehung setzen. Einfache archäologische Sachverhalte werden jetzt auch für den Außenstehenden einsichtig.

Bevorzugte Forschungsplätze sind Höhlen und Abris, das heißt Felsüberhänge. Wo sie natürlich gegeben sind, so in der Schwäbischen und Fränkischen Alb, hat sie der altsteinzeitliche Jäger genutzt. In der *Sesselfelsgrotte über Neuessing* im unteren Altmühltal konnten in jüngster Zeit in einem über 6 Meter hohen Sedimentprofil mehr als zwanzig archäologische Schichten festgestellt werden, die wie ein Langzeitkalender den jeweiligen Aufenthalt von Menschen an diesem Platz aufzeigen. Die relative Abfolge der Gerätformen sowie der Speise- und Faunareste dokumentieren den Wechsel von Kalt- und Warmphasen.

6 *Knochen- und Steingeräte des Jungpaläolithikums. Links: Knochenharpune aus Lötzen, Ostpreußen, Länge 18,4 cm. Übrige Funde von Schweizersbild, Kt. Schaffhausen: Knochengeräte, Schaber, Spitzen und Bohrer verschiedener Form, 2 durchbohrte Hundezähne und eine Muschelschale vom Halsschmuck. Germanisches Nationalmuseum, Nürnberg*

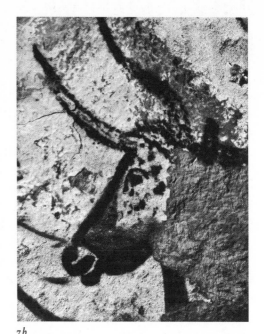

7a

7b

8a

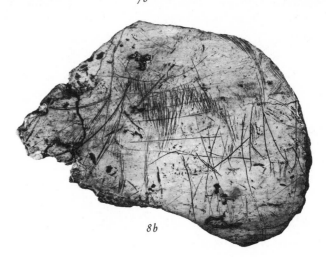

8b

9

7a Hirschkuh. Farbige Wandmalerei von 2,20 Meter Länge in der Höhle von Altamira bei Santillana del Mar, Santander, Spanien. (b) Stierkopf, Wandmalerei in der Höhle von Lascaux, Dordogne, Frankreich. Spätpaläolithisch.

8a Kleine Elfenbeinplastik eines Mammuts aus der Vogelherdhöhle bei Ulm in der Schwäbischen Alb. Württembergisches Landesmuseum, Stuttgart. (b) Ritzung eines Mammuts und weitere Zeichenversuche auf einer Platte aus Elfenbein, Länge 9,5 cm. Obere Klausenhöhle bei Neuessing, Kr. Kelheim, Bayern. Prähistorische Staatssammlung, München

9 Ziehende Rentierherde, Gravierung auf Knochen. Tevjat in der Dordogne. (Nach H. Kühn)

10 Frauenkopf aus Elfenbein, Höhe 3,5 cm. Bruchstück einer Statuette. Gefunden in der Grotte du Pape bei Brassempouy, Dép. Landes. Musée des Antiquités Nationales, St. Germain-en-Laye

11 Wildpferd, Großkatze und Löwe. Elfenbeinplastiken des Spätpaläolithikums aus der Vogelherdhöhle bei Ulm. Württembergisches Landesmuseum, Stuttgart

12 Knochenstab mit der naturalistischen Ritzzeichnung von Wildpferden in scheinbar ornamentaler Reihung, Länge 6,4 cm, und ein sog. Lochstab aus Rentiergeweih mit Rentierzeichnungen, Länge noch 33,5 cm. Beide Gegenstände stammen vom Petersfels im Brudertal, Kr. Konstanz, Baden-Württemberg. Spätpaläolithisch. Württembergisches Landesmuseum, Stuttgart

10

11

12

21

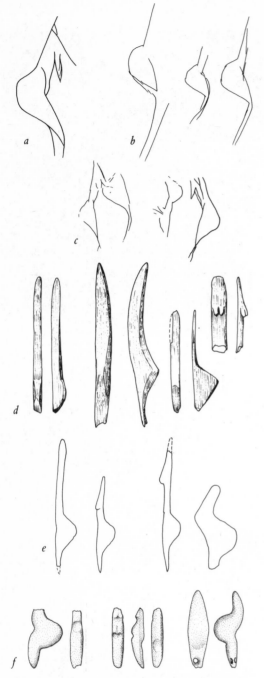

·13 Schematisierte Frauenzeichnungen des Jungpaläolithikums auf Stein- und Schieferplatten von (a) Gare du Conze, Dordogne, (b) Gönnersdorf, Kr. Neuwied, Nordrhein-West-falen und aus dem (c) Hohlenstein bei Edernheim, Kr. Nörd-lingen, Bayern. – Darunter (d) schematisierte Frauenfigürchen derselben Epoche aus Geweih, Knochen und Elfenbein von Gönnersdorf, Länge 8,7 cm, (e) aus der Pekárna-Höhle bei Brünn, Mähren, und (f) von Nebra an der Unstrut, Bez. Halle. (Nach Bosinski, Narr, Dannheimer und Töpfer)

Bei *Gönnersdorf* konnte über dem Rand des Neuwieder Beckens eine Freilandstation des Endpaläolithikums untersucht werden, deren Kulturschichten durch eine Bimssteinschicht vom letzten Ausbruch des Laacher-See-Vulkans in der Eifel versiegelt waren. Auf der fast 600 Quadratmeter großen Fläche wurden u.a. die Grundrisse von drei jurtenartigen Behausungen festgestellt. Zentnerschwere Schieferplatten beschwerten als ›Zeltringe‹ die über ein Stangengerüst gezogene Fellbedeckung der Jurten, die bis zu 10 Meter Durchmesser hatten. Sie belegen eine erstaunlich feste Konstruktion und lassen in Verbindung mit dem reichhaltigen spätpaläolithischen Fundstoff auf die länger dauernde Siedlung einer größeren Jägergruppe schließen. Farbreibschalen, Hirschgrandeln, durchlochte Fuchszähne, Holzperlen und Schmuckschnecken sowie ein breites Spektrum von Stein- und Holzgeräten geben Einblick in die materielle Kultur. Aus dem Rahmen fallen über tausend durchlochte und teilweise gravierte Schieferscheiben (Abb. 13) und 15 stilisierte, kleine weibliche Statuetten aus Knochen, Geweih, Elfenbein und Schiefer sowie über 150 Ritzzeichnungen von Tier und Mensch auf Schieferplatten. Neben dem Wildpferd, das nach dem Knochenmaterial das Hauptbeutetier der Gönnersdorfer Leute war, sind Mammut, Wollnashorn, Wisent, Hirschkuh, Elch und Vögel abgebildet. In Gönnersdorf darf man sich eine Art Basislager einer größeren Gemeinschaft vorstellen, die das ganze Jahr über in der näheren und weiteren Umgebung jagte. Zugleich wird die ›dörfliche‹ Anlage aus dem 11.Jahrtausend v.Chr. der Zentralort einer Menschengruppe gewesen sein, in dem Tauschhandel und rituelle Feste ihren Platz hatten.

Ein wesentlicher Grund für die langsame Entwicklung der Steinzeitkulturen liegt in der Isoliertheit der zahlenmäßig sicher kleinen Jagdgruppen. Die ökologisch bedingte Ausdehnung der Jagd- und Sammelterritorien beschränkte zwangsläufig den Erfahrungsaustausch. Dennoch zeigt sich im Einströmen von ost- und westeuropäischen Artefakttypen eine Beweglichkeit im Raum, die durch den Durchzugscharakter des eisfreien Korridors zwischen Nord und Süd bedingt war. Im Jungpaläolithikum schließlich werden diese Austauschbewegungen durch gemeinsame Bildvorstellungen verdeutlicht.

Tierbilder, seien es Felsmalereien oder Ritzzeichnungen auf Schieferplatten und Knochengerät, sind im weitesten Sinne künstlerischer Ausdruck, aber sicher nicht zweckfrei. Es war wohl kaum beabsichtigt, die zeitgenössische Fauna darzustellen. Vielmehr dienten die Bilder im Rahmen magisch-prälogischer Denkweisen der Beschwörung. Jagdzauber, in dem das im Bild gebannte Tier angelockt und erlegt oder aber auch der Geist der Tiere versöhnt wurde, ist die Absicht. Die ornamentale Reihung von Wildpferdköpfen auf einem Knochenstab aus dem *Petersfels* bei Engen in Baden ist schwerlich nur eine Formel für die reale

Anschauung einer Herde dieser Tiere. Dasselbe gilt für die Zeichnung zweier Rentiere vom gleichen Fundort, die beziehungsvoll auf einem Lochstab angebracht ist, einem Knochengerät, das zum magischen Instrumentarium der Jäger gehörte (Abb. 12).

Entsprechend dem Jagdzauber, der die Nahrungsgrundlage sichern sollte, gehört die meist stark stilisierte Frauendarstellung in den Bereich biologischer Existenzsicherung. Überbetonte Gesäße, manchmal in Verbindung mit Doppelgeschlechtlichkeit, betonen bei Plastiken und Ritzzeichnungen den Aspekt Fruchtbarkeit (Abb. 15). Die berühmte Venus von Willendorf in Niederösterreich unterliegt den gleichen geistigen Prinzipien wie die schematisierten Ritzzeichnungen von Gönnersdorf und den hochstilisierten Statuetten aus Böhmen und Mitteldeutschland. Zeichnungen und Kleinplastiken überschichten sich in ihrer Gesamtverbreitung von Frankreich bis Mitteleuropa im süddeutschen Raum mit westlichen und östlichen Ausdrucksformen. Gleichwohl ist der mitteleuropäische Bestand an endpaläolithischen Kunstdenkmälern verglichen mit Südfrankreich und Nordspanien relativ spärlich. Möglicherweise hängt dies mit der Fundüberlieferung und dem Forschungsstand zusammen. Das Fehlen von Höhlenmalereien in Mitteleuropa dürfte jedoch nicht nur mit den unterschiedlichen klimatischen Bedingungen in Südwesteuropa erklärt werden. Eher ist anzunehmen, daß das Zentrum der damaligen Jägerkultur beiderseits der Pyrenäen lag.

Zur Lebensbewältigung gehört auch die Auseinandersetzung mit dem Phänomen des Todes. Eigenartige Schädelbestattungen sind vom Ende des Paläolithikums und aus dem frühen Mesolithikum bekannt. In der *Großen Ofnet-Höhle bei Nördlingen* am Riesrand (Abb. 14) fanden sich in zwei nestartigen, von Ocker durchsetzten Gruben eng zusammengepackt einmal 27, im anderen Fall sechs Schädel, meist von Frauen und Kindern. Sie wiesen zum Teil Hiebverletzungen auf; Schnittspuren an den Halswirbeln zeigen, daß die Köpfe gewaltsam vom Körper getrennt worden sind. Von anderen Orten und aus derselben Zeit ist ähnliches bekannt. Es handelt sich um Menschenopfer, möglicherweise verbunden mit kultischer Menschenfresserei, obgleich dafür in dieser Zeit eindeutige Nachweise noch fehlen. Die Schädelbestattungen und die vorausgehenden rituellen Handlungen hatten für den Steinzeitjäger einen in seiner Vorstellungswelt begründeten Sinn, der uns heute weitgehend verschlossen ist. Die Rotfärbung der Gruben ist als frühes Symbol der Lebenskraft zu werten, in der die Schädel und damit die geopferten Menschen gleichsam dauerhaft und für die Gemeinschaft geistig verfügbar fortleben sollten. Die liebevolle Beigabe von Halsketten aus Hirschgrandeln und Ziermuscheln in großer Zahl in der Ofnet-Höhle legen dies nahe. Vielleicht dienten derartige Opferungen nach damaliger Vorstellung zur Existenzsicherung der Lebenden.

14 *Blick auf die Große Ofnethöhle am südöstlichen Rand des Ries (Bayern)*

15 *Die ›Venus von Willendorf‹, Kalksteinstatuette mit Rötelbemalung, Höhe 10,5 cm, aus Willendorf in der Wachau. Spätpaläolithisch. Naturhistorisches Museum, Wien*

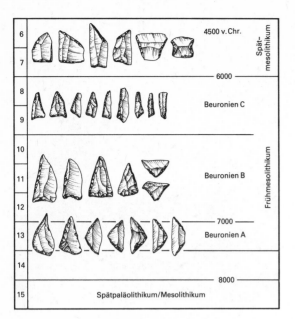

6		4500 v. Chr.
7		
		6000
8		Beuronien C
9		
10		
11		Beuronien B
12		
		7000
13		Beuronien A
14		
		8000
15	Spätpaläolithikum/Mesolithikum	

*16 Kulturschichtenabfolge und Mikrolithtypen in der Jäger-
haushöhle. Chronologie der Mittelsteinzeit. (Nach Taute)*

Das Leben in einem Bezugssystem, wo Mensch und Tier anscheinend gleichermaßen und gleichwertig Teil der Natur waren, zeigt sich neben den Bestattungen von Höhlenbärenschädeln unter anderem im ›Begräbnis‹ von Teilen eines jungen Mammuts in den *Weinberghöhlen bei Mauern* im Landkreis Neuburg an der Donau, die in Rötel gebettet und mit Feuersteingeräten und kleinen Elfenbeinanhängern umgeben gefunden wurden. Beispiele für rituelle Tierbestattungen gibt es noch im Alten Ägypten und anderen frühen Kulturen.

Die Mittelsteinzeit

In den jüngeren Abschnitten der Altsteinzeit ist eine beschleunigte Kulturevolution festzustellen. Sie findet ihren Ausdruck in typenreichen und funktional differenzierten Gerätschaften, vor allem aber in der Kunst des Jung- und Endpaläolithikums. Im ausgehenden Eiszeitalter wandeln sich, für die damaligen Menschen sicher unmerklich, im Laufe von vielen Generationen Klima, Tier- und Pflanzenwelt. Andere Umweltbedingungen führten zur Herausbildung der mesolithischen Kulturen. Vom 8. Jahrtausend an setzte eine entscheidende Klimaänderung ein, die mit minimalen Schwankungen bis heute wirksam ist. Die fortschreitende Erwärmung hatte den Rückzug der Tundra nach Norden zur Folge. In Mitteleuropa entstand zunächst eine Birken-Kiefern-Vegetation, die wiederum vom Eichenmischwald mit Linden und Ulmen abgelöst wurde. Die Großtiere der Eiszeit wanderten ab oder starben aus; zurück blieben außer den heutigen Tieren noch Wildpferd, Wisent, Auerochse und Riesenhirsch.

In der so veränderten Natur richteten sich die mittelsteinzeitlichen Jäger ein. Jagd, Fischfang und das Sammeln von Wildpflanzen waren auch nach der Eiszeit bis ins 5. Jahrtausend die Lebensgrundlage der Wildbeuter. Gegenüber der vorausgegangenen Epoche war jedoch offensichtlich geringerer Sachbesitz vorhanden. Dies erschwert die Gliederung nach Gruppen und Zeitstufen. Typisch für das Mesolithikum sind die ›Mikrolithen‹, das sind kleine bearbeitete Feuersteine. Sie treten in Massen auf und bilden oft regelrechte ›Silexrasen‹ im Freiland, auf sandigen Anhöhen über Flüssen und Seen, aber auch unter Felsüberhängen. Trotz der Fülle dieses Materials ist über die mesolithischen Kulturen zwischen dem 10. und 5. Jahrtausend v. Chr. nur wenig bekannt. Ihre innere Entwicklung sowie ihr Verhältnis zum vorausgehenden Endpaläolithikum und zum folgenden Neolithikum können nur an isolierten Plätzen und nur ganz vereinzelt stratigraphisch belegt werden.

In der *Jägerhaus-Höhle,* nahe Beuron im Donautal, zeigten sich in einem Profil zehn scharf getrennte mesolithische und fünf jüngere Kulturschichten. Rund 6500 Klingen oder Abschläge aus Feuerstein, teils

Abfälle, teils fertige Geräte zum Schneiden, Schaben und Bohren ließen sich zu fünf in sich einheitlichen Materialhorizonten ordnen. Zuunterst lag ein mit spätpaläolithischen Formen vermischtes Frühmesolithikum, dann folgten drei rein frühmesolithische Schichten und ein Spätmesolithikum, das sich durch besonders regelmäßige Klingen in Trapezform auszeichnete (Abb. 16). Im Spätmesolithikum, das anderwärts auch durch grobgerätige Feuersteinmanufakturen mit plumpen Kernbeilen gekennzeichnet ist, kommt es zu einer Ausweitung der Jagd- und Sammelareale bis in die Alpentäler und in die Mittelgebirge, auch Norddeutschland wird allmählich begangen.

Die kleinen Mikrolithen von geometrischer Form und höchstens drei Zentimeter Länge haben als Pfeilspitzen oder als Einsätze für Harpunenspitzen gedient. Sie sind wichtiger Besitz dieser Jäger, die vom Fischfang und der Jagd auf Hoch- und Niederwild sowie Großvögel gelebt haben. Von den Jahreszeiten abhängig, wechselten sie wahrscheinlich innerhalb fest abgegrenzter Jagdgründe. Die Tierknochen aus der Jägerhaus-Höhle im Donautal belegen einen reichen nacheiszeitlichen Wildbestand: Auerhuhn und Waldschnepfe, Rothirsch, Reh, Wildschwein und Braunbär, Gemse und Hase wurden gejagt.

Während sich in der Jägerhaus-Höhle in der Vermischung von spätpaläolithischen und frühmesolithischen Gerätschaften ein kontinuierlicher Übergang von der Alt- zur Mittelsteinzeit abzeichnet, sind die Verhältnisse am Ende dieser Periode unklar. Nirgendwo können zwischen Mittelsteinzeit und dem zeitlich folgenden Altneolithikum örtliche oder kulturelle Traditionen nachgewiesen werden. Sicher scheint, daß in Rückzugsgebieten, abseits der fruchtbaren Böden, noch während der älteren Jungsteinzeit mesolithische Gruppen räumlich und zivilisatorisch isoliert weiterbestanden und auf einer wildbeuterischen Wirtschaftsstufe mit Jagd und Sammlertum verharrten.

17 Phasengliederung der Jungsteinzeit

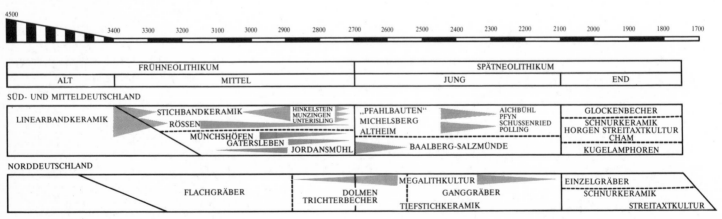

| 4500 | 3400 | 3300 | 3200 | 3100 | 3000 | 2900 | 2800 | 2700 | 2600 | 2500 | 2400 | 2300 | 2200 | 2100 | 2000 | 1900 | 1800 | 1700 |

FRÜHNEOLITHIKUM		SPÄTNEOLITHIKUM	
ALT	MITTEL	JUNG	END

SÜD- UND MITTELDEUTSCHLAND

LINEARBANDKERAMIK — STICHBANDKERAMIK — RÖSSEN — HINKELSTEIN MUNZINGEN UNTERISLING — MÜNCHSHÖFEN GATERSLEBEN — JORDANSMÜHL — „PFAHLBAUTEN" MICHELSBERG ALTHEIM — BAALBERG-SALZMÜNDE — AICHBÜHL PFYN SCHUSSENRIED POLLING — GLOCKENBECHER — SCHNURKERAMIK HORGEN STREITAXTKULTUR CHAM — KUGELAMPHOREN

NORDDEUTSCHLAND

FLACHGRÄBER — DOLMEN TRICHTERBECHER — MEGALITHKULTUR GANGGRÄBER TIEFSTICHKERAMIK — EINZELGRÄBER SCHNURKERAMIK STREITAXTKULTUR

Einen entscheidenden Kulturwandel verursachte das Auftreten bäuerlicher Bevölkerungen in Mitteleuropa. Im Gegensatz zum Jäger- und Sammlertum der Alt- und Mittelsteinzeit war die Lebensgrundlage des Neolithikums Feldbau und Viehhaltung. Seßhaftigkeit und Vorratswirtschaft, regelhafter Hausbau und neue handwerkliche Fertigkeiten prägen diese erste Ackerbauern-Kultur; dörfliche Gemeinschaften auf der Grundlage verwandtschaftlicher Beziehungen waren die wesentliche wirtschaftliche und soziale Organisationsform. Töpferei, Weberei sowie geschliffene Geräte und Waffen aus Felsgestein zählen zu den wichtigsten Errungenschaften dieser bäuerlichen Bevölkerung. Die technischen und ökonomischen Neuerungen des Neolithikums haben ihre Wurzeln in Vorderasien, von wo sie über den südosteuropäischen Raum allmählich nach Nordwesten vordrangen. Wie hoch in Palästina diese Kultur bereits entwickelt war, zeigen die Ausgrabungen der Stadt *Jericho*.

Der abrupte Wandel gegenüber den mesolithischen Verhältnissen erscheint nur in der archäologischen Schematisierung als plötzliches Ereignis. Die altneolithische Kolonisation wird in Wirklichkeit von Generationen vorangetrieben worden sein. Nach dem Gesamtvergleich der europäischen Fundkomplexe zwischen dem oberen Donauraum und Nordwestdeutschland kommt für ihre Anfänge schon die zweite Hälfte des 5. Jahrtausends in Betracht.

Die räumliche und zeitliche Ordnung der neolithischen Funde zu Gruppen basiert fast ausschließlich auf der typologischen Klassifizierung der Keramik, wobei oft Fundortnamen ›Kulturen‹ bezeichnen. Der Zusatz ›Kultur‹ darf allerdings in den meisten Fällen nicht wörtlich genommen werden, da er sich als deskriptiver Ordnungsfaktor auf Keramikgruppen bezieht und nichts über die zivilisatorischen Eigenarten und ethnischen Gegebenheiten prähistorischer Wirklichkeit aussagt. Trotz aller methodischen und terminologischen Schwierigkeiten in der Bewältigung des beinahe unübersehbaren Materials können für Süddeutschland die vier Leithorizonte Alt-, Mittel-, Jung- und Endneolithikum herausgestellt und hinreichend mit der Entwicklung im Nordischen Kreis parallelisiert werden. Die Ordnungskriterien beziehen sich hauptsächlich auf den Sachbesitz, schließen aber auch archäologisch relevante Verhaltensweisen mit ein. In der neolithischen Periodenfolge spiegelt sich keine kontinuierliche Entwicklung agrarischer Kultur wider. Landausbau, Handel und Wandel und schließlich der Zuzug fremder Gruppen führten mehrmals zu einschneidenden Veränderungen der bäuerlichen Gesellschaft in Mitteleuropa. Gemeinsame Komponenten binden Alt- und Mittelneolithikum sowie Jung- und Endneolithikum enger aneinander, wobei das Spät- gegenüber dem Frühneolithikum bereits kupferführend ist und allmählich zu den Metallzeiten überleitet (Abb. 17).

Frühe Ackerbauern

Die Jungsteinzeit

Das Frühneolithikum

Am Anfang der Jahrtausende während jungsteinzeitlichen Entwicklung steht die altneolithische *Linearbandkeramik,* benannt nach den spiraligen, winkeligen oder mäanderartigen Schnittmustern mit weißer, manchmal auch roter Inkrustierung auf den meist kugeligen und flaschenförmigen Gefäßen. Diese Gruppe ist in ziemlich einheitlicher Ausprägung der sachlichen Hinterlassenschaft von der Donau über Süddeutschland bis nach Ostfrankreich, in Mähren und Böhmen sowie in Mitteldeutschland verbreitet (Abb. 17). Beim Feuersteingerät – Schaber, Kratzer und Klingen – werden mesolithische Abschlagtechniken fortgeführt, doch ist die Mehrzahl der Formen neuartig. Bezeichnend sind schmale Silexklingen mit einseitiger Lackpatina, die ursprünglich als Schneiden in Sicheln aus Holz oder Knochen eingesetzt waren und für viele Siedlungsstellen einen verläßlichen Hinweis auf bäuerliche Wirtschaft geben (Abb. 18). Das Großgerät, Beile, Querhacken und sogenannte Schuhleistenkeile, verrät seine südosteuropäische Herkunft, wiewohl die spezielle Funktion der Werkzeuge aus geschliffenem Felsgestein meist unbekannt ist. In der Hauptsache wird es sich um Mehrzweckgeräte gehandelt haben. Eindeutig Waffen sind Feuersteinpfeilspitzen und flachrunde steinerne Keulenköpfe mit Mittelloch (Abb. 19). Die Produktion der Geräte und Waffen setzt die Kenntnis bestimmter Gesteinsarten voraus, vor allem aber die Beherrschung der Steinbohr- und Steinschlifftechnik. Chronologisch besitzen die Werkzeuge wenig Aussagekraft, da sie beinahe unverändert bis ans Ende des Frühneolithikums in Verwendung waren. Demgegenüber läßt sich mittels der keramischen Stilformen die linearbandkeramische Siedlungsausweitung in zeitlich-geographischem Gefälle belegen. Tonware der ältesten Schicht ist in Gebieten mit optimalem Klima und hervorragender Bodengüte konzentriert, so im Gäuboden des Donautals, am mittleren Main, in den Lößgebieten Mitteldeutschlands, an Neckar und Rhein. Erst die jüngsten Formen dringen in weniger begünstigte Landschaften vor.

Tongefäße und Werkzeuge sind nur repräsentative Zeugnisse des Sachbesitzes der ›Bandkeramiker‹. Den Zivilisationsstand ihrer ehemaligen Besitzer bestimmen jedoch mehr noch die Feldwirtschaft und der Hausbau, Viehhaltung und Vorratswirtschaft. Als geschlossenes Ganzes kann dieser Funktionskomplex nur von Kolonisten ins Land gebracht worden sein, obwohl neuerdings auch vorneolithischer Getreideanbau postuliert wird. Die frühen Feldbauern paßten sich den ökologischen Gegebenheiten an und siedelten zuerst auf lichter bestockten Lößböden entlang der großen Flußsysteme in einer von Eichenmischwäldern geprägten Landschaft. Auch die Übergangszonen zwischen dichter bewal-

18   *Rekonstruktion einer Sichel der älteren Jungsteinzeit.
Die kleinen Feuersteinklingen sind in das Holz eingelassen.
Linearbandkeramische Tongefäße der frühesten Ackerbauern
aus einer Siedlung bei Wallersdorf, Kr. Dingolfing–Landau,
Höhe des größten Gefäßes 25 cm. Auffällig sind die an
ausgehöhlte Kürbisse erinnernden Formen ohne Standboden
und die vor dem Brand eingeritzten oder manchmal auch
eingestochenen kurvolinearen Ornamente. 5. bis 4. Jahrtausend
v. Chr. Prähistorische Staatssammlung, München*

deten und offenen Landstrichen, meist trockene Talterrassen im Bereich eines Quellhorizontes, wurden besiedelt, da sie sowohl für Ackerbau und Viehweide als auch für die Waldwirtschaft vorteilhaft waren. Der Haustierbestand, Rind, Schwein, Schaf, Ziege und Hund – das Pferd war noch nicht domestiziert – war aus den Stammländern mitgebracht worden. Die Haustiere deckten überwiegend den Eiweißbedarf; Wildknochen in den Siedlungen haben an der Gesamtmenge von Tierresten nur einen Anteil von 10 bis 20 Prozent. Zum Anbau kamen ebenfalls aus Südosteuropa oder Vorderasien eingeführte Kulturpflanzen: Einkorn, Emmer, verschiedene Weizenarten, Gerste, Hirse und einige Küchengewächse, später auch Hülsenfrüchte wie Bohnen, Erbsen und Linsen. Außerdem war Flachs bekannt, der wie die Wolle textil verarbeitet wurde. Das Saatgut wurde in einfachen Gruben aufbewahrt; große Tongefäße enthielten den Nahrungsvorrat für den täglichen Bedarf. Beispielhaft kann auf den Tontopf aus einer Siedlung in Stuttgart-Zuffenhausen hingewiesen werden, der entschälte, gekochte Ackerbohnen, ölhaltigen Leinsamen, Haselnüsse und geröstetes Sauerbrot enthielt.

Insgesamt zeichnet sich eine bäuerliche Mischwirtschaft ab, in der die Viehhaltung nebenbei betrieben wurde. Sie ist ohne feste Siedlung nicht denkbar. In das Regelbild altneolithischer Siedlungen – aus Böhmen, Mittel- und Nordwestdeutschland sind sie in größerer Zahl bekannt – fügt sich ein Dorf von ›Bandkeramikern‹ bei *Hienheim* im Landkreis Kelheim an der Donau ein. Seine Lage ist exemplarisch. Die neolithische Siedlung stand am Rand der ziemlich ebenen Lößterrasse unmittelbar vor dem 12 Meter tiefen Abfall in die Talaue der Donau. Nachgewiesen sind mindestens zehn rechteckige Pfostenhäuser mit Wänden aus Flechtwerk und weiß getünchtem Lehmbewurf. Neben Kleinbauten bestanden Langhäuser mit Dachfirstkonstruktion und mehrfach unterteilten Innenräumen. Die bis zu 30 Meter langen und 6 Meter breiten Gebäude waren entsprechend der Hauptwindrichtung giebelseitig nordwest-südost orientiert, wobei der nordwestlichen Giebelseite als zusätzlicher Wetterschutz eine Wand vorgeblendet war (Abb. 27).

Die Langhäuser im Dorfverband, in denen nach ethnologischen Analogien wahrscheinlich Großfamilien wohnten, setzten eine wohlorganisierte Gesellschaft voraus, die planvolle Gemeinschaftsleistungen ermöglichte. Ob übergreifende, vielleicht Kleinlandschaften umfassende Ordnungskriterien wirksam waren, bleibt ungewiß. Die Selbstversorgung und Seßhaftigkeit bewirkten sicher eine bestimmte Isolierung der autarken Dorfgemeinschaften in den dünn besiedelten Gebieten, wofür die Langlebigkeit der Werkzeugformen sprechen könnte. Demgegenüber weisen Spondylus-Schnecken sowie Werkzeuge und Waffen aus ortsfremden Gesteinen auf einen kontaktfördernden Handel hin.

Mit der donauländisch geprägten Bandkeramik treten auch erstmals

19 Frühneolithische Großgeräte aus poliertem Felsgestein. Links zwei ›Schuhleistenkeile‹ mit asymmetrischer Schneide und Schaftloch von unbekanntem Fundort und aus Coburg in Oberfranken, Länge 34 cm. Wie die danebenliegende Querhacke aus Halberstadt (Bez. Magdeburg) waren die ›Schuhleistenkeile‹ Teile von Ackerbaugeräten, während schwere Steinäxte zum Roden benutzt wurden. Die durchbohrte und geschliffene, leicht ovale Steinscheibe aus Zirkow, Bez. Rostock, ist ein Keulenkopf. 5. bis 4. Jahrtausend v. Chr. Germanisches Nationalmuseum, Nürnberg.
Steinschliff und Steinbohrung sind neben der Töpferei und Weberei wesentliche technische Errungenschaften der Jungsteinzeit. Das Werkstück aus Felsgestein wurde aus einem Rohling herausgepickt und in einer Steinwanne aus Granit unter Zusatz von Gesteinsmehl und Wasser in die gewünschte Form geschliffen. Die Bohrung geschah mit Hilfe eines Drillbohrers aus Holz unter Zusatz von Quarzitsand und Wasser.

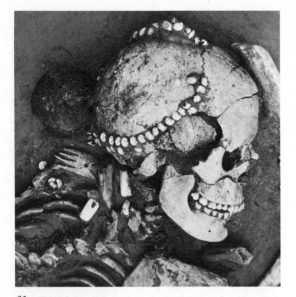

20

21

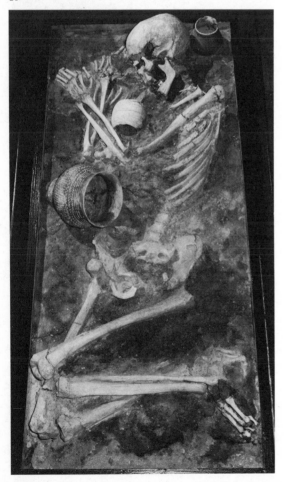

reguläre Bestattungen auf. Ihre Verteilung im neolithischen Siedlungs-
gebiet ist allerdings eigenartig unausgeglichen. Aufschlüsse geben andeutungsweise Gräber aus *Sengkofen* südlich von Regensburg. In länglich-
ovalen Grabgruben lagen die Toten in Hockstellung ost-west orientiert
jeweils auf der linken Seite. Die Beine waren unterschiedlich stark ange-
zogen, die Arme lagen angewinkelt vor der Brust, so daß das Kinn auf
den Händen ruhte. Als Beigaben fanden sich in der Kopfgegend Gefäße;
Waffen und Gerätschaften – meist Schuhleistenkeile und Pfeilspitzen –
waren in der Beckengegend oder im Bereich der Unterschenkel niedergelegt. Auffällig ist der Schmuck mit Spondylus- und einheimischen
Donauschnecken, die zu Ketten oder, in einem Fall, zu einem Kopfschmuck verarbeitet waren, den ein Knochenkamm mit ehemals fünf
Zacken im Nacken hielt (Abb. 20). Ein Viertel der in Sengkofen aufgedeckten Gräber war beigabenlos. Dieser Befund könnte andeuten, daß
die regelhaften Bestattungen und ihre Ausstattung mit Beigaben möglicherweise überhaupt erst im Laufe des Altneolithikums allmählich zur
Norm wurde. Eine eigenartige Rolle spielen Rötel oder rotfärbender
eisenhaltiger Lehm in vielen Friedhöfen. Manchmal in feintonigen Gefäßen beigegeben, manchmal um das Hinterhaupt des Toten gepackt, hat
er sicher denselben Bedeutungsinhalt wie in den endpaläolithischen
Schädelbestattungen, nämlich die Sicherung der Lebenskraft über den
Tod hinaus. Die manchmal festgestellte Mitgabe von Mahl- und Reibsteinen verweist aber eindeutig auf die im Pflanzertum verwurzelten
Jenseitsvorstellungen.

Bandkeramische Traditionen sind im Mittelneolithikum z. T. noch
voll wirksam. Wirtschaftsform, Gerätschaften, Totenritual und andere
archäologisch nachweisbare Verhaltensweisen der sogenannten Nach-
folgekulturen haben ihre Entsprechungen in der vorhergehenden Periode. Unterscheidende Kriterien sind regional differenzierte Tongefäßformen und ihre Verzierung.

Die *Stichbandkeramik* mit rundbödigen und flaschenförmigen Gefäß-
konturen und weiß inkrustierten geometrisch konzipierten Flächenmu-
stern tritt überall im Gebiet der früheren Linearbandkeramik auf. Lokale
Gruppen dieser Keramikfazies sind kaum schärfer einzugrenzen, noch
weniger ist eine chronologische Schichtung konstatierbar. Die *Hinkelstein*-Gruppe in Rheinhessen, *Munzingen* und *Unterisling* in Bayern
spiegeln ornamentale Spielarten des Spektrums keramischer Gestaltung
in regionaler Konzentration wider (Abb. 17).

Die *Rössener* Gruppe ist in Mitteldeutschland und in verschiedenen
Varianten auch in Süd- und Westdeutschland verbreitet und hat mit der
Stichbandkeramik die Ornamenteigenart der weiß gefüllten Strichmuster gemeinsam. In der Form sind die Rössener Gefäße schärfer profiliert
und die Standböden meist abgesetzt (Abb. 21). Rössen und Stichbandke-

ramik mit ihren diversen Lokalprägungen überschneiden sich teilweise in ihrer Gesamtverbreitung. Kulturmorphologische Unterschiede zwischen den keramischen Gruppen sind jedoch kaum festzustellen.

Daneben bestehen Formenprovinzen, die im Mittelneolithikum neu auftreten und fremdartig wirken. Im südöstlichen Bayern ist es die *Münchshöfener* Gruppe mit ihren festen Standböden, geknickten Profilen und Schalen mit hohem zylindrischen Hohlfuß, die eindeutige Beziehungen mit der Lengyel-Kultur des nordwestlichen Balkans aufweist (Abb. 22). Auch in Mitteldeutschland wird dieser südöstliche Einfluß mit der durch ›Bauchknicktöpfe‹ gekennzeichneten *Gaterslebener* Gruppe faßbar, genauso wie in der schlesisch-böhmischen *Jordansmühler* Gruppe, deren Formen entfernte Affinitäten zur Münchshöfener Gruppe aufweisen (Abb. 17).

TOTENRITUAL UND MENSCHENOPFER

Das Jungneolithikum

Die süddeutsche *Altheimer*- und die vornehmlich rheinische *Michelsberg*-Kultur mit ihren Nachbargruppen (*Bodensee*- oder *Pfyner*-, die mitteldeutsch-böhmisch-mährische *Baalberg-Salzmünder* Gruppe u.a.) sind Vertreter einer im wesentlichen durch Keramikformen, gruppenspezifische Stein- und Knochengeräte sowie Grabarten und Verhaltensweisen umschriebenen nordalpinen Kulturprovinz. Verbindendes Moment zum Mittelneolithikum ist die Tendenz zur Ausweitung und Umbildung der Siedlungsareale. Die Einfuhr von Kupferprodukten, der bergmännische Abbau und Handel mit Feuerstein sowie die Veränderungen in der Siedeltechnik bezeichnen hingegen eine klare Zäsur zwischen Früh- und Spätneolithikum (Abb. 17). Während die Wirtschaft in den ›Altsiedellandschaften‹ mit Löß- und verwandten Böden hauptsächlich in frühneolithischer Tradition steht, zeigt sich in den jungneolithischen Ausbaugebieten ein Überwiegen der jägerischen Komponente. In den Ufer-, Insel-, Moor- und Höhensiedlungen fällt ein Übergewicht an Jagdwild gegenüber den Haustierresten auf. Die Ursachen dieser Erscheinung müssen ökonomischer oder gesellschaftlicher Art sein. Möglicherweise treten in den für Feldbau wenig geeigneten Arealen mesolithische Bevölkerungsgruppen archäologisch in Erscheinung, die sich nur teilweise den bäuerlich-neolithischen Wirtschafts- und Lebensweisen angepaßt haben.

Ein relativ geschlossenes, weitgehend mit dem der älteren Münchshöfener Kultur deckungsgleiches Territorium nimmt die *Altheimer* Gruppe ein. Der allgemeinen jungneolithischen Tendenz folgend, finden sich in den keramischen Hauptformen u.a. schlichte grobwandige Schüsseln und Trichtertöpfe mit Fingertupfenleisten sowie feintonige Ösengefäße.

22 *Tongefäße der mittelneolithischen Münchshofener Gruppe von verschiedenen Fundorten in Südostbayern. 4. bis 3. Jahrtausend v. Chr.*
Neben einfacher unverzierter ›Haushaltsware‹ fallen fein geschlemmte und mit geometrischen Strich- und Punktornamenten verzierte Gefäße mit hohem und hohlem Standfuß auf, die formale Zusammenhänge mit entwickelteren jungsteinzeitlichen Gruppen in Südosteuropa belegen. Prähistorische Staatssammlung, München

20 *(Linke Seite) Detailaufnahme einer Hockerbestattung aus dem bandkeramischen Friedhof von Sengkofen bei Regensburg, Bayern. 4. Jahrtausend v. Chr.*
Am Schädel der in linksseitiger Hocklage bestatteten Frau Schmuckbänder aus Süßwasserschneckengehäusen und am Hinterhaupt ein Kamm aus Knochen.
Museum der Stadt Regensburg

21 *(Linke Seite) Mittelneolithisches Hockergrab aus dem namengebenden Gräberfeld von Rössen, Bez. Halle. 4. bis 3. Jahrtausend v. Chr.*
Der relativ großwüchsige Mann wurde in rechtsseitiger Hocklage mit angewinkelten Armen und Beinen bestattet, wobei das Überkreuzen der Unterarme bzw. Unterschenkel auf rituelle Fesselung hinweisen könnte. Der Tote trug am rechten Oberarm einen breiten Reif aus Knochen. Zwei Tongefäße typisch ›Rössener Form‹ mit scharfen Profilen und Kornstichmustern zur Aufbewahrung von Speise und Trank waren beigegeben. Germanisches Nationalmuseum, Nürnberg

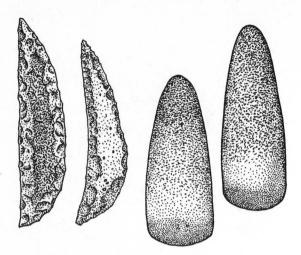

23 *Jungneolithische Walzenbeile Altheimer Art. Die Stein-*
beile sind aus dem Rohling herausgepickt und nur an den
Schneiden geschliffen und poliert. Gefunden im namengeben-
den ›Erdwerk‹ von Altheim bei Landshut in Niederbayern,
Länge 15 cm.
Sicheln Altheimer Art aus Plattenhornstein (Feuerstein) von
verschiedenen Fundorten in Südbayern. Die aus einem Stück
gefertigten Geräte waren ursprünglich mittels einer Klebemasse
(Harz, Pech) im Sichelholz geschäftet. Die Rinde des
Plattensilex wurde nur soweit als nötig entfernt, die Schneiden
zeigen häufig eine lackglänzende Arbeitspatina, Länge ca.
16 cm. 3. Jahrtausend v. Chr. (Nach Torbrügge-Uenze)

24 *Geräte aus jungneolithischen Uferrandsiedlungen in der*
Schweiz (›Pfahlbausiedlungen‹). Mitte 3. Jahrtausend v. Chr.
Abbildung oben: hölzerner Schöpfer. Abbildung rechts:
Links oben: Angelhaken aus Horn und eine Feuersteinklinge
mit anhaftenden Harzresten der Schäftung, Neuenburger See;
links unten zwei spitznackige Steinbeile westlicher Form aus
der Westschweiz. Daneben ein Steinbeil mit originalem Zwi-
schenfutter aus Hirschgeweih, das in das Knieholz des Schaftes
eingezapft wurde, und zwei Knochenahlen aus Schaffis im
Aargau. Rechts außen ein Knochenpfriem und ein kleiner
Dolch aus Holz, Länge 10 cm, von Robenhausen, Kt. Zürich.
Von den Pfeilspitzen verschiedener Form aus Feuerstein und
dem Spinnwirtel aus gebranntem Ton sind die genauen
Fundorte nicht bekannt. Germanisches Nationalmuseum,
Nürnberg

Kupfer ist selten; vereinzelt kommen Pfrieme und Flachbeile vor, die nach dem Vorbild von Metallwerkzeugen in Felsgestein imitiert wurden. Nach Metallvorbildern sind auch die Knaufhammeräxte angefertigt (Farbtafel 2 Mitte). Typische Altheimer Formen stellen Messer und kurze Sicheln aus Plattensilex und die ›gepickten‹ spitznackigen Felsgesteinbeile dar (Abb. 23).

Für die *Michelsberg*-Kultur, die bis in das Bodenseegebiet, in die Flußsysteme von Neckar und Main und nach Mitteldeutschland ausgreift, gelten Tulpenbecher und Flaschen mit Ösenkranz als Leitformen. Große Tonplatten aus dem hauswirtschaftlichen Bereich und Hammeräxte sind ebenfalls typisch. Im Bodenseegebiet vermischen sich die Formen und Bestände mit der *Pfyner* Gruppe, die sich durch reichliches Zusatzgerät südwesteuropäischer Technik auszeichnet. Markant sind Zwischenfutter aus Geweihstücken zum Einsetzen kleinerer Steinbeile (Abb. 24).

Wie die Pfyner Gruppe stammen auch die Materialien vom Typus *Polling* und *Schussenried* aus Uferrandsiedlungen, deren spezieller Habitus in den Gesamtinventaren archäologisch faßbar wird. Schussenried und mit dem eponymen Ort das ganze Federseegebiet liegen im Einzugsbereich der Michelsberger Kultur, während Polling gleichsam im Niemandsland zwischen Michelsberger und Altheimer Gruppe plaziert ist. Die isolierte Stellung findet ihren Ausdruck in den textilhaften Schnittmustern der feintonigen Irdenware.

Für die fälschlicherweise oft als ›Pfahlbaudörfer‹ rekonstruierten Uferrandsiedlungen im südwestdeutschen Seen- und Moorgebiet sind

die Verhältnisse am Federsee exemplarisch. Die ehedem 10 Kilometer lange und 5 Kilometer breite Wasserfläche in einem Moränenbecken ist bis auf einen geringen Rest verlandet. Das wild- und fischreiche Revier war vom Endpaläolithikum bis ins Mesolithikum besiedelt. Band- und stichbandkeramische Funde aus vorwiegend agrarisch bestimmten Gruppen fehlen bezeichnenderweise. Über zwölf mittel- und jungneolithische Siedlungsplätze konzentrieren sich hingegen am nördlichen und südwestlichen Seeufer, von denen zwei – *Aichbühl* und *Riedschachen* – vollständig ausgegraben sind. Die Untersuchungen ergaben, daß Riedschachen I noch im Mittelneolithikum mit fünf Häusern von einer Palisade geschützt auf einer kiesigen Anhöhe 50 Meter westlich von Aichbühl erbaut wurde. Unmengen von Wild- und Fischresten belegen eine starke jägerische Komponente im sonst bäuerlich geprägten Milieu mit Getreideanbau und Haustierhaltung. Im nahen Aichbühl konnten sogar 25 Bauten aufgedeckt werden, die eng verschachtelt in vier Zeilen an einem alten Arm des Federsees aufgereiht waren (Abb. 25). Die offenen, bohlenbelegten Vorplätze der Häuser waren streckenweise durch Prügelwege miteinander verbunden. Viele Gebäude hatten einen kleinen Vorraum mit Backofen und ein größeres Hinterzimmer mit offener Herdstelle. Einräumige Bauten dienten Wirtschaftszwecken oder besonderen Gemeinschaftsfunktionen. Den besten Einblick in den Hausbau vermoorter See- und Flußufersiedlungen bietet allerdings das neolithische Dorf bei *Ehrenstein* in einem moorigen Tal der Schwäbischen Alb, wo sich im torfigen Boden das Pfahlwerk bis zu einem Meter aufgehend erhalten hat. Der Ort ist durch Keramik Schussenrieder und Michelsberger Art eindeutig in das Jungneolithikum datiert (Abb. 26).

Eine Ausweitung des Wirtschaftsareales im Jungneolithikum deutet sich auch im Aufsuchen von Höhenplätzen mit Dauersiedlungen an. Ackerbau war in diesen Lagen nicht mehr möglich, und so muß eine spezialisierte Viehwirtschaft angenommen werden, die ihren Beweis in dem extrem hohen Anteil von bis zu 99 Prozent an Haustierresten – Rind, Schwein, Schaf, Ziege und Hund – im osteologischen Material findet. Im Massenvergleich wird deutlich, daß im Jungneolithikum eine Siedlungserweiterung stattgefunden hat. Auf den fruchtbaren Böden wird Ackerbau betrieben, in Höhenlagen dominiert offensichtlich spezialisierte Weidewirtschaft, und in den Uferrandsiedlungen scheint eine jägerisch-bäuerliche Mischkultur die ökologischen Gegebenheiten zu nutzen.

Hand in Hand mit der Differenzierung der ökonomischen Grundlage veränderten sich zwangsläufig die Baumuster von Haus und Hof. Die sogenannten ›Pfahlbaudörfer‹ unterscheiden sich in der Anlage der Bauten und in den Siedlungsgemeinschaften deutlich von den altneolithischen, anders wirtschaftenden Dörfern der ›Bandkeramiker‹. Sie vertre-

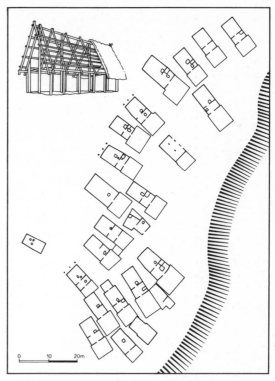

25 Schematischer Grundrißplan des Moordorfes Aichbühl am Federsee in Baden-Württemberg (unten). 3. Jahrtausend v. Chr. Rekonstruktionsvorschlag zum Hausbau in derselben jungneolithischen Siedlung (oben). (Nach R. R. Schmidt)

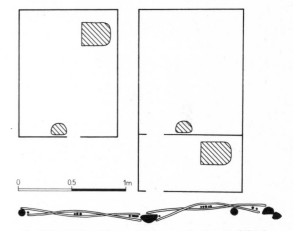

26 Schematisierte Hausgrundrisse aus dem jungneolithischen Dorf bei Ehrenstein, Kr. Ulm (Baden-Württemberg) mit Schema der Spaltbohlenwand und der Flechtwände im Aufriß. Größte Länge des rechten Hauses etwa 7,5 Meter. Die Spaltbohlenwand besteht aus keilförmigen Bohlen von bis zu 20 cm Breite und 4 bis 5 cm Rückenstärke, die schuppenförmig aneinandergestellt sind. Die Flechtwände gehen von stärkeren Tragepfosten aus und werden mit Überkreuzungen von senkrechten Ruten und Spaltbohlen gehalten. (Nach Zürn)

27 Schematische Rekonstruktion von Haustypen des Neolithikums in Süddeutschland. (a) Langhaus der altneolithischen Linearbandkeramik; (b) Rechteckhaus der mittelneolithischen Rössener Gruppe; (c) Haus der jungneolithischen Michelsberger Kultur und (d) Haustyp der endneolithischen Phase. (Nach R. A. Maier)

ten das ebenerdige, rechteckige Einraumhaus mit symmetrischem Aufbau und Firstdach. Mit 20 bis 90 Quadratmeter Grundfläche ist der Raum gegenüber den altneolithischen Langhäusern beträchtlich reduziert, eine Erscheinung, die auch in den bäuerlichen und weidewirtschaftlich geprägten Siedlungsarealen des Mittel- und Jungneolithikums in Süd- und Westdeutschland allgemein festzustellen ist. Die Verkleinerung der Wohneinheiten deutet schematisch eine Veränderung der Sozialstruktur an, die im einzelnen nicht zu klären ist, aber eine Individualisierungstendenz innerhalb der Dorfgemeinschaft indiziert (Abb. 27).

Vom Niederrhein bis nach Südostbayern sind Michelsberger und Altheimer ›Erdwerke‹ nachgewiesen. Es handelt sich um Anlagen mit ein- bis dreifachen Grabenringen von unterschiedlicher Form und Größe. Die meterbreiten und -tiefen Sohlgräben, zu denen man sich palisadenbewehrte Wälle denken muß, haben oft einen Durchmesser von bis zu 600 mal 400 Metern (Abb. 28). Häufig führen breite Rampen über die Gräben in den Innenraum, so daß zusammen mit der uneinheitlich topographischen Lage eine fortifikatorische Funktion der Erdwerke wenigstens stellenweise auszuschließen ist. Auch die Interpretation als ›Viehkrale‹ oder Versammlungsplätze scheint wenig zutreffend, da der Arbeitsaufwand in keinem Verhältnis zum Zweck steht. Die jungneolithischen Großanlagen werden vielmehr eine Mehrfachfunktion gehabt haben, in der rationale und irrationale Motivationen gleichwertig wirksam wurden. Wahrscheinlich sind die Erdwerke umfriedete Kultareale, denn sicher nicht in profanen Zusammenhängen ist die funerale Nutzung der Gräben zu sehen, in denen sich häufig irreguläre Bestattungen finden, die den Anschein von ›Massengräbern‹ erwecken. Und dies um so mehr, als ›normale‹ Gräber aus dem Jungneolithikum kaum bekannt sind (Abb. 28).

Regelhafte Gräber mit einer besonderen Ausstattung basieren auf der Idee, daß das Leben nur einen Abschnitt der menschlichen Gesamtexistenz darstellt. Diese Vorstellung findet ihren Ausdruck im Totenbrauchtum und speziell in der Beigabensitte. Häufig werden dabei die äußeren Lebensumstände auf die Jenseitsvorstellungen projiziert. Die relativ einheitlichen Grabsitten der ›Bandkeramiker‹ mit ihren Hockergräbern, Schmuck-, Waffen- und Gefäßbeigaben werden im Mittelneolithikum noch von den Gruppen mit Stichband- und Rössener Keramik weitergeführt, obgleich allgemein gültige Aussagen wegen der unvollständigen Gräberstatistik nicht möglich sind. Es scheint eigene Friedhofareale zu geben, zugleich aber sind Gräber in den Siedlungen – vielleicht Hausbestattungen in ostmediterraner Tradition – nachgewiesen. Neben der regulären Körperbestattung treten geographisch isoliert auch Brandgräber bei den Nachfolgegruppen der ›Bandkeramiker‹ auf.

In der Spätphase der Rössener Kultur wird mit den sogenannten Katakombengräbern eine Auflösung der Grabsitten erkennbar, deren Ursache bis jetzt nicht geklärt ist. Die Toten sind, meist zu mehreren, scheinbar pietätlos in einem engen Erdschacht gezwängt vergraben. Die obskuren Tendenzen im Totenbrauchtum steigern sich im Jungneolithikum, in dem sich zudem die Rituale auf unkenntliche Art und Weise zu vermischen scheinen. Höhlen und Grotten werden als Begräbnisstätten benutzt. Sonderbestattungen kommen vor, so in einem Grabenstück des Erdwerks von Ladenburg, in dem zwei Tote bäuchlings mit verschränkten Beinen niedergelegt waren, wobei dem einen der Kopf fehlte. Daß es sich um eine Bestattung handelt, zeigen zwei beigegebene Gefäße Rössener Art. Ähnlich eigenartig nehmen sich die jungneolithischen Bestattungen in Gräben der Michelsberger und Altheimer Erdwerke aus. Die regellos vergrabenen Skelette befinden sich häufig nicht mehr im Verband. In vielen Fällen zeigen die Knochen Schnittspuren, oder die Röhrenknochen sind aufgeschlagen, damit das Mark ausgesaugt werden konnte. Das Ineinandergehen von Opfer- und Totenritual ist offensichtlich. Brandschichten weisen auf Menschenfressermahlzeiten hin.

Eindringlich ist kultische Anthropophagie in der *Jungfernhöhle bei Tiefenellern* im Landkreis Bamberg auf dem nördlichen Ende der Fränkischen Alb bezeugt. Ein unbewohnbarer, düsterer, schräg nach unten führender Höhlenschacht tut sich durch einen Felsabbruch plötzlich auf (Abb. 29). In diesem Schlund, der in der Vorstellung neolithischer Menschen möglicherweise den geheimnisvollen Zugang in den Schoß der

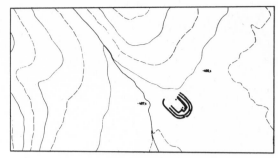

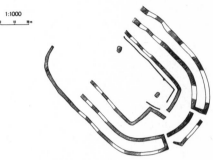

1:1000

28   Topographische Situation und schematisiertes Grabensystem des jungneolithischen Erdwerkes von Altheim auf der Hochterrasse der Isar bei Landshut in Niederbayern mit dreifachem Grabenring und breiten Zugangsrampen. (Nach R. A. Maier)

29   Vorplatz und Eingang der Jungfernhöhle bei Tiefenellern in Oberfranken

Erde darstellte, wurden die Überbleibsel und Gerätschaften mörderischer Feste gefunden: Opfer- und Speisegeräte aus Knochen, Steinwerkzeuge und Tongeschirr und schließlich Leichenteile, die den unterirdischen Gewalten als Nahrung zugedacht waren. Auf dem Platz vor der Höhle sind im Laufe der Jahrhunderte mindestens 38 Menschen getötet, zerlegt und verspeist worden. Vor allem Kinder und Jugendliche weiblichen Geschlechts. Das Bild eines agrarischen Fruchtbarkeitskultes läßt sich erahnen. Kinder und Jungfrauen wurden als höchster Preis unter schauerlichen Begleitumständen den Kräften der Erde zur Existenzsicherung der Lebenden geopfert. Nachdenklich stimmen der Name des Platzes und eine lokale Sage von einer herumgeisternden Jungfrau ohne Kopf. Es ist, als ob das in grauer Vorzeit grausig Geschehene in Spuren bis auf den heutigen Tag örtlich überliefert sei.

DER NORDISCHE KREIS

Während im südlichen Mitteleuropa die altneolithische Kolonisation bereits im Gange war, herrschten in Norddeutschland, Dänemark und Südskandinavien, im sogenannten Nordischen Kreis, noch spätmesolithische Kulturzustände. Synchronismen mit dem donauländischen Kreis der Linearbandkeramik zeigen sich vielleicht im Auftreten von spitznackigen Feuersteinbeilen und Walzenbeilen aus geschliffenem Felsgestein. Getreideanbau ist nachgewiesen, doch fehlt anfangs Keramik als wesentliches Kriterium jungsteinzeitlicher Zivilisation. Der Übergang zur voll entwickelten Anbaukultur, in der starke mesolithische Traditionen

30   Monolithen in Carnac, Bretagne. Zeugnisse der atlantischen Megalithkultur

31   Die megalithische Kultanlage von Stonehenge in Wiltshire, England

36

32 Caspar David Friedrich, Hünengrab am Meer. Dargestellt sind die Reste eines Großsteingrabes bei Nobbin auf Rügen

wirksam sind, ist erst im Mittelneolithikum süddeutscher Terminologie abgeschlossen.

Die andersartige Gewichtung des Denkmälerbestandes im norddeutschen Raum bedingt eine nicht nur forschungsgeschichtlich begründete Gliederung des Neolithikums, die nur annähernd mit den süddeutschen Zeitstufen parallelisierbar ist. Im Süden stellen die keramischen Funde aus Siedlungen in erster Linie das unterscheidende und ordnende Moment dar, wohingegen im norddeutschen Flachland auch Grabformen und Grabbeigaben im Vordergrund chronologischer Differenzierung stehen.

Die vier Perioden (Abb. 17) des *Nordischen Kreises* sind durch die *Megalithkultur* bestimmt. ›Hünenbetten‹ und ›Hünengräber‹, imposante und jedermann bekannte Geländedenkmäler aus Geschiebeblöcken, deren ursprünglicher Erdmantel jetzt meist verweht ist, gaben bereits der frühen prähistorischen Forschung Anlaß zur Diskussion und Deutung. Die unterschiedliche Form der Großsteingräber und ihre Verbreitung sind eine Grundlage der Periodisierung des nordischen Neolithikums. Über Herkunft und geistigen Hintergrund der Grabarchitektur und die Bestattungssitten ist wenig Sicheres auszusagen. Verbindungen nach Westeuropa verweisen auf atlantische und damit letztlich auf mittelmeerische Bezüge (Abb. 30–36).

Neben dem Grabbau sind Steingeräte und Tonware weitere gliedernde und zugleich zusammenfassende chronologische Anhaltspunkte. Vor dem Einsetzen der Megalithgräber können als Leitfunde für die erste Periode, wie schon erwähnt, spitznackige Feuersteinbeile, Walzenbeile aus geschliffenem Felsgestein und importierte Beile gleicher Form

33 Caspar David Friedrich: Hünengrab bei Gützkow in Vorpommern

34 Großsteingrab (Dolmen) aus Granitfelsen bei Sönderholm in Jütland

35 Ganggrab (Hünenbett) bei Havelte in Nordholland mit äußerer Steinsetzung

namhaft gemacht werden. Tonware und Gräber sind in dieser Zeit in Norddeutschland noch nicht nachgewiesen.

Mit den Dolmen, oberirdischen Grabanlagen aus aufgestellten Großgeschiebeblöcken, drei- bis fünfeckiger Gestalt und einem Deckstein, treten Trichterbecher auf, die eine sehr weite, über Norddeutschland hinausgehende Verbreitung haben (Abb. 37). Bezeichnende Geräte sind dünnhackige Flintbeile von nordischem bzw. westlichem Typus, die sich in ihrer Verbreitung ausschließen (Abb. 38).

Für den dritten neolithischen Abschnitt sind mit fließenden Übergängen die sogenannten Ganggräber charakteristisch. Es handelt sich um lange, oberirdische Grabkammern aus Steinblöcken mit Deckplatten, an denen seitlich ein mehr oder weniger langer Gang rechtwinklig angesetzt ist. (Abb. 35, 36).

In den katakombenartigen Bestattungsplätzen, die ursprünglich überhügelt waren (Abb. 39), wurden die Toten über Generationen zur Ruhe gebettet. Tonware, sogenannte Tiefstichkeramik mit weiß inkrustierten geometrischen Mustern und kennzeichnenden Trichterhälsen, findet sich in Massen (Abb. 37). Dicknackige Beile, Schmalmeißel, Hohlmeißel und einfache Dolche aus Flint- oder Feuerstein, dem dominierenden nordischen Werkstoff, sowie schwere Arbeitsäxte, dicknackige Beile, Amazonenäxte und Streitäxte aus poliertem Felsgestein, Schmuckanhänger aus Gagat und Bernstein gehören zum stratigraphisch nicht trennbaren Inventar der gruftartigen Anlagen (Abb. 38). Feuersteindolche, vor allem aber die Amazonen- und Streitäxte, weisen in ihrer Formgebung auf die Kenntnis metallischer Vorbilder hin. Vereinzelt treten kupferne Flachbeile auf, welche die jungneolithische Zeitstellung dieser Periode bestätigen.

In der Spätzeit des nordischen Neolithikums wurden die Großsteingräber nicht mehr benutzt. Eine gängige Grabform waren unterirdisch angelegte Steinkisten. Dicknackige Flintbeile, Prachtdolche aus exzellent bearbeitetem Feuerstein und Äxte aus geschliffenem Felsgestein weisen auf die beginnenden Metallzeiten hin (Farbtafel 2 und 3).

Die mit den Großsteingräbern kulturmorphologisch verbundene *Trichterbecherkultur* tritt noch im späten Mittelneolithikum bzw. der zweiten Periode des Nordischen Kreises in eine expansive Phase. Trichterbecher und die sie begleitenden Kulturmerkmale greifen auf das vordem donauländisch geprägte Mitteldeutschland über. Der Raum tendiert von da an mehr oder weniger zum Nordischen Kreis. Entsprechend der landschaftlichen Gliederung kam es zur Herausbildung mehrerer lokaler Fazies (Abb. 17).

Die bandkeramisch geprägte *Baalberger* Gruppe ist im Flußsystem von Saale und Elbe verbreitet und hält sich an die mitteldeutschen Schwarz-

36 Ganggrab von Klecken am Nordrand der Lüneburger Heide

38

37 *Tongefäße aus Großsteingräbern des nordischen Neolithikums. 3. bis Anfang 2. Jahrtausend v. Chr.*
Links ein mittelneolithischer Trichterbecher aus dem Kreis Meppen, Niedersachsen, dahinter ein bauchiges Gefäß der Schnurkeramik aus Thüringen und daneben eine Kugelamphore, Höhe 19 cm, des Endneolithikums aus Althaldensleben, Bez. Magdeburg. Rechts davor ein doppelkonisches Gefäß der Tiefstichkeramik von Rügen und eine jungneolithische Tasse aus hellrot gebranntem Ton von unbekanntem Fundort in Nordostdeutschland.
Germanisches Nationalmuseum, Nürnberg

erdevorkommen. Sie hat noch Fundzusammenhänge mit der Rössener und Gaterslebener Gruppe, die auf denselben Böden siedelten. Ein neues Element wird in der Keramik sichtbar. Die unverzierten Kannen, Amphoren, Trichterbecher, Trichterschalen und Kragenhalsflaschen tragen der allgemeinen jungneolithischen Tendenz Rechnung. In der Form und Anlage der Gräber zeichnet sich ebenfalls ein Wandel ab. Neben den West-Ost gerichteten Hockerbestattungen in einfachen Erdgräbern donauländischer Tradition treten erstmals Hügelgräber und mit einem Steinschutz versehene Grabanlagen mit Kollektivbestattungen auf. An Grabbeigaben sind ausschließlich Tongefäße überliefert.

Nach der Sachhinterlassenschaft nimmt die zeitlich folgende *Salzmünder* Gruppe eine ähnliche kulturelle Zwischenstellung ein. In der Keramik zeigen sich sowohl Einflüsse aus dem donauländischen Raum wie auch aus der Trichterbecherkultur. Bestattungen in Siedlungen und Friedhöfen in Hocklage sind bekannt. Häufig erfolgte die Beerdigung unter Hügeln. Ein festes Totenritual scheint es nicht gegeben zu haben, worin diese ›Kultur‹ mit der süddeutschen Altheimer Gruppe geistige Gemeinsamkeiten aufweist, die von der Baden-Pečeler-Kultur Südosteuropas über Böhmen initiiert sind.

In ihrem Verbreitungsgebiet nördlich an die Salzmünder Gruppe anschließend, bildet der Bereich der *Alttiefstichkeramik* eine lokale Variante der nordwestdeutschen Tiefstichkeramik. Die Menschen, die diese Keramik hervorbrachten, bilden die erste weiter verbreitete neolithische Gruppe nördlich der Lößgrenze in Mitteldeutschland; ihre ökonomische Grundlage war vermutlich eine gesteigerte Viehhaltung. Eine einheimische Entstehung der Gruppe in diesen Gebieten ist kaum anzunehmen,

38 *Steinwerkzeuge und Waffen des nordischen Neolithikums. Ende 4. bis Anfang 2. Jahrtausend v. Chr.*
Von oben nach unten, Schneiden nach links: spitznackiges Feuersteinbeil aus Tribbevitz auf Rügen, Walzenbeil aus geschliffenem Felsgestein aus Rurich, Kr. Erkelenz, Nordrhein-Westfalen, darunter zwei dünnackige Feuersteinbeile aus Losentitz, Kr. Putbus, und von der Insel Rügen sowie ein schmalnackiges Flintbeil und eine kleine Arbeitsaxt aus geschliffenem Felsgestein ebenfalls aus Rügen.
Unter diesen: Schmalmeißel aus poliertem Feuerstein, Länge ca. 18 cm, aus Rothenkirchen, Bez. Rostock, dicknackiges Feuersteinbeil aus Preetz, Kr. Plön (Schleswig-Holstein), und zwei ›Bootäxte‹ aus geschliffenem Felsgestein von unbekanntem Fundort sowie eine aus Athensleben, Kr. Staßfurt (Bez. Magdeburg). Germanisches Nationalmuseum, Nürnberg

39 »Ein geöffnetes Hünengrab im nördlichen Angeln bey Vasbey, auf dem sogenannten Grimmstein« steht auf der originalgetreuen Nachbildung eines Großsteingrabes aus der Zeit vor 1840. Dargestellt ist ein Querschnitt durch den Hügel ›Grimmstein‹ mit seiner Kammer aus sieben Trägern und zwei großen Decksteinen. Das Modell veranschaulicht eindringlich die ursprüngliche Gestalt der Hünengräber mit ihrer Erdummantelung. Minutiös dargestellt sind die Ausgräber im Biedermeierkostüm, das Grabungswerkzeug, der Bierkrug und links im Vordergrund auf einem Felsbrocken drei Steinbeile aus der Grabkammer. Germanisches Nationalmuseum, Nürnberg

eher sind ihre Träger aus Westen oder Nordwesten eingewandert und haben die Megalithgrabsitte mitgebracht. Dolmen und Ganggräber sind nachgewiesen, wobei die Beigabenarmut auffällt. Aus Siedlungsfunden sind reich verzierte Trichterbechergefäße mit Tiefstichzier bekannt (Abb. 37).

Das Eindringen nördlicher und südöstlicher Kulturerscheinungen in den mitteldeutschen Raum sowie ihre Umformung auf einheimischer Basis hatte die Entstehung regelrechter Mischkulturen zur Folge, von denen die *Walternienburg-Bernburger-* und die sogenannte *Kugelamphoren-*Gruppe zu nennen sind. Der regional differenzierbaren Keramik stehen die im ganzen Trichterbecherkreis üblichen Feuer-, Stich- und Felsgesteingeräte gegenüber. Die Grabanlagen sind vielgestaltig. Megalithische Kammern enthalten überwiegend Bernburger Keramik, weit verbreitet sind Steinkistengräber, Steinpackungsgräber und einfache Gräber ohne Steineinbauten.

Im Vergleich von Nord und Süd zeigt sich, daß in Deutschland während der Jungsteinzeit hauptsächlich zwei unterschiedliche Kulturkreise bestanden, die sich im mitteldeutschen Raum wechselweise beeinflußten. Im Denkmälerbestand und den in der materiellen Hinterlassenschaft greifbaren kulturellen Äußerungen zeigen sich bei allgemein gleicher ökonomischer Grundlage differenzierte Fundgruppen, die in ihrer Kulturgenese jeweils nur einzeln zu interpretieren sind. Übergreifende Erscheinungen im allgemeinen Kulturverhalten zeichnen sich erst im Endneolithikum ab. Sie werden von einigen Forschern sprachwissenschaftlich u.a. mit der Indogermanisierung Europas in Zusammenhang gebracht, während andere diesen Vorgang in spätere Perioden verlegen.

SCHNURKERAMIK UND GLOCKENBECHER

Das Endneolithikum

Im Endneolithikum tritt die einheimische Überlieferung in Süd-, Mittel- und Norddeutschland nicht mehr klar zu Tage. Bestattungssitten, weniger der Sachbesitz, spielen eine maßgebliche Rolle. Wie überall im Neolithikum ist auch im Nordischen Kreis ein Nebeneinander unterschiedlicher Kulturgruppen gegeben, die durch gemeinsame Eigenarten als ein Kulturkreis erscheinen. Bei der *Schnurkeramik* oder *Einzelgrabkultur* sind diese Kriterien nicht zutreffend. Sie besteht offensichtlich als Gruppe eigener, fremder Prägung zeitgleich neben der jüngeren Megalith- oder Trichterbecherkultur mit Schwerpunkt in Nordwestdeutschland. Kennzeichnend sind Einzelgräber in oder unter Hügeln, in denen die Toten in gestreckter Rückenlage bestattet waren, Keramiken mit

40

S-förmig geschweiften Profilen und eingedrückter Schnurverzierung sowie bootförmigen Streitäxten (Abb. 40). Die lokal nicht begrenzte archäologische Gruppe ist in ihrem Erscheinungsbild deutlich von der
jüngeren Megalithkultur mit ihren Sippengrablegen und andersartigem
Formengut abgesetzt. Das örtliche und zeitliche Nebeneinander in den
gleichen Siedlungsräumen ist nicht anders zu interpretieren als eine Art
Symbiose zweier unterschiedlicher ethnischer Gruppen, die schließlich
zur Verschmelzung führte. Der hohe Stand der Steinbearbeitungstech-
nik im Nordischen Kreis des Endneolithikums und am Übergang zur
Bronzezeit zeigt sich bei beiden Gruppen gleichermaßen in der Nachahmung von Metallgüssen bei der Gestaltung von Steinäxten und Flint-
dolchen, die augenscheinlich von hoch spezialisierten Handwerkern hergestellt wurden (Farbtafel 2 und 3).

Auch im mitteldeutschen Raum wird die Schnurkeramik in spezifischer Prägung im Milieu der späten Trichterbecherkulturen wirksam
und besteht neben der *Kugelamphoren-Gruppe,* die über das ganze östliche Nord- und Mitteldeutschland streut. Obwohl weitaus der größte
Teil des jungsteinzeitlichen Fundmaterials Mitteldeutschlands in schnur-
keramische Zusammenhänge gehört, ist eine chronologische Schichtung nicht möglich. Der Fundstoff stammt fast ausschließlich aus kleinen Hügelgräbern. Sie sind häufig auf beherrschenden Höhen angelegt. Siedlungen hingegen sind kaum bekannt, obwohl angenommen
werden muß, daß die *Mitteldeutschen- oder Saale-Schnurkeramiker* seßhafte
Ackerbauern waren. In den Gräbern sind gelegentlich hölzerne Toten-
häuser nachzuweisen, häufiger sind Steinkisten, deren Steinplatten auf
der Innenwand eingeritzte oder aufgemalte geometrische Verzierungen
tragen. Daneben weisen Abbildungen von Pfeil und Bogen und anderen
Gegenständen auf Einflüsse aus Westeuropa hin. Die Toten sind geschlechtsdifferenziert in Hockstellung mit Blick nach Süden bestattet.
Die Frauen ost-westlich links- und die Männer west-östlich rechtsseitig
liegend. Beigegeben sind in der Regel ein Becher und eine Amphore
sowie in besonderen Fällen facettierte Streitäxte, Beile aus Fels- und
Feuerstein, Pfeilspitzen und Meißel. Daneben kommen Pfrieme und
Dolche aus Kupfer, Knochennadeln mit verschieden gestalteten Köpfen
und durchlochte Eberhauerlamellen in Männergräbern vor. Von den
Frauen wurden durchbohrte Tierzähne und Muschelschmuck, Ketten
von Perlen aus Knochen und Bernstein sowie Röllchen und Ringe aus
Kupfer getragen, wobei der Reichtum mancher Gräber auf soziale Differenzierung schließen läßt (Abb. 41).

Im südlichen Mitteldeutschland wird am Ende des Neolithikums, wie
auch sonst in weiten Teilen Mitteleuropas, die *Glockenbecherkultur* faßbar. Gleich der Schnurkeramik wird sie, beeinflußt aus dem Mittelrheingebiet auf der einen und aus Böhmen auf der anderen Seite, ausschließ-

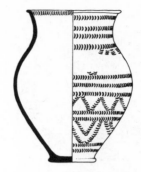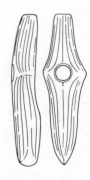

*40 Schnurkeramischer Becher und fazettierte Axt aus fein-
poliertem Felsgestein aus einem endneolithischen Grab bei
Grafrath, Kr. Fürstenfeldbruck, Bayern. Anfang 2. Jahrtausend v. Chr. Äxte gleicher Form sind aus ganz Deutschland
bekannt. Prähistorische Staatssammlung, München*

41   Halskette aus Hundezähnen und durchbohrten Muschel-
scheiben. 4. bis 3. Jahrtausend v. Chr. Gefunden in einem
mittelneolithischen Körpergrab bei Kalbsrieth, Kr. Sangerhausen, Thüringen.
Germanisches Nationalmuseum, Nürnberg

lich durch Gräber belegt. Typisch sind feintonige Keramik in Form von breiten gedrungenen Bechern mit Kammstempeleindrücken oder Ritzlinien in horizontalen Ornamentzonen und geschweiftem Profil, Feuersteinpfeilspitzen mit eingezogener Basis, Armschutzplatten aus Stein, die den Träger vor der zurückschnellenden Bogensehne schützten, Pfeilglätter und vereinzelte Kupferdolche sowie Perlen und flach kegelförmige Knöpfe aus Knochen und Bernstein (Abb. 42). Die Toten sind in Hockstellung mit Blick nach Osten geschlechtsdifferenziert – Männer liegen auf der linken Seite mit Schädel in Generalrichtung Nord, Frauen auf der rechten – überwiegend in einfachen Erdgräbern bestattet; Brandgräber kommen vereinzelt vor. In der sogenannten *Schönfelder Kultur* des mittleren Elbgebietes, einer ebenfalls endneolithischen Gruppe, sind sie hingegen die Regel.

In ähnlicher Ausprägung wie in Mitteldeutschland ist die Glockenbechergruppe schon früher in Süd- und Westdeutschland mit den unverkennbaren Leitformen verbreitet. Zum Metallbesitz aus auswärtiger Quelle treten hier und da Noppenringe oder schmale Blechbänder aus Gold. Ziemlich einheitlich erscheinen auch hier die Bestattungen in Hockergräbern, nur im Spätabschnitt wurden die Toten manchmal verbrannt. Fundstellen der Glockenbecherkultur massieren sich entlang Rhein und Donau mit ihren Zuflußsystemen. Dabei sind die Gräber gleichermaßen in fruchtbaren Altsiedellandschaften wie auch in den Ausbauzonen zu finden.

Auf andere Art stehen Grab- und Siedlungsfunde der Schnurkeramik in Süddeutschland in einem Mißverhältnis. Siedlungsfunde massieren sich am Oberrhein, am Bodensee und in der Schweiz, Grabfunde dagegen in Mainfranken und spärlicher im Neckarland, wo wiederum kaum Siedlungen nachgewiesen sind. Die in ganz Mitteleuropa weitläufig verbreiteten Einzelgrabgruppen gehören – unter wechselnden Termini – in den Verband der sogenannten Streitaxtkulturen oder der Schnurkeramik, die schließlich im gesamten Gebiet zwischen Dänemark und der Schweiz sowie Böhmen und den Niederlanden zur endneolithischen Gruppenbildung beitragen. Die gesamteuropäischen Zusammenhänge zeigen sich in der Austauschbarkeit der Ziermotive und typischer Waffen wie ›thüringische Facettenäxte‹ oder glatte ›Bootäxte‹ (Farbtafel 2).

Für die ›Schnurkeramiker‹ und ›Glockenbecherleute‹ steht Einwanderung außer Frage. Sie kennzeichnet durch den Zuzug fremder Gruppen eine besondere Bewegung im Endneolithikum, die zur Grundlage der bronzezeitlichen Gesellschaft wird. Beide Gruppen zeichnen sich durch besonderen Sachbesitz fremder Herkunft und spezifische Grabsitten aus. Die überall feststellbare lokale Umbildung schnurkeramischer Formen und Zierweisen spiegelt archäologisch das räumliche und zeitliche Ende einer Westexpansion der östlich fundierten Streitaxtkulturen wider, die

sich in den besetzten Gebieten zwischen Nordsee und Alpenrand mit den autochthonen neolithischen Bevölkerungen vermischen.

Mit der Ausbreitung der Glockenbecherleute wird ein zweites Ethnikum – dafür sprechen auch anthropologische Indizien – in der endneolithischen Szenerie Mitteleuropas faßbar, das ebenso wie die Schnurkeramiker zu Umschichtungen beigetragen hat. Eine paneuropäische Überlegenheit gegenüber den provinziellen Gruppierungen ergab sich schon allein aus den metallurgischen Kenntnissen der Glockenbecherleute, die sie – wie mindestens einen Teil des Metallbesitzes selbst – aus dem Westen mitgebracht haben müssen. Die Gruppe stellte einen wesentlichen Anteil der frühbronzezeitlichen Bevölkerung, was sich in typologischen Übergangsformen und vor allem auch in der unmittelbaren Überlieferung von Bestattungsregeln und Waffenkombinationen zeigt.

v. Chr.	1800	1700	1600	1500	1400	1300	1200	1100	1000	900	800	700	600	500	400	300	200	100	0

ALLG. TERMINOLOGIE	ÄLTERE BRONZEZEIT		JÜNGERE BRONZEZEIT		EISENZEIT		

MITTELEUROPA MIT RANDGEBIETEN STUFENGLIEDERUNG NACH P. REINECKE	BRONZEZEIT				URNENFELDERZEIT		HALLSTATTZEIT		LATÈNEZEIT		
	FRÜH		MITTEL	SPÄT	ÄLTERE	JÜNGERE	A	B	FRÜH	MITTEL	SPÄT
	A	B	C	D	A	B					
			LAUSITZER KULTUR								

NORDISCHER KREIS PERIODEN NACH O. MONTELIUS	I	II	III	IV	V	VI		
						VORRÖMISCHE EISENZEIT		
						ÄLTERE	JÜNGERE	
						JASTORF	RIPDORF	SEEDORF

GRIECHENLAND	MITTELHELLADISCH	SPÄTHELLADISCH	SH	PROTOGEOMETRISCH	GEOMETRISCH	ORIENTALISIEREND	SFS	RFS	HELLENISTISCHE KULTUR

SH = SUBHELLADISCH
SFS = SCHWARZFIGUREN STIL
RFS = ROTFIGUREN STIL

Der wirtschaftliche und technische Fortschritt in der Entwicklung des 2. Jahrtausends vor Christus beruht auf der Verwendung des neuen Werkstoffes Bronze. Die nach Härte und Elastizität ideale Kupfer-Zinnlegierung veränderte im 18. Jahrhundert das äußere Erscheinungsbild und die wirtschaftlichen Verhältnisse der vorgeschichtlichen Kulturen in Mitteleuropa ganz wesentlich (Abb. 43). Existenzbasis war weiterhin die bäuerliche Siedlung nach neolithischer Konzeption, doch setzten Rohstoffgewinnung und Bronzeguß ein spezialisiertes Handwerk voraus. Der Besitz von Erzgruben und ein umfänglicher Handel mit Gußkuchen, gewichtsmäßig annähernd genormten Barren in Form von Spangen oder Halsringen mit Ösenenden (Abb. 44) bewirkten die stärkere Abhängigkeit einzelner Bevölkerungsgruppen voneinander. Die hauptsächlich auf Selbstversorgung beschränkten jungsteinzeitlichen Siedlungsgemeinschaften traten mit Beginn der Bronzezeit aufgrund des Metallbedarfs aus ihrer Isolierung. Der neue Werkstoff löste nicht sofort und überall das Stein- und Knochengerät ab. Die Übergänge sind fließend, doch erscheinen unter der Wirkung des ›Metallschocks‹ große Territorien einheitlicher ausgerüstet als im Neolithikum.

Nach den vielgestaltigen Metallformen aus Horten und Gräbern, nach Tracht- und Grabsitten lassen sich größere Regionalgruppen mit überwiegend gemeinsamem Sachbesitz umgrenzen. In Süddeutschland bezeichnen die Flachgräberfelder mit geschlechtsdifferenzierten Hockerbestattungen vom *Adlerberg bei Worms,* von *Singen* am Hohentwiel und *Straubing* im Donautal die drei frühbronzezeitlichen Hauptkreise. Obwohl gewisse Unterschiede im Formengut und vor allem in der Metallkonsistenz festzustellen sind, müssen sie wegen ihrer gemeinsamen Glockenbecher-Traditionen und der substantiellen Formverwandtschaft als im wesentlichen gleichzeitig angesehen werden. Jede der drei Hauptgruppen besitzt Eigenformen, die mit den Nachbargruppen austauschbar sind.

Besonders typenreich ist die *Straubinger* Gruppe, wahrscheinlich weil sie im Metallhandel aus dem Ostalpengebiet und dem Donauraum nach Norden und Westen eine vermittelnde Rolle spielte. Enge Kontakte bestanden auch zum *Aunjetitzer* Kreis in Böhmen und an der mittleren Donau, wie das Sortiment von Fremdformen zeigt.

Neben wenigen gruppenspezifischen Metallformen ist die *Adlerberg* Gruppe durch eine eigenartige Keramik mit zonalen Ziermustern in Glockenbecher-Tradition gekennzeichnet. Die Gräber sind ähnlich dem Singener Bereich manchmal mit Steinpackungen ausgekleidet; Unterschiede zwischen beiden Gruppen zeigen sich vorläufig nur in vereinzelten Gerät- und Schmuckmustern unterschiedlicher Fundkonzentration. Massiert erscheinen die Gruppen *Adlerberg* um den Rheinabschnitt zwischen Neckar- und Mainmündung, *Singen* im westlichen Bodenseege-

45

44 *Spangenbarren der frühen Bronzezeit aus einem Depot bei Krumbach in Schwaben, Bayern. 18. bis 17. Jahrhundert v. Chr. Die Bronzebarren haben eine durchschnittliche Länge von 30 cm. Darunter Halskragen aus einem Satz von massiv gegossenen Ringen mit Ösenenden, die zugleich als Bronzebarren dienten. Aus einem Moor bei Ainring, Kr. Lauffen, Oberbayern. Germanisches Nationalmuseum, Nürnberg*

45 *›Schlaufennadel‹ und ›Aunjetitzer Tasse‹ der Aunjetitzer Kultur aus Schlesien sowie ein frühbronzezeitlicher Depotfund mit bronzenem Gürtelblech und drei bandförmigen Ringen vom Kopfputz aus Schönfeld, Kr. Strehlen, Schlesien. Germanisches Nationalmuseum, Nürnberg*

biet und *Straubing* im östlichen Südbayern zwischen Donau und Alpenrand. Die Zwischengebiete sind nicht siedlungsleer, doch treten bezeichnende Objektkombinationen weniger prägnant hervor und erschweren die Zuweisung. In den Kontaktzonen vermischen sich die Formen.

Die jüngere Phase der Frühen Bronzezeit ist durch die allmähliche Auflösung der relativ einheitlichen Bestattungssitten gekennzeichnet. Vermehrt wurden Grabhügel angelegt, Leichenverbrennung ist häufiger nachweisbar. Regionalgruppierungen lösen sich aus der Gesamtheit archäologischer Erscheinungen, wobei andersartig Fundbedingungen die Interpretation des Fundbildes belasten. Gräber als Hauptquellen archäologisch-historischer Erkenntnis treten gegenüber den Horten in den Hintergrund. Die chronologische Selbständigkeit der Phase ist durch Hortinventare aus Randleistenbeilen, Armschmuck, Nadelserien und speziell über Bronzedolche mit geschweiftem Umriß sowie durch typische Grabausstattungen mit Nadel, Dolch und schlankem Streitbeil abgesichert (Abb. 46).

Eine weiträumige Verbreitung mit relativ einheitlichen Grabformen und Ausstattungsmustern weist die sogenannte *Aunjetitzer* Kultur auf. Kern- und Ursprungsgebiete sind Böhmen und Mähren, wo sie unter starken donauländischen Einflüssen auf der Basis spätneolithischer Gruppen entstanden ist. In Mitteldeutschland bildeten die Kultur der Schnurkeramiker und Glockenbecherleute die Grundlage. Anders als in Süddeutschland ist hier die Bevölkerungskontinuität örtlich nachweisbar. Gräber von ›Schnurkeramikern‹ und Leuten der Aunjetitzer Kultur kommen häufig auf den gleichen Friedhöfen vor, ebenso wie Gräber von Glockenbecherleuten in Aunjetitzer Gräberfeldern auftreten. Die Toten wurden in beiden Gruppen nach strengem Grabritus in rechtsseitiger Hocklage Süd-Nord orientiert bestattet. In der Aunjetitzer Keramik ist der formale Einfluß der Glockenbecher nicht zu übersehen (Abb. 45). Das Auftreten der Aunjetitzer Kultur dokumentiert offensichtlich einen Akkulturationsprozeß, dem die neolithischen Gruppen im Elb-Saalegebiet infolge der Ausbreitung der frühbronzezeitlichen Metalltechniken ausgesetzt waren und der zur Umbildung des jungsteinzeitlichen Kulturgefüges führte. Aunjetitzer Fundorte beschränken sich auf die fruchtbaren Schwarzerdegebiete. Siedlungen sind nicht erforscht, doch beweisen Oberflächenfunde sowie Keller-, Vorrats- und Abfallgruben den bäuerlichen Charakter dieser Kultur. Rechteckige Hütten mit Pfostenkonstruktion von bis zu 50 Quadratmeter Innenfläche dienten als Behausung. Befestigte Höhensiedlungen und umwallte Plätze sowie zahlreiche Horte an verkehrsgünstigen Punkten weisen auf überörtliche Machtkonzentrationen hin, die ihre wirtschaftliche Begründung in der Ausbeutung von Kupfervorkommen am Nordrand der Mittelgebirge haben.

In diesem Zusammenhang sind auch die wenigen sogenannten ›Fürstengräber‹ in Thüringen zu sehen. In *Leubingen* (Kreis Sömmerda), *Helmsdorf* (Kreis Hettstedt) und *Nienstedt* (Kreis Sangerhausen) konnten große, bis zu 8 Meter hohe Grabhügel untersucht werden. Die Zentralbestattungen lagen in einem ebenerdigen hölzernen Totenhaus und waren mit reichen Beigaben versehen. Satzartig wiederkehrende Beigaben sind Dolch, Beil, Meißel und Großsteingeräte sowie Ohrringe, zwei Nadeln und ein goldener Armring. Keramik, meist unverzierte tassenartige Gefäße, war den Toten beigegeben. Anlage und Ausstattung heben die Gräber deutlich aus der Masse der übrigen Bestattungen heraus, die meist nur wenig Metallbeigaben besitzen und als Flachgräber oder Nachbestattungen in Hügeln nachzuweisen sind. Es ist sicher nicht verfehlt, in ihnen die Begräbnisse der sozial führenden Schicht zu sehen, deren Macht sich auf den Besitz und den Handel mit den begehrten Metallen gründete, der seinen archäologischen Niederschlag in zahlreichen Depots von bronzenem und goldenem Gerät fand.

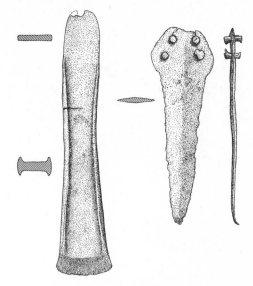

46 *Randleistenbeil und Dolch aus Bronze vom Beginn der mittleren Bronzezeit. 16. Jahrhundert v. Chr. Regelausstattung in einem Männergrab bei Mantlach, Kr. Parsberg in der Oberpfalz (Bayern). Der aufgenietete Holzgriff des Dolches und die hölzerne Knieschäftung des schmalen Beiles sind vergangen.*
Germanisches Nationalmuseum, Nürnberg

HÜGELGRÄBER UND BESTATTUNGSBRAUCH

Die Mittlere Bronzezeit

Mit Beginn der mittleren Bronzezeit stieg der Hügel zum beherrschenden Prinzip einer monumentalen Grabarchitektur auf. Das Aufkommen und die Ausbreitung dieser Sitte dokumentieren einen Wandel der Vorstellungswelt von Ungarn bis nach Ostfrankreich und vom Alpenrand bis nach England (Abb. 47). Im Aufbau der Grabhügel sind zeitliche und geographische Unterschiede gegeben, die komplexe Ursachen haben. Die spezifisch mittelbronzezeitliche Grabsitte kommt weder überall gleichzeitig in Mode, noch wird sie am Ende der Epoche in allen Landschaften gleichzeitig aufgegeben. Die Gemeinsamkeit liegt im Bauprinzip und einer offensichtlich weitverbreiteten, gleichartigen Jenseitsvorstellung. Die mythisch-sakrale Funktion des Grabhügels bedingte offenbar einen Wechsel der Bestattungsplätze. Nirgendwo schließen Hügelgräbernekropolen an frühbronzezeitliche Flachgräber an. Allgemein fällt die topographische Nachbarschaft zu alten Wegen, die Reihung an Höhenrändern oder die Gruppierung der Hügel auf breiten Plateaus auf. Vielerorts scheint die Nähe einer Quelle oder eines Wasserlaufes gesucht. Eigenartig ist die meist abseitige Anlage der Nekropolen von Arealen, an denen die zugehörigen Siedlungen zu erwarten wären. Eine innere Gruppenordnung ist für die meisten Friedhöfe nicht zu ermitteln, ihre Größe hängt von der zugehörigen Siedlung ab. Anlage und Aufbau der Hügel sind in der Regel von ortsnahen Materialien abhängig; ein Generalschema kann nicht gegeben werden. Meist liegt

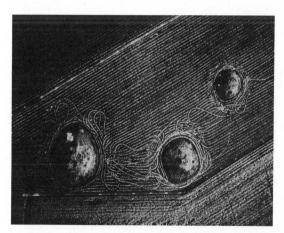

47 *Bronzezeitliche Hügelgräber in einem Feld bei Avebury in Wiltshire. In England sind noch mehr obertägige Zeugnisse der Vergangenheit erhalten als auf dem Kontinent, wo die meisten moderner Planung und vor allem der intensiven Beackerung zum Opfer fielen.*

48 Vorder- und Rückenansicht eines Vollgriffschwertes der mittleren Bronzezeit mit achtkantigem Griff und Kreismustern. 16. Jahrhundert v. Chr. Ursprüngliche Originallänge etwa 70 cm. Wahrscheinlich aus dem Inn in Oberbayern. Germanisches Nationalmuseum, Nürnberg

Tafel 2   (Seite 49) Streitäxte jungneolithischer Zeit aus Nord- und Mitteldeutschland. Bootsäxte, Amazonenäxte, Knaufhammeräxte und Streitäxte vom nordischen Typus aus Granit- und Serpentingesteinen. Maximale Länge 20,5 cm. Fundorte: Thüringen; Fürstenwalde, Bez. Frankfurt a. d. Oder; Mittelhagen bei Stettin; Walchow, Kr. Neuruppin, Bez. Potsdam; Köthen, Bez. Potsdam, und Serams auf Rügen, Bez. Rostock Germanisches Nationalmuseum, Nürnberg

Tafel 3   (Seite 49) Sicheln, Dolche und Meißel aus Flintgestein. Verschiedene Fundorte in Nordostdeutschland. Die hervorragend gearbeiteten Geräte sind Meisterstücke der Steinbearbeitung am Ende des nordischen Neolithikums, als im Süden bereits Bronze wichtiger neuer Werkstoff war, wie auch die Bronzeformen imitierenden Dolche zeigen. Anfang 2. Jahrtausend v. Chr. Germanisches Nationalmuseum, Nürnberg

jedem Bau aber keine kreisförmige Zone auf der gesäuberten alten Oberfläche zugrunde, die von einem Steinkreis eingefaßt wird. Die Trockenmauern sind weniger sorgfältig geschichtet und weisen Durchmesser zwischen 5 und über 20 Meter auf. Einfache Kreise stehen neben meterstarken Ringmauern. Das Bestattungsareal kann aber auch von Kreisgräben umhegt sein. Die Bestattungsabfolge ist kompliziert und keineswegs einheitlich. Grabhügel konnten über einer zentralen Bestattung, die in einem Baumsarg oder einer kleinen Grabkammer niedergelegt war, aufgeschüttet werden. Häufiger scheint es aber so gewesen zu sein, daß im vorbereiteten, umfriedeten Grabareal nacheinander kleine Hügelgräber angelegt wurden, bis schließlich der ganze Kreis eine einheitliche Überhügelung erfuhr. In das Grabmonument konnten dann noch Nachbestattungen eingebracht werden, so daß in den bronzezeitlichen Hügeln ein über Generationen reichendes Nebeneinander von Erst-, Neben- und Nachbestattungen gegeben ist. Auf das komplexe Totenbrauchtum weisen neben den Brandgräbern Hockerbestattungen und in den Boden eingetiefte Gräber hin.

Einheitlicher als die Bestattungsweise erscheinen zu Beginn der Periode bestimmte Grundmuster der Bronzeausstattung. Nadeln mit gepunktetem Wellenschaft, geradseitige Randleistenbeile und viernietige Dolche mit trapezförmiger Griffplatte bilden gemeineuropäische Leitfunde (Abb. 46), während einzelne Bronzeformen und die meisten keramischen Modelle auf einheimische Muster regionaler frühbronzezeitlicher Prägung zurückzuführen sind. Die Gesamtheit mittelbronzezeitlicher Formengruppen mit ihren diversen, oft landschaftlich gebundenen Typenvarianten ist kaum überschaubar. Bezeichnend sind jedoch Standardausrüstungen.

Dolch, Beil und Nadel sowie geringer Armschmuck bilden anfänglich den genormten Beigabenkanon in den Männergräbern. Lanzen- und Pfeilspitzen bleiben vergleichsweise selten (Farbtafel 5). In einer jüngeren Phase kommen dann kurze Stichschwerter mit und ohne gegossenen Griff in Gebrauch (Abb. 48). Daneben erscheinen Messer verschiedener Form, während Tatauiernadeln, Pinzetten, Rasiermesser und Gürtelhaken schon zu einer gehobenen Ausrüstung zählen.

In der Frauentracht ist paarige Verwendung von Nadeln und Arm- und Beinschmuck typisch. Durchbrochene herz- oder scheibenförmige Bronzeanhänger wurden an Ketten aus Spiraldraht getragen und manchmal waren die Kleider mit Bronzebuckeln besetzt (Abb. 49, 50). Zu den Kostbarkeiten müssen kompliziert durchbohrte Bernsteinscheiben gerechnet werden, die an Lederschnüren zu Gehängen geordnet auf der Brust getragen wurden.

Grabkeramik kommt nur selten vor und ist meist auf ein Gefäß beschränkt. Auf den anspruchslos verzierten Gefäßen sind einfache geo-

2

3

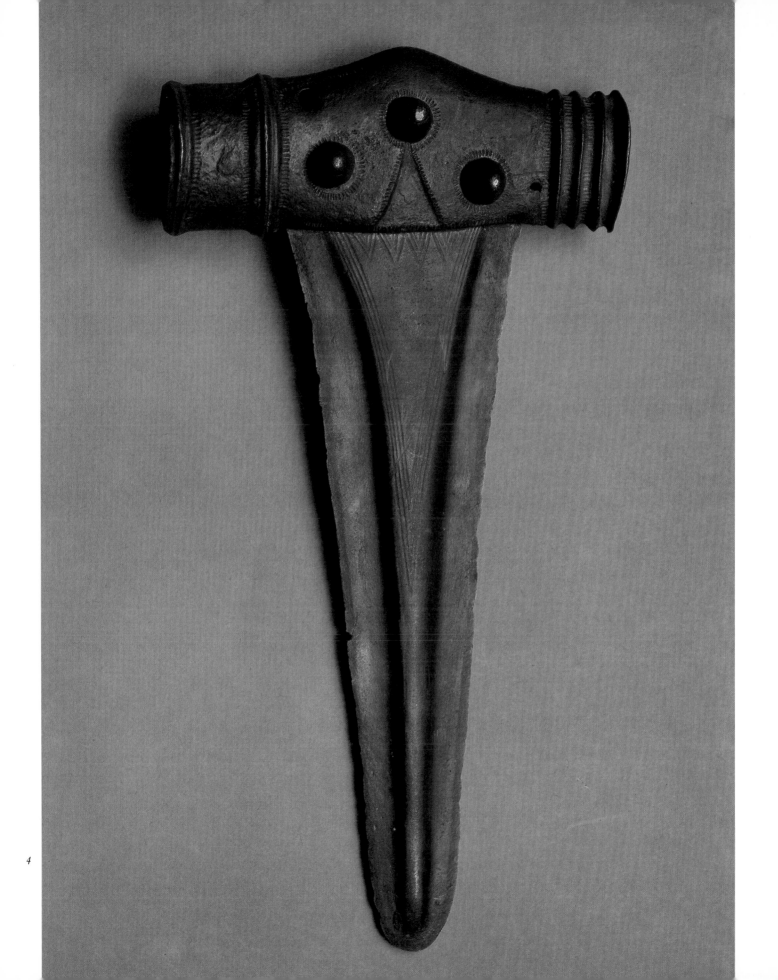

Tafel 5   Beile und Lanzenspitzen der mittleren Bronzezeit, von Eggenfelden in Niederbayern, Regensburg, Altnersleben, Bez. Magdeburg, und Gnötzheim, Kr. Uffenheim. Beile kommen in der mittleren Bronzezeit hauptsächlich in Horten vor, wobei sich ihre Formen chronologisch relativ wenig verändern. Die Lanzen dagegen gelangten erst am Ende der mittleren Bronzezeit in die Gräber, während sie vorher nur aus Depot- und Flußfunden bekannt sind. Länge der Lanze rechtsaußen 18 cm. Germanisches Nationalmuseum, Nürnberg

Tafel 6   Bandförmige Unterschenkelzier, sog. ›Berge‹, aus Bronzeblech mit spiralig aufgerollten Enden und feiner Tremo-lierverzierung (zur Tragweise vergleiche Abb. 51). Gefunden in Hessen, Fundort unbekannt. Mittlere Bronzezeit. Germanisches Nationalmuseum, Nürnberg

Tafel 4   Sogenannter Stabdolch, gefunden in einem Moor bei Abtsdorf im Landkreis Lauffen, Bayern. Länge 20 cm. Der Stabdolch ist aus mehreren separat gegossenen Teilen zusam-mengesetzt. Die Klinge mit abgerundeter Spitze läuft an ihrem oberen Ende dreieckig zu und besitzt drei symmetrisch angeord-nete Nietlöcher. Die Querschäftung, in die die Klinge eingelas-sen ist, weist rechts eine Öffnung für den Holzstiel auf, links ist das ovale Schaftloch geschlossen. Drei Niete mit Haupen-köpfen stellen die Verbindung mit dem Schäftungsteil her. Letzteres ist in kompliziertem Hohlguß aus Bronze herge-stellt. Germanisches Nationalmuseum, Nürnberg

Tafel 7   Brillenspiralen aus Bronze mit feiner Ziselierung.
Hortfund aus Untermainbach, Kr. Schwabach, Mittelfranken.
Brillenspiralen sind Teil des weiblichen Trachtenschmucks und
wurden satzweise vereinzelt in Gräbern in Hüfthöhe gefunden
(vgl. Abb. 51). Originalbreite ca. 12 cm. Ende mittlere
Bronzezeit, 14.-13. Jh. v. Chr.
Germanisches Nationalmuseum, Nürnberg

metrische Rillenornamente manchmal in Verbindung mit weiß inkrustierten Kornstichornamenten vorherrschend (Abb. 52). Für die formale Gestaltung der mittelbronzezeitlichen Keramik ist weiter ein schmaler Rand- oder Halsabsatz kennzeichnend, der sich im Lauf der typologischen Entwicklung zum einfachen Knick verliert. Obwohl die keramischen Regionalgruppen zahlreich sind, stützt sich die räumliche Gliederung im wesentlichen auf den unterschiedlichen Bronzebesitz, in dem sich in erster Linie Trachtsitten widerspiegeln (Abb. 51).

Die Endphase der mittleren Bronzezeit stellt in Sachformen und Brauchtum eine ausgesprochene Übergangsstufe zur spätbronzezeitlichen Urnenfelderkultur dar (Abb. 43). Die meisten Bronzeformen stehen in älterer Tradition, doch ändern sie sich kennzeichnend mit der mitteleuropäischen Ausbreitung neuer formaler und technischer Kriterien, die in der Urnenfelderzeit endgültig wirksam werden. Das Schmuckbedürfnis nahm zu, wobei die Formen einen Zug ins Extreme zeigen. Gleichzeitig wurden sehr lange und sehr kurze Nadeln getragen, deren Zierzonen stärker betont sind. Brillenspiralen vom Brustschmuck und Armspiralen werden voluminös (Farbtafel 6 und 7). Wo solch markante Typen fehlen, fällt die eindeutige Abgrenzung gegen die mittlere Bronzezeit schwer, aber noch unübersichtlicher werden die Verhältnisse gegenüber der nachfolgenden Stufe.

Deutlicher, aber nicht eindeutig zeigen sich die Unterschiede im Grabbrauch. Körperbestattungen in Flachgräbern wurden neben dem Hügelbau gebräuchlich. Zugleich gewann die Leichenverbrennung an Bedeutung. Ein einheitliches Totenbrauchtum bestand nicht. Regelhafte Koppelung zwischen Hügel- oder Flachgrab und Brand- oder Körperbestattung wird nur gebietsweise sichtbar, während eine starke Differenzierung der Verhaltensmuster nach Gruppen und Regionen das eigentliche Kennzeichen dieser Übergangsstufe ist.

GRABAUSSTATTUNG UND SOZIALSTRUKTUR

Die nach Zeitstufe und Region verschiedenen Ausstattungsmuster bronzezeitlicher Gräber unterliegen mythisch und sozial bedingten Grundformeln, die offensichtlich in den einzelnen Landschaften variieren. Beispielsweise erscheinen viele männliche Körperbestattungen beigabenlos, ohne daß auf regelhafte Bestimmungen geschlossen werden darf. Nur ganz allgemein ist vorauszusetzen, daß der Tote in seiner Tracht mit Schmuck und Waffen beigesetzt wurde, um sich in Person und Rang im Jenseits auszuweisen. Dabei vermögen die erhaltenen Beigaben in Verbindung mit der Aufwendigkeit des Grabes kaum das ganze Spektrum gesellschaftlicher Differenzierung widerzuspiegeln, da neben arm und reich sicher noch eine Reihe von Faktoren nicht mate-

49

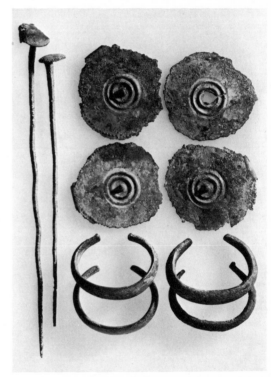

49–50 Bronze-Schmuckinventar eines Frauengrabes der mittleren Bronzezeit. Aus einem Grabhügel bei Illschwang in der Oberpfalz, Bayern. Links zwei Gewandnadeln mit vierkantigem Wellenschaft, Länge 25,6 cm, daneben vier bronzene Stachelscheiben mit rückseitiger Öse vom Halsgehänge und vier gegossene Handgelenksringe mit verdickten Enden und feiner geometrischer Ziselierung. Darüber (49) Rekonstruktion der Tragweise.
Germanisches Nationalmuseum, Nürnberg

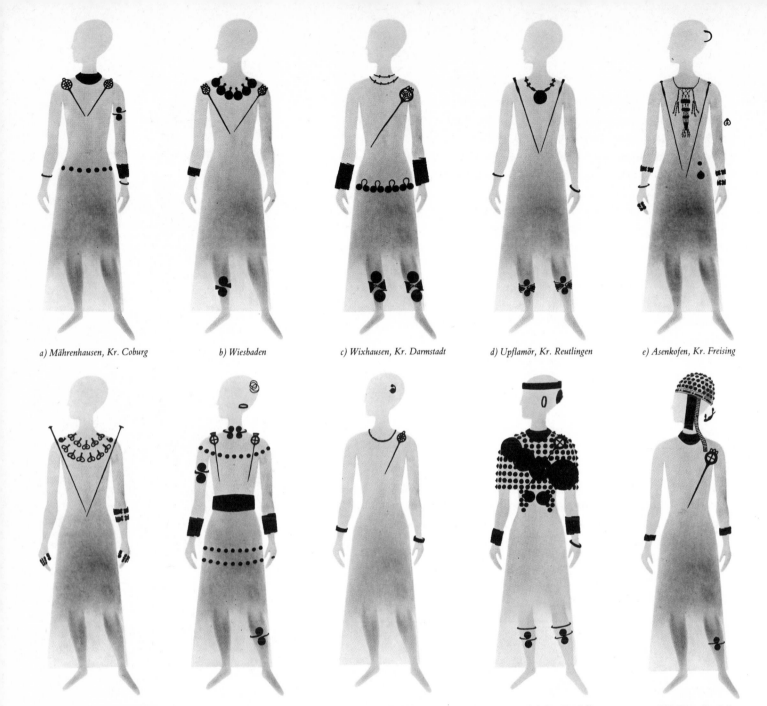

a) Mährenhausen, Kr. Coburg   b) Wiesbaden   c) Wixhausen, Kr. Darmstadt   d) Upflamör, Kr. Reutlingen   e) Asenkofen, Kr. Freising

f) Hörmannsdorf, Kr. Neumarkt   g) Molzbach, Kr. Fulda   h) Unterbimbach, Kr. Fulda   i) Wardböhmen, Kr. Celle   j) Bleckmar, Kr. Celle

51   Beispiele von Schmuckausstattungen in bronzezeitlichen Frauengräbern aus Nord- und Süd-Deutschland. (Nach Wels-Weyrauch)

a) Mährenhausen, Kr. Coburg: Halskragen, 2 Radnadeln, Armspirale, Armberge, paarige Handgelenksringe, Blechkegelchen als Kleiderbesatz. b) Wiesbaden: 6 Scheibenanhänger vom Halsschmuck, 2 Radnadeln, 1 Armspirale, und eine Wadenberge mit Spiralenden. c) Wixhausen, Kr. Darmstadt: doppelte Halskette aus bronzenen Spiralröllchen und Bernsteinperlen, 1 Radnadel, paarige Armspiralen, paarige Beinbergen mit Spiralenden, 4 Brillenspiralen als Kleiderbesatz.

d) Upflamör, Kr. Reutlingen: Halskette aus Spiralröllchen und Bernsteinperlen mit Stachelscheibenanhänger, 2 Nadeln mit kräftig geripptem Hals, paarige tordierte Handgelenksringe und paarige Unterschenkelbergen mit Spiralenden. e) Asenkofen, Kr. Freising: Hals- und Brustschmuck aus Spiralröllchen und Bernsteinperlen und Bernsteinschiebern, 2 Nadeln, 3 verzierte Armbänder mit Doppelspiralen und ein tordierter Handgelenksring, 2 Spiralfingerringe und Kleider- und Kopfschmuck. f) Hörmannsdorf, Kr. Neumarkt i. d. Oberpfalz: Halskollier aus herzförmigen Anhängern, 2 überlange Nadeln, paarige Armbänder mit Spiralenden, 8 Spiralfingerringe. g) Molzbach, Kr. Fulda: 3 Lockenspiralen, Halsring mit Doppelspiralenden, 2 Radnadeln, Oberarmberge mit Spiralenden, paarige Unterarmspiralen,

1 Beinberge mit Spiralenden, Blechkegelchen als Kleiderbesatz und ein spitzovales Gürtelblech mit Treibverzierung. h) Unterbimbach, Kr. Fulda: Lockenspirale, Halskette aus Spiralröllchen, 1 Radnadel und paarige Armbänder. i) Wardböhmen, Kr. Celle: verziertes Stirnband und Lockenspirale, massiver Halskragen, Radnadel, paarige Spiralarmbänder und 1 Handgelenksring, paarige Wadenringe, 1 Satz mit Spiralenden, Blechkegelchen vom Kleiderbesatz und 7 gegossene verzierte Bronzescheiben. j) Bleckmar, Kr. Celle: Haube mit Blechkegelchen, Blechröhrchen, Röhrchengehänge und bronzebesetztes Hängeband, Spiralplattenfibel zur Befestigung des Haarknotens, massiver Halskragen, 1 ›lüneburgische‹ Radnadel, paarige Armspiralen und 1 Fußring mit Spiralenden.

rieller Art die Stellung im Sippenverband bestimmten. Individuelle Vorstellungen und Wünsche haben sicher eine Rolle gespielt, so daß in der archäologischen Rückblende nur eine beschränkte Systematisierung und Interpretation des Beigabenritus möglich sind.

Mengenstatistisch zeigt sich für die frühe Bronzezeit die Austauschbarkeit einiger Sachgüter zwischen Mann und Frau. Einfache Ringgarnituren kommen in Gräbern beider Geschlechter vor. Hauben- und Kleiderbesätze aus Bein oder Bronze waren aber wohl überall kennzeichnend für die verheiratete Frau. Üblich war für sie ein Nadelpaar, während Männer – wenn überhaupt – entsprechend ihrer andersartigen Tracht nur eine Nadel besaßen. Kleinere Kinder trugen durchweg nur einzelne Drahtarmringe.

Der Dolch in Kombination mit sonstigem Schmuck und nur einer Nadel war typisch für den Mann. Waffenbeigabe bleibt auf eine Minderzahl von Gräbern beschränkt. Sie umschließt Dolch mit Pfeil und Bogen nach Glockenbecher-Tradition. Die Kombination von Dolch und Beil als Nahkampfwaffen aus der Überlieferung der Streitaxtkulturen der Schnurkeramiker setzt sich dagegen allgemein erst in einer späteren Phase durch und wird mit fortentwickelten Typen bis in die mittlere Bronzezeit beibehalten. Möglicherweise ist hieraus zu schließen, daß die Gruppen der Schnurkeramiker die Bronzetechniken mit zeitlicher Verzögerung übernommen haben. Lanzenspitzen, Vollgriffdolche und Stabdolche gehörten offensichtlich nicht zur regulären Waffenausrüstung (Farbtafel 4 und 5). Sie sind in Grabfunden kaum oder gar nicht vertreten (siehe S. 48).

Der vermehrte Sachbesitz – gleich ob in Körper- oder Brandgräbern – kompliziert die Verhältnisse in der mittleren Bronzezeit unabhängig vom Grabbau. Grundlegende Schemata werden beibehalten. Kindergräber sind nur ärmlich ausgestattet, die Paarigkeit der Schmuckstücke in den Frauenbegräbnissen ist weiterhin trachtbedingt. Gegenüber der frühen Bronzezeit tritt wieder mehr und mehr die Keramik als Behältnis für Speise- und Trankbeigaben in den Vordergrund, die eine stärkere Verdiesseitlichung des Lebens nach dem Tode oder, besser, die Vorstellung vom Weiterleben im Grabhügel andeuten.

Wie in der frühen Bronzezeit stellen die Waffengräber nur einen geringen Prozentsatz der Gesamtbestattungen dar, deren Ensembles selbst in ein und derselben Nekropole nicht einheitlich sind. Als Beispiel kann der Friedhof von *Brunn* im Landkreis Parsberg in der Oberpfalz (Bayern) angeführt werden, wo 37 von mindestens 44 Grabhügeln der mittleren Bronzezeit durchsucht worden sind.

Von den 50 Einzelgräbern mit relativ bescheidenen Inventaren enthielten nur vier Waffen: 1 Griffplattenschwert zusammen mit geringem Arm- und Fingerschmuck; 1 kurzes Griffplattenschwert mit Absatzbeil

52 Inventar eines Körpergrabes vom Ende der mittleren Bronzezeit aus Wilburgstetten, Kr. Dinkelsbühl, Bayern. 13. Jahrhundert v. Chr. Die Trichterhalsgefäße aus lederfarbenem Ton mit x-förmigen Henkeln, Buckel- und Strichverzierung, bzw. mit Schrägkanneluren sowie der kleine Bronzedolch und die bronzene Gewandnadel mit gerieftem Kugelkopf waren einem Jugendlichen beigegeben, der auf einer Steinpflasterung in 1,20 Meter Tiefe bestattet war. Höhe des größeren Gefäßes 18 cm. Germanisches Nationalmuseum, Nürnberg

und Vollgriffmesser sowie Schale und Schüssel und schließlich eine Lanzenspitze, die zwischen zwei ärmlich ausgestatteten Einzelgräbern unter einem Hügel lag. Eine soziale Differenzierung der in diesen Hügeln Bestatteten kann aus dem Befund kaum abgelesen werden.

Ebensowenig sind die Schwertgräber der jüngsten mittelbronzezeitlichen Phase innerhalb gewöhnlicher Nekropolen aus dem allgemeinen Niveau hervorgehoben. Besonderheiten zeichnen sich höchstens in herausragenden Einzelgräbern oder in kleinen Familienfriedhöfen von höherem Rang ab, unter anderem in der Kombination von Waffen mit Pfeilspitzen, Köcher und Köcherbesätzen. Allerdings deutet sie wohl weniger eine besondere Kampfesweise, sondern eher die jagdliche Komponente einer gehobenen Gesellschaftsschicht an. Zugleich tritt das Kampfbeil in den geläufigen Waffeninventaren nicht mehr auf und ist mehrfach durch die Lanze ersetzt.

Inwieweit sich in der veränderten Waffenkombination dieser Phase ein allgemeiner Wechsel in der Kampfesweise niederschlägt, bleibt unklar. Vor allem weil Schwert und Lanze von Anfang an ›Exklusivwaffen‹ waren, denen mehr die Funktion von Rangabzeichen zukam, weshalb sie weniger in die Gräber gelangten als im Zuge mythisch-magischer Handlungen in Horten, Gewässern und Mooren versenkt wurden. Der merkmalhafte Waffenbesitz in den Gräbern könnte demnach durchaus eine Art ›Häuptlingsschicht‹ andeuten, deren Herrschaftsanspruch mit wirtschaftlicher oder kultischer Macht begründet war.

DIE NORDISCHE BRONZEZEIT

Parallel zur Entwicklung im mitteleuropäischen Bereich setzt auch in Norddeutschland die Bronzezeit ein. Hier wie dort veränderte die Kenntnis des Bronzegießens den äußeren Habitus der spätneolithischen Gruppen, wobei gerade im Norden aufgrund fehlender Kupfer- und Zinnfundstätten Steingerät noch lange in Gebrauch blieb. Die wenigen Kupfer- und Bronzeformen haben geringe Varietät und zeigen wenig Eigenständigkeit. In den Stiltendenzen, in Formgebung und Ornamentik sind sie in die weitgespannten mitteleuropäischen Kulturströmungen eingebunden. Erst allmählich bildeten sich bodenständige Formenkreise heraus. Mit Beginn der mittleren Bronzezeit gelangte Norddeutschland in den Einflußbereich des Nordischen Kreises mit Zentrum in Dänemark und Südschweden, der sich durch ausgeprägte formale und stilistische Eigenarten von Schmuck, Waffen und Gerät auszeichnet. Das Fundmaterial ist vom mitteleuropäischen Typenspektrum verschieden, worauf die forschungsgeschichtlich bedingte divergierende Terminologie in Nord und Süd zurückzuführen ist (Abb. 43).

53 Rekonstruktion der Männertracht in der älteren nordischen Bronzezeit nach originalen Textil- und Lederfunden aus Baumsargbestattungen in Dänemark.
(Nach Brøndsted 1939)

Vorherrschende Grabform ist auch in Norddeutschland der Hügel, wobei regionale Gruppierungen im Bau, in der Ausstattung und im Totenbrauchtum zeitlich differenziert gegeben sind. Neben Rundhügeln kommen seltener Langhügel vor, in denen Erst-, Neben- und Nachbestattungen gefunden werden. Ohne chronologische oder soziologische Unterscheidungsmerkmale treten Brand- und Körpergräber nebeneinander auf. Die Hügelnekropolen sind meist an landschaftlich markanten Stellen angelegt. Kulturmorphologisch tendieren die nordwestdeutschen Landschaften zum westeuropäischen Kreis der Bronzezeit, während die Gegenden zwischen Wesermündung und Elbe, Schleswig-Holstein und das nördliche Mitteldeutschland Teil des Nordischen Kreises waren. Eine eigenständige Gruppe bildet der sogenannte *Lüneburger* Formenkreis, in dem Einflüsse aus Nord und Süd wirksam wurden (Abb. 51 j,i). Wenn auch formale Unterschiede im Werkzeug, Schmuck und den Waffen bestehen, so stimmen die Ausstattungsmuster mit denen der mitteleuropäischen Hügelgräber grundlegend überein. Allerdings bieten die nordischen Gräber vereinzelt weitergehende Einblicke in die Tracht der bronzezeitlichen Bevölkerungen.

Bedeutsam ist der Befund im mitteljütländischen Grabhügel von *Guldhöj* (Goldhügel) im Amt Ribe. 1891 konnte dort ein Baumsarg mit den gut erhaltenen Resten eines Mannes, seiner Kleidung und einer Tierhaut geborgen werden, die in dem aus Moorrasensoden aufgebauten Hügel durch Luftabschluß konserviert worden waren. Dem Toten waren ein Bronzedolch in Holzscheide, ein bronzenes Absatzbeil mit Eschenholzschäftung, eine Fibel und ein Fingerring aus Bronze beigegeben. Eine Schüssel aus Eschenholz und eine aus Birkenholz, beide mit Sternmustern aus eingenagelten Zinnstiften verziert, eine Spanschachtel, ein großer Löffel aus Horn und, als besondere Seltenheit, ein Klappstuhl aus Eschenholz mit Resten des Sitzes aus Fischotterfell bildeten die weitere Ausstattung.

In Verbindung mit einer Reihe anderer gut erhaltener Funde kann die Tracht der nordischen Bronzezeit bis ins Detail rekonstruiert werden. Das Hauptbekleidungsstück des Mannes war eine Art Kittel aus Schafwolltuch von ca. 1,40 mal 0,80 Meter. Der feingewebte, zugeschnittene und vernähte Stoff wurde in seiner Längsbahn so um den Leib gewickelt, daß er von der Brust bis zu den Knien reichte. An den oberen Ecken des Tuches waren Lederriemen angenäht. Sie führten über die linke Schulter und unter der rechten Achsel auf den Rücken, wo ihre Enden mit einem bronzenen oder beinernen Doppelknopf verbunden waren. In der Taille hielt ein langer, kunstvoll gewebter Gürtel mit Fransenenden den Kittel zusammen (Abb. 53). Als Mäntel dienten in einem Stück halbkreisförmig gewebte Decken mit kragenartigem Umschlag und reichem Faltenwurf von ca. 2 Meter Breite und 1,20 Meter

54   Ideale Waffenausstattung eines Männergrabes der älteren nordischen Bronzezeit. Verschiedene Fundorte. Periode III der nordischen Bronzezeit, etwa 16. Jahrhundert v. Chr. Links ein kurzes Stichschwert aus Bronze mit durchbrochen gegossenem Griff, Länge 46 cm, Bornhöved, Kr. Segeberg (Schleswig-Holstein). Rechts oben ein Dolch mit zwei Nieten und trapezförmiger Griffplatte, Sellin, Kr. Putbus (Bez. Rostock) und darunter ein sog. ›nordisches Absatzbeil‹ aus Barnsen, Kr. Uelzen. Schwert und Dolch steckten ursprünglich in lederbezogenen Holzscheiden, die ebenso vergangen sind wie der Holzgriff und die Knieschäftung des Beiles. Germanisches Nationalmuseum, Nürnberg

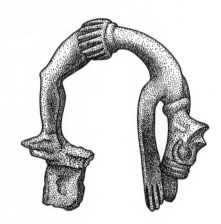

55 *Tracht einer jungen Frau der älteren nordischen Bronze-*
zeit. Originalfunde aus einem Hügelgrab mit Baumsarg-
bestattung in Egtved, Dänemark. Darunter Bronzeaufsatz
in Gestalt eines oder einer Tanzenden mit Schnurrock aus
Dänemark, Höhe 5 cm, Fundort unbekannt. Späte nordische
Bronzezeit, 10. bis 8. Jahrhundert v. Chr.
Nationalmuseet, Kopenhagen

Länge, die am Hals durch eine Bronzenadel zusammengehalten wurden. Die Kopfbedeckungen der Männer bildeten kegel- oder halbkugelförmige Filzmützen aus drei Lagen gewalkter Wolle (Abb. 53). Hosen waren nicht üblich, die Füße steckten in Bundschuhen. Das Haupthaar trugen die Männer halblang geschnitten, die Gesichter waren rasiert. Zu Tracht und täglichem Bedarf gehörten das Bronzeschwert in hölzerner Scheide, Dolch, Streitbeil und Lanze (Abb. 54). Ringschmuck zierte Arme und Finger, goldene Lockenringe schmückten das Haar. Eine Fibel oder Nadel diente als Gewandhafte; in einer Tasche trug man Feuerstein, Schwefelkiesknollen und Baumschwamm mit sich.

In der weiblichen Tracht zeichnen sich deutliche Altersklassenunterschiede ab. Die verheiratete oder ältere Frau war nach den jütländischen Funden mit einer kurzen Wollbluse bekleidet, die einen weiten Halsausschnitt und halblange Ärmel besaß. Als Rock wurde eine 3 Meter lange und bis zu 1,15 Meter breite Tuchbahn um die Hüften gewickelt, die mit reichem Faltenwurf bis zu den Füßen reichte. Ein dekorativ gewebter Gürtel, dessen Verknotung auf dem Leib mit einer prächtigen Bronzescheibe kaschiert war, raffte den Rock in der Taille. Das lange Haar wurde in einem kunstvoll gewirkten Haarnetz getragen. Die jüngeren Mädchen und Frauen hingegen hatten, wie der berühmte Fund von *Egtved* in Jütland zeigt (Abb. 55), ihr Blondhaar kurz geschnitten. Außerdem trugen sie einen kurzen Schnurrock, der nur die Oberschenkel bedeckte. Dieses Kleidungsstück bestand aus einem breiten, zweimal um die Taille gelegten Gürtelband, von dem dicht an dicht Wollschnüre herabhingen. Diese Tracht scheint im nordischen Kreis sehr langlebig gewesen zu sein, denn noch an spätbronzezeitlichen Bronzefigürchen sind kurze Schnurröcke dargestellt.

Auch in den Schmuckensembles werden ähnliche Unterschiede wirksam gewesen sein, wenn sie nicht überhaupt durch Trachtsittenkreise bedingt waren. Beispielhaft ist die Frauenbestattung aus einem Hügelgrab auf dem *Hengstberg bei Wardböhmen* im Kreis Celle (vgl. Abb. 51i). Vom Baumsarg und dem Skelett waren nur noch Spuren vorhanden, der Schmucksatz fand sich jedoch noch bis auf eine kleine Störung am oberen Ende der Bestattung in Originallage. Kleine Buckel und Röhrchen aus Bronzeblech schmückten ursprünglich eine Haube. Spiralröllchen waren in die Haarlocken gewunden. Den Hals umschloß ein bronzener Kragen mit reicher Tremolierstichverzierung und ein Ring mit Spiralenden. An einer Kette mit bronzenen Spiralröhren hing eine große Bronzescheibe auf der Brust, wie sie sonst im nordelbisch-jütländischen Gebiet den Gürtel zierten. Die Bluse oder den Umhang verschloß eine entsprechend der bronzenen Hängescheibe ornamentierte ›Rudernadel‹. An den Unterarmen und Unterschenkeln trug die Tote aufwendigen Spiralschmuck und an der linken Hand einen Fingerring.

Formen und Formkombinationen in zeitgleichen Gräbern haben
große Variationsbreiten. Neben Halskragen und -ringen kommen Ketten aus Bernsteinperlen mit dazwischen gereihten Bronzeröllchen vor;
neben ›Rudernadeln‹ treten Rad- und Kugelkopfnadeln sowie Fibeln der
verschiedenen Typen auf. Statt des Spiralschmucks an Armen und Beinen wurden häufig auch massiv gegossene, geometrisch verzierte Ringe
getragen. Auf weite Handelsbeziehungen weisen vereinzelte hellblaue
Glasperlen hin.

Obwohl einzelne Schmuckformen gemeineuropäische Verbreitung
haben, unterscheiden sich die Inventare der Frauengräber zwischen
Nord und Süd beträchtlich. Fibeln sind in den süddeutschen Hügelgräbernekropolen völlig unbekannt. Nadeln oder Fibeln treten in Männer-
und Frauengräbern des Nordischen Kreises immer nur einzeln auf, während zur regulären süddeutschen Frauentracht stets zwei Nadeln gehörten. Aber auch innerhalb Norddeutschlands und im zum Norden hin
tendierenden Mittelelbgebiet deuten Einzelbefunde regionale Trachten-
gruppen mit andersartig geschnittenen Kleidern an. Die nördlich der
Elbe als Gürtelschmuck getragenen Bronzescheiben wurden im Lüneburger Gebiet zum Brustschmuck (siehe Abb. 51). Spiralfibeln, in den
Gräbern stets einzeln aufgefunden, dienten Männern und Frauen in
Schleswig-Holstein, Mecklenburg und dem Mittelelbgebiet als Gewandhaften, wohingegen sie speziell im Lüneburger Kreis stets als
Haarschmuck am Hinterkopf angetroffen werden (Abb. 51j). Die Verbreitung der Einzelformen, seien es Gerät- oder Schmuckformen und
die Fundkombinationen belegen für die nordische Bronzezeit eine erstaunliche Vielfalt von regionalen Gruppen, die in lebhaftem gegenseiti-
gen Austausch standen und Anregungen aus Westen und Süden verar-
beiteten.

Gegen Ende der mittleren Bronzezeit ist auch im Norden der allmähliche Übergang von der Körperbestattung zur Leichenverbrennung festzustellen, eine Erscheinung, die in gemeineuropäischen Zusammenhängen steht. Der Wechsel im Bestattungsritus erfolgte nicht abrupt. Der
Leichenbrand wurde manchmal wie eine Körperbestattung in lang-
rechteckigen Grabkammern unter Hügeln beigesetzt. Die Beigaben waren unverbrannt niedergelegt. Brandbestattungen waren auch während
der mittleren Bronzezeit nicht ungewöhlich, doch waren sie nicht die
Regel. Möglicherweise handelte es sich um Sonderrituale. Im Grab von
Egtved war zu Füßen der jungen Frau der Leichenbrand eines Kleinkin-
des beigesetzt und in einem Frauengrab von *Deutsch-Evern* im Landkreis
Lüneburg lag links neben der Toten in einem mit einer Fibel verschlos-
senen Beutel aus Stoff oder Leder der feine Leichenbrand eines Säug-
lings. Mit verschiedenen Zwischenstationen, etwa der Beisetzung der
Urne in kleinen Steinkammern unter überhügelten Rollsteinpackungen,

*56   Hügelgräberfeld der jüngeren Bronzezeit und frühen
Eisenzeit von Pestrup bei Wildeshausen in Oldenburg,
Niedersachsen*

setzte sich schließlich mit Beginn der späten Bronzezeit wie im übrigen Mitteleuropa, die Bestattung des Leichenbrandes in frei im Boden stehenden Urnen durch. Die Grabkeramik, in der vorhergehenden Periode kaum vorhanden, gewinnt in den Funden das statistische Übergewicht. Die Bronzeformen, ob Schmuck, Waffen oder Gerät wurden kontinuierlich aus älteren fortentwickelt, wobei es formal und ornamental zur Hochblüte nordischer Bronzekultur kommt.

57 Die Verbreitung der Urnenfelderkulturen (Nach Schauer)

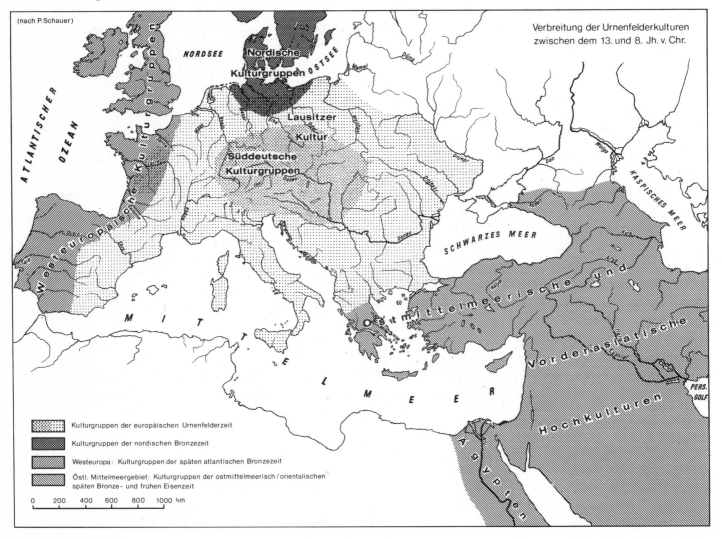

Die materielle und geistige Kultur der späten Bronzezeit war in weiten Teilen Europas durch die sogenannte Urnenfelderzivilisation bestimmt. Der allmähliche Kulturwandel setzte mit dem Aufkommen neuer Bestattungs- und Sachformen bereits am Ende der mittleren Bronzezeit ein und führte rückblickend in der Bündelung einer Reihe zeitspezifischer Fakten zur Herausbildung einer kulturell und zivilisatorisch eigenständigen Epoche. Aufgrund der vorherrschenden Bestattungsform und der forschungsgeschichtlich bedingten Terminologie wird der Zeitraum zwischen dem 13. und 8. Jahrhundert v. Chr. in Mitteleuropa allgemein als ›Urnenfelderzeit‹ bezeichnet (Abb. 43). Als Zeitstufe, unterteilt in zwei Perioden und mehrere chronologische Phasen, umfaßt sie nach ägäischen und italischen Vergleichskomplexen einen Zeitraum von über 500 Jahren, bis sich mit der Änderung des allgemeinen Bestattungsbrauches und der Verlegung von Nekropolen und Siedlungen der Übergang zur früheisenzeitlichen Hallstattkultur in Mitteleuropa abzeichnet. Das Fundbild ist in keiner Weise einheitlich, sondern durch regionale und lokale Eigenarten geprägt. Im Sachbesitz und den archäologisch nachvollziehbaren Verhaltensweisen überschneiden sich die einzelnen Phasen untereinander. Die Übergänge zur vorhergehenden und nachfolgenden Periode sind fließend. Radikale Kontinuitätsbrüche oder ›Kulturkatastrophen‹ infolge von Bevölkerungswechsel sind nirgendwo in der Urnenfelderzeit festzustellen. Anzunehmen ist das kontinuierliche Fortbestehen der unterschiedlichen bronzezeitlichen Bevölkerungsgruppen, genau wie im Bereich der norddeutschen und skandinavischen Landschaften, wo nur Teilaspekte der Urnenfelderkultur übernommen wurden (Abb. 57).

HANDWERK UND SIEDLUNG

Auch in der Urnenfelderzeit beruhte die Metallwirtschaft fast ausschließlich auf der Verarbeitung von Bronze. Eisen, in den Hochkulturen des vorderen Orients bereits wichtiger Werkstoff, kommt in den vorgeschichtlichen Kulturen Europas nur ganz vereinzelt vor. Erst am Ende der späten Bronzezeit treten wenige Großgeräte wie eiserne Griffzungenschwerter auf. Eine Modeerscheinung sind Ziereinlagen in Eisen bei Vollgriffschwertern. Die weite Verbreitung dieser Erscheinung bestätigten technologische Strömungen von großer Reichweite, und sie zeigt zugleich, daß mit dem neuen, seltenen und daher kostbaren Werkstoff überall und lange experimentiert wurde.

Die Bronzegußtechniken gelangten in dieser Zeit zu ihrem Höchststand. Überfangguß ist eine der technischen Neuerungen, die auf mittelmeerische Anregungen zurückgehen müssen (Abb. 58). Diese Zusammenhänge verdeutlichen insbesondere schwierig gegossene und aus mehreren Teilen zusammengesetzte Bronzeräder, die neben beträchtli-

Die Urnenfelderkultur

DIE SPÄTE BRONZEZEIT

58 Bronzene Gußform für den Griff eines Schwertes vom sog. Typ Mörigen, Länge 11,5 cm. Aus einem Hort der späten Urnenfelderzeit von Erlingshofen, Kr. Eichstätt, Bayern. 9. bis 8. Jahrhundert v. Chr. Die Gußform besteht aus zwei symmetrischen Schalen, die durch Zapfen und Vertiefungen aneinandergepaßt werden können. Zwischen ihnen kann ein Futter für die Aussparung der Klinge eingelegt werden (a). Der zugehörige Gußdeckel ist verloren (b). Mit der vorliegenden Form konnte der Schwertgriff hohl gegossen und anschließend auf die Klinge genietet oder aber im sog. ›Überfangguß‹ direkt auf die in die Form eingelegte Schwertgriffangel aufgegossen werden. Die Gußstücke (c) bedürfen abschließend noch der Überarbeitung. Die Form selbst wurde ursprünglich im Wachsausschmelzverfahren in verlorener Form hergestellt und konnte beliebig oft kopiert werden. Hieraus erklärt sich die häufig feststellbare Verbreitung bestimmter Sachtypen über weite Teile des vorgeschichtlichen Europas. (Nach Torbrügge-Uenze)

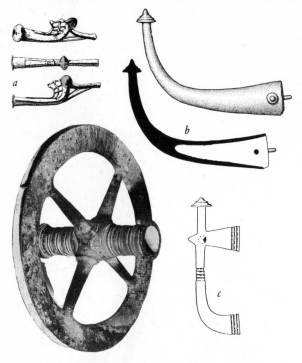

59 Kompliziert gegossenes Bronzerad aus Stade in Niedersachsen, Durchmesser 58 cm. Das Rad wurde mit drei guß-
gleichen anderen in einem Depot gefunden. (Nach Jacob-Friesen).
(a) Gebilde aus drei Vogelprotomen, Bronze. Wahrscheinlich
vom Gestänge eines Wagens. Länge 53 cm. Aus der Umgegend
von Saarbrücken. – (b) Bronzene Beschlagtülle aus dem
Wagengrab von Hader, Kr. Griesbach, Bayern. (Nach
Pätzold-Uenze). – (c) Bronzene Beschlagtülle, Länge um
11 cm, von einem Wagen aus einem Hügelgrab im Lorscher Wald,
Kr. Bergstraße, Hessen. (Nach Herrmann 1966)

60 Sandsteinform für den Guß von Sicheln in verlorener
Form und eine bronzene Knopfsichel (nicht formgleich) sowie
rechts die fragmentierte Gußschale aus Sandstein für bronzene
Gewandnadeln von ähnlichem Typus wie das daraufliegende
Stück von 7,6 cm Länge. In der Form sind deutlich die
Gußkanäle zu sehen. Von der befestigten Höhensiedlung auf
dem Hesselberg bei Dinkelsbühl, Bayern.
Germanisches Nationalmuseum, Nürnberg

chem Materialaufwand ausgefeilte Kenntnisse in den Gußtechniken vor-
aussetzen (Abb. 59). Daneben fallen die Treibarbeiten in Bronze- und
Goldblech ins Auge, Ziselier- und Punztechniken, die mit Sicherheit
ebenfalls keine einheimischen mitteleuropäischen Entwicklungen darstellen. Werkstätten und Handwerker werden faßbar. Gußformen aus
Stein und Bronze sind aus vielen Regionen bekannt, in denen die
Grundmetalle für Bronze nicht vorkommen. Diese Gebiete versorgten
sich mit Gußkuchen oder Altmaterial, das, wie viele Depotfunde zeigen, gesammelt, eingeschmolzen und in neue Formen gegossen wurde.
Gießerwerkstätten waren mit ihren technisch aufwendigen Vorrichtun-
gen wahrscheinlich an größere Siedlungen gebunden.

Das Siedlungsbild ist durch unterschiedliche Fundfilter für Grab- und
Siedelfunde verzerrt, wobei, wie in den meisten vorgeschichtlichen
Epochen, die Friedhöfe unmittelbare Hinweise auf Ort, Größe und Art
der Siedlung geben. Die Urnenfelderzeit fiel in eine relativ trockene und
warme Klimaphase, die mit lokalen Veränderungen auch den lokalen
Siedelvorgang beeinflußt hat. Bäuerliche Wirtschaftsweisen, auf denen
auch Handwerk und Handel beruhten, sind vorauszusetzen. Die ver-
minderten Niederschlagsmengen öffneten jedoch größere Höhenlagen
der Nutzung, und zugleich kam es, wie schon im Jungneolithikum, zur
erneuten Niederlassung an trockenen Seeufern und auf Inseln. Befestigte
Höhensiedlungen entstanden, so etwa auf dem *Hesselberg* in Mittelfranken, die offenbar zentralörtliche Funktion als Herrschafts-, Kult- und
Handelsplatz hatten (Abb. 60).

Die Masse der meist durch Oberflächenfunde von Tonscherben bekannten Wohnplätze liegt aus ökologischen Gründen in denselben topographischen Bereichen wie die bäuerliche Siedlung seit der Jungsteinzeit. Größere Dörfer scheinen selten, die Siedlungsspuren am Ort bleiben durchweg spärlich. Bronzesicheln, Handmühlen, Spinnwirtel und
Webgewichte und Unmengen von Gefäßscherben bezeugen die bäuerliche Hauswirtschaft. Auf die zentrale Herdstelle in den Häusern weisen
Bronzehaken zum Sieden von Fleisch in großen Kesseln hin; ebenso
betonen tönerne Feuerböcke in Form eines Rindergehörns – manchmal
auch als Mondidole bezeichnet – den symbolischen Bezug auf Haus und
Hof in Gestalt des wichtigsten Haustieres (Abb. 61).

Zum überlieferten Haustierbestand tritt das Pferd. Der Hakenpflug
hat, wie im nordischen Kreis, längst Grabstock und Feldhacke abgelöst.
Mehrere Getreidearten wurden angebaut, dazu Erbsen, Saubohnen und
Gartenmohn. Kohl und Rüben ergänzten, zumindest in Südwestdeutschland die Liste der Kulturpflanzen. Hirsch, Reh, Elch, Bär und
Wildschwein, vielerlei Großvögel und Fische wurden gejagt und ver-
breiterten die Nahrungsbasis der spätbronzezeitlichen Menschen.

Als Generaltypus im Hausbau zeichnet sich nach verschiedenen Gra-

bungsbefunden ein ebenerdiges rechteckiges Pfostenhaus ab, das bis zu zwölf Meter lang sein konnte, mitunter aber auch annähernd quadratische Form von zweieinhalb bis drei Meter Seitenlänge hatte. Lehmbeworfene, weiß gekalkte Flechtwände oder Holzverschalungen aus senkrecht gestellten Brettern sind zu vermuten. Die Herdstelle lag mitten im Raum (Abb. 62).

LEITFUNDE UND GRUPPENBILDUNG

Eine Gruppengliederung der Urnenfelderkultur ist vorläufig nur bedingt möglich und kann sich nur auf größere geographische Bezugsräume berufen. Grabformen und Bestattungssitten, Schmuck- und Waffenkombinationen sowie die schwerpunktmäßige Verbreitung bestimmter Leitfunde sind dabei zusammenfassende und zugleich trennende Kriterien. Die südwestdeutsche Zone ist gegen einen östlichen Kreis der Urnenfelderkulturen abgesetzt. Im Osten ist der Formenaustausch zwischen Böhmen und Nordostbayern augenfällig. Gleichartige

61 Tongefäße der älteren Urnenfelderzeit aus der befestigten Höhensiedlung auf dem Hesselberg bei Dinkelsbühl, Bayern. Ältere Urnenfelderzeit, 12. bis 11. Jahrhundert v. Chr. Im Hintergrund ein sog. ›Feuerbock‹, auch ›Mondidol‹ genannt, Höhe 16,5 cm, davor ein Gewicht aus gebranntem Ton zum Straffen der Kettfäden auf dem ›stehenden Webstuhl‹ und rechts außen ein Gefäß mit Saugtülle.
Germanisches Nationalmuseum, Nürnberg

63

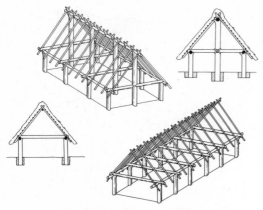

62 *Hausgrundrisse aus einer urnenfelderzeitlichen Siedlung bei Künzing in Niederbayern und ihre Rekonstruktion zu zwei- bzw. einschiffigen Häusern. Die Dächer werden mit Stroh oder Ried gedeckt gewesen sein, die Wände bestanden wahrscheinlich aus lehmverputztem Flechtwerk.*
(Nach Herrmann 1975)

63 *Schmuckinventar aus einem Frauengrab der späten Bronzezeit (vgl. Abb. 51) aus Dörmte, Kr. Uelzen, Niedersachsen. Periode IV der nordischen Bronzezeit, 12. bis 10. Jahrhundert v. Chr. Zur massiv gegossenen, fein ziselierten Gürteldose mit zwei rückseitigen Ösen zum Befestigen des Gürtels und der Plattenfibel, Länge 15 cm, deren Nadel verloren ist, gehört noch ein nicht abgebildeter, massiv gegossener Halskragen, wie er ähnlich bereits in der älteren Bronzezeit üblich war. Germanisches Nationalmuseum, Nürnberg*

Gefäßtypen kommen in beiden Räumen vor (Farbtafel 9). Das Alpenvorland steht mit den Tiroler Urnenfeldern in enger Verbindung, was sich vor allem in der Austauschbarkeit von Schmuckformen zeigt. Die westliche Zone wird üblicherweise in eine rheinisch-schweizerische und eine untermainisch-schwäbische geteilt, die in Gruppen regionaler Prägung weit über die Mittelgebirge nach Norden ausstrahlen, wohingegen das norddeutsche Flachland weiter im Einflußbereich der nordischen Bronzezeit lag, wo urnenfelderkulturliche Einwirkungen nur in Teilbereichen archäologisch nachzuweisen sind (Abb. 63).

Gemeinsame Eigenarten, etwa Brandbestattung in Urnenfeldern sowie Übereinstimmungen in der Form bronzener Schmuck- und Gebrauchsgegenstände kennzeichnen die *Lausitzer* Kultur im östlichen Mitteleuropa als Teil der großen spätbronzezeitlichen ›Urnenfelderkultur‹ (Abb. 57). Gruppenspezifische Besonderheiten dagegen betonen ihre Eigenständigkeit. Offensichtlich aus mehreren zeitlich und örtlich verschiedenen mittelbronzezeitlichen Wurzeln entstanden, zeigt die *Lausitzer* Kultur in ihrem Gesamtverbreitungsgebiet kein einheitliches Gepräge. Typisch sind Friedhöfe mit Brandbestattungen in Flachgräbern und unter Hügeln. Beide Grabformen kommen ohne zeitliche Differenzierung nebeneinander vor. Die Grabinventare bestehen in der Regel aus einer großen Urne mit Deckschale und einer Reihe von Beigefäßen, die zusammen in einer Grube versenkt sind. Zeitlich gliederndes Moment der über mehrere Jahrhunderte reichenden Entwicklung ist die variantenreiche und in Massen überlieferte Keramik (Farbtafel 8). Sie reicht von frühen Buckelgefäßen bis zur graphitierten Keramik früheisenzeitlicher Art. Von den wenigen aus diesen Zusammenhängen stammenden Bronzen – sowohl aus Gräbern wie auch aus Horten – fallen nur vereinzelte aus dem allgemeinen urnenfelderzeitlichen Rahmen (Farbtafel 11). Über die Wirtschaftsformen und das Siedelwesen ist wenig bekannt. Allerdings sind auch hier befestigte Höhensiedlungen nachgewiesen.

Bei dieser uneinheitlichen Basis vorgeschichtlicher Gruppengliederung in Zentraleuropa kann die chronologische Schichtung des umfangreichen Fundmaterials nur an allgemeinen Formeigenarten orientiert werden. Übergreifende Kriterien zeigen sich in den Profilen der Tonware. Die frühurnenfelderzeitlichen Gefäße weisen durchweg scharf abgesetzte Zylinderhälse auf. Rillenmuster, Einstiche, Buckel und Kanneluren sind die häufigsten Ziermuster der meist graphitierten Außenflächen (Farbtafel 8 und 9). Im jüngeren Abschnitt werden Trichterhälse üblich, die Profile sind vielseitig differenziert. Riefen und Girlanden beherrschen den regional bestimmten Musterschatz. Spitzfüßige Becher, Schalen mit Innenzier und rot grundierte Tonware mit Graphitornamenten leiten allmählich zu Keramikgattungen der Hallstattzeit über. Fußschalen und anderes Geschirr imitieren Metallgefäße.

Unter den Metallformen bilden die Fibeln als echte Neuschöpfungen vorrangige Leitfunde. Im Gegensatz zu den mittelbronzezeitlichen Fibeln des Nordischen Kreises sind es eingliedrige Konstruktionen in verschiedenen Varianten, die neben den Nadeln die ältere Phase der Urnenfelderkultur bestimmen (Abb. 64), bis sie im jüngeren Abschnitt von zweigliedrigen Platten- und Bügelfibeln abgelöst werden (Farbtafel 11).

In gleicher Weise markieren Luxusgüter wie Bronzegeschirre überregionale Fundhorizonte. Dasselbe gilt für bestimmte Waffengruppen mit weitläufiger Streuung. Gerade die Vollgriffschwerter sind aufgrund einer Vielzahl von verändernden Merkmalen in Form, Technik und Ornament Leitformen, deren regelhafte Fundkombinationen genaue Schichtungen von Produktions- und Zeitgruppen ermöglichen. Am Beginn der Entwicklungsreihe stehen ältere Dreiwulstschwerter aus der Tradition mittelbronzezeitlicher, kurzer Stichschwerter. Erst in der entwickelten Urnenfelderzeit kamen ausgesprochene Hiebwaffen mit einem Vorgewicht im unteren Drittel der Klingen auf (Abb. 65). Die Vollgriffschwerter massieren sich in verschiedenen Typen im südlichen Mitteleuropa, während im Westen Griffplatten- und Griffzungenschwerter bevorzugt in Verwendung sind. In der jüngeren Stufe der Urnenfelderzeit bilden Schalenknaufschwerter in Verbindung mit zweiteiligen Plattenfibeln, Eierkopfnadeln, scharf profilierter Tonware, Bronzetassen, verzierten Lanzenspitzen und Griffzungenmessern mit Zwischenstück einen klar umschriebenen Materialhorizont. Im jüngsten Abschnitt beherrschen in Gräbern und Horten Schwerter von gemeineuropäischem Zuschnitt das Fundbild in vielerlei Varianten. Allgemeine Kennzeichen sind verlängerte Klingen und verminderte Qualität bei zunehmender Fundzahl (Abb. 65), während gleichzeitig besonders wertvolle Waffen mit Eiseneinlagen auftreten, die offensichtlich die Funktion von Würdezeichen hatten.

GRABFORMEN UND SOZIALSTRUKTUR

Anders als die Periodenbezeichnung ›Urnenfelderzeit‹ impliziert, sind die Bestattungssitten in der späten Bronzezeit auch im süddeutschen Raum keineswegs einheitlich. Leichenverbrennung herrscht vor, setzt sich aber keineswegs überall durch. Im übrigen werden die Friedhöfe und Gräber je nach Ort und Zeit unterschiedlich angelegt. Größe und Form der Grabgruben variieren. Manchmal sind sie mit Holz- oder Steineinbauten versehen, manchmal fehlen diese, und ab und zu treten Kreisgräben und Steinkränze um die Bestattung auf, ohne daß die Beigaben einen besonderen Status des Verstorbenen anzeigen. Leichenbrand und Beigaben können in, unter oder neben der Urne liegen. Allgemein verbindliche Bestattungsregeln waren nicht gegeben, in lange belegten Nekropolen bleibt das örtliche Muster relativ konstant.

64 Bronzene Schlangenfibel der älteren Urnenfelderzeit von unbekanntem Fundort in Südbayern, wahrscheinlich aus einem Moor oder Gewässer, Länge 17,5 cm.
Germanisches Nationalmuseum, Nürnberg

65 Bronzene Stich- und Hiebschwerter der Urnenfelderzeit aus Bayern. Von links nach rechts: Zwei Schwerter der älteren Urnenfelderzeit aus Erlach, Kr. Rottal-Inn, und Königsdorf, Kr. Bad Tölz–Wolfratshausen. Schwert der jüngeren Urnenfelderzeit vom Typ Auvernier aus Hirschaid bei Bamberg, Länge 82,5 cm, ein Schwert vom Typ Weltenburg aus München-Schwabing und eines aus dem Main bei Stockstadt, Unterfranken. Bei den Schwertern handelt es sich durchweg um Einzel- bzw. Flußfunde.
Prähistorische Staatssammlung, München

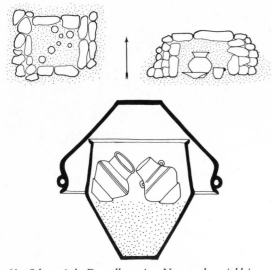

66   *Schematische Darstellung eines Urnengrabes mit kleiner Grabkammer aus Feldsteinen, in der die Urne samt Beigefäßen niedergestellt ist, und einer frei im Boden stehenden Urne mit Deckschüssel. Die Beigefäße liegen in der Urne auf dem Leichenbrand. (Nach Vorlage Torbrügge)*
Darunter Messer und Rasiermesser der späten Bronzezeit und Urnenfelderzeit: Messer mit durchbrochenem Griff von Unterferrieden, Kr. Nürnberger Land, Länge 23,3 cm, und ein Messer mit zurückgebogenem Griffdorn aus Rudolstadt, Bez. Gera; daneben ein Rasiermesser mit durchbrochenem Griff und eingezogener Schneide vom Hesselberg in Mittelfranken, Länge 14,2 cm, und unten ein Rasiermesser von unbekanntem Fundort in Norddeutschland mit schiffsförmiger Gravierung, Länge 11 cm. Germanisches Nationalmuseum, Nürnberg

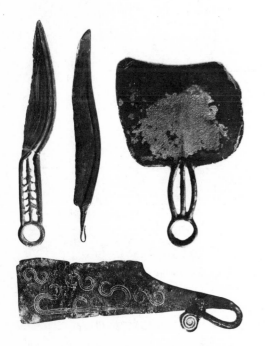

In *Kelheim* wurde ein Urnenfeld mit mindestens 263 Gräbern der älteren und jüngeren Urnenfelderzeit aufgedeckt. Die runden Grabgruben liegen eng nebeneinander und sind zwischen 0,3 und 1 Meter eingetieft. Ein einziges Grab besitzt einen Kreisgraben, und ebenfalls ein einziges ist in einer Steinpackung angelegt. Steineinbauten beschränken sich sonst auf lose Packungen über oder um den Hals der Urne. Die Beigaben – Bronzegeräte und kleinere Gefäße waren nicht dem Brand auf dem Scheiterhaufen ausgesetzt – sind durchweg in der mit einer Schale oder einem Deckel geschlossenen Urne deponiert. In einigen Fällen fehlen Beigaben. Manchmal lag der Leichenbrand mit Scheiterhaufenresten ohne Urne frei auf dem Boden der kleinen Grabgrube.

In räumlicher Trennung von den eigentlichen Flachgräberzonen treten in den Landschaften zwischen Alpen und Mittelgebirgen, Rhein und Oder einzeln oder in kleinen Gruppen Grabhügel auf. Die Hügel sind durchweg kleiner als die mittelbronzezeitlichen und besitzen in der Regel weniger massive Steineinbauten. Grundsätzlich besteht gegenüber den Flachgräbern kein Unterschied in der Beigabenausstattung, doch scheint allein ihre isolierte Anlage ein spezifisches Gruppenverhalten widerzuspiegeln. Ob es wirtschaftlich oder sozial begründet war, muß allerdings dahingestellt bleiben. Regionales Brauchtum ist auch hier zeitweilig bestimmend. Im Mittelrheingebiet bestehen Langhügel mit umlaufenden Gräben, die in einer ausgesprochen nordwesteuropäischen Tradition der sakralen Umgrenzung des Grabareals stehen. Offensichtlich handelt es sich bei den bis über 100 Meter langen und bis zu 17 Meter breiten Hügeln um lokale Sondererscheinungen, in denen das Prinzip der Sippengrabstätte extreme Gestalt angenommen hat.

Landschaftlich ebenso begrenzt wie die Langhügel in Westdeutschland treten im Fränkischen Stufenland Hügelgräber auf, deren Fuß mit sogenannten Zeichensteinen kreisförmig eingefaßt ist. Die regelmäßigen Platten aus weichem Sandstein von 30–40 Zentimeter Breite und 20 Zentimeter Stärke sind auf den ursprünglich obertägig sichtbaren Außenseiten mit eingeritzten kreisförmigen und linearen Mustern unbekannter Bedeutung verziert (Abb. 67). Ein hervorragendes Beispiel bot ein Hügel in *Markt-Forst*, Landkreis Höchstadt a. d. Aisch, dessen eingetiefte zentrale Brandbestattung auf einer Steinplatte durch einen Kreis aus weit über 60 Zeichensteinen mit einem Durchmesser von 9,5 Metern eingefaßt war. Die Bedeutung der Stelle in der örtlichen Tradition bezeugen hallstatt- und frühlatènezeitliche Nachbestattungen, die zur Ausdehnung des 1,5 Meter hohen Hügels auf 14 Meter Durchmesser führten (Abb. 67).

In der Spätphase der Urnenfelderzeit, absolutchronologisch etwa seit dem 9. vorchristlichen Jahrhundert, treten vermehrt Sondernekropolen mit überdurchschnittlichen Grabinventaren auf. Meist handelt es sich um Hügelbestattungen, isoliert von den gewöhnlichen Urnenfeldern. Es hat den Anschein, als ob sich die führende Gesellschaftsschicht von der breiten Masse der Bevölkerung auch in der Wahl des Bestattungsplatzes absetzen wollte. Deutlich wird dieser Vorgang in *Kelheim* sichtbar. Nur 4 Kilometer Luftlinie vom Urnenfeld wurde eine Hügelnekropole angelegt, die mit einem Schwertfund eindeutig andere gesellschaftliche Prägung zeigt als die gleichzeitigen waffenlosen Bestattungen des Flachgräberfeldes.

Eine merkwürdige, nach den bisherigen Beobachtungen auf die Schicht der oben (siehe Seite 56) erwähnten ›Häuptlingsgräber‹ beschränkte Erscheinung sind Doppelbestattungen von Mann und Frau, ein Phänomen, das am ehesten mit der Sitte der Witwentötung erklärt werden kann. Vor welchem kulturhistorischen Hintergrund dieses bis in die Hallstattzeit wirksame Brauchtum entstand, bleibt offen. Möglicherweise hängt es mit elitären Jenseitsvorstellungen oder mit Rechtsansichten zusammen, welche die Totenfolge der verheirateten Frau in der führenden Schicht urnenfelderzeitlicher Gesellschaften forderten.

Das besondere Gruppenverhalten im Bestattungsritus zeigt sich bereits bei den späten mittelbronzezeitlichen ›Häuptlingsgräbern‹. Faustregeln lassen sich nicht ermitteln, doch stellen überdurchschnittliche Beigabenausstattung und elitäre Absonderung sowie besonderer Grabbau Kriterien zur sozialen Differenzierung der urnenfelder- bzw. spätbronzezeitlichen Gesellschaften dar. Luxusgüter wie vollständige Trinkgeschirre aus Bronze, die eindeutig auf mittelmeerisches Brauchtum hinweisen, sind selten, doch zeigt möglicherweise schon die Beigabe einer einzigen Bronzetasse merkmalhaft den Besitzstand des Verstorbenen an.

Besonders trifft das für die Wagengräber zu, die mit Beginn der Urnenfelderzeit auftreten und auf weitreichende kulturelle Beziehungen nach Südosten verweisen. Beispielhaft ist das Grab von *Hart a.d. Alz* im Landkreis Altötting. Der Tote war in einer 4 Meter langen und 2 Meter breiten Steinkammer mit seinem Schwert und Pfeil und Bogen bestattet. Seinen hervorgehobenen Rang dokumentierte ein ausgesucht qualitätvoller Tongeschirrsatz, ein vollständiges Bronzeservice aus Eimer, Sieb und Schöpfer sowie eine kleine Goldspirale (Abb. 68). Verbrannte Bronzebeschläge lassen die Rekonstruktion eines Wagens mit vier gleichgroßen, vierspeichigen breitfelgigen Rädern und viereckigem Wagenkasten zu. Wie bei der griechischen *ekphora* wurde der tote Häuptling von Hart a.d. Alz auf diesem Wagen in feierlicher Prozession zum Bestattungsplatz gefahren und samt dem Gefährt verbrannt. Asche und Wagenreste wurden in der Grabkammer niedergelegt; Waffen und alles Gerät, einschließlich des Bronzeservices, das der Tote für sein jenseitiges Leben brauchte, folgten. Der Wagen selbst war ein herrschaftliches Ge-

a

b

c

67 *Drei Zeichensteine des großen Grabhügels in Markt-Forst, Kr. Erlangen-Höchstadt. Der linke Stein hat eine Höhe von 42 cm (a).*
Grundmotive der Zeichenritzungen urnenfelderzeitlicher Zeichensteine aus dem Gebiet an der mittleren Regnitz in Mittel- und Oberfranken (b).
Kranz aus Zeichensteinen von 3,6 Meter Durchmesser aus Hügel 1 von Gosberg, Kr. Forchheim, Bayern, bei der Ausgrabung (c). In der Mitte des Steinkranzes befand sich die Brandbestattung. (Nach Hennig)

68 Wagengrab der älteren Urnenfelderzeit aus Hart a. d. Alz, Kr. Altötting, Bayern.
Prähistorische Staatssammlung, München
Rekonstruktion eines Rades des Wagens aus dem Grab in Hart a. d. Alz (a). Die vier gleichgroßen Räder besaßen Holznaben, vier Holzspeichen und ziemlich breite, nicht beschlagene Felgen. Außen trugen die Naben eine breite Bronzekappe, die zwischen den Speichen mit Nagelscheiben befestigt war, innen saß nur ein schmaler Bronzeblechstreifen. Die Räder wurden durch Achsenmuffen mit großen Splinten festgehalten und die Speichen endeten in Bronzeschuhen. Da alle Bronzeteile des Wagens im Brand stark verschmolzen waren, kann der Raddurchmesser nur auf 80–90 cm geschätzt werden. Vom Wagenaufbau hat sich außer einem Bronzeaufsatz (b) mit vogelkopfartigem Ende nichts erhalten. Der 15,5 cm hohe Eimer ist aus mehreren Bronzeblechen zusammengenietet. Der dazu gehörige kleine Schöpfer und das Sieb sind aus Bronzeblech getrieben und mit angenieteten Blechhenkeln versehen. Sie bildeten ein Trinkservice. Das Sieb diente zum Abseihen des Eimerinhalts, wahrscheinlich eines schlecht gekelterten Weines (c). (Nach Müller-Karpe 1955)

fährt; Rang- und Würdezeichen in einem, durch bronzene Beschläge in Vogelgestalt zugleich mit der mythischen Welt verbunden.

Wagen mit Vogelprotomen und Kesseln, die vereinzelt in Grab- und Hortfunden im Original oder Modell überliefert sind, hatten hingegen anscheinend eine weit über das Totenbrauchtum hinausgehende Bedeutung. In einem ungewöhnlich reich mit Bronzebecken und Bronzetasse, zwei großen verzierten Bronzescheiben, zwei Messern, zwei Lanzenspitzen und vielleicht Teilen eines Schwertgehänges sowie zahlreichem Tongeschirr ausgerüsteten Grab der frühen Urnenfelderzeit bei *Acholshausen* im Landkreis Ochsenfurt fand sich auch ein Modellwagen aus Bronze von 17,6 Zentimeter Länge und 12 Zentimeter Höhe (Abb. 69). Das Chassis des Wagens ist in doppelschaliger Form gegossen und läuft in vier Holme mit Vogelkopfenden aus. Die vier Räder sind auf drahtförmige, drehbare Achsen aufgesteckt. Dem Fahrgestell ist ein sanduhrförmiger Fuß aufgenietet, der den massiv gegossenen kleinen Bronzekessel trägt. Der Modellwagen hat sicher nichts mit der Totenfahrt des Verstorbenen zu tun. Eher handelt es sich um die vereinfachte Replik eines Fahrzeuges aus dem unmittelbaren Wirkungsbereich des vornehmen Toten, nämlich einen Kultwagen, zu dessen Ritual er im Leben in Form von herrschaftlicher oder priesterlicher Gewalt Beziehung gehabt hat.

Die wenigen vergleichbaren Wagen der frühen Urnenfelderzeit aus Mittel- und Nordeuropa besitzen echte getriebene Kessel auf deichsellosen Gestellen. Beim Exemplar von *Skallerup* auf Seeland in Dänemark (Abb. 69) sind die Holme mit kleinen Wasservogelfiguren besetzt, am Kesselrand sind Klapperbleche angebracht. Das Motiv Wagen, Kessel und Vogelbild verzweigt sich zu reinen Schüsselwagen aus Ton, zu bronzenen und tönernen Deichselwagen mit Vogelbesatz und im Extrem zu Vogelwagen mit menschlichen Gestalten wie im Exemplar von *Duplijaja,* Banat (Abb. 69), mit zweirädrigem Wagenkasten und unterseitig eingeritztem Sonnensymbol, einer plastischen Vogelfigur und

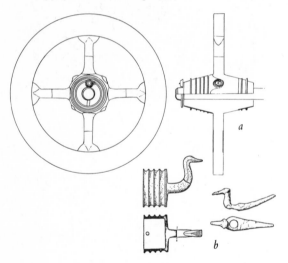

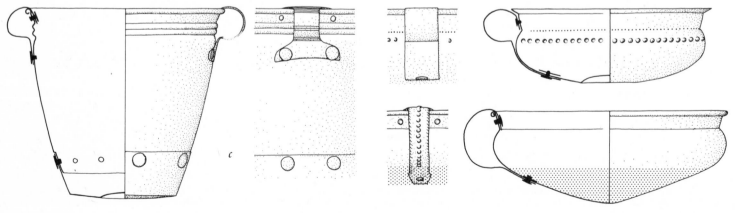

zwei Vogelprotomen, zwischen denen ein drittes Rad läuft. Auf dem Wagenkasten steht eine menschliche Figur mit weitem Rock und eingeritztem Schmuck, die als Priesterdarstellung zu deuten ist.

Der alteuropäische Ideenzusammenhang wird beim Vergleich der weitgestreuten Modellwagen deutlich und zugleich erklären sie die Niederlegung von originalen, gegossenen Bronzerädern der jüngeren Urnenfelderzeit von *Hassloch, Stade* und verschiedenen schweizerischen und französischen Fundorten. In *Stade* wird man die Räder als Teile kostbarer Kultwagen anzusehen haben, die, wie das Beispiel von *La Côte Saint-André* in der Dauphiné zeigt, ursprünglich einen großen Bronzekessel getragen haben. Vierrädrige Kesselwagen dieser Art sind in Verbindung mit Vögeln noch auf griechischen Münzen des 4. Jahrhunderts abgebildet und zeigen punktuell die weite Verbreitung und Langlebigkeit altweltlicher Kulttraditionen an (Abb. 70), auch wenn sie je nach Zeit und Ort unterschiedliche Stilisierungen erfahren und ihre Bedeutungsinhalte verändert haben.

a

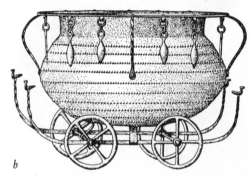

b

c

70 *Münzen der Stadt Krannon in Thessalien mit vierrädrigem Wagen mit Hydria und Vogel. 4. Jahrhundert v. Chr. Staatliche Münzsammlung, München.*
Das eigenartige Münzbild geht auf altes Brauchtum in Krannon zurück. Bei Trockenheit wurde ein Kesselwagen durch das Stadtgebiet gezogen und Apollo um Regen angefleht. Wenn sich eine Krähe auf dem Wagen niederließ, war dies das Zeichen, daß der Gott die Gebete erhörte. Möglicherweise sind die viel älteren Modellwagen von Acholshausen und Skallerup mit ähnlichen kultischen Handlungen in Verbindung zu bringen.

69 *Modellwagen der Älteren Urnenfelderzeit*
(a) Bronzener Kesselwagen aus einem reichen Grab bei Acholshausen in Unterfranken. Länge 17,6 cm, Höhe 12 cm. Ein gegossener Bronzekessel ist auf ein Chassis montiert, dessen Holme in Vogelköpfe enden. Die vier gesondert gegossenen Räder drehen sich um feine bronzene Achsstifte. Mainfränkisches Museum, Würzburg
(b) Bronzener Modellwagen von Skallerup, Seeland, Dänemark. Die Holme des vierrädrigen Fahrgestells sind tordiert und mit vier kleinen Vögeln besetzt. Der mittels Blechlaschen aufgesetzte Kessel ist aus drei Bronzeblechen zusammengesetzt und besitzt vier aufgenietete tordierte Henkel. Am überkragenden Rand sind ringsum kleine Klapperbleche befestigt. Der sicher aus dem Süden importierte Kesselwagen von 42,6 cm Länge und 31,2 cm Höhe stammt aus einem Grab im Hügel Trushøj bei Skallerup. Er stand auf einem Baumsarg, der die verbrannten Knochen eines Mannes enthielt. Nationalmuseet, Kopenhagen
(c) Kultwagen aus gebranntem Ton von Duplijaja bei Belgrad, Länge 24 cm. Auf dem zweirädrigen Wagenkasten mit unterseitig eingeritztem Sonnensymbol steht hinter einer Vogelfigur eine menschliche Gestalt mit weitem Rock und eingeritzten Schmuckangaben. Der Wagen endet vorn in zwei Vogelprotome zwischen denen ein drittes Rad läuft. Narodni Muzej, Belgrad

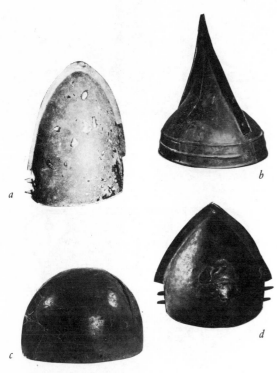

71   *Bronzehelme der Urnenfelderzeit*
(a) Glatter Kammhelm aus dem Main bei Ebing, Kr.
Staffelstein. Höhe 29 cm; Randdurchmesser 22,5 mal 17 cm.
Prähistorische Staatssammlung, München. (b) Glatter Kamm-
helm mit spitzer Kalotte aus dem Main bei Mainz-Kostheim,
Höhe noch 25 cm, und (c) gegossener Kappenhelm aus einem
Hort (?) bei Thonberg, Kr. Kronach in Oberfranken. Höhe
14,1 cm; Randdurchmesser 21,6 cm. Germanisches National-
museum, Nürnberg. (d) Glatter Kammhelm mit spitzer
Kalotte von Haid bei Pocking, Kr. Griesbach, Bayern. Der
Helm wurde in der Nähe des Inns in ehemals sumpfigem
Gelände gefunden, Höhe 22,8 cm.
Prähistorische Staatssammlung, München.
Bis auf das gegossene Exemplar von Thonberg bestehen die
Helme aus zwei symmetrischen Blechhälften, die am Kamm
umgebördelt und auf der Stirn- und Nackenseite durch große
Kegelkopfnieten verbunden sind. Am seitlichen Rand sind
jeweils zwei Löcher zur Befestigung des Kinnriemens ange-
bracht. Derartige Helme, die verstreut in ganz Europa
anzutreffen sind – ein ganz entsprechendes Exemplar wie (d)
wurde z. B. in der Lesum bei Bremen gefunden –, waren sicher
keine realen Schutzwaffen, sondern eher Würdezeichen. Hier-
auf weisen neben technischen Eigenarten vor allem die merk-
würdigen Fundumstände hin. Sie sind niemals in die Gräber
ihrer ehemaligen Träger gelangt, sondern stets in Gewässern
oder Horten deponiert worden.

Das differenzierte Brauchtum der Urnenfelderzeit spiegelt sich auch in den Hort- und Weihefunden, die das aus den Gräbern bekannte Fundspektrum in vielem ergänzen, erweitern und zudem begrenzte Einblicke in kultisch-religiöse Zusammenhänge geben. Wie Grabbrauch, Wirtschaftsweise und Formgestaltung sind die verschiedenen Kategorien von ›Verwahrfunden‹ in früh- und mittelbronzezeitlichen Verhaltensweisen verwurzelt. Bei einem Großteil der frühbronzezeitlichen Barren- und Brucherzhorte handelt es sich zweifellos um profan verstecktes Besitztum, das aus irgendwelchen Gründen vom Eigentümer nicht mehr gehoben werden konnte. Ein Teil der Hortfunde sind aber – und das geht aus der Objektauswahl und -kombination in Verbindung mit dem Ort der Deponierung hervor – Weihe- oder Opfergaben. Einsichtig wird das vorzeitliche Brauchtum in den Regelhaftigkeiten von Reihenbefunden, bei denen die Bündelung gleichartiger Fakten Gesetzmäßigkeiten erkennen läßt. Beispielsweise kommen frühbronzezeitliche Ringhalskragen aus Sätzen von Ösenringen ausschließlich in Horten vor, obwohl sie mit Sicherheit als Schmuck getragen wurden (Abb. 44). Dasselbe gilt für die Stab- und Vollgriffdolche (Farbtafel 4), die zumindest in Süddeutschland nicht in Gräbern vorkommen, was möglicherweise in ihrer Funktion als Rang-, Kult- oder Herrschaftszeichen begründet ist. Beide Objektgruppen scheinen mit einer Art Tabu behaftet gewesen zu sein, das eine normale Behandlung ausschloß. Sie durften nicht in die Gräber gelangen, sondern mußten, aus welcher Motivation auch immer, rituell verborgen werden. Daneben findet sich in Horten häufig auch Trachtzubehör in der üblichen Grabkombination, wie beispielsweise drei große Brillenspiralen mit zugehörigen Arm- und Fußringen (Farbtafel 6 und 7) oder Teile der Waffenausrüstung. Obwohl die Zusammenhänge in keiner Weise ausreichend geklärt sind, zeigt sich eine beinahe regelhafte Auswahl der Komplexe aus männlichem, weiblichem und gemeinsamem Besitz, die in Ergänzung zum Grabritus neben allen denkbaren Formen der Weihung eine Art vorsorgliche individuelle Selbstausstattung für das Jenseits wahrscheinlich macht.

Allgemein fällt auf, daß viele Horte abseits der eigentlichen Siedel- und Verkehrsgebiete niedergelegt wurden. Andererseits finden sie sich wieder an Zentralorten wie auf dem *Hesselberg* in Mittelfranken oder auf den Höhenplätzen der *Lausitzer* Kultur, wobei die eigentümliche Topographie dieser Orte mit Sicherheit eine Rolle spielte, ebenso wie Höhlen und Felsspalten bevorzugte Plätze für die intentionelle Verbergung von Bronzegerät darstellten. Wenn hier noch argumentiert werden könnte, daß Sicheln, Beile, Nadeln und andere Objekte nur aus profanem Denken versteckt wurden, so wird in den Moor- und Gewässerfunden der rituelle Charakter des bronzezeitlichen Brauchtums deutlich. Die Auswahl der geopferten Gegenstände ist beschränkt und scheint in ursächlichem Zusammenhang mit dem Ort der Niederlegung zu stehen. Dabei scheinen offene – heute oft vermoorte – Gewässer, Flußläufe und Quellen verschiedene Bedeutungen in der Vorstellungswelt bronzezeitlicher Menschen besessen zu haben. Wassertümpel in Mooren, einsam und unheimlich, werden wie Höhlen als Zugang in den Schoß der Erde mit ihren übernatürlichen Mächten angesehen worden sein. Gewandnadeln, noch in jüngerer Zeit symbolhaft für ›Zusammenhalten‹ und ›Bannen‹, wurden in örtlicher Kontinuität über Generationen geopfert; nach althistorischen Analogien vielleicht vor dem Hintergrund eines barbarisierten Erdmutterkultes in Verbindung mit einer Fruchtbarkeitsmagie. Auch die Quellfunde sind in entsprechenden mythischen Zusammenhängen zu sehen. Schmuck, vornehmlich wiederum Nadeln, aber auch qualitätvolle Waffen wie Schwerter, Lanzen und Beile wurden am heiligen Ort niedergelegt, ohne daß hierfür die religiösen Hintergründe im einzelnen oder die möglichen persönlichen Motive bekannt oder erschließbar wären.

Wie Moorwassertümpeln und Quellen als Naturheiligtümern, scheint auch Seen, Bächen und Flüssen eine außergewöhnliche Bedeutung im Brauchtum der Bronzezeit und den jüngeren vorgeschichtlichen Perioden zugekommen zu sein. Ursachen und Motive für die Versenkung zahlreicher Waffen und Schmuckstücke an Furten, Flußmündungen, Strudeln und Untiefen sowie an Seeufern sind wahrscheinlich in der Vorstellung von besonderen Örtlichkeiten begründet. So erscheinen sie in den Sagen und in der Überlieferung des bereits christlichen Mittelalters als Bereiche oder Wohnorte von Unterweltmächten. Opfer an Wassergottheiten, aber auch die Selbstausstattung für das Jenseits liegen im Bereich des Möglichen. Auffällig ist in jedem Fall, daß neben den frühbronzezeitlichen Prunkwaffen urnenfelderzeitliche Bronzehelme und -schilde, die nirgendwo in die Gräber gelangten, und gut die Hälfte aller bekannten Bronzeschwerter in Flüssen, Bächen und Seen gefunden wurden (Abb. 71, 73).

Hort-, Moor- und Gewässerfunde sind Teil eines Bündels von Kultkomplexen alteuropäischer Tradition, die in regional und zeitlich wechselnder Intensität archäologisch nachzuweisen sind. Mit eingebunden war auch das Brandopfer, das trotz räumlicher und chronologischer Lücken überall vorauszusetzen ist. Auf manchmal steinfundamentierten Altären an landschaftlich exponierten Stellen fanden über lange Zeiträume Brandopferrituale statt, welche die Aschenaltäre zu periodisch erhöhten Brandpodien aus dicken Schichten von Holzkohle, Keramikresten und Tierknochen anwachsen ließen (Abb. 72).

Auf andere und eigentümliche Weise hat man in Höhlen versucht, Verbindung mit den jenseitigen Mächten aufzunehmen. In der schwä-

72 Der Wasserfeldbühel bei Oberaudorf, Kr. Rosenheim, Bayern, von Süden gesehen. Die 100 Meter lange und ca. 15 Meter hohe natürliche Erhebung liegt in einer weiten Bucht des Inntales vor dem Hintergrund des Hochecks. Der Platz wurde von der mittleren Bronze- bis in die Urnenfelderzeit als Stelle für Geschirr- und Tieropfer benutzt.

73 Bronzener Zeremonialschild in Vorder- und Rückenansicht. Gefunden im Regnitztal bei Bamberg. Durchmesser 41,5 cm, Urnenfelderzeit, genauere Datierung nicht möglich. Mittelrheinisches Landesmuseum, Mainz

bisch-fränkischen Alb ebenso wie im Weserbergland, und wo sonst die geologischen Voraussetzungen gegeben waren, setzten sich die Einwurfrituale neolithischer Tradition in den Schachthöhlen, verbunden mit blutigen Menschen- und Tieropfern, bis in die späte Bronzezeit fort. Unter vielen weiteren Formen des Opferbrauches sind schließlich noch die sogenannten Geschirropfer zu nennen, bei denen Gefäße durch Steinwurf oder durch Herabwerfen von bestimmten Felsstöcken, welche offensichtlich als naturheilige Orte galten, zertrümmert wurden.

SYMBOLGUT UND KULTGERÄT

Horte, ob als Weihefunde oder zur Selbstausstattung aus den verschiedensten Motiven oder Intentionen der Erde oder dem Wasser übergeben, Brandopferplätze und Kulthöhlen sind Zeugnisse eines gewachsenen bodenständigen bronzezeitlichen Brauchtums. In der Urnenfelderzeit treten neue Elemente im Bereich von Kult und Religion auf. Sie lösten das Althergebrachte nicht auf, sondern überlagerten es in einem von Ost nach West und von Süd nach Nord fortschreitenden Akkulturationsprozeß. Der allmähliche Übergang von der Körper- zur Brandbestattung, die Übernahme und Weiterentwicklung technischer Kenntnisse, soziale Umstrukturierungen, wie sie in den Häuptlingsgräbern und separierten Hügelnekropolen faßbar werden, Wagengräber und Pferdezaumzeuge, vor allem aber die Ausbreitung einer neuartigen Symbol- und Bildwelt kennzeichnen das Phänomen der sogenannten ›Urnenfelderbewegung‹, die manchmal fälschlich als regelrechte Völkerwanderung aufgefaßt wird, von der die bronzezeitlichen Bevölkerungsgruppen seit dem 13. Jahrhundert v. Chr. mehr oder weniger intensiv berührt wurden. Wenn auch Ursachen und Verlauf dieses Kulturwandels beim heutigen Forschungsstand noch nicht nachgezeichnet werden können, so fällt dennoch auf, daß er gerade zu der Zeit einsetzte, als nach den Schriftquellen auch die Reiche des Vorderen Orients von Krisen erfaßt wurden. In der Ägäis ging um 1200 die mykenische Kultur unter, in Kleinasien das Hethiterreich. Selbst Ägypten hatte gegen die Seevölker zu kämpfen (Abb. 74), nachdem es vorher bereits infolge des religiösen Umbruchs unter *Amenophis IV* (Echnaton 1365-1348), der die Sonne in den Mittelpunkt seines Weltbildes gestellt hatte, von innenpolitischen Unruhen geschüttelt wurde. Die Ursachen und Wirkungen der Krise, die alle ostmittelmeerischen und vorderorientalischen Hochkulturen zwischen dem 14. und 12. Jahrhundert erfaßte, sind trotz der zahlreichen Schriftzeugnisse, archäologischen Denkmäler und Funde nicht ergründet. Inwieweit die Ereignisse im Vorderen Orient auch die gleichzeitigen europäischen Bronzezeitkulturen beeinflußten und möglicherweise den Kulturwandel auslösten, ist daher nicht zu rekonstru-

74 Der Sieg Ramses III. über die Seevölker. Detail vom Relief im Tempel von Medinet Habu, Ägypten, ca. 1190 v. Chr.

75 Tönerne Sauggefäße aus Gräbern der Urnenfelderzeit. Verschiedene Fundorte: Niedermendig, Kr. Mayen-Koblenz, Rheinland-Pfalz; Biebesheim, Kr. Groß-Gerau und Kleinrechtenbach, Kr. Wetzlar, Hessen. (Nach Herrmann 1966 und Jockenhövel) – Die teils in Tierform stilisierten Saugfläschchen waren möglicherweise zum Füttern von Kleinkindern bestimmt, wie besonders das als Doppelbrust ausgebildete Gefäß, Länge 24,8 cm, zeigt.

Tafel 8 *(Seite 73) Tongefäße aus Gräbern der ›Lausitzer Kultur‹ aus Bindow, Bez. Potsdam, Rosslau, Bez. Halle, Zielenzig bei Frankfurt a. d. Oder, von Mondschütz und Dyherrnfurt in Schlesien. 14.-8. Jh. v. Chr. Im Vordergrund eine graffitierte Schale mit hochgezogenem Henkel, daneben eine Vogelrassel aus graffitiertem Ton und ein bemaltes Gefäß. Germanisches Nationalmuseum, Nürnberg*

Tafel 9 *(Seite 73) Etagenurnen der älteren Urnenfelderzeit aus Gräbern in Nordostbayern. Die sog. Etagengefäße wurden häufig als Urnen verwendet. Formal haben sie enge Beziehungen zum böhmischen Raum.*
Die feintonigen, an der Oberfläche mit Graphitton geschlemmten Schalen kommen im gesamten Bereich der süddeutschen Urnenfelderkultur vor. Höhe des Gefäßes links ca. 35 cm. 13.-10. Jh. v. Chr. Germanisches Nationalmuseum, Nürnberg

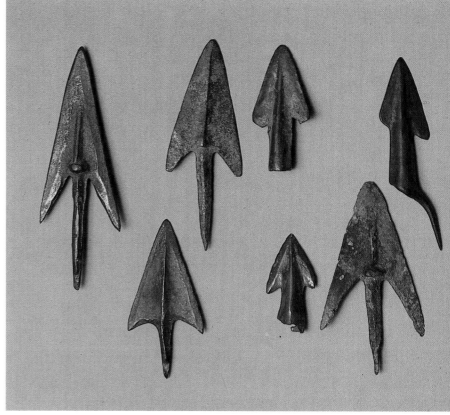

10

11

Tafel 10 *Pfeilspitzen aus Bronze unterschiedlicher Form mit Steckdorn oder Tülle vom Hesselberg in Mittelfranken. Ältere Urnenfelderzeit. Germanisches Nationalmuseum, Nürnberg*

Tafel 11 *Spiralplattenfibel mit langer Nadel der Urnenfelderzeit aus dem Bereich der ›Lausitzer Kultur‹ von Kunersdorf, Kr. Freienwalde, Bez. Frankfurt a. d. Oder. Germanisches Nationalmuseum, Nürnberg*

Tafel 12 *Bronzene Stierplastik mit mondsichelförmigem Gehörn der Hallstattzeit aus Hallstatt, Oberösterreich. 7./6. Jh. v. Chr. Germanisches Nationalmuseum, Nürnberg*

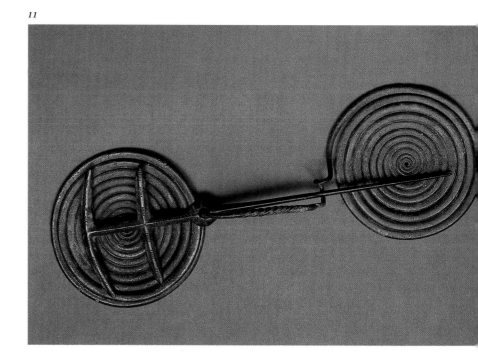

14

Tafel 14   Zwei rottonige, geometrisch bemalte und graphitier-
te Tonschalen aus einem hallstattzeitlichen Grabhügel von
Dietkirchen, Kr. Neumarkt in der Oberpfalz. 6. Jh. v. Chr.
Germanisches Nationalmuseum, Nürnberg

Tafel 13   Bronzener Halsringsatz aus fünf feinziselierten
Ringen mit Knopfenden aus einem Frauengrab in Eckenricht
bei Röckenricht, Kr. Sulzbach-Rosenberg, Bayern. Hallstatt-
zeit, 7./6. Jh. v. Chr.
Germanisches Nationalmuseum, Nürnberg

15

16

Tafel 15   Tongefäß, zwei getriebene Bronzeschalen bzw. Schüsseln, ein kleines Hängegefäß mit geometrischer Bemalung und fünf sog. Stachelscheiben aus graphitiertem Ton unbekannter Verwendung aus einem hallstattzeitlichen Grab in Dietkirchen, Kr. Neumarkt in der Oberpfalz. Germanisches Nationalmuseum, Nürnberg

Tafel 16   Schale mit kurvolinearer Rollrädchenverzierung, sog. ›Braubacher Schale‹ aus Thalmässing, Kr. Hilpoltstein, eine auf der Scheibe gedrehte sog. ›Linsenflasche‹ mit geometrischem Dekor aus Helena, Kr. Neumarkt in der Oberpfalz, im Hintergrund schwere Hohlbuckelringe mit kurvolinearem Dekor aus Bronze von Aholming, Kr. Vilshofen (Niederbayern), und im Vordergrund Sapropelitringe von Künzelsau, Baden-Württemberg. Frühlatènezeit, 5. Jh. v. Chr. Germanisches Nationalmuseum, Nürnberg

Tafel 17   Bronzene Röhrenkanne aus zwei Teilen zusammengesetzt. Fundort unbekannt, wahrscheinlich aus der Rheinpfalz. 4. Jh. v. Chr. Germanisches Nationalmuseum, Nürnberg

Tafel 18   Bronzene Maskenfibel mit Fabelwesen auf der durchbrochen gearbeiteten Zierplatte. Aus einem Männergrab in Parsberg, Bayern, Länge 8,9 cm. Frühlatènezeit, 5. Jh. v. Chr.
Die in verlorener Form hergestellte Fibel ist ein Meisterwerk frühkeltischen Kunsthandwerks. Der Bügel der Gewandhafte endet am Fuß in ein bärtiges, glubschäugiges menschliches Gesicht und an der Kopfplatte in eine langnasige Fratze mit spitzen Ohren. Die Kopfplatte bilden zwei gegenständige Fabelwesen mit zurückgewendetem Kopf. Die Nadel der Fibel bestand aus Eisen. Germanisches Nationalmuseum, Nürnberg

ieren. Allerdings sind Kontakte zwischen dem ostmitteleuropäischen Raum, Skandinavien und der mykenisch-minoischen Welt aufgrund von Importstücken belegt. Die weitreichenden Verbindungen waren nicht nur auf den Handel mit Rohstoffen und Luxusgütern beschränkt, sondern schlossen auch die geistig-religiöse Sphäre mit ein, wie besonders Symbolgut und Bildwelt im skandinavisch-ägäischen Vergleich zeigen, ohne daß der Übertragungsmechanismus bekannt wäre. Die weite Verbreitung urnenfelderzeitlicher Kulturerscheinungen ist sicher nicht durch eine Wanderbewegung bestimmter Völker bewirkt worden, die kriegerisch oder friedlich von irgendwoher bestehende bronzezeitliche Bevölkerungen überlagert hätten. Am ehesten trifft die Hypothese einer geistig-religiösen Bewegung zu, welche sich vor allem auf einen Jenseitsglauben stützte, der Brandbestattung obligatorisch machte. Die neuen Ideen und Zivilisationsgüter wurden von der Oberschicht übernommen, die sie allmählich, aber nicht vollständig und gleichmäßig an die Allgemeinheit vermittelte.

Neben dem allgemeinen Wechsel im Bestattungsritus zeigt sich der Wandel im Symbolgut und in der Bildwelt. Die frühe und mittlere Bronzezeit war geradezu bilderfeindlich, figürliche Darstellung fehlt. Symbolgehalt dürften die Radnadeln und radförmigen Anhänger im Frauenschmuck gehabt haben, die möglicherweise Kürzel für die Sonnenscheibe waren. Die ebenfalls spärliche Figuralkunst der spätbronzezeitlichen Periode wird im Bereich der Urnenfelderkultur vom Vogelbild beherrscht; kleine Tonrasseln in Form von Vögeln, vogelförmige Sauggefäße, Vogelprotome in Ton und Bronze als Wagenaufsätze betonen das Mythische in der Gestalt des Vogels (Abb. 69 und 75).

Weit verbreitet ist das streng schematisierte Vogel-Sonnen-Barken-Motiv, das vor allem auf großen Bronzeblechgefäßen von Italien über Ungarn und Mitteleuropa bis nach Skandinavien in bezeichnenden Zusammenhängen auftritt (Abb. 78). In *Unterglauheim* (Kreis Dillingen) wurde 1834 ein derartiges mit einem Bronzedeckel verschlossenes Gefäß frei im Boden stehend gefunden. Es enthielt zwei aufeinandergestellte bronzene Hängebecken mit anthropoiden Ringattaschen, in denen zwei konische Goldbecher mit Kreiszier lagen (Abb. 78). Ein ganz ähnliches Ensemble ist von der Insel Fünen in Dänemark bekannt. Hier fanden sich im Moor von *Mariesminde* zehn Goldgefäße mit gestempelten Kreis- und Sternmotiven in einem mit Sonnen-Vogel-Barken-Motiv verzierten Bronzeblechgefäß. Die Goldgefäße sind als Schöpfer mit geschwungenen, in Pferdeköpfen endenden Griffen gearbeitet (Abb. 78). Gleichartige, dünn getriebene Goldgefäße sind von 20 Fundorten aus West-, Mittel- und Nordeuropa bekannt (Abb. 76). Einzeln oder zu mehreren in gut klassifizierbaren Horten gefunden, stehen sie untereinander in engem typologischen Zusammenhang. Der berühmteste Fund

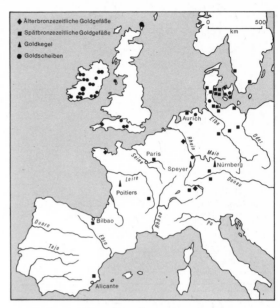

76 *Verbreitung der Goldkegel (dreieckige Signatur) Goldgefäße (quadratische Signatur) und Goldscheiben (Kreissignatur) der Bronzezeit in Mittel-, Nord- und Westeuropa.*

77 *Goldgefäße der mittleren Bronzezeit (17.–15. Jahrhundert v. Chr.). Links: Goldbecher von Wachtberg-Fritzdorf, Rhein-Sieg-Kreis, Höhe 12,1 cm; Gewicht 221 g. Der Henkelbecher war in einem Tongefäß im Boden einer Gegend deponiert, die sonst arm an vorgeschichtlichen Zeugnissen ist. Rechts hinten: Goldbecher von Eschenz, Kt. Thurgau, Höhe 11,1 cm; Gewicht 136 g. Davor: ›The Rillaton gold cup‹, 8,2 cm Höhe, 1837 in einem überhügelten Steinkistengrab bei Rillaton in Cornwall zusammen mit einem Bronzedolch in einem Tongefäß gefunden. Er ist einer der wenigen Goldbecher, die aus einem Grab stammen. Die mittelbronzezeitlichen Goldgefäße sind durchweg massiver als die papierdünn ausgetriebenen Becher und Schalen der Urnenfelder- bzw. der späten Bronzezeit.*
Rheinisches Landesmuseum, Bonn; Museum des Kantons Thurgau, Frauenfeld und British Museum, London

81

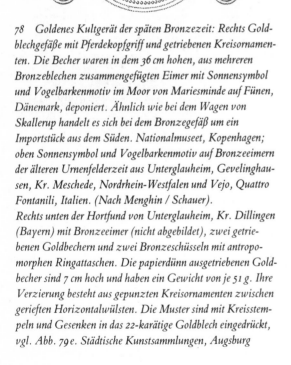

*78   Goldenes Kultgerät der späten Bronzezeit: Rechts Gold-
blechgefäße mit Pferdekopfgriff und getriebenen Kreisornamenten. Die Becher waren in dem 36 cm hohen, aus mehreren
Bronzeblechen zusammengefügten Eimer mit Sonnensymbol
und Vogelbarkenmotiv im Moor von Mariesminde auf Fünen,
Dänemark, deponiert. Ähnlich wie bei dem Wagen von
Skallerup handelt es sich bei dem Bronzegefäß um ein
Importstück aus dem Süden. Nationalmuseet, Kopenhagen;
oben Sonnensymbol und Vogelbarkenmotiv auf Bronzeeimern
der älteren Urnenfelderzeit aus Unterglauheim, Gevelinghau-
sen, Kr. Meschede, Nordrhein-Westfalen und Vejo, Quattro
Fontanili, Italien. (Nach Menghin / Schauer).
Rechts unten der Hortfund von Unterglauheim, Kr. Dillingen
(Bayern) mit Bronzeeimer (nicht abgebildet), zwei getriebenen Goldbechern und zwei Bronzeschüsseln mit antropomorphen Ringattaschen. Die papierdünn ausgetriebenen Goldbecher sind 7 cm hoch und haben ein Gewicht von je 51 g. Ihre
Verzierung besteht aus gepunzten Kreisornamenten zwischen
gerieften Horizontalwülsten. Die Muster sind mit Kreisstem-
peln und Gesenken in das 22-karätige Goldblech eingedrückt,
vgl. Abb. 79 e. Städtische Kunstsammlungen, Augsburg*

dieser Art in Deutschland kam 1913 beim Messingwerk in *Eberswalde*, Bezirk Frankfurt a.d. Oder zutage, der leider heute verschollen ist. An einer äußerlich durch nichts hervorgehobenen Stelle stieß ein Arbeiter in einem Meter Tiefe auf ein Tongefäß, das acht getriebene, dünnwandige Goldschalen und weitere 73 Goldgegenstände im Gesamtgewicht von 2,5 Kilogramm enthielt. Die Gefäße sind aus einem Stück getrieben und zeigen in horizontalen Zierbändern Ring- und Kreismuster. Die kalottenförmigen Gefäßböden sind in zwei Fällen sternförmig gegliedert. Ähnliche Umstände führten auch zur Bergung der übrigen Funde.

Vorgeschichtliches Gold wird oft zufällig und unter merkwürdigen Umständen gefunden. Im Frühjahr 1953 stieß ein Mann beim Baumstumpfroden am Südhang des Brentenberges bei *Ezelsdorf* (Farbtafel I) im Landkreis Nürnberger Land in einem halben Meter Tiefe auf einen goldglänzenden, zuckerhutförmigen Blechkörper. Da er ihn behinderte, zerhackte der Arbeiter den Gegenstand und warf die Bruchstücke in der Annahme, es handle sich um Konservenblech, achtlos auf den Grubenrand. Stutzig wurde erst die Ehefrau des Finders. Sie hob die Blechteile auf und legte ein kleines Stück einem Zahnarzt zur Bestimmung vor, der es als gediegenes Gold erkannte. Verschiedenen glücklichen Umständen ist es zu verdanken, daß der Fund nicht zu Zahngold verarbeitet wurde. Auf Umwegen gelangten die zerdrückten Blechreste ins Germanische Nationalmuseum, wo sie zusammengesetzt sofort als Gegenstück des berühmten goldenen Hutes von *Schifferstadt* erkannt wurden (Abb. 79a). Der ›Goldene Hut von Schifferstadt‹ war bereits 1835 in einem Acker aufrecht im Boden stehend aufgefunden worden. Drei bronzene Absatzbeile waren symmetrisch an ihn gelehnt. Das dritte Pendant, der *Cône d'Avanton* stammt aus der Gegend von Poitiers. Die Umstände, die zu seiner Auffindung 1844 führten, sind unbekannt (Abb. 79a). Alle drei Kegel sind aus Gold in einem Stück getrieben und stimmen in ihrer Form grundsätzlich überein. Allerdings variieren sie in Abmessung und Ornamentik beträchtlich. Der fast neunzig Zentimeter lange und nur 310 Gramm schwere Hohlkörper von Ezelsdorf ist auf 0,01 Zentimeter Blechstärke ausgetrieben und von innen her mit über 25 sauber gearbeiteten Stempeln in horizontalen Zonen flächendeckend ornamentiert (Abb. 79e). Die Spitze ist mit einem mehrzackigen Stern verziert, im Kegelfuß ist ein bronzener Versteifungsring eingebördelt. Das Schifferstadter Stück hingegen ist nur knapp 30 Zentimeter hoch und besitzt eine breite durchlochte Fußkrempe. Die Verzierung des 0,01 bis 0,025 Millimeter starken Goldblechkörpers beschränkt sich auf einfach gefaßte Kreisbuckel zwischen horizontalen Querrippen. Der *cône* oder auch *carquois d'Advanton* ist ebenfalls aus einem Stück Gold dünn ausgetrieben und mißt aufgrund seiner eingedrückten Spitze, die mit einem Sternornament verziert war, und wegen des verlorenen Kegelfu-

79a   *Die Goldkegel von Ezelsdorf, Kr. Nürnberger Land, Höhe 88,3 cm, Schifferstadt, Kr. Ludwigshafen, Pfalz und Avanton, Dép. Vienne, Südfrankreich.*
Germanisches Nationalmuseum, Nürnberg; Historisches Museum der Pfalz, Speyer; Musée des Antiquités Nationales, Saint-Germain-en-Laye.

83

79 b *Ausschnitt aus dem Goldkegel von Ezelsdorf mit konzentrischen Kreisen, kleinen Kegeln und achtspeichigen Rädern zwischen horizontalen Treibwülsten. Die Muster sind von der Innenseite getrieben, wobei bis heute nicht klar ist, wie die regelmäßig auf den Kegelumfang des fast 90 cm langen Hohlkörpers berechneten Ornamente in den Zierzonen angebracht wurden.*

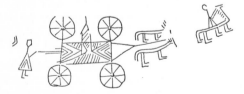

79 c *Ritzzeichnung auf einer hallstattzeitlichen Urne von Sopron/Ödenburg, Ungarn. Dargestellt ist eine Prozession, bei der auf einem von zwei Pferden gezogenen vierrädrigen Wagen ein kegelartiger Aufsatz – vielleicht ein Goldkegel (?) – gezeigt wird.*

ßes nur noch 40 Zentimeter (Abb. 79a). Der schlanke Schaft zeigt in stereotypem Wechsel Zierzonen mit Kreismotiven und Bändern aus mehrfach gekoppelten Perlreihen zwischen umlaufenden Querrippen.

Der Ornamentkanon der Kegel von Avanton und Schifferstadt nimmt sich gegenüber der Vielfalt von Ziermotiven und der Zahl der verwendeten Punzstempel, die den Goldkegel von Ezelsdorf schmükken, bescheiden aus. Ebenso verhält es sich mit den Abmessungen und dem Grad der Treibkunst (Abb. 79b). Höhe, meisterhafte Treibtechnik und der reiche Ornamentschatz heben den Ezelsdorfer Fund deutlich von seinen Gegenstücken ab. Ob diese Qualitätsdifferenz allein von der Kunstfertigkeit des jeweiligen Goldschmiedes abhängt, eine unterschiedliche Herstellungszeit widerspiegelt oder in direktem Zusammenhang mit der ursprünglichen Bedeutung des Objektes steht, ist vorläufig nicht zu entscheiden (Abb. 79d).

Material, Form und Verzierung weisen den Goldblechkegeln eine Stellung abseits des Alltäglichen zu. Wie die Goldgefäße gehören sie in den sakralen Bereich. Das eigentümliche Metall hatte auch in der europäischen Vorzeit einen Bedeutungsinhalt, der weniger auf seiner Seltenheit, als auf seinen besonderen realen und gedachten Eigenschaften beruhte. So gesehen steigerte sich in Gold die Wertvorstellung, die bis zu einem gewissen Grade auch der goldglänzenden Bronze anhaftete. Der Glanz des Goldes, den die Antike mit den Strahlen des Lichtgottes Apoll gleichsetzte, übte auf die mythisch geprägte Vorstellungswelt früher Gesellschaften eine ins Magische transponierte Faszination aus. Das Material und die Ornamentik, in der Ring-, Kreis- und Scheibenmotive vorherrschen, welche aufgrund zahlreicher Analogien als Sonnensymbole zu deuten sind, bringen die Goldkegel zwangsläufig in Zusammenhang mit einem Sonnenkult. Aus der abgestuften Kegelform sowie dem Ablauf der Ornamentzonen ist zu schließen, daß die Kegel aufrecht als Bekrönung einem Pfahl oder sonstigen säulenartigen Trägern übergestülpt waren. Wo und in welchem Rahmen diese ›Sonnenkultsäulen‹ aufgestellt waren, kann nur vor dem Hintergrund alteuropäischer Kultbräuche angedeutet werden. Es sei an dieser Stelle darauf hingewiesen, daß die ägyptischen Obelisken den aus dem Urwasser aufsteigenden Urhügel symbolisierten, dem Sonnenkult dienten und an ihrer Spitze vergoldet waren.

Nach spärlichen ikonographischen Belegen und allgemeinen religionsgeschichtlichen Hinweisen ist sowohl an eine feste Aufstellung in einem Heiligtum als auch an eine Verwendung auf einem Kultwagen zu denken, der bei besonderen Anlässen gezeigt wurde. Vielleicht schildert die Ritzzeichnung auf einer hallstattzeitlichen Kegelhalsurne aus *Sopron/ Ödenburg* (Ungarn) einen derartigen Umgang (Abb. 79 c), wie er auch für die kultischen Kesselwagen vorauszusetzen ist (siehe S. 69).

84

Eine dritte Kategorie bronzezeitlicher Kultgeräte stellen die Goldscheiben dar, die hauptsächlich im Norden, aber auch in England und
vor allem Irland in verschiedenen Varianten zahlreich vertreten sind
(Abb. 76). Die hier interessierenden nordischen Goldscheiben kamen in
der Regel als Einzelfunde zutage, nur in wenigen Fällen stammen sie aus
Gräbern. Sie sind aus Gold getrieben, ihr Durchmesser variiert von 12
Zentimeter bis 35 Zentimeter bei dem Exemplar von *Jägersborg* bei Kopenhagen. Aus verschiedenen Befunden geht hervor, daß die Goldscheiben ursprünglich auf einer Unterlage aus Bronze oder organischem Material befestigt waren. Die kreisförmigen Verzierungen entsprechen in
Technik und Ornamentschatz dem Muster der Goldkegel und Goldgefäße, z.T. wirken sie wie Abrollungen derselben. Besonders auffallend
ist die Übereinstimmung bei den Scheiben von *Glüsing* bei Hennestedt,
Kreis Dithmarschen, Schleswig-Holstein, und vor allem von *Jägersborg*,
deren Ornamentabfolge und Musterschatz mit den oben angeführten
Treibarbeiten austauschbar sind. Die Deutung der Scheiben als Sonnensymbole und der damit verbundene Ritualcharakter ist unbestritten und
wird durch den Sonnenwagen von *Trundholm* bestätigt (Abb. 81). Bei
diesem bronzenen Votivwagen von sechzig Zentimeter Gesamtlänge,
der absichtlich zerbrochen in einem Moor niedergelegt wurde, ist ein
rundes Goldblech auf eine Bronzescheibe montiert, die senkrecht auf
einem zweirädrigen Bronzekarren steht, der von zwei auf einem vierrädrigen Gestell befestigten Pferden gezogen wird. Eine ähnliche Mon-
tierung wie bei dem mittelbronzezeitlichen Sonnenwagen von Trundholm und entsprechende kultische Funktion darf auch für die jüngeren
Goldscheiben angenommen werden.

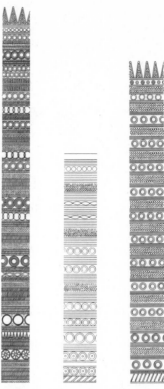

*79d Umzeichnung des Ornamentkanons der drei Goldkegel.
Von links nach rechts: Ezelsdorf, Avanton und Schifferstadt.*

*79e Konische Bronzepunze für Kreismuster aus einem Gie-
ßerdepot der älteren Urnenfelderzeit von Stockheim, Kr.
Weißenburg-Gunzenhausen, Bayern. Die ursprünglich holz-
geschäftete Punze, Länge 5,5 cm, wurde zum Stempeln von
Bronze- oder Goldblech benutzt. Das Werkstück wurde dabei
mit Leder hinterlegt. (Nach Torbrügge-Uenze). Darunter
Bronzener Rippenamboß oder ›Gesenke‹ aus ›Steinfeld‹ bei
Steinkirchen, Kr. Deggendorf, Bayern. Das Gesenke diente
zum Ziehen horizontaler Rillen und Wülste, die bei den
Goldgefäßen und -kegeln die Ornamentzonen voneinander
absetzen. (Nach Müller-Karpe 1975).*

*80 Goldschüssel von Zürich-Altstetten, Durchmesser 25 cm,
Gewicht 910 g. Sie stand in 80 cm Tiefe auf einer Steinplatte
und war durch ein übergestülptes Tongefäß vor der Erde
geschützt. Obwohl der aus dem flächigen Buckelornament
ausgesparte Tierfries sowie die alternierend angebrachten
Sonnen- und Mondsymbole auf eine gegenüber den Goldgefäßen der späten Bronzezeit jüngeren Zeitstellung hinweisen,
gehört die Schale aufgrund der Fundumstände derselben Kategorie an. Schweizerisches Landesmuseum, Zürich.*

*81   Der Sonnenwagen von Trundholm. Das 60 cm lange
Bronzegefährt, welches den Umzug einer auf einen zweirädrigen, von einem Pferd gezogenen Wagen montierten Sonnenscheibe darstellt, wurde absichtlich zerbrochen in einem unzu-
gänglichen Moor bei Trundholm auf Seeland, Dänemark,
niedergelegt. Die Goldblechauflage der Sonnenscheibe war in
mehrere Streifen zerschnitten auf einer Fläche von vier
Quadratmetern verstreut. Wahrscheinlich hatte der Kultgegen-
stand seinen Zweck nicht mehr erfüllt und mußte daher der
magischen wie auch profanen Nutzung endgültig entzogen
werden. Nationalmuseet, Kopenhagen.*

Goldblechkegel, Goldgefäße und Goldscheiben sind durch Material,
Herstellungstechnik und Ornamentschatz miteinander verbunden.
Trotz der zeitlich und regional bedingten formalen Unterschiede sind
diese seltenen Funde insgesamt zur Gruppe der religionsgeschichtlichen
Denkmäler zu rechnen. Eine differenzierte Ausdeutung ist nur in beschränktem Maße möglich, da das Außergewöhnliche der Objekte
der mengenstatistisch fundierten Betrachtungsweise und archäologisch-
historischen Analyse entgegenwirkt. Die Aussagemöglichkeiten sind
auf die Interpretation der Gegenstände und ihrer Auffindungsart sowie
auf wenige Vergleichsfunde aus anderen Kulturen reduziert. Zur Funktion der Funde kann aufgrund von Form, Material und Beschaffenheit
festgestellt werden, daß eine profane Verwendung höchst unwahr-
scheinlich ist. Kegelaufsätze, Schalen und Scheiben sind Objekte magischer Bestimmung. Im Ornament herrschen Kreis- und Scheibenmotive
vor. Sie werden allgemein als Sonnensymbole gedeutet, so daß die Verbindung mit einem wie auch immer gearteten Sonnenkult, der bei den
Goldscheiben offensichtlich ist, auch für die Kegel und Gefäße plausibel
scheint. Das verbindende Moment ist die Ornamentik, während die
Form auf unterschiedliche Kultfunktion hinweist. Die Verbreitung der
Funde in Nord- und Mitteleuropa deutet an, daß Kegel, Schalen und
Sonnenscheiben nicht Bestandteil ein und desselben Kultes waren, so
daß für die Zeit zwischen dem 13. und dem 8. vorchristlichen Jahrhundert mit einem Nebeneinander unterschiedlicher Riten in Nord- und
Mitteleuropa zu rechnen ist, die jedoch in gemeinsamen Grundvorstel-
lungen wurzelten. Ein wesentlicher religionsgeschichtlicher Aspekt ergibt sich aus den Fundumständen. Das goldene Kultgerät wurde von der
mittleren Bronzezeit bis in den Beginn der frühen Eisenzeit unter regelhaften Umständen vergraben (Abb. 77-80). Die stets wiederkehrenden
und z. T. austauschbaren Befunde können nicht anders gedeutet werden,
als daß die Niederlegung durch Intentionen bestimmt war, die auf ma-
gisch-kultische Denk- und Verhaltensweisen zurückzuführen sind. Aller
Wahrscheinlichkeit nach handelt es sich nicht um gewöhnliche Versteckfunde, sondern um Weihe- und Opfergaben, die aus uns unbekannten Gründen für immer ihrer ursprünglichen Bestimmung und profanen
Weiterbenutzung entzogen werden sollten. Über die Umstände und
Ereignisse, die diesen Vorgang jeweils auslösten und die religiöse
Grundlage, die den Prozeß der kultischen Verbergung des goldenen
Ritualgerätes ermöglichte, kann nur spekuliert werden. Bedeutsam aber
ist, daß die in den Goldfunden angedeutete Ideenwelt in weiten Teilen
Europas über einen langen Zeitraum wirksam gewesen zu sein scheint.
Welchen Modifikationen diese Vorstellungen unterlagen und inwieweit
sie in den verschiedenen Regionen und Zeiten die gleichen waren, ist
nicht zu entscheiden.

Mit in den magisch-kultischen Bereich gehört in der Vorzeit die Men-
schendarstellung. In der süddeutschen Urnenfelderkultur nimmt sie neben der Vogelsymbolik nur eine untergeordnete Rolle ein. Wo das Men-
schenbild magisch wirksam werden soll, ist es gesichtslos und hat ver-
schwommene Konturen. Bronzeanhänger mit gerade noch angedeute-
ten Armen und Beinen finden sich an Gehängen verschiedener Art und
an echtem Trachtzubehör wie Fibeln. Die vielfache Doppelfunktion von
Schmuck und Amulett wird deutlich; die antropomorphen Anhänger
dienen zugleich als Klapperinstrumente magischer Wirkung (Abb. 82).

Ganz anders hingegen in der späten Bronzezeit des Nordens. Die
Bildwelt Südskandinaviens beherrschen szenische, wahrscheinlich auf
das Mythische bezogene Darstellungen, in denen der Mensch in verschiedenen Funktionen auftritt. Lurenbläser mit Hörnerhelmen, Männer
mit Schiffen mit hohen Steven, kultische Szenen in umzäunten Plätzen,
Wagenlenker auf zweirädrigen Streitwagen und Zweikämpfe sind in die
von Gletschern glatt geschliffenen Granitfelsen eingetieft (Abb. 83).
Bronzefigurinen stellen Tänzer, Götter und Heroen dar (Abb. 55) und
bezeugen die hohe bildnerische Kunst des Nordens, bis mit Beginn der
älteren vorrömischen Eisenzeit eine scheinbare Verarmung der Kultur
eintritt (siehe S. 152). Das quantitative und qualitative Gefälle in der
materiellen Hinterlassenschaft zeigt sich vor allem im Vergleich mit den
reichen Hallstattkulturen des südlichen Mitteleuropas.

*82   Bronzenes Dreipaßgehänge mit Schwalbenschwanzamu-
letten von Erben, Kr. Griesbach, Bayern (Länge des Rahmens
6,9 cm). Die Anhänger stellen wahrscheinlich stark stilisierte
Menschenbildnisse dar. Daneben bronzene Schlangen- oder
Wellennadel mit Spiralscheibenkopf aus einem urnenfelderzeitlichen Hort von Eßlingen, Kr. Weißenburg-Gunzenhausen,
Bayern. Die anthropomorphen Anhänger sind in drei Ringen
an einer Tülle befestigt, die dem Nadelschaft beweglich
aufgeschoben ist (Länge der Nadel 18 cm).
Prähistorische Staatssammlung, München.*

*83   Links Felszeichnung bei Vitlycke in der Nähe von
Tanum, Bohuslän, Schweden, unten Kultschiff mit Axtträ-
gern. Oben: Kulttänzer (?). Felszeichnung in Järrestad,
Schonen, Schweden, Höhe der Figur 90 cm.*

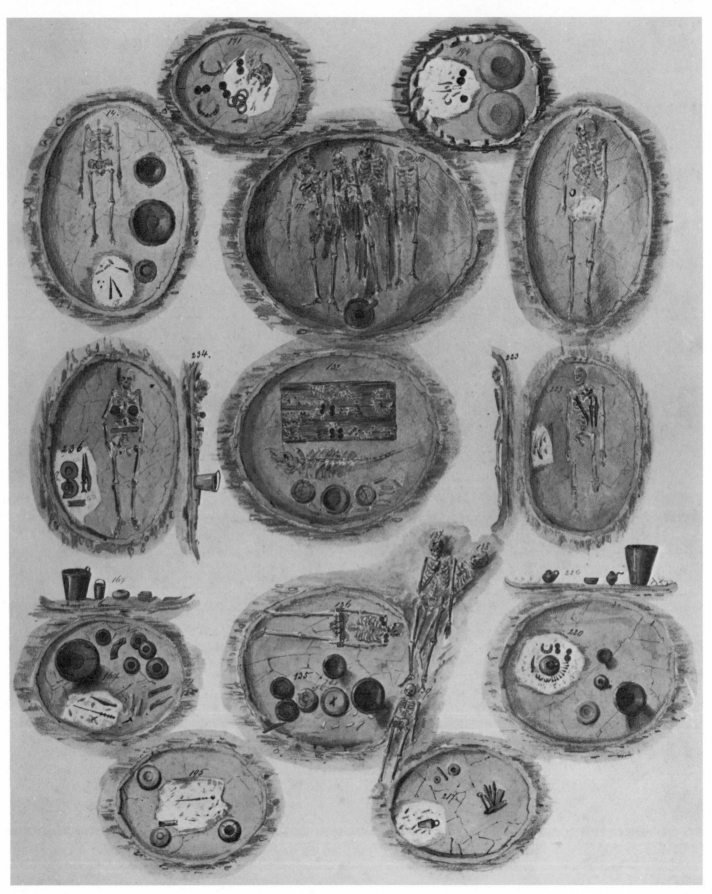

Zwischen dem 8. und 5.Jahrhundert bildeten sich auf der Grundlage lokaler Urnenfeldergruppen im Raum zwischen Alpensüdrand und den deutschen Mittelgebirgen, zwischen Ostfrankreich, Böhmen und Ostalpen Zivilisationen mit übergreifenden gemeinsamen Kulturerscheinungen heraus, die weit stärker als in der späten Bronzezeit durch materielle und geistige Einflüsse aus den Bereichen des Vorderen Orients und der Mittelmeerländer geprägt waren (Abb. 43 und 90). In den bereits ›historischen‹ Gebieten konsolidierten sich im selben Zeitraum die kulturellen und politischen Verhältnisse zur vertrauten Ordnung der klassischen Antike. Während der ersten Hälfte des letzten Jahrtausends vor Christus waren die Assyrer die Hegemonialmacht des Vorderen Orients, bis ihr Reich am Ende des 7.Jahrhunderts von Chaldäern und Medern vernichtet worden ist. Unter Nebukadnezar II. (604-562 v.Chr.) wurde Jerusalem zerstört und die Juden wurden in die babylonische Gefangenschaft geführt. Kyros II. gründete um 550 v.Chr. das persische Großreich der Achämeniden. In Griechenland fanden 776 v.Chr. die ersten Olympischen Spiele statt und ungefähr gleichzeitig setzte die Welle der frühen griechischen Kolonisation ein: Um 600 wurden Massilia (Marseille), Nikaia (Nizza) und Antipolis (Antibes) in Südfrankreich gegründet. Mittelitalien erlebte die Blüte und den Niedergang der Etrusker, der Süden war von griechischen Pflanzstädten beherrscht. Das sagenhafte Gründungsdatum von Rom – *ab urbe condita* – ist auf das Jahr 753 v.Chr. zurückzurechnen. Völkernamen von barbarischen Völkern wie Italikern, Venetern, Illyrern und Thrakern finden früheste Erwähnung in den griechischen Quellen. In Osteuropa gerieten die *Kimmerier* als erste in den Gesichtskreis der Hochkulturen. Sie griffen im frühen 7.Jahrhundert die Phrygier und Assyrer an und plünderten um 650 v.Chr. die griechischen Städte an der kleinasiatischen Küste. Nach Herodot waren die Kimmerier durch die *Skythen* von ihren Wohnsitzen in der pontischen (südrussischen) Steppe vertrieben worden. Auch die Skythen machten sich durch Einfälle in den Vorderen Orient bemerkbar. Archäologische Befunde deuten an, daß diese Reitervölker aus der südrussischen Steppe weit nach Westen vorgedrungen sind und die früheisenzeitlichen Kulturen Zentraleuropas nicht unwesentlich beeinflußt haben. Neben bestimmten Grabsitten – etwa der Hügelbestattung und der Beigabe von Pferdegeschirr – sind manche Züge der Kampfweise und Sozialstruktur auf das Vorbild dieser Fremdvölker zurückzuführen. Ein beredtes archäologisches Zeugnis aus ihrer Spätzeit stellt der Fund von *Vettersfelde* dar (Abb. 85).

Die ethnischen Umschichtungen im Donauraum, Zuwanderung und Überlagerung der urnenfelderzeitlichen Gesellschaften durch fremdstämmige Elemente sowie veränderte wirtschaftliche Verhältnisse trugen zur Entstehung der sogenannten *Hallstattkultur* bei, die nach einem

DIE EISENZEIT

Die Hallstatt-kultur

DIE ÄLTERE EISENZEIT
IN
SÜDDEUTSCHLAND

84 Originalzeichnungen der Grabungsbefunde im Friedhof von Hallstatt, Niederösterreich. Deutlich sind die Tonwannen zu erkennen, auf denen die Toten verbrannt oder unverbrannt samt ihren z. T. reichen Beigaben bestattet waren. Bemerkenswert auch die ›Sonderbestattungen‹: Mehrfachgräber, birituelle Bestattungen und kreuzweise übereinander gelegte Individuen. (Nach Kromer)

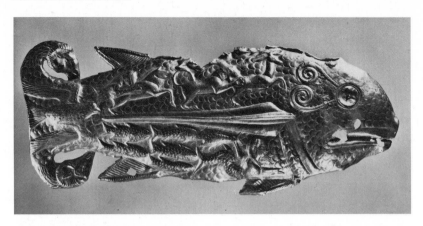

85 Fisch aus getriebenem Goldblech aus dem skythischen Schatzfund von Vettersfelde bei Guben, Kr. Cottbus (Brandenburg). Länge 41 cm; Gewicht 608 g. Die Stücke aus dem Schatz von Vettersfelde, unter anderem auch eine Schwertscheide aus Goldblech, sind nach Form und Dekor im Fundstoff Mitteleuropas frappierend fremdartig und wahrscheinlich von griechischen Handwerkern gefertigt. Ähnliches findet sich erst wieder im Schwarzmeergebiet und in den Randkulturen des vorderen Orients. Der Schatz wurde wahrscheinlich bei einem skythischen Vorstoß verborgen.
7. bis 6. Jahrhundert v. Chr.
Staatliche Museen Preußischer Kulturbesitz. Antikenabteilung, Berlin.

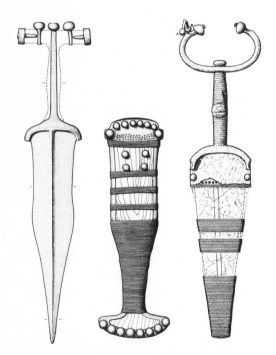

86 Dolche aus den späthallstattzeitlichen Gräbern im Fürstenhügel auf dem Magdalenenberg bei Villingen im Schwarzwald, Baden-Württemberg.
Eiserner Dolch mit bronzedrahtumwickelter Scheide und halbmondförmigem Ortband mit Ziernieten aus dem Männergrab 118. Holzteile von Griff und Scheide nach Originalbefunden ergänzt. Länge 33 cm. (Nach Spindler). – Antennendolch mit Bronzegriff, eiserner Klinge und bronzedrahtumwickelter Lederscheide mit bronzenem Mundblech aus Grab 39. Länge 32,0 cm. (Nach Spindler)

Gräberfeld am Hallstätter-See im oberösterreichischen Salzkammergut benannt ist. Auffälligste Neuerung im Fundbild dieser vorgeschichtlichen Epoche ist das Auftreten von Waffen und Gerätschaften aus Eisen. Im Totenritual bestanden Brand- und Körperbestattung nebeneinander, doch wurde der Hügel wieder vorherrschendes Prinzip in der Grabarchitektur.

Prunkvolle Beigaben in den Gräbern sprechen für einen abermaligen Güterzuwachs und das Fortbestehen der urnenfelderzeitlichen Sozialstruktur mit einer Oberschicht, deren Macht und Reichtum auf den Besitz von Rohstoffquellen und einen ausgedehnten Handel zurückzuführen ist. Die fortgeschrittene Technik der frühen Eisenzeit zeigt sich in einer hochentwickelten Bronzeindustrie und der spezialisierten Keramikherstellung. Töpfereien versorgten die umliegenden Regionen mit bemalter, graphitierter und inkrustierter Keramik. In Geschirrsätzen in den Gräbern niedergelegt, zeugen sie von den verfeinerten Lebensgewohnheiten der Hallstattzeit.

Brauchtum, Formengut und Kenntnis der Eisenverarbeitung sind auf südöstliche Impulse zurückzuführen oder wurden, vor allem in der späten Hallstattzeit, direkt aus dem Bereich der antiken Randkulturen übernommen. Letzteres zeigt sich besonders im westlichen Hallstattkreis, der Südwestdeutschland und Ostfrankreich umfaßt. Die sogenannten Fürstengräber der späten Hallstattzeit mit prunkhafter Ausstattung enthalten großgriechischen und etruskischen Import. Trinkservices mit Mischgefäßen, Mobiliar und sonstige Ausstattung verdeutlichen die Nachahmung mediterraner Lebens- und Gemeinschaftsformen. Vereinzelte Siedlungen, etwa die *Heuneburg bei Hundersingen* in Baden-Württemberg mit ihrer Lehmziegelmauer und dem bastionsartig gegliederten Bering, lassen auf direkte Kontakte der hallstattzeitlichen ›Fürsten‹ mit der griechischen Welt schließen (vgl. Abb. 90).

Im östlichen Hallstattkreis, der das Ostalpengebiet mit den nördlich angrenzenden Gebieten umfaßt, sind ähnliche Verbindungen zu antiken

Randgebieten vornehmlich auf einen frühen Abschnitt beschränkt und betreffen nur eine Auswahl von Formen und Stilzügen. Regelrechte Fürstengräber fehlen, doch gibt es namentlich im böhmisch-bayerischen Kerngebiet eine Schicht von Waffenträgern, die mit ihrem Wagen als Standessymbol und mit reichen Beigaben bestattet wurden. Schwerter aus Bronze und Eisen, Dolche, Lanzen und, seltener, Beile bilden im Wechsel der Perioden das gängige Ausstattungsmuster der Oberschicht einer archaischen Gesellschaft, die im westlichen Fürstengräberkreis mit differenzierter sozialer Gliederung ihre eigentliche Hochblüte erreichte.

KRIEGER UND SALZHERREN

Der für die Epoche namengebende Friedhof liegt am Ausgang eines schwer zugänglichen Hochtals etwa 450 Meter über dem Hallstätter See. Im stark geneigten Hang waren über 2000 Tote im kiesigen bis lehmigen Untergrund begraben. Manchmal erwähnen die Ausgräber des 19. Jahrhunderts »Tonwannen« von meist ovaler Form aus schlecht gebranntem Lehm. Auf der Platte mit aufgebogenen Rändern von bis zu 3,60 Meter Durchmesser und einer Stärke von 10 Zentimeter waren meist Brandbestattungen mit besonders reichen Beigaben niedergelegt. Häufig wurden Grababdeckungen aus groben Bruchsteinen beobachtet (Abb. 84). Brand- und Körperbestattung waren gleichzeitig Brauch. Bei der Einäscherung wurden die Toten an gesonderter Stelle verbrannt. Die Asche wurde sorgfältig ausgelesen auf der Grabsohle gehäufelt. Schmuck, Trachtzubehör und Waffen fanden sich meist um oder auf der Asche, größere Beigaben wie Keramik- und Bronzegefäße waren darum gruppiert. Urnenbestattungen sind nur wenige bekannt. Die unverbrannten Toten – in der Gesamtstatistik etwa 55 Prozent – wurden in gestreckter Rückenlage mit Blick nach Osten beigesetzt. Die unterschiedliche Bestattungsart scheint mit der sozialen Stellung des Toten in Zusammenhang zu stehen, da es sich bei den reicher ausgestatteten Gräbern fast ausschließlich um Brandbestattungen handelt (Abb. 84).

Auf die Vielschichtigkeit und Komplexität hallstattzeitlichen Brauchtums weisen eine Reihe von absonderlichen Befunden hin. Abweichend von der Normallage wurden einige Individuen in Hockstellung oder

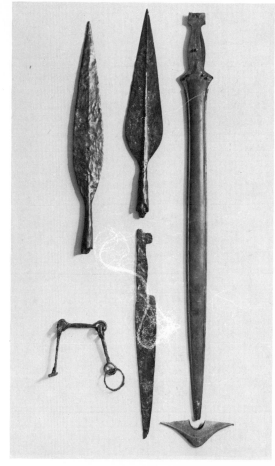

87 Waffen und Zaumzeug aus hallstattzeitlichen Gräbern. Zwei eiserne Lanzenspitzen, ein Kampfmesser, Länge 37,2 cm, und eine eiserne Pferdetrense aus Wengen, Kr. Hilpoltstein, Mittelfranken. Rechts ein bronzenes Reiterschwert mit Flügelortband der vergangenen Holz-Lederscheide aus Neuhaus-Thann bei Beilngries in der Oberpfalz. Das nur zum Hieb geeignete Schwert besaß ursprünglich einen Griff aus organischem Material, der in einen schweren Pilzknauf endete. Die häufige Kombination von zwei Lanzenspitzen und Dolch oder Kampfmesser in den Gräbern scheint die reale Bewaffnung nach griechischem Vorbild widerzuspiegeln (vgl. Abb. 88). Germanisches Nationalmuseum, Nürnberg

88 Gürtelblech aus Vače in der Krain, Jugoslawien. Kampfszene zwischen zwei Reitern von Fußkämpfern begleitet. Die Reiter sind mit Helm, Beil und Lanze bewaffnet, die Fußkämpfer tragen nach Art der griechischen Hopliten Helm, Schild und zwei Lanzen. Die dargestellten Lanzen, Äxte und Helme sind in originalen Grabfunden, vor allem aus Istrien und Slowenien, archäologisch überliefert. Naturhistorisches Museum, Wien

89 Kleine bronzene Zeremonialaxt mit Pferdefigur der
älteren Hallstattzeit aus dem namengebenden Gräberfeld.
Germanisches Nationalmuseum, Nürnberg

90 Schaubild zur Verbreitung der Eisenzeitkulturen in
Mitteleuropa im 7. und 6. Jahrhundert v. Chr. und die
Verbreitung der Fürstengräber und Fürstensitze der jüngeren
Hallstattzeit.
SIGNATUREN. Punkte: Großgrabhügel; offene Quadrate: Für-
stensitze; gefüllte Dreiecke: eponyme Fundorte oder wichtige
im Text genannte Fundstellen.

bäuchlings, mit zum Gebetgestus gehobenen Armen oder überkreuzten
Beinen begraben. In manchen Gräbern waren mehrere Tote gleichzeitig,
entweder aufeinander oder quer übereinander bzw. mit ineinander verschränkten Armen niedergelegt. Vereinzelt fehlte bei den Skeletten der
Schädel oder bestimmte Gliedmaßen. Manchmal waren überhaupt nur
die Knochen der unteren Gliedmaßen vorhanden, während der Oberkörper derselben Leiche verbrannt im gleichen Grab bestattet worden
ist. Im umgekehrten Extremfall einer solchen birituellen Beisetzung
fand sich ein unverbrannter Schädel auf der Asche des Körpers. Auffällig ist die relative Beigabenarmut dieser Gräber, die sich in der Regel nur
auf Gegenstände mit Amulettcharakter beschränkt. Die Sonderbestattungen betreffen nur einen geringen Prozentsatz der Gesamtzahl. Sie
beruhen sicher nicht auf falschen Beobachtungen der Ausgräber oder
auf Zufälligkeiten. Ähnliche Erscheinungen sind regelhaft im ganzen
Bereich der Hallstattkultur nachgewiesen. Vor welchem geistigen Hintergrund die sonderbaren Rituale Anwendung fanden, welcher Personenkreis im Tode diese andersartige Behandlung erfuhr, ob Hockstellung, Teilverbrennung usw. spezielle Bedeutungsinhalte hatten, hängt
wahrscheinlich mit der Todesart oder der Stellung der Betroffenen in
der Gesellschaft zusammen. Ein ganzer Fächer von Motivationen ist
diskutabel, aber nur in Einzelfällen archäologisch zu begründen.

Der Friedhof von Hallstatt wurde vom frühen 7. bis in den Beginn
des 4. Jahrhunderts belegt. Nach den Beigaben sind zwei Stufen der
Hallstattzeit zu unterscheiden, die jüngsten Gräber gehören bereits der
folgenden jüngeren Eisenzeit, das heißt der Latènezeit an. Die Stufengliederung beruht im wesentlichen auf den unterschiedlichen Bewaff-
nungsmustern in den Männergräbern. Während der älteren Hallstattzeit
führten die Krieger als Angriffswaffe ein charakteristisches Langschwert
mit vorlastiger Klinge und großem Pilzknauf aus Bronze oder Eisen.
Die ausgesprochenen Hiebwaffen steckten in Holzscheiden mit bronzenen Flügelortbändern (Abb. 87). Sämtliche Schwertgräber in Hallstatt
waren reich ausgestattet. Beinahe 50 Prozent aller im Friedhof angetrof-
fenen Bronzegefäße stammen aus den 19 Schwertgräbern. Sie scheinen
die Begräbnisse der sozial führenden Schicht zu repräsentieren.

In den Bestattungen der jüngeren Stufe treten Schwerter nicht mehr
auf. Ihre Funktion als Rangabzeichen übernahmen offenbar zierliche,
teils reich ornamentierte ›Antennendolche‹, die im tatsächlichen Kampf
wohl kaum eine Rolle spielten (Abb. 86). Lanzen mit schmalen Eisen
und bronzene Kampfbeile stellten in Verbindung mit Schild, bronzenem
Brustpanzer und Helm nach den Bildzeugnissen der sogenannten Situlenkunst die reale Bewaffnung der Krieger dar (Abb. 88). Der allgemeine Wohlstand der hallstättischen Bevölkerung spiegelt sich im Beigabenreichtum und in den zahlreichen Importstücken. Bronzegefäße

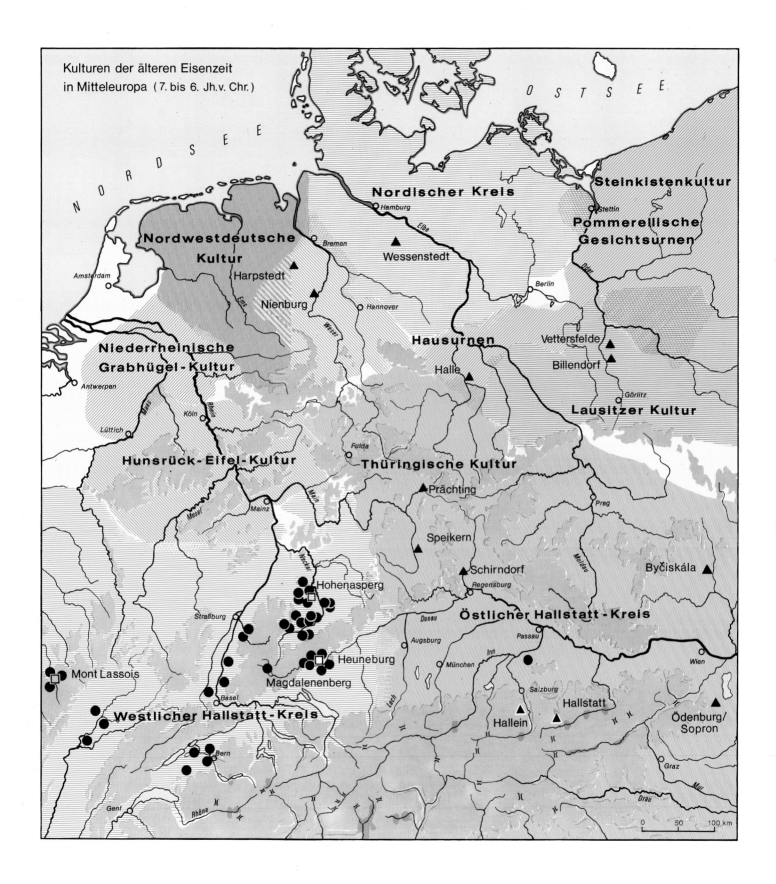

Kulturen der älteren Eisenzeit
in Mitteleuropa (7. bis 6. Jh. v. Chr.)

›Die Römer unter dem Joch‹. Historische Gemälde von Charles Gleyre aus dem Jahr 1858, das den Triumph des helvetischen Stammes der
Volcae Tectosages unter ihrem tigurinischen Führer Diviko am Genfer See 107 v. Chr. zeigt. Musée cantonal des Beaux-Arts, Lausanne
Die gefangenen Römer werden unter das von den aufgespießten Köpfen des Konsuls C. Longinus und seines Prokonsuls flankierten Joch
getrieben. Deutlich ist das Bemühen des Malers um historische Detailgenauigkeiten zu erkennen. Der Reiter links hält in der Rechten ein
Schwert der nordischen Bronzezeit des 15. Jahrhunderts v. Chr. mit eiserner Klinge (!). Die Scheide ist zeitgemäß latènezeitlich. Die mit
Flügel- und Hörnerhelmen sowie Tierfellen bekleideten Krieger im Hintergrund entsprechen der archäologisch nicht nachweisbaren Vorstellung
des 19. Jahrhunderts. Der Armschmuck des rothaarigen, bezopften und schnauzbärtigen Mannes mit schottischem Taschengehänge im
Vordergrund ist tausend Jahre älter als die im Bild dargestellte Szene und gehört zudem zur Frauentracht. Die Priesterin hinter dem blauen
Langschild mit Sonne und Mond – eine im Keltischen tatsächlich geläufige Symbolkombination – trägt am Gürtel die goldene Sichel, das
wichtigste Kultgerät der Druiden. Mit anderen Frauen ist sie auf den heiligen Baum fixiert, der mit den Waffen der geschlagenen römischen
Legionäre vor einer Trophäe geschmückt ist. Hinter ihr ein Barde mit Leier und ein Druide mit Stab. Im Vordergrund die im Staub
liegenden Feldzeichen der römischen Legionen (vgl. Abb. 128). Neben dem Geist der Zeit, in der »Keltomane, Germanophile und Römlinge«
sich heftig in den Haaren lagen und die nationalen Gesinnungen einen ersten Höhepunkt erreichten, ist das Gemälde ein Spiegelbild des
archäologischen Forschungsstandes in der Mitte des 19. Jahrhunderts (vgl. S. 10). C. F. Meyer verfaßte dazu das nebenstehende Gedicht.

und Prunkdolche stammen z. T. nachweislich aus dem nördlichen Adriagebiet. Rohstoffe wie Bernstein und Elfenbein wurden von einheimischen Handwerkern verarbeitet. Getriebene Helme nach fremdländischem Muster und sogar Glasschälchen treten auf. Besonders hervorzuheben sind die zahlreichen vollplastisch gegossenen figürlichen Bronzen (Farbtafel 12) und eine Reihe kleiner Zeremonialäxte mit kleinen, aufgesetzten Pferdefiguren, die der älteren Kriegerschicht vielleicht als Würdezeichen dienten (Abb. 89). Reich verzierte Bronzeblechgürtel, Nadeln und Fibeln, zum Teil mit Klapperblechen, Armringe und aufwendiger Halsschmuck aus Bernstein und Elfenbein, Toilettegegenstände und Zeremonialgerät belegen den Reichtum der Hallstätter; ein Viertel aller Bestatteten ist mit Waffen begraben worden. Der phänomenale Wohlstand in dem engen, hochgelegenen, verkehrsgeographisch abseitigen, landwirtschaftlich nur beschränkt nutzbaren ›Salzbergtal‹ findet seine Erklärung im Abbau und Handel mit Salz. In den Stollen des modernen Salzbergwerkes stieß man immer wieder auf Spuren eisenzeitlichen Salzabbaues. Beile, Hämmer und Schaufeln, Tragsäcke und Kleidungsstücke fanden sich in den weitläufig verzweigten Stollen des hallstattzeitlichen Bergwerks, bei dem es sich um einen straff organisierten Betrieb mit umsichtiger Arbeitsteilung gehandelt haben muß. Ebenso scheint der Vertrieb des Salzes gut organisiert gewesen zu sein, da weit entfernte Absatzmärkte erschlossen wurden, wie die vielerlei Importgegenstände und Luxusartikel im Gräberfeld zeigen. Die Arbeit im Salzbergwerk war mühevoll und gefährlich, der Handel mit Salz sicherlich risikoreich. Der Aufwand scheint sich jedoch gelohnt zu haben, denn nicht nur die Salzherren und Krieger hatten ihren Profit. In der Verteilung der Grabbeigaben zeigt sich eine relativ gleichmäßige Streuung des Sachbesitzes, der weit über dem Durchschnitt anderer Begräbnisplätze der eisenzeitlichen Kulturen steht.

REGIONEN UND FORMEN

Das Gräberfeld im Salzbergtal ist in seiner Gesamtheit keineswegs in allem repräsentativ für die nach ihm benannten Hallstattkulturen. Nur die Grundzüge materieller und geistiger Art haben Geltung in den vielfach gegliederten Räumen Mitteleuropas. Andere Bevölkerungssubstrate, unterschiedliche wirtschaftliche Voraussetzungen und wahrscheinlich Herrschaftsstrukturen hatten eine Reihe regionaler Kulturausprägungen zur Folge. Um das zentrale Verbreitungsgebiet der Hallstattkulturen bildete sich im Norden eine zivilisatorische Mischzone mit lokalen Eigenarten aus. Je nach Konzentration und Dichte formaler und brauchtumsmäßiger Erscheinungen tendieren sie im Gesamtbild nach Süden. Kaum zu spüren sind derartige Einflüsse in der *Niederrheinischen*

Conrad Ferdinand Meyer

Das Joch am Leman
(Fassung aus dem Jahre 1882)

«Die einen liegen tot mit ihren Wunden,
Die andern treiben wir daher gebunden —
Den Römeraar der Zwillingslegion,
Im Männerkampf, im Roßgestampf entrissen
Der eingegarnten Wölfin scharfen Bissen,
    Schwingt Divico, der Berge Sohn!»

Weit blaut die Seeflut. Scheltend jagen Treiber
Am Ufer einen Haufen Menschenleiber,
Die nackte Schmach umjauchzt Triumphgesang,
Ein Jüngling kreist auf einem falben Pferde
Um die zu zwein gepaarte Römerherde
    Die Krümmen des Gestads entlang.

Er schleudert auf den Aar mit stolzem Schreie,
Er schickt den Ruf empor zur Firnenreihe —
Die Grät und Wände blicken groß und bleich —
«Hebt, Ahnen, euch vom Silbersitz, zu schauen
Die Pforte, die wir für den Räuber bauen,
    Der sich verstieg in euer Reich!

Wir bauen nicht mit Mörtel noch mit Steinen,
Zwei Speere pflanzt! Querüber bindet einen!
Zwei Römerköpfe drauf! Es ist getan!» —
Das Joch umstehn verwogne Kriegsgesellen
Mit Auerhörnern und mit Bärenfellen
    Und schauen sich das Bauwerk an.

Die Hörner dröhnen. Zu der blut'gen Pforte
Strömt her das Volk aus jedem Tal und Orte,
Groß wundert sich am Joch die Kinderschar,
Ein Mädelreigen springt in heller Freude
Um das von Schande triefende Gebäude,
    Den blühnden Veilchenkranz im Haar.

Der Manlierstirn verzogne Brauen grollen,
Des Claudierkopfs erhitzte Augen rollen —
Der Hirtenknabe geißelt wie ein Rind
Den Brutusenkel. Sich durchs Joch zu bücken,
Krümmt jetzt das erste Römerpaar den Rücken
    Und gellend lacht das Alpenkind.

Mit starren Zügen blickt, als ob er spotte,
Ein Felsenblock, der eigen ist dem Gotte,
Drauf hoch des Landes Priesterinnen stehn:
Ein hell Geschöpf in sonnenlichten Flechten
Und eine Drude mit geballter Rechten
    Und rabenschwarzer Haare Wehn.

Die Dunkle höhnt: «Geht, Römer! Schneidet Stecken!
Mit Lumpen gürtet euch und Bettelsäcken!
Euch peitsch' ein wildes Wetter durch die Schlucht!
Verflucht der Steg, darüber ihr gekommen,
Und wen ihr euch zum Führer habt genommen,
    Er sei am ganzen Leib verflucht!»

Die Lichte fleht: «Du blitzest in den Lüften,
Umschwebst die Spitzen, nistest in den Klüften!
Behüte, Geist der Firn, uns lange noch!»
Die beiden singen starke Zauberlieder —
Ein Geier hangt im Blau und stößt danieder,
    Und setzt sich schreiend auf das Joch.

Grabhügelkultur und in der *Harpstedter-* bzw. *Nienburger* Gruppe Nordwestdeutschlands sowie im übrigen Norddeutschland. Die mitteldeutsche *Billendorfer* Gruppe setzt Traditionen der spätbronzezeitlichen Lausitzer Kultur fort, in der hallstattspezifische Kriterien außer in den Keramikformen kaum sichtbar sind. Nordöstlich dieses Raumes breiteten sich zur selben Zeit die Steinkistengräber in Verbindung mit den nordostdeutschen Gesichts- und Hausurnen in völlig anderen Kulturzusammenhängen aus. Die *Thüringische Kultur* hingegen und mit ihr eine Reihe von anderen Gruppen der Mittelgebirgszone haben im Grabbrauch und Sachbesitz bescheidenen Anteil an der Hallstattkultur Süddeutschlands. Die Zivilisationsscheide folgt im wesentlichen aber dem Nordrand der Mittelgebirge (Abb. 90).

Für die räumliche Binnengliederung des Hallstattkreises gibt es viele Kriterien, von denen keines für sich allein verbindlich ist. Eine allgemeine Basis bietet unter anderem die Keramik, während die Metallformen einheitlich über größere Bereiche streuen, sieht man von regionalen Sonderformen ab. Gegenüber der urnenfelderzeitlichen Tonware sind die Typenmerkmale durch variationsreiche Stempel- und Rillenmuster, farbige Bemalung und aufwendige Formen wie Doppelhenkel, Schalendeckel oder Drillingsgefäße vermehrt. Graphitbemalung in polychromer Manier und Profile von metallischer Konturschärfe kennzeichnen die sicher nicht in Heimproduktion hergestellten Gefäße (Farbtafel 14).

Typologisch lassen sich die Keramikformen in ältere und jüngere gliedern, eine relativchronologische Unterteilung, die allgemein auch durch die Metallerzeugnisse und speziell durch die Bewaffnungsmuster in den Gräbern bestätigt wird. Die Veränderung von Form und Funktion der Waffen betrifft nicht nur Produktions-, sondern ebenso Verhaltensweisen und liefert dadurch doppelte Kriterien für die Stufeneinteilung. Als Leitfunde der *älteren Hallstattzeit* können vorweg die Schwerter aus Bronze und Eisen angesehen werden; darüber hinaus sind vor allem Pferdegeschirr und Wagenteile sowie Toilettebestecke und Bronzegefäße anzuschließen. Eine gleichwertige archäologische Schicht von Frauenschmuck ist nicht nachzuweisen, so daß die bezeichnenden Männerinventare aus kriegerischem Milieu tatsächlich eher das zeittypische Ausstattungsmuster einer besonderen Schicht darstellen als eine Zeitstufe im konventionellen Sinn (siehe Torbrügge, ›Hallstattzeit‹).

Dolche aus Eisen mit bronzenem Vollgriff, eiserne Lanzenspitzen und bronzene Beile sind stets mit Begleitmaterialien der *jüngeren Hallstattzeit* verbunden. Mehrere Fibeltypen mit zahlreichen Varianten treten in den Gräbern auf, darunter Schlangen-, Drago-, Bogen-, Kahnfibeln und Fibeln mit Fußzier (Abb. 91). Zur Frauentracht gehörten in dieser Periode aufwendige Schmucksätze. Paarweise wurden Halbmondfibeln mit großer Schmuckplatte und Klappergehängen oder Brustplatten aus Achter-

91 *Fibeltypen der jüngeren Hallstattzeit aus Männer- und Frauengräbern im Fürstenhügel auf dem Magdalenenberg bei Villingen. (Nach Spindler) Museum Villingen*

92 *Bronzenes Klappergehänge der Hallstattzeit aus einem Grabhügel bei Kirchenreinbach, Kr. Sulzbach-Rosenberg, Oberpfalz. Am geschlossenen gegossenen Hauptring, Durchmesser 9,5 cm, hängen weitere Ringe und in den Ösen anthropomorphe Klapperbleche. Den Stangenaufsatz bekrönt eine Vogelbarke in urnenfelderzeitlicher Tradition (a). Bronzenes Pektorale aus vier gegossenen Spiralplatten und Ösen mit Befestigungsringen aus einem hallstattzeitlichen Hügelgrab bei Gaisheim, Kr. Sulzbach-Rosenberg, Oberpfalz (b). Naturhistorische Gesellschaft, Nürnberg*

spiralen getragen (Abb. 92). Tonnen- und Melonenarmbänder an den Unterarmen, Schaukelringsätze mit bandförmigem oder dreieckigem Querschnitt an den Fußgelenken, Kettengehänge, Bernsteinperlen und hohle oder massive Halsringe in Sätzen bis zu sieben Exemplaren (Farbtafel 13) gehörten zur regulären Schmuckausstattung. Regionsweise erscheinen verschiedenartige Kopfringe aus Bronzedraht oder paarweise große Hohlringe aus Bronzeblech, die am Gürtel befestigt waren. Teil des Kopfschmucks bildeten kleine Hohlringe und kleine Nadeln mit Kugelkopf, die wahrscheinlich ein Kopftuch zierten (Abb. 93). Gürtelbleche aus Bronze mit geometrischen Treib- und Graviermustern sind weitere Kennzeichen hallstattzeitlichen Schmuckbedürfnisses (Abb. 94). Das keramische Formenspektrum ist u.a. durch Hochhalsgefäße und kugelbauchige Kegelhalsflaschen bestimmt. Metallgefäße waren häufiger als früher in Verwendung (Farbtafel 15 und Abb. 95). Kulturhistorisch aufschlußreich sind hochqualifizierte Malweisen. In Südwestdeutschland kommt eine weißgrundige Keramik mit roten Streifenmustern vor, die über südostfranzösische Töpfereien letztlich von den Manufakturen der großgriechischen Kolonien in Südfrankreich angeregt ist. Ganz am Ende der Stufe, etwa in der Zeit um 500 v.Chr., tritt an hervorgehobenen Plätzen wie der *Heuneburg* eine dünnwandige, hart gebrannte Ware auf, die mit einer leuchtend roten oder schwarzglänzenden Firnisschicht überzogen ist. Ihre Formen und Ornamente in dunkler Schlickermalerei auf rotem Untergrund erklären sich ebenfalls nur aus Kontakten zum westlichen Mittelmeerraum, in dem offensichtlich rotgrundige griechische Keramik imitiert wurde.

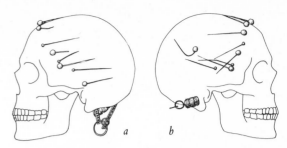

93 Originallage der bronzenen Haarnadeln, Knochenschieber und Bernsteinanhänger vom Kopfputz der Frau in Grab 56 im Hügel auf dem Magdalenenberg. (Nach Spindler III, 1973.)

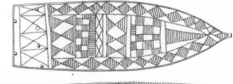

94a Bronzene Gürtelbleche mit gepunzten Verzierungen vom Magdalenenberg bei Villingen. Die Bronzebleche waren ursprünglich auf Ledergürtel aufgenietet. (Nach Spindler) Museum Villingen. (b) Feinziselierte bronzene Tonnenarmbänder aus späthallstattzeitlichen Frauengräbern auf dem Magdalenenberg. Die manchmal über 20 cm langen Blechrohre wurden paarweise an den Unterarmen getragen. (Nach Spindler) In Verbindung mit den breiten, goldglänzenden bronzenen Gürtelblechen, den Fibeln, wahrscheinlich farbenfrohen Kleidern und einem aufwendigen Kopfputz, würde die Tracht der hallstattzeitlichen Frauen nach heutigem mitteleuropäischen Geschmack einen exotischen Eindruck gemacht haben.

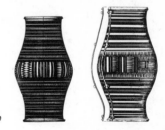

95 Keramiken und ein Bronzegefäß aus Gräbern der Hallstattzeit. Bronzekessel (ergänzt) mit eisernen Ringattaschen, Höhe 19 cm, aus Kissing, Kr. Friedberg, Oberbayern, schwarzglänzendes ›Kegelhalsgefäß‹ mit geometrischem Ritzornament aus Kersbach, Kr. Forchheim, Oberfranken, Höhe 28 cm, und ein Teller aus rötlich gebranntem Ton mit sanduhrförmigen Mustern aus Tutzing, Kr. Starnberg, Oberbayern. Germanisches Nationalmuseum, Nürnberg

Kostbarer Südimport, goldreiche Fürstengräber und ungewöhnliche Plätze wie die Heuneburg sind nur die Glanzlichter einer breiten archäologischen Alltagsschicht, die im Vergleich zur Urnenfelderzeit allerdings immer noch reich erscheint. Der hallstattzeitliche Fundstoff stammt in der Hauptsache aus Gräbern und von Wohnstellen. Horte sind kaum bekannt, die Zahl der Moor- und Gewässerfunde sowie der Einzeldeponien erscheint stark reduziert, während die mythische Bilderwelt von neuartigen Motiven und Szenen beherrscht wird.

Die Bestattungssitten im Hallstattkreis sind keineswegs gleichförmig. Körperbestattung war weit verbreitet aber nicht überall die Regel. Das Ritual vermischte sich mancherorts in eigenartiger Weise (siehe S. 91 f.). Als gemeinsames Kriterium im Totenbrauchtum sind allenfalls die Grabhügel anzusehen, wobei auch hier in Region, Zeit oder Gruppe keine Gesetzmäßigkeiten feststellbar sind. Neben dem Hügel bleiben beispielsweise im Raum der späteren *Hunsrück-Eifel-Kultur* in der älteren Hallstattzeit Flachgräber üblich. Der Hügelbau selbst war offensichtlich eng mit der Idee des Totenhauses verbunden, worauf nicht nur die Ausstattung mit regelrechtem Hausrat, sondern auch die hausförmigen Grundrisse mit schmalem Vorraum der in Blockbauweise errichteten Grabkammern hinweisen. Welche kulturellen Strömungen den Grabhügelgedanken in der Hallstattzeit wieder zum zentralen Thema der Grabarchitektur machten, ist im einzelnen nicht bekannt. Festzuhalten ist allerdings die Tatsache, daß bereits in der späten Urnenfelderzeit sozial höhergestellte Bevölkerungsgruppen in separierten Hügelnekropolen bestatteten.

Die gesellschaftliche Komponente wird in den sogenannten ›Fürstenhügeln‹ der späten Hallstattzeit besonders deutlich. Derartige große Tumuli mit bis zu 16 Meter Höhe sind als Kurgane der Skythen aus Südrußland und über die großen Hügelgräber des Balkan bis nach Ostfrankreich bekannt, wobei Südwestdeutschland eine besondere Konzentration der Fundpunkte aufweist (Abb. 90). Mit über 100 Meter Durchmesser, einer Höhe von noch 6,60 Meter und einer Materialschüttungsmenge von 45 000 Kubikmeter ist der Grabhügel auf dem *Magdalenenberg* bei Villingen im Schwarzwald der größte seiner Gattung auf dem Kontinent (Abb. 96). Der Hügel wurde erstmals 1890 und dann wieder zu Beginn der 70er Jahre gründlich untersucht. Die zentrale, vorzüglich erhaltene Grabkammer war unmittelbar auf dem gewachsenen, vorher flüchtig gereinigten und planierten Boden gesetzt. Auf zwei 9 Meter langen Unterzügen waren 29 etwa 5 Meter lange Balken als Bodenbelag aufgekämmt. Der in Blockbauweise darauf errichtete Raum, dessen Decke eine Doppellage von Balken bildete, hatte eine lichte Höhe von 1,5 Metern. Alle für den Kammerbau verwendeten Hölzer sind sauber

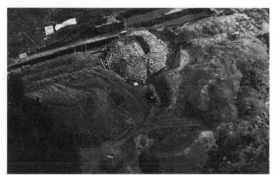

96   Der Grabhügel auf dem Magdalenenberg bei Villingen während der Ausgrabung. (Nach Spindler)

98

vierkantig mit dem Beil geschichtet. Insgesamt wurden etwa 90 großwüchsige Eichen verarbeitet. Die Grabkammer war antik beraubt, außer
einem Schweineskelett, Wagenteilen, Pferdegeschirr und einem Toilet-
tebesteck wurde nur noch die Schaufel aus Tannenholz gefunden, welche die Grabräuber vergessen hatten. Über dem Holzbau war ein
Tumulus aus Steinen von 30-35 Meter Durchmesser und 3,5 Meter
Höhe errichtet, den ein Erdhügel von ursprünglich etwa 8 Meter Höhe
und 104 Meter Durchmesser ummantelte.

Mächtige Anlagen dieser Art bildeten selbst wieder eigene Grab-
areale mit zahlreichen Nachbestattungen. So fanden sich auch auf dem
Magdalenenberg noch 126, streng tangential zur Hügelmitte angelegte
Gräber der jüngeren Hallstattzeit. Die Toten waren in ihrer vollen
Tracht in kleinen hölzernen, mit Steinpackungen geschützten Sargkam-
mern begraben. Vereinzelt sind Brandbestattungen nachgewiesen. Die
Grabstellen müssen äußerlich gekennzeichnet gewesen sein – vielleicht
durch Holzstelen –, da Überschneidungen der Gruben nicht vorkommen. Nach den dendrochronologischen Untersuchungen der Hölzer im
Hügel hat die Errichtung des Grabmonuments mindestens ein Jahrzent
in Anspruch genommen. Straffe Planung und soziale Autoritäten müssen den beträchtlichen Arbeitsaufwand gelenkt haben.

Das Paradebeispiel eines früheisenzeitlichen ›Fürstensitzes‹ stellt die
Heuneburg bei Hundersingen dar. Die Burg liegt auf einem Plateau in
einer Flußbiegung 60 Meter hoch über der Donau. Der späthallstattzeitliche Befestigungsring umschließt auf 300 zu 150 Meter ein Areal von
rund drei Hektar. Er besteht aus einer Art primitivem *murus gallicus,* in
dem ein Rahmenwerk von Holzbalken mit vorgeblendeter Trockenmauer mit Erde gefüllt ist. Wenigstens stellenweise sollen nach den
Ausgrabungsberichten 11 derartige Holz-Erde-Mauern übereinander
liegen. Aus der Norm fällt eine Mauer in Schicht IV. Sie muß von einem
griechischen Baumeister nach mediterranem Muster erbaut worden sein
(Abb. 97). Auf einem Sockel aus grob zugehauenen Kalksteinen war
eine 3-4 Meter hohe Mauer aus luftgetrockneten Lehmziegeln errichtet.
Bastionsartig sprangen viereckige, innen mit Holz verkleidete Türme
aus der Außenfront. Die für das feuchte mitteleuropäische Klima denkbar ungeeignete Lehmziegelmauer war beidseitig verputzt und mit einem hölzernen Wehrgang versehen. Wenn der fortifikatorische Wert
auch gering scheint, so war sie dem Imponiergehabe der Burgherren
sicherlich sehr zuträglich. Man ließ Griechen für sich arbeiten. Abgesehen von dieser ungewöhnlichen Episode kennzeichnen auch die übrigen
archäologischen Befunde die Heuneburg als zentralen Ort von hohem
wirtschaftlichen Rang. In den zahlreichen Fundschichten spiegelt sich
eine intensive Besiedlung mit dichter Innenbebauung bis in die frühe
Latènezeit, wobei der Anteil an Südimport im Fundspektrum erstaun-

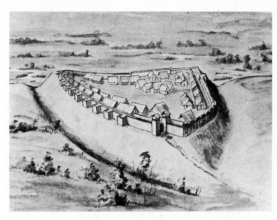

97 *Rekonstruktion des hallstattzeitlichen Fürstensitzes auf
der Heuneburg bei Hundersingen an der oberen Donau zur
Zeit der Lehmziegelmauer. (Nach Kimmig)*

lich ist. Neben attischer und anderer griechischer Keramik finden sich südfranzösische sowie massiliotische und archaische Wein- und Ölamphorenscherben. Glas, Sapropelit, Knochen, Elfenbein, Koralle waren exquisite Werkstoffe für die Schmuckproduktion und sind zugleich Hinweis auf die weitreichenden Handelsverbindungen.

Die Heuneburg als frühfeudaler Herrensitz, um den sich in Sichtweite die Tumuli der Dynastien gruppieren, hat insgesamt den Charakter eines Umschlagplatzes und Produktionsortes von zentraler wirtschaftlicher und politischer Bedeutung. Die Anlage mit all ihren Eigentümlichkeiten ist sicher kein Einzelfall. Überall im Hallstattbereich ist der Trend zur Befestigung von Höhen festzustellen, die den Beginn einer vereinzelt bis in die Spätlatènezeit reichende örtliche Tradition in der allgemeinen Entwicklung kennzeichnet. Späthallstattzeitliche Fürstensitze werden in keltischer Zeit Vororte größerer Stammesterritorien.

MYTHOLOGIE UND BILDWELT

Die südlichen und östlichen Einflüsse, denen die Hallstattkulturen im südlichen Mitteleuropa mit wechselnder Intensität ausgesetzt waren, sowie der allgemeine Kulturwandel zu Beginn der frühen Eisenzeit spiegeln sich deutlich in den Zeugnissen von Mythologie und Bildwelt.

Allgemein ist festzustellen, daß urnenfelderzeitliches, einheimisches Brauchtum kaum fortgeführt wurde. Horte fehlen in der Hallstattzeit in Süddeutschland, Fluß- und Moorfunde sind, anders als etwa in Norddeutschland (siehe S. 95 f.), außerordentlich selten. Der Ausfall dieser archäologischen Fundkategorien bezeichnet einen schroffen Bruch in den religiösen Verhaltensweisen, der mythisch-magische Gründe haben muß. Dafür erreichen in der Hallstattzeit Opferriten ihren Höhepunkt, die stark an jungneolithische Bräuche erinnern und in einem Komplex mit den eigenartigen Sonder- und birituellen Bestattungen zu sehen sind. Kultmahle waren üblich, in deren Verlauf Menschen und Tiere geopfert wurden. Wo die landschaftlichen Voraussetzungen gegeben sind, waren Höhlen bevorzugte Plätze der Handlung. Was im einzelnen geschah, ist nicht bekannt und sicher waren die Riten an den einzelnen Kultorten unterschiedlich. In Dutzenden von Felsspalten und Schachthöhlen aber wurden vermengt mit Pferde-, Schweine- und Rinderknochen die Gebeine von meist jungen Menschen gefunden, die geopfert worden waren. Feuerplätze mit Keramik- und Getreideresten deuten auf Kultmahle hin. Daneben finden sich in vielen Kulthöhlen Schädelbestattungen, wobei Menschenopfer und Ritualbestattung eng verzahnt zu sein scheinen. Ein bezeichnendes Licht auf die nicht immer eindeutigen Befunde aus dem süddeutschen Hallstattbereich werfen die Berichte über die Ausgrabungen der *Býčí Skála*-Höhle in Mähren. Sie wurde 1869 und 1872 vom Bergarzt in Blansko, Dr. Heinrich Wankel, untersucht. Seine Beobachtungen sprechen für sich. Überdeckt von Geröll-, Kalk- und Steinschichten fand sich in der nur durch einen schmalen Einlaß zugänglichen Hallenhöhle eine aus Erde, Holzkohle, verkohltem Getreide und kalzinierten Knochen bestehende Brandschicht, die an zwei Stellen zu Podien von einem halben Meter Stärke anwuchs. Die größere Brandstelle mit einer Ausdehnung von über 60 Quadratmeter enthielt unter vielem anderen ... »Stücke von Rädern, Radbüchsen von Eisen mit Bronze bekleidet, und unter ihnen die teils calcinierten, teils verkohlten Reste eines Menschen. In der Peripherie des Brandplatzes, jedoch noch in der Kohle, befanden sich in großer Menge die mannigfachsten Gegenstände: zusammengewickelte verkohlte Wollstoffe, zusammengerolltes Garn, Rohr- und Schilfgeflechte, verkohltes Getreide ... und viele Schmuckgegenstände: bronzene Armbänder, Spiralringe, Glas- und Bernsteinperlen, riesige armbandähnliche bronzene Gegenstände ... Fibeln, rotgebrannte Tonwirtel usw. ... Außerhalb dieses Brandplatzes wurden ... auf dem festgetretenen Höhlenlehm in allen möglichen Lagen über 40 Skelette vorgefunden. Sie waren alle in einem Niveau über die Vorhalle zerstreut oder haufenweise beisammen gelagert ... Einigen fehlt der Kopf, anderen die Hände und Füße, einige trugen Schmuck, die anderen wieder nicht. Nur wenige Männer waren unter ihnen, die Mehrzahl waren Frauen, auch der Rumpf zweier Pferde lag dabei, der Kopf und die Füße fehlten. Zwischen den Skeletten erhoben sich hie und da kleine Häufchen verkohlten Getreides, in dem nicht selten Schmuckgegenstände ... eingeschlossen waren. An der südlichen, gegenüber dem großen Brandplatz liegenden Felsenwand breitete sich über dem Boden eine Pflasterung aus behauenen Platten aus, auf der nebst vielen zusammengeworfenen Menschenknochen das Skelett eines Mannes und das eines jungen Schweines gefunden wurde. An der Felsenwand standen bronzene Zisten, Kessel und Becken, die mitunter mit verkohltem Getreide gefüllt waren; in einem Fall enthielt ein Kessel ein roh gearbeitetes Tongefäß, ein anderer einen menschlichen Schädel ... Zwischen dieser Pflasterung und dem Brandplatz stand ein kleiner Altar aus einer zugehauenen Steinplatte, auf zwei anderen, kleineren ruhend, gebaut. Auf dem Altar lagen, in verkohltes Getreide gehüllt, zwei abgehauene Frauenhände, mit Bronzespangen und goldenen Fingerringen geziert, dann die rechte Hälfte eines in der Mitte gespaltenen Schädels. Einige Meter hinter der Pflasterung, in der Nähe des Einganges in die Höhlenstrecke, lagen viele ganze Tongefäße, Urnen und Schalen und deren Scherben aufeinander gehäuft ...

Viele Urnen waren mit einem Deckel versehen und die meisten mit den mannigfachsten, teilweise verkohlten, teilweise gedörrten Gegenständen gefüllt. Einige enthielten verkohltes Getreide, und zwar Gerste,

Korn, Weizen, Hirse und Wicke, andere waren mit der Asche des Splintes der Hirse angefüllt, wieder andere enthielten eine leichte, trockene, hellbraune, kompakte Masse ...«

Der fremdartigen Ideenwelt, die sich im Kult- und Bestattungsbrauch spiegelt, entspricht ein magisches Begleitinstrumentarium mit aufwendigem Klapperschmuck, Rasseln und funktionslosen Tongebilden wie Ringe, Rädchen und Dreierwirbel. Gleichzeitig erscheinen Wirbelmuster auf der Keramik. Tonkugeln mit kleinen Rasselsteinen im Inneren finden sich in Kindergräbern, Klappern in Vogelgestalt stehen in der Tradition urnenfelderzeitlicher Kultbilder. In Kombination mit der Sonnenscheibe und der Barke kommt das vorher so bezeichnende Vogelbild in der Hallstattzeit überhaupt nur noch singulär auf dem komplizierten Bronzegehänge von *Kirchenreinbach* in der Oberpfalz vor (Abb. 92).

Ansonsten sind die Bilder von Mensch, Tier und Gegenständen in der Hallstattzeit neuartig und nur in einem von Südost- und Südeuropa bis Nordeuropa reichenden Beziehungsnetz deutbar. Süddeutschland ist mit einigen Plastiken aus Bronze und Ton, etlichen späten Großplastiken aus Stein, sehr wenigen Tierfibeln und vor allem mit Zeichnungen vertreten, die in Rollrädchentechnik oder geritzt auf der Keramik angebracht sind. Gegenüber der Bildwelt des östlichen Hallstattkreises und des Situlenkreises in Norditalien nimmt sich ihre Zahl dürftig aus, wie überhaupt scheint, als ob die Bildmotive ursprünglich griechischer Provenienz erst nach der barbarischen Umstilisierung im Donauraum nach Norden gekommen sind. Die Bilder sind entsprechend den gegebenen Mitteln und der Zeichentradition in den einzelnen Zonen recht unterschiedlich ausgeführt. Die Zeichenweise auf der Keramik bedingt einen ›pseudogeometrischen Stil‹, in dem komplexe Figuren aus Dreiecken, Kreisen und Geraden zusammengesetzt werden. Im Reiterbild – das in der Ikonographie eine wichtige Rolle spielt – zeigen die knappen Linien kürzelhaft die gedankliche Konstruktion Pferd-Zügel-Mensch, die zeichnerisch noch nicht zu bewältigen ist (Abb. 98). Manche Ritzzeichnungen werden überhaupt erst deutbar, wenn sie auf die klassischen Vorbilder zurückgeführt werden können. Ein Beispiel ist die Darstellung eines Leierspielers auf einem Tongefäß aus *Schirndorf* in der Oberpfalz, der ikonographisch ein griechisches Vorbild hat (Abb. 99). Die Zwischenglieder im Prozeß der Umstilisierung fehlen, und es ist nicht zu entscheiden, ob dem Töpfer aus Schirndorf klar war, daß mit der Ritzzeichnung, die er auf dem Gefäß anbrachte, ursprünglich ein Leierspieler gemeint war. Überhaupt scheint es, daß die barbarischen Künstler aus dem für sie sicher nicht immer verständlichen Bildschatz an Szenen und Motiven mittelmeerischer Tradition Einzelfiguren und Figurenszenen herausgegriffen haben, um sie dann für die eigene Vorstel-

98a   Szenische Darstellungen auf einem Tongefäß der älteren Hallstattzeit aus Hügel 1 des Gräberfeldes bei Fischbach-Schirndorf, Kr. Burglengenfeld in der Oberpfalz. Auf dem 24,5 cm hohen Gefäß sind in drei horizontalen Zonen mit dem Rollrädchen oben drei Menschen im Gebetsgestus und unten Pferde mit Reitern dargestellt. (Nach Torbrügge-Uenze) (b) Schematisierte Ritzzeichnung eines Wagens auf der Schulter eines großen Tongefäßes aus Hügel 87 der Nekropole von Fischbach-Schirndorf, Länge 7,5 cm, mit diagonal verstrebtem Chassis, Deichsel mit Joch und in die Bildfläche geklappten vierspeichigen Rädern, vgl. hierzu die Konstruktion des Kultwagens von Acholshausen Abb. 69. (Nach Torbrügge 1969). Prähistorische Staatssammlung, München

b

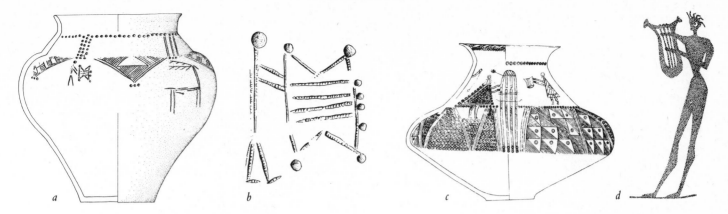

lungswelt einzupassen. Einzelfiguren und szenische Reihungen auf Tongefäßen treten hauptsächlich vom Donauraum über Böhmen bis nach Nordostbayern und dann wieder im Verbreitungsgebiet der nordostdeutschen Gesichtsurnen auf. Schematische Stempelbilder von Pferd, Vogel und Mensch auf Gürtelblechen und Bronzegefäßen der späten Hallstattzeit in Süddeutschland hingegen, dürften kaum mehr Bedeutung als sinnentleerter Dekor auf gängiger Handelsware gehabt haben.

Tönerne Kleinplastiken, die sicher dem rituellen Bereich entstammen, gehören zu zwei ovalen Tonschalen aus *Schirndorf* (Abb. 100a, b). Nach Form und Technik haben die Gefäße Gegenstücke in Italien, die Stilisierung der Menschenfiguren dagegen entspricht donauländischer Tradition. In dasselbe Beziehungsnetz ist eine Tonschale auf drei menschlich geformten Füßen von *Prächting* zu stellen (Abb. 100c), wo die Motiv-

99   Zur hallstattzeitlichen Bildwelt nördlich der Alpen und ihren mittelmeerischen Vorbildern. (a) Tönernes Kegelhalsgefäß aus dem Hügelgräberfeld von Fischbach-Schirndorf. Zwischen geometrischen Mustern ist links ein Strichmännchen mit einem waschbrettartigen Gerät abgebildet, rechts davon ein stilisierter Hirsch. (b) Das Strichmännchen in vergrößerter Umzeichnung mit einem Rahmen, in dem deutlich vier Querstriche zu erkennen sind. (c) Kegelhalsgefäß aus Sopron/Ödenburg (Ungarn).

Dargestellt ist in hallstättischer Manier über einem Fries von geometrischen Ornamenten eine Frau mit weitem Kleid am stehenden Webstuhl, links ist eine Hand mit Spindel und rechts eine Gestalt mit Leier zu sehen. Die Szenerie geht eindeutig auf Darstellungen aus dem Mittelmeergebiet zurück.

(d) Umzeichnung eines Leierspielers auf einer griechischen Vase des 8. Jahrhunderts aus Böotien.

Die Gestalt auf dem Gefäß aus dem 7. Jahrhundert aus der Oberpfalz kann über die Zwischenstation südlich des Neusiedler Sees, wo die Szene inhaltlich offenbar noch verstanden wurde, bis auf das griechische Vorbild zurückgeführt werden, wobei der Verlust des Darstellungsinhaltes und der bildnerischen Möglichkeiten bei dem Beispiel aus der Oberpfalz offenkundig sind. (Nach Torbrügge 1969)

100   Tonplastik aus einem Grabhügel bei Illschwang, Kr. Sulzbach-Rosenberg, Oberpfalz. Die fast 19 cm hohe Statuette trug ursprünglich einen kleinen Kessel aus Ton oder Bronze in den ausgestreckten Armen (a). Das Motiv der Kesselträger ist in vereinzelten Exemplaren von Italien bis Norddeutschland verbreitet. (Nach Torbrügge-Uenze) Naturhistorische Gesellschaft, Nürnberg.

(b) Kegelhalsgefäß mit stilisierten Menschenfiguren aus Fischbach-Schirndorf. Prähistorische Staatssammlung München.

(c) Schale aus rötlichem Ton auf drei menschlichen Füßen. Die Füße sind gesondert geformt und in die Schale eingezapft. Aus einem Hügelgrab der Hallstattzeit bei Prächting, Kr. Lichtenfels, Bayern. Prähistorische Staatssammlung, München

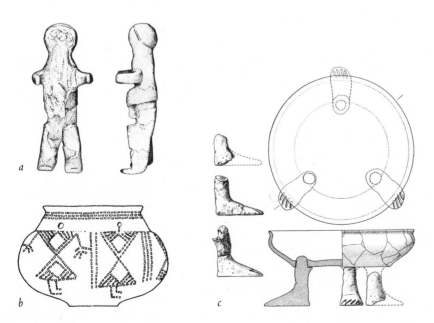

101 Tonpferdchen mit separatem Reiter aus einem Hügelgrab
bei Speikern, Kr. Nürnberger Land. Länge des Pferdes 8,7 cm.
Dahinter Tonpferd mit Schale. Grabfund aus Untersittenbach,
Kr. Nürnberger Land. Naturhistorische Gesellschaft,
Nürnberg

kombination von Mensch-Gefäß andersartig variiert ist. Neben sogenannten Kesselträgerinnen sind Gefäße auch mit Pferdeplastiken so in
Untersittenbach (Abb. 101) verbunden. Mit überschlankem Leib, ge-
strecktem Hals, kleinem Kopf und oft deutlich ausgearbeiteter Mähne
geben sich die kleinen Tonplastiken deutlich als grobe Kopien griechischer Vorlagen zu erkennen. Zeichnungen und Terrakotten drückten
offensichtlich Bedeutung und Wertschätzung des Pferdes in der feudalen
hallstattzeitlichen Gesellschaft aus, besonders wo Hengst und Stute wie
in *Zainingen* paarweise ins Grab gelangten oder Roß und Reiter im
feierlichen Umritt bei der Totenfeier auf Keramikfriesen dargestellt
sind; ganz zu schweigen von den Hallstätter Zeremonialäxten mit
Pferdeaufsätzen, die zusammen mit dem Pferdebild und der Pferdege-
schirrbeigabe die reiterliche Komponente der führenden Gesellschaftsschicht betonen. Das kleine Tonpferdchen mit Reiter aus *Speikern* stellt
vielleicht den Toten selbst *en miniatur* dar (Abb. 101).

Mit Sicherheit meint die Stele von *Hirschlanden* in Württemberg den
im Hügel Bestatteten (Abb. 102). Der auf Vor- und Rückseite plastisch
profilierte und mit Flachrelief versehene Körper aus Sandstein verrät

zugleich klassische und barbarische Züge: Der Oberkörper ist fast im Flachrelief ausgeführt, während die freigestellten wuchtigen Beine offensichtlich gleich wie der Armgestus italisch-etruskische Plastiken imitieren. Dargestellt ist eine Kriegerpersönlichkeit der jüngeren Hallstattzeit. Sein hoher Rang wird durch die Kegelmütze, einen Halsring und den Gürtel mit Dolch gekennzeichnet. Grabstelen sind in der jüngeren Hallstattzeit nicht selten. Als ornamental ausgeformte und völlig figurlose Steinsäulen standen sie ehemals auf den Grabhügeln und sollten sicher auch das Bild des Toten auf ewige Dauer symbolisieren. Stilelemente, Armhaltung und kultische Nacktheit betonen die Abhängigkeit von antiken Traditionen, in denen der wahrscheinlich einheimische Steinmetz der Stele von Hirschlanden stand, die als früheste Großplastik nördlich der Alpen bezeichnet werden kann. Auf beinahe ideale Weise vertritt das archaisch anmutende Monument die Symbiose antiker und barbarischer Traditionen, welche das hallstattzeitliche Kulturbild im Raum nördlich der Alpen bestimmte.

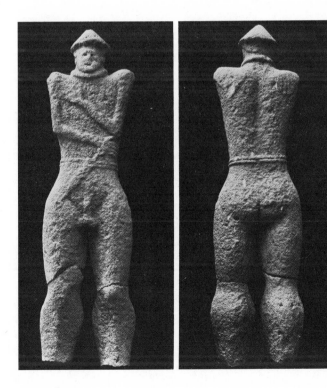

102   Grabstele von Hirschlanden, Kr. Ludwigsburg, Württemberg. Die noch 150 cm messende Plastik eines Kriegers in kultischer Nacktheit aus Stubensandstein bekrönte ehemals die Spitze eines späthallstattzeitlichen Grabhügels. Württembergisches Landesmuseum, Stuttgart. – Oben: Grabhügel von Tübingen-Kilchberg, Württemberg, mit Steinkranz und extrem stilisierter, anthropomorpher Stele auf der Hügelkuppe; als Bodendenkmal am ursprünglichen Standort rekonstruiert

103 Die historisch bezeugten Keltenzüge des 4. Jahrhunderts und die Ausbreitung des Keltentums in der zweiten Hälfte des 1. Jahrtausends v. Chr.

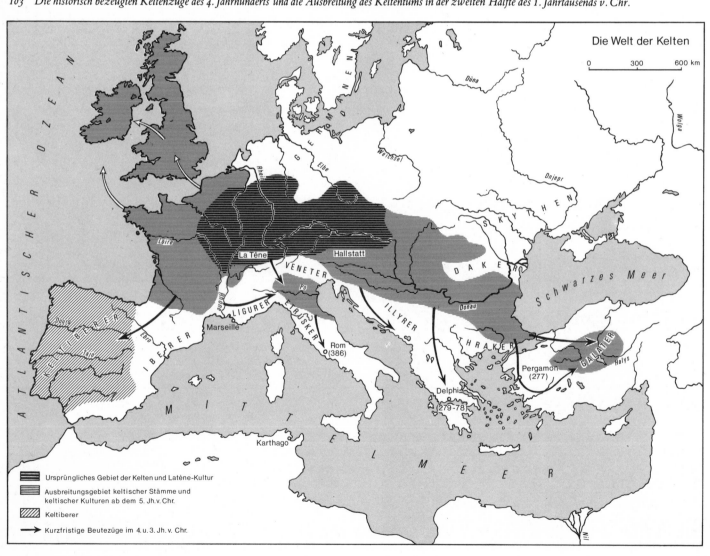

»Der Istros (Donau) fließt durch ganz Europa, entspringt bei den Kelten, welche als die letzten der Völker Europas nächst den Kynetern nach Westen hin wohnen. Der Istros strömt durch ganz Europa und gelangt in die Flanke des Skythenlandes ...« schrieb Herodot im letzten Drittel des 5. Jahrhunderts v. Chr. *Keltoi* oder *Galatai* in den griechischen, *Galli* oder *Celtae* in den lateinischen Quellen fanden in den folgenden Jahrhunderten mehr Erwähnung als es den Berichterstattern sicherlich lieb war.

Über die Alpenpässe kommend, brachen keltische Stämme in Oberitalien ein. 391 trafen die keltischen Eindringlinge bei der Belagerung des etruskischen Clusium (Chiusa) erstmals auf die Römer. »Pars satis magna Celtarum apud Rhenum habitantium se accinxit ad aliam terram quaerendam et Clusinis bellum inferebat«. Ein großer Teil der am Rhein wohnenden Kelten machte sich auf, um neue Wohnsitze zu suchen, und griff Clusium an, berichtet ein römischer Historiograph über die Herkunft und Taten der Barbaren. Vier Jahre später drangen die Kelten unter ihrem Heerführer Brennus von Clusium bis nach Rom vor, sie vernichteten an der Allia das römische Heer und nahmen Rom ein. Nach der Sage verhinderte nur das Geschnatter der Gänse die Eroberung des durch M. Manlius Capitolinus verteidigten Kapitols. »Vae victis« ist ein viel zitierter Sinnspruch aus der Zeit der Gallierkatastrophe. Die Stadt wurde gebrandschatzt, und nur durch hohe Geldzahlungen konnte die vollständige Kapitulation verhindert werden. Der Überfall der Kelten auf Rom war für die Republik ein Schlag, von dem sie sich erst rund hundert Jahre später vollständig erholte. Andererseits eröffnete er gleichzeitig erst die Möglichkeiten zur Vormachtstellung Roms in Italien, da die Kelten noch im Laufe des 4. Jahrhunderts die Kraft der Etrusker im Norden der Apenninen-Halbinsel durch die Eroberung der meisten Stützpunkte brachen. Folge davon war der Abbruch der etruskischen Handelsbeziehungen nach Norden, ein Ereignis, das sich auch im Fundspektrum der nordalpinen Gebiete zeigt. Um 350 fällt mit Felsina (Bologna) die letzte Bastion der Etrusker in der Poebene in die Hand der Kelten. *Laer, Lebikier, Insubrer, Gonomanen, Anaren, Boier, Lingonen* und *Semnonen* wurden beidseits de Po seßhaft. Brixia (Brescia) und Verona, Mediolanum (Mailand), Comum (Como), Bergomum (Bergamo), Tridentum (Trient), Vicetia (Vicenza), Bonoia und Mutina sind keltische Stadtgründungen. Die spätere Gallia Cisalpina war entstanden. Nach Vorstößen bis nach Unteritalien folgte 334 ein Friedensschluß zwischen Römern und Kelten.

Die römische Expansion erreichte den Norden Italiens erst im späten dritten Jahrhundert. In verschiedenen Kriegen, bei denen auch die Karthager eine Rolle spielten, wurden die keltischen Stämme unterworfen, auf ihren Territorien römische Kolonien eingerichtet. Ihre Eingliede-

Die Kelten

DIE KELTENWANDERUNG

rung in den römischen Staat war mit Verleihung des latinischen Bürgerrechts und Einrichtung der römischen Provinz Gallia Cisalpina abgeschlossen. Spuren der keltischen Besiedlung Norditaliens finden sich allenthalben. Neben den Ortsnamen weisen Gräberfelder mit kriegerischen Beigaben auf die Anwesenheit der im Verlauf der Jahrhunderte sicherlich sprachlich und kulturell angeglichenen Eroberer aus dem Norden hin. Verbindungen zu ihren Herkunftsräumen scheinen bestanden zu haben. Nach der verlorenen Schlacht am Vadominischen See im Jahr 282 zogen die geschlagenen Boier, die von transalpinen Kelten in ihrem Kampf unterstützt worden waren, nach Böhmen ab; derselbe Vorgang wird für die Ereignisse nach der Niederlage bei Mutina für 191 v. Chr. berichtet. Bei ihren Kämpfen mit den Römern wurden die italienischen Kelten häufiger von Volksgenossen aus dem Norden unterstützt. Vor der entscheidenden Schlacht um Mediolanum, die Hauptstadt der Insubrer, im Jahr 222, wurde ihr Führer Vindomarus, der sich rühmte, ein Sohn des Rheines zu sein, vom römischen Konsul M. Claudius Marcellus nahe Clastidium angeblich im Zweikampf erschlagen. In den antiken Schilderungen wird der König lanzenschwingend in bunt gestreiften Pluderhosen auf seinem Kampfwagen stehend dargestellt (siehe Abb. 104). Auch in diesem Fall scheinen die geschlagenen Kelten, und zwar nicht nur die nordalpinen Hilfstruppen, sondern auch einheimisch-italische Kelten abgewandert zu sein, denn die eroberten Keltengebiete wurden zugunsten bedürftiger römischer Bürger aufgeteilt.

Die keltischen Raub- und Wanderzüge erfaßten nicht nur Italien. Im Jahr 335 bereits schlug Alexander d. Gr. die keltischen *Triballer* an der unteren Donau. Ein halbes Jahrhundert später zog ein großes keltisches Heer aus dem mittleren Donauraum gegen Griechenland. Die makedonische Streitmacht wurde geschlagen, Makedonien und Thessalien wurden verwüstet. Die Kelten drangen unter Umgehung des Thermopylenpasses bis tief nach Griechenland vor und plünderten 279 Delphi. Nach der Niederlage durch die verbündeten Griechen siedelten sich Reste der keltischen Heerhaufen in Illyrien und Thrakien an, *Tolostagier, Trokmer* und *Tektosagen* gelangten nach wechselhaften Kämpfen bis nach Kleinasien, wo sie 275 als *Galater* am mittleren Halys angesiedelt wurden. Die Volksbezeichnung hat sich bis weit in die römische Zeit gehalten, und noch der Apostel Paulus wandte sich in Briefen an die Galater. Im 3. Jahrhundert vor Christus spielten diese isolierten Keltenstämme eine wichtige Rolle im Kampf der kleinasiatischen Dynastien und Städte gegenüber dem Seleukidenreich. An den Untergang des Galaterreiches erinnern die von Epigonos und Karystos geschaffenen Plastiken der ›Großen Galliergruppen‹, die Attalos I. um 230 nach seinem Sieg am Hierax in Pergamon errichten ließ. Eine römische Marmorkopie zeigt den ›Sterbenden Gallier‹ mit Torques, dem typischen Halsschmuck kel-

104 Mykenischer Streitwagen mit geflochtenem Wagenkorb. Abguß eines Siegels aus Sardonyx von Vaphio in Lakonien. Um 1500 v. Chr. Archäologisches Nationalmuseum, Athen. Darunter Streitwagen auf einer römischen Silbermünze des 1. Jahrhunderts n. Chr. Der zweispännige leichte Kampfwagen wird von einem Mann gelenkt, während ein schildbewehrter Krieger den Speer schleudert. British Museum, London

tischer Vornehmer, wie er bereits auf der Grabstele von Hirschlanden in Baden-Württemberg kennzeichnend ist (Abb. 102, 105, 106).

Die Auswirkungen der keltischen Wanderung berührten die Anrainer des Mittelmeeres von Spanien bis Griechenland und darüber hinaus. Wie tausend Jahre später die Germanen, gründeten keltische Scharen staatenähnliche Gebilde in einem zivilisatorisch fortgeschrittenen Milieu. Kulturell und ethnisch gingen sie über kurz oder lang in den Wirtsvölkern auf. Nur ihre Namen und schemenhafte Kulturbilder sind überliefert. Für die Entwicklung des Keltentums waren sie gleichwohl sehr wichtig. Wo noch geographische Verbindungen zwischen den Neu- und Altsiedelgebieten bestanden – so etwa in Norditalien –, konnte mittelmeerisches Kulturverhalten in stärkerem Maße zu den Stammesverwandten im Norden, bzw. vom Balkan in den Nordwesten vermittelt werden, als dies durch bloße Handelskontakte möglich gewesen wäre.

Nach Herodot und vor allem den Angaben der jüngeren römischen Historiographie sind als Heimat der Kelten die Landschaften zwischen Mittelfrankreich und oberer Donau anzunehmen. Die Völkerbewegung, welche im 4. Jahrhundert die antike Welt von Rom bis Delphi erschütterte, veränderte sicher auch die prähistorischen Gebiete nördlich der Alpen, wobei der Wanderung ein kultureller und politischer Wandel im Raum des westlichen Hallstattgebietes vorausgegangen sein muß. Hier könnten jedoch nur archäologische Kategorien die Sachlage erhellen. Daß Umschichtungen, Akkulturationsprozesse und Überschichtungen stattgefunden haben, zeigt die archäologisch-historische Entwicklung während der letzten Jahrtausenhälfte vor der Zeitenwende, in der die Keltisierung Europa von Britannien und Irland bis Italien und

106   Bronzeplastik einer keltischen Gottheit. Die 42 cm hohe Figur aus dem 1. Jahrhundert v. Chr. wurde im Fluß Juine bei Bouray-sur-Juine südlich von Paris gefunden. Sie scheint den Gott Esus oder den Hirschgott Cernunnos, worauf die in Hufen endenden überkreuzten Beine hinweisen, darzustellen. Den Hals umschließt wie beim sterbenden Gallier (Abb. 105) ein Torques. In der Gestaltung des Kopfes zeigt die Plastik bereits starke römische Einflüsse, während der gesondert aus mehreren Bronzeblechen zusammengesetzte Rumpf nur schwach plastisch ausgeführt ist.
Musée des Antiquités Nationales, Saint Germain-en-Laye

von Spanien bis in den mittleren Donauraum erfaßte (Abb. 103). Was die Expansion der Kelten oder vielleicht besser die Ausbreitung ›keltischer Art‹ ausgelöst hat und wie der Prozeß der Keltisierung im einzelnen verlief, entzieht sich unserer Kenntnis. Vielleicht handelt es sich um einen Vorgang ähnlich der Hellenisierung der Alten Welt nach den Eroberungszügen Alexanders des Großen. Auffällig ist in jedem Fall, daß die vorher hallstättisch geprägten Landschaften Mitteleuropas später zum keltischen Kulturbereich gehörten, bis im Lauf des letzten vorchristlichen Jahrhunderts die nördlichen Gebiete von Germanen, der Westen und Süden von den Römern besetzt wurden.

DIE LATÈNEKULTUR

Die jüngere Eisenzeit in Süddeutschland

Infolge des intensiven Güteraustausches der frühfeudalen Gesellschaften mit Etruskern und Griechen im Westen und aufgrund der zivilisatorischen Einflüsse aus dem venetischen Raum im Osten wandelten sich die Hallstattkulturen allmählich, bis um die Mitte des 5. Jahrhunderts im archäologischen Material Formen faßbar werden, die im Verein mit anderen Erscheinungen eine neue Kulturepoche einleiten. Nach einem klassischen Fundort am linken Ufer der Zihl, unmittelbar am Ausfluß aus dem Neuenburger See in der Schweiz, wird die letzte vorgeschichtliche Periode im südlichen Mitteleuropa als *Latènezeit* bezeichnet.

Am deutlichsten zeigt sich der Umbruch in der Kunst und im Kunsthandwerk, die wie immer vor einem geistig-religiösen Hintergrund zu sehen sind, in dem sich möglicherweise überhaupt die spirituelle oder ideelle Basis des Keltentums verbirgt. Ein neues und wesentliches Element in der Ornamentik ist der Zirkelschlag. Anders als bei Griechen und Etruskern werden die komplizierten Kreiskompositionen jedoch nach ›keltischem‹ Stilempfinden bis zur Unkenntlichkeit verschlüsselt und verästelt (Abb. 107). Stilisierte, ins Magische transponierte Menschen- und Tierköpfe, Masken und Fratzen mit Glubschaugen (Abb. 108) und langen Schnauzbärten zieren qualitätvolle Schmuckstücke und wertvolles Gebrauchsgerät. Vor allem meisterhaft gearbeitete Fibeln werden zum außergewöhnlichen, mehrdeutigen Bildträger, dessen kürzelhafte Symbolik wohl auf den Besitzer fixiert ist (Farbtafel 18). Masken und Ornamentik vermitteln den Eindruck eines mythisch-magischen Gestaltungsprinzips, das heute kaum noch zu entschlüsseln ist. Die eigenwillige und selbständige Art der Gestaltung tritt unvermittelt, ohne erkennbare Vorstufen als etwas radikal Neues auf und löst die schematisiert wirkende Bildwelt der Hallstattzeit mit ihren archaischen Bildnissen von Strichmännchen, plastischen Tier- und Menschenfiguren ab. Eine Voraussetzung für den selbständigen Latènestil ist die Einfuhr

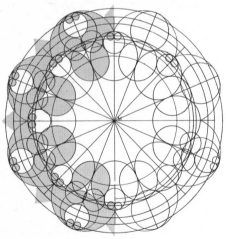

107   Die Goldblechfassung einer Schale aus dem frühlatène-zeitlichen Fürstengrab von Schwarzenbach bei Birkenfeld im Hunsrück, Rheinland-Pfalz, Höhe 8,5 cm, Durchmesser 12,6 cm, und die Auflösung des Ornaments nach Zirkel-schlägen. (Nach Lenerz-De Wilde)
Staatliche Museen Preußischer Kulturbesitz, Berlin

von Südimport, dessen figürliche und ornamentale Ausschmückung anders als in der späten Hallstattzeit eigentümlich umgeformt wird. Wo die Frühlatènekunst entstanden ist, bleibt unbekannt. Wahrscheinlich entwickelten sie anonyme Künstler an den Höfen der frühkeltischen Fürsten in Südwestdeutschland oder Ostfrankreich, am ehesten im Gebiet der sogenannten Hunsrück-Eifel-Kultur, wo reiche Grabfunde der Frühlatènezeit auf eine wirtschaftliche Sonderstellung dieser Region und auf ein schnelles Aufblühen neuer kultureller Traditionen hinweisen, die in engem Zusammenhang mit den reichen Fürstengräbern im Marnegebiet zu sehen sind.

Trotz des Aufkommens neuer Zierstile und Sachformen stellt sich der Übergang von der späten Hallstatt- in die frühe Latènezeit nach archäologischen Kriterien im allgemeinen bruchlos dar. Die sozialen Verhältnisse haben sich kaum gewandelt. In Südwestdeutschland wird die führende Schicht weiter in imposanten Grabhügeln bestattet, wobei allerdings eine schwerpunktmäßige Verlagerung reicher Grabhügel nach Norden in das Gebiet von Hunsrück und Eifel festzustellen ist. In örtlicher Tradition wird die Oberschicht in Hügeln mit ihrer persönlichen Ausrüstung, Wagen, reichem Goldschmuck, Schnabel- und Röhrenkannen, Bronzesitulen und importierter Keramik und sonstigen Luxusgütern bestattet. Eine Eigenart der auch sonst in vielem eigenständigen Latènekultur im Hunsrück-Eifel-Gebiet ist das Weiterbestehen dieses Grabbrauches bis in die Spätlatènezeit, während sich im übrigen Süddeutschland in der Mittellatènezeit allmählich Flachgräber durchsetzen.

Regionale Unterschiede sind auch sonst gegeben, doch ermöglicht die weitgehende Uniformität des keltisch-latènezeitlichen Formenbestandes in Mitteleuropa verbunden mit Grabbrauch und Grabsitten eine Untergliederung der süddeutschen Latènezeit in vier Stufen (Abb. 43).

In der *Frühlatènezeit*, nach gängigem süddeutschen Chronologieschema Stufe A genannt, ist als allgemeine Tendenz von Ostfrankreich bis Böhmen weiterhin die Hügelgräbersitte festzustellen. Die architektonische Gestaltung der Grabkammern mit Stein- und Holzeinbauten sowie Zahl und Qualität der Beigaben hängt in hohem Maß vom regionalen Brauchtum und der sozialen Stellung des Bestatteten ab. Allgemeinverbindliche Regeln sind für Süddeutschland nicht festzustellen. Je nach lokaler Tradition kommen neben Brand- auch Körperbestattungen als Flach- oder aber eingetiefte Schachtgräber in und unter Hügeln vor. Insgesamt ist kein Bruch im Brauchtum oder in der Siedlung festzustellen. Generationenfolgen sind sowohl in der bekannten Nekropole von *Bell* im Hunsrück trotz des Wechsels von der Körper- zur Brandbestattung wie auch im südwestdeutschen Hügelgräberfriedhof von *Mühlakker* bei Stuttgart nachgewiesen. Frühlatènezeitliche Nachbestattungen in hallstattzeitlichen Hügeln belegen dieselben Kontinuitätsverhältnisse für

108 Fußteil der Maskenfibel von Parsberg in der Oberpfalz (vgl. Farbtafel 18). Der zurückgebogene Fibelfuß mit unterseitigem Nadelhalter ist als vollplastischer Kopf mit hervorquellenden Augen und langem Schnurbart ausgebildet und fein ziseliert. Stark vergrößert. Um 400 v. Chr. Germanisches Nationalmuseum, Nürnberg

109 *Standartenträger und Hornbläser auf einem Serpentinrelief von Bormio am Stilfser Joch, Italien. Auf dem noch 31 cm breiten und 34 cm hohen Bruchstück eines ursprünglich größeren Szenariums ist links ein mit Dolch bewaffneter Hornbläser in kurzem Rock und rechts eine Gestalt, vielleicht eine Gottheit, mit Hörnerhelm, breitem verziertem Schild und einer Art Standarte dargestellt. Dazwischen ist eine Lanze mit Rundschild aufgepflanzt. Obwohl das Relief aus der Zeit um 400 v. Chr., bei dem es sich möglicherweise um eine Weihegabe an das Quellheiligtum oberhalb des Passes handelt, wahrscheinlich keine keltische Arbeit ist, vermittelt es doch einen Eindruck von der Tracht und Bewaffnung in der Frühlatènezeit im Alpenraum. Museo Civico, Como*

das übrige Süddeutschland. Die Grabausstattung bewahrt punktuell hallstattzeitliche Züge, so die Beigabe von mehreren Hiebmessern und Lanzen neben dem Schwert oder von Speisegeschirr, das aber zahlenmäßig reduziert ist. Im großen und ganzen wurden die Toten anders als zur Hallstattzeit nur mit ihrem privaten Besitz an Waffen und Kleidung beigesetzt. Hierin ist eine Abkehr von dem vorher bestimmenden ›Totenhaus-Gedanken‹ im Grabritus festzustellen, die schließlich zur Anlage einfacher Flachgräber führte. Die Generalorientierung der in gestreckter Rückenlage bestatteten Leichen entspricht in Hügel- und Flachgräbern der hallstattzeitlichen Überlieferung einzelner Regionen. Im östlichen Süddeutschland herrscht Süd-Nord-, in der Hunsrück-Eifel-Kultur hingegen Ost-West-Orientierung vor. Wie in der vorhergehenden Periode treten vereinzelt obskure Sonderrituale auf.

Der Unterschied beider sich im Brauchtum überlappenden Perioden manifestiert sich dagegen eindringlich im materiellen Formenbestand und in der bildenden Kunst. Das Waffenarsenal in den Gräbern ist durch relativ kurze Eisenschwerter in Eisenblechscheiden mit ringförmigem Ortband bestimmt, zu denen Gurte mit verzierten Bronzehaken und eisernen Koppelringen gehören. Lanze und geschwungenes Hiebmesser werden zur Regelausstattung, während Helm und Schild bisher in süddeutschen Gräbern nicht nachgewiesen sind (Farbtafel 19, Abb. 109). Gleichermaßen zur Männer- wie zur Frauentracht gehörten Gürtelhaken, die einfach band- oder plattenförmig aus Eisen gearbeitet sind (Abb. 111). Sonderanfertigungen scheinen bronzene Gürtelhaken mit durchbrochener Beschlagplatte zu sein, die reich ornamentiert zuweilen Menschenmasken tragen und in der Regel gleich den Maskenfibeln nur in Männergräbern vorkommen.

Variantenreiche massive und hohle Ringe bildeten den Armschmuck der Frauen. Typisch sind massive Ringe mit durchweg drei Knotengruppen. Zu großen Bronzehalsringen verschiedener Art gesellen sich eiserne Exemplare mit in rhythmischen Abständen angebrachten Bronzeblechhülsen, Glas- oder Bernsteinperlen. Ausgesprochene Leitform für diese Stufe sind orangefarbene Glasflußperlen mit zwei oder vier blau-weißen Ringaugen (Abb. 110). Zahlreiche aus Bronze gefertigte Fibelserien bestimmen das Spektrum der Kleinfunde, wobei die Certosa- und Marzabottofibeln aus dem italischen Musterschatz stammen. Einheimisch und typisch keltisch erscheinen die verschiedenen Gruppen von massiv gegossenen, z. T. mit höchster handwerklicher Fertigkeit gestalteten Masken-, Tierkopf- und Vogelfibeln, deren Nadelkonstruktion in der Regel aus Eisen bestand. Bei den qualitätvollen Stücken handelt es sich in jedem Fall um Sonderanfertigungen (Farbtafel 18). Aus der Serienproduktion hingegen kommen die Fibeln mit drahtförmigem Bügel und in stilisierten Tierköpfen endendem, umgeschlage-

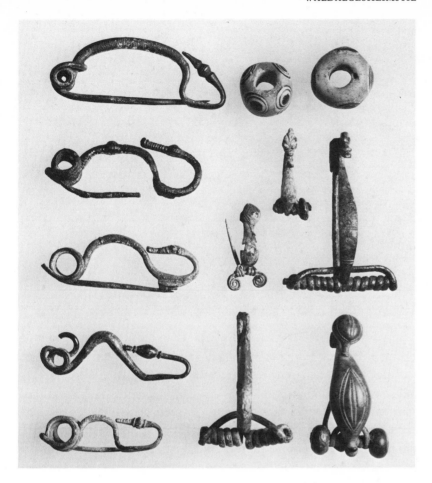

110 *Fibeln und Perlen der älteren Latènezeit. Verschiedene Fundorte in Süddeutschland, Böhmen und Österreich. Links drahtförmige Fibeln vom Frühlatèneschema mit zurückgebogenem Fuß. Rechts oben sogenannte Augenperlen und darunter kleine Entenkopffibeln aus feinstem Bronzeblech, gegossene Spiralarmfibeln mit umgebogenem Fuß und rechts unten eine gegossene Entenkopffibel von 4,5 cm Länge. Germanisches Nationalmuseum, Nürnberg*

nen Fuß, die samt der Federkonstruktion aus einem Stück gebogen sind (Abb. 110). Die feinere Keramik ist erstmals auf der schnellrotierenden Töpferscheibe hergestellt. Die neuen technischen Möglichkeiten führen zu beinahe experimentellen Formen wie ›Linsenflaschen‹ mit linsenförmig flachem Bauch und engem hohen Hals, deren Wandung mit horizontalen Rippen, Rinnen und Wülsten gegliedert sein kann. S-förmige Profile und Omphalosböden oder Standringe sind weitere Kennzeichen. Die kurvolineare Ornamentik ist in den Ton geritzt oder eingestempelt (Farbtafel 16).

Die Verhältnisse am Übergang zur nächstfolgenden Stufe B, die bereits zur *mittleren Latènezeit* gerechnet wird, ändern sich nicht schlagartig und in keiner Weise grundlegend. Nur die Schwergewichte verschiedener Erscheinungen verschieben sich. Der Übergang mit der Verlagerung der Gewichtung wird im einzigen ›Fürstengrab‹ der Stufe B von *Waldalgesheim* deutlich. Im Hügelbau und im Beigabenreichtum zeigen sich in diesem Frauengrab altertümliche Züge, die offensichtlich auf örtliche Machttraditionen der frühen Latènezeit zurückzuführen sind.

111 *Bronzener Gürtelhaken mit durchbrochen gearbeiteter Hakenplatte. Die Durchbrucharbeit mit der Darstellung eines Menschen zwischen Fabeltieren in symmetrischer Komposition ist in alter Zeit beschädigt und mit einem Bronzeblech hinterlegt worden. Die dreieckige Gürtelplatte war mit dem großen Bronzeknopf in den ledernen Leibriemen eingehängt, der Verschlußhaken befindet sich an der Spitze. Länge 16,0 cm. Einzelfund von Hölzelsau bei Kufstein in Tirol. Prähistorische Staatssammlung, München*

112 *Silberring mit Stierkopfenden aus Trichtingen, Kr. Rott-*
weil, Baden-Württemberg. Der 6400 g schwere Ring von
29,5 cm Durchmesser besteht aus einem mit Silberblech überzo-
genen massiven Eisenkern. Die Rinderköpfe sind hohl gegos-
sen und durch tordierte Ringe vom Korpus mit seinen 14 in
Längsrichtung aufgelegten Silberdrähten abgesetzt. Der
schwere Ring konnte wohl kaum als Schmuckstück verwendet
werden, eher handelt es sich ursprünglich um ein Ehrenge-
schenk, wie im pontisch-iranischen Raum üblich. Möglicher-
weise stammt der Ring aus den Gebieten an der unteren Donau
und ist von dort als Geschenk oder als Beutestück nach
Nordwesten gelangt, wo er zwischen dem 4. und 2. Jahrhun-
dert als Weihegabe dem Boden übergeben wurde, bis die sicher
nicht einheimisch-keltische Arbeit 1928 wieder entdeckt wurde.
Württembergisches Landesmuseum, Stuttgart

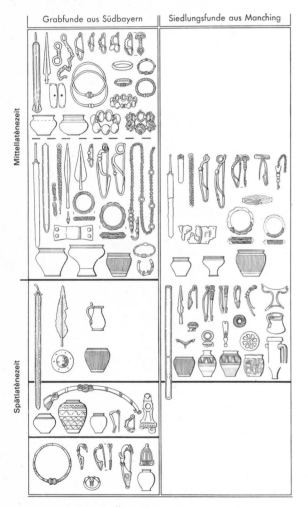

113 *Tabellarische Übersicht zum Typenspektrum der mittle-*
ren und späten Latènezeit aus Gräbern und Siedlungen in
Südbayern. (Nach Krämer 1962)

Das betrifft speziell die Ausstattung mit zwei goldenen Unterarmringen und einem goldenen, reich verzierten Halsring. Ein Ring dieser Art aus Silber wurde in *Trichtingen, Kreis Rottweil,* gefunden (Abb. 112). Neu sind ein goldener Oberarmring und ein ebensolcher Fingerring. Dieselbe Tendenz zeigen ein dünner Bronzehalsring, Fibel- und Gürtelteile und vor allem zwei Knotenfußringe mit Scharnier, während die übrigen Stücke teils im typischen *Waldalgesheimstil* verziert sind (vgl. Farbtafel 16). Vor allem in der Hunsrück-Eifel-Kultur ist dieser fließende Übergang von der frühen in die mittlere Latènezeit auch in gewöhnlichen Nekropolen festzustellen. In den anderen Gebieten sind für diese Stufe Flachgräber charakteristisch. Die Toten wurden in kleineren, kurzfristig belegten Nekropolen bestattet, wobei Brand- und Körpergräber vielfach in unentwirrbarer Weise nebeneinander bestehen. Wie dieses Nebeneinander zu erklären ist, bleibt beim derzeitigen Forschungsstand offen. Der Gegensatz zwischen Brand- und Körperbestattung verdeutlicht sicher verschiedene Auffassungen im Totenritual, deren geistige Diskrepanz zusätzlich durch die Behandlung der beigegebenen Waffen unterstrichen wird. In den Brandgräbern sind die Waffen anders als in der Hallstatt- und Frühlatènezeit rituell verbogen beigegeben, worin sich eine animistische Vorstellung verbergen könnte: Die Waffe muß unbrauchbar gemacht werden, damit sie im selben Zustand ist wie ihr toter Besitzer. Dieser bei vielen prähistorischen Völkerschaften zu manchen Zeiten bekannte Brauch verbreitete sich in der mittleren Latènezeit bei den Kelten und begegnet z. B. noch bei den Germanen in der römischen Kaiserzeit.

Allgemein ist während dieser Stufe eine gewisse Zunahme des Frauenschmuckes festzustellen (Abb. 113). Bei aller Variationsbreite und Unterschiedlichkeit in der Qualität zeigt der Schmuck eine grundsätzliche Einheitlichkeit. Die Fibeln aus Bronze und Eisen sind wie in der Frühlatènezeit drahtförmig gestaltet. Der Fuß ist meist spitzwinkelig zurückgeschlagen, Fußknopf und Bügel sind meist profiliert. Massivere Exemplare besitzen zuweilen Einlagen aus blutrotem Glasfluß oder Koralle. Auch beim Hals- und Armschmuck wurden derartige Einlagen gebräuchlich. Beliebt waren Knotenarmringe und Arm- und Halsringe mit Petschaftenden oder aufgesetzten Scheiben. Teils gewichtigen, manchmal reich profilierten und mit typischem Latènedekor verzierten Beinschmuck stellen die paarig an den Fußgelenken getragenen Hohlbuckelringe dar. An italischem Import fallen in den reichen Gräbern Schnabel- und Röhrenkannen auf, die in heimischen Werkstätten oft meisterhaft imitiert wurden (Farbtafel 17).

Auch die Fundmaterialien der zweiten Stufe der *mittleren Latènezeit* stammen überwiegend aus Gräbern. In der Regel handelt es sich weiter um Flachgräber, bei denen in der Stufe C allerdings die Brandbestattungen überwiegen. Chronologische Leitformen sind Schwerter mit schmaler langer Klinge, bronzenen Scheiden mit Querstegen und spitzem Ortbandabschluß und schwere Lanzenspitzen und Schilde mit bandförmigen eisernen Buckeln und trapezförmigen Seitenplatten. Das Ausstattungsmuster eines mittellatènezeitlichen Kriegers mit Schwert, schmaler Lanzenspitze und schwerer eiserner Gürtelkette, zeigt das Inventar eines Grabes am Fuße des *Hesselberges* in Mittelfranken (Abb.114). Typisch sind weiterhin lange bronzene Gürtelketten mit meist fein profilierten Gliedern und tierkopfförmig gestaltetem Haken (Abb.115). Als Armschmuck waren Knotenringe und glatte Ringe in Verwendung; Neuheiten im Fundspektrum stellen Armringe aus Glas und Sapropelit dar, während Halsringe mit Petschaftenden aus der Mode sind. Bei den hauptsächlich aus Eisen gefertigten Fibeln von teils beträchtlicher Länge ist der Fibelfuß auf den Bügel zurückgeschlagen und mit diesem verbunden. Das Konstruktionsschema der Mittellatènefibeln bleibt lange gültig, in manchen Varianten bis in die frühe römische Kaiserzeit (Abb.113).

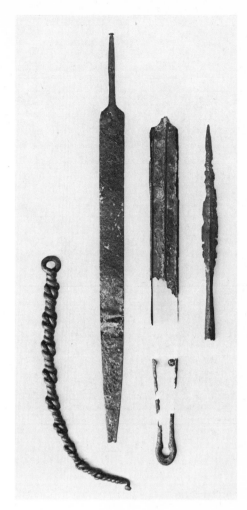

114 Inventar eines Kriegergrabes der mittleren Latènezeit vom Hesselberg, Kr. Dinkelsbühl (Bayern). Eisernes Schwert von 71 cm Länge mit Scheide aus zwei am Rand übergebördelten Eisenblechschalen, eiserne Lanzenspitze und eine Gürtelkette aus geschmiedeten Eisengliedern.
Germanisches Nationalmuseum, Nürnberg

a   b

115a Bronzene Gürtelkette der Mittellatènezeit aus Manching, Kr. Pfaffenhofen a. d. Ilm. Grabfund. Prähistorische Staatssammlung, München. (b) Glieder einer bronzenen Gürtelkette der Mittellatènezeit mit plastisch geformten Tierköpfen aus Eining, Kr. Kehlheim, Bayern. Länge 15 cm. Germanisches Nationalmuseum, Nürnberg

a

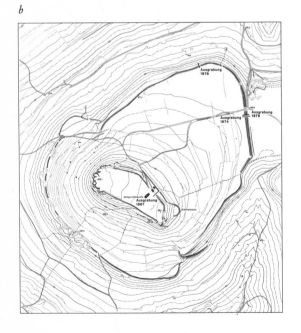

b

Der keramische Formenschatz der mittleren Latènezeit ist durch die Produktion auf der schnell rotierenden Drehscheibe bestimmt. Die Formserien sind außerordentlich variantenreich; Übereinstimmungen ergeben sich für den Gesamtbereich der Latènekultur von Frankreich bis an die mittlere Donau über die figuralen Muster, die mit dem Komplex der sogenannten Braubacher Schalen einen gewissen Höhepunkt erreichen (Farbtafel 16). Am Ende der mittleren Latènezeit kommen neben den diversen eimer- und flaschenförmigen Gefäßen der regionalen Keramikgruppen vermehrt hartgebrannte Töpfe aus Graphitton mit Kammstrichrauhung oder mit Bemalung in Gebrauch (Farbtafel 22).

In der *Spätlatènezeit,* in der weite Gebiete der keltischen Welt bereits kulturell und politisch dem Römischen Reich integriert waren, stellen sich die archäologischen Verhältnisse in Süddeutschland uneinheitlich und verwirrend dar. Im Grabbrauch ist festzustellen, daß Körperbestattungen nicht mehr vorgenommen wurden. Bei den Brandgräbern ist eine relative Beigabenarmut festzustellen, eine allgemeine Tendenz schon in der ausgehenden mittleren Latènezeit, als reiche Gräber die seltene Ausnahme bildeten. Gebietsweise fallen Grabfunde als Quellengattungen in der Stufe D der Latènezeit überhaupt aus, so vor allem in Bayern, während beidseits des Mittelrheines in der Hunsrück-Eifel-Kultur, in Rheinhessen und der Pfalz sowie am Unterlauf des Mains reich mit Geschirrsätzen und Trachtzubehör ausgestattete Brandgräber zur Rekonstruktion der ehemaligen materiellen Kultur beitragen. Wagengräber, es handelt sich in der Regel um zweirädrige Streitwagen, kommen in der Spätlatènezeit vor allem im linksrheinischen Bergland wieder in Mode, wo die Gräberfelder stellenweise bis weit in die provinzialrömische Zeit belegt wurden.

Wie zwischen Oberrhein und Inn mit den Toten in der späten Latènezeit verfahren wurde, ist beim heutigen Stand der Forschung nicht zu entscheiden. Jedenfalls waren die Gebiete in keiner Weise siedlungsleer, wie die spätkeltischen Stadt- und Kultanlagen eindringlich kundtun. Möglicherweise hängt das unterschiedliche Kulturverhalten zwischen den beiden genannten Zonen der Spätlatènezivilisation mit dem schrittweisen Vordringen römischen Einflusses im Westen zusammen. Es fand mit der Okkupation Galliens bis zum Rhein in der Mitte des 1. vorchristlichen Jahrhunderts seinen Abschluß.

Nach archäologischen Kriterien kann zwischen einer frühen und einer späten Phase der Stufe D der Latènezeit unterschieden werden. Die ältere, im Formenbestand noch nicht auffallend römisch beeinflußte Periode ist im Fundbild durch lange, meist sehr breite Schwerter, überlange schwere Lanzenspitzen und Schilde mit bandförmigen oder kalottenförmigen Buckeln gekennzeichnet. Helme als Einzelfunde sind nicht genauer zu datieren und ethnisch kaum zuweisbar, da sie stark den frührömischen Legionärshelmen republikanischer Zeit gleichen (Farbtafel 19). Der Tracht- und Körperschmuck scheint reduziert. Auffällig häufig dagegen sind Glasarmringe und dicke Ringperlen sowie dreieckige durchbrochene Gürtelhaken. Neben den eisernen Drahtfibeln vom Mittellatènetyp waren Bronzefibeln vom sogenannten Spätlatèneschema in Gebrauch, deren Gestaltungsprinzip durch den zum Nadelhalter umgeschlagenen Fuß bestimmt ist (Abb. 113). Neben den Waffen und dem Schmuck kennzeichnet die überdurchschnittliche Zunahme von eisernen Werkzeugen und Hausgeräten, seriell produzierter und in großen Mengen hergestellter, teils bemalter Keramik und der neuerliche Import von getriebenem kampanischen Bronzegeschirr aus Italien einen überaus bedeutenden wirtschaftlichen Fortschritt auf einer breiten ökonomischen Basis.

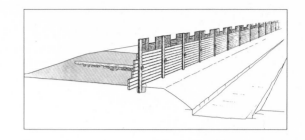

c

SIEDLUNG UND WIRTSCHAFT

In den keltischen und keltisierten Landschaften Mitteleuropas beruhen Wirtschaft und Siedlung anfänglich auf hallstattzeitlicher Grundlage. Offene bäuerliche Siedlungen sind kaum erforscht, doch zeigen vereinzelte Beispiele an weit voneinander entfernten Plätzen die Kontinuität von der Späthallstatt- in die Frühlatènezeit, wie sie bei den Friedhöfen beinahe regelhaft nachgewiesen ist. Befestigte Höhensiedlungen stehen in derselben Tradition. In der Befestigungstechnik werden sogenannte Pfostenschlitzmauern mit horizontalen Querankern aus Holzbalken bevorzugt. Derartige Mauern stecken in den Wällen der großen frühlatènezeitlichen Befestigungsanlagen wie auf dem Altkönig im Taunus, dem Donnersberg in der Pfalz, der Houbirg bei Happurg, der Pippinsburg bei Osterode im Harz oder auf der Alteburg in Thüringen, Anlagen die heute im Volksmund oft als ›Heidenmauern‹ bezeichnet werden (Abb. 116). Die Funktion dieser Anlagen im einzelnen ist ebensowenig bekannt wie die einer Reihe gleichartiger befestigter Plätze, die in der Mittellatènezeit bis weit an den Nordrand der deutschen Mittelgebirge ausgreifen und wahrscheinlich zu Recht als Flucht-, Markt- und Versammlungsorte aufgefaßt werden können.

Wenn auch der Gang der Besiedlung nur an sehr verwickelten Beispielen und dann meist nur indirekt aufzuzeigen ist, so fällt für die Stufe B der Latènezeit in Süddeutschland das Fehlen größerer Flachgräberfelder auf, die bis in die Stufe C durchgehend belegt sind. Bei aller Vorsicht der Interpretation dieses Allgemeinbefundes scheint sich hierin eine Instabilität der Besiedlung abzuzeichnen, die mit Bevölkerungsverschiebungen im Rahmen der Keltenwanderungen des 4. vorchristlichen Jahrhunderts zusammenhängen könnten, wobei sich zudem im Verbreitungsbild eine Ausweitung der Latènekultur nach Norden feststellen läßt (Abb. 103).

d

116   Die latènezeitliche Stadtanlage auf dem Staffelberg bei Staffelstein in Oberfranken, bei der es sich möglicherweise um das bei Claudius Ptolemäus erwähnte Oppidum Menosgada handelt. (a) Luftaufnahme des Staffelberges. In der Mitte das Gipfelplateau, die Akropolis nach antikem Vorbild und 50 Meter tiefer das von einem Wall eingefaßte ehemalige Stadtareal. Der Verlauf der Befestigungen ist deutlich durch den Baumbewuchs gekennzeichnet. (b) Planzeichnung des Staffelberges mit eingezeichnetem Wallverlauf und Angabe der Grabungsschnitte. (c) Rekonstruktion einer Phase der ursprünglich 4,5 Meter hohen Pfostenschlitzmauer mit dahinterliegender Rampe aus Bruchsteinen, die als Versturz die Wälle bildet. (d) Griechische Silberdrachme, Durchmesser 1,9 cm, aus dem Mauerversturz. Die um 170 v. Chr. in Kappadokien, Kleinasien, geprägte Münze ist insoweit von Bedeutung, als einmal der Bau der Mauer in die Zeit nach 170 v. Chr. datiert wird und daß sie zum anderen wohl auch die anhaltenden Beziehungen zwischen den einheimischen und den im anatolischen Galatien, dem Nachbarstaat Kappadokiens, seßhaft gewordenen Kelten widerspiegelt. (Nach Abels)

117   *Gallien zur Zeit Caesars, 58-52 v. Chr.*

Auf die Zeit der Expansion im 5. und 4. Jahrhundert folgte eine Periode der relativen Ruhe. Nur in den Randgebieten des keltischen Siedlungsraumes in Mitteleuropa lassen sich archäologische Störungen im Norden und Osten feststellen, die mit dem allmählichen Vordringen der Germanen in Zusammenhang stehen. Sonst scheint nach allem – ob historisch überliefert oder archäologisch erschlossen – zeittypisch, daß rege Beziehungen zwischen den einzelnen keltischen Gruppen, die später bei Caesar und anderen namentlich genannt werden, während der mittleren Latènezeit die unterschiedlichen heimischen Kulturen nivellierten und sich auf dieser Grundlage das Keltentum weiter entwickelte. Zivilisatorische und technische Anstöße kamen sicher in starkem Maße von den oberitalischen Kelten und den griechischen Pflanzstädten in Südgallien. Eine gewisse Isolierung der Zone nördlich der Alpen bedingte die Unterwerfung der Kelten in der Gallia Cisalpina und die Besetzung der Provence durch Rom, das nun direkter Handelspartner der Gallier mit ihrem weiten keltischen Hinterland war. Um dieselbe Zeit, am Ende des 2. vorchristlichen Jahrhunderts, wurde im Ostalpenraum das keltische Königreich Noricum Rom einverleibt, und zugleich meldeten sich Cimbern und Teutonen als Vorboten ethnisch-politischer Umwälzungen, die schließlich mit dem Auszug der Helvetier dem Eingreifen Caesars in Gallien willkommenen Anlaß gaben. Caesar fand in Gallien konsolidierte Siedlungsverhältnisse vor, deren Zentren stadtähnliche Anlagen als Mittelpunkte keltischer Stammesterritorien waren.

DIE OPPIDAZIVILISATION

Der Glanz der frühen Fürstengräber mit ihren qualitätvollen Handwerkserzeugnissen und der fortifikatorische Rang später Oppida mit ihrer beinahe industriellen Produktion bezeichnen Extrempunkte einer in Leitlinien aufzeigbaren Entwicklung. Grundlage des wirtschaftlichen Fortschritts blieben weiterhin Ackerbau und Viehzucht, doch scheint die landwirtschaftliche Erzeugung gegenüber den älteren Perioden erheblich gesteigert, wodurch die vermehrt arbeitsteilige handwerkliche Produktion überhaupt erst möglich wurde. Die Ausbeutung natürlicher Bodenschätze nahm im Verlauf der Latènezeit erheblich zu. Neue Technologien erweiterten die Basis, wobei der Handelsaustausch zwischen den überwiegend keltischen Gruppen breite Absatzmärkte sicherte. Steinbrüche in der Eifel wurden ausgebeutet, Handmühlen produziert und in den weitverzweigten Handel eingeschleust, ebenso Graphit für die Keramikproduktion aus Vorkommen bei Passau und anderswo sowie spindelförmige Eisenbarren mit genormten Gewichtseinheiten, die in Werkstätten von überregionaler Bedeutung zu Waffen und Gerät verarbeitet wurden (Abb. 118).

Tafel 19   (Seite 119) Helm der Mittellatènezeit vom Typ ›Montefortino‹ mit Wangenklappen, profiliertem Helmknopf und eiserner Crista. Der Rand des Helmes mit leicht ausgezogenem Nackenschutz ist mit Schrägkaneluren verziert. Fundort unbekannt, wahrscheinlich Italien. 3.-2. Jh. v. Chr. Germanisches Nationalmuseum, Nürnberg

Tafel 20   Gesichtsurnen mit Deckel aus Lauenburg in Pommern und aus Dirschau in Westpreußen, sowie ein früheisenzeitliches Gefäß aus Goskar, Westpreußen. Ältere Eisenzeit 7./6. Jh. v. Chr. Germanisches Nationalmuseum, Nürnberg

Tafel 21   Keltische Gold- und Silbermünzen von verschiedenen Fundorten und ihre griechischen Vorbilder. 3./1. Jh. v. Chr. Germanisches Nationalmuseum, Nürnberg

Tafel 22 Tongefäße der Spätlatènezeit aus dem keltischen Oppidum von Manching, Kr. Pfaffenhofen a. d. Ilm. Links ein sog. ›Kammstrichtopf‹ aus Graphitton, rechts eine bemalte Flasche und im Vordergrund eine Schale. 1. Jh. v. Chr. Spätlatènezeit. Prähistorische Staatssammlung, München

Tafel 23 Keramik aus dem römischen Gräberfeld von Andernach, Kr. Mayen. 3./4. Jh. n. Chr. Germanisches Nationalmuseum, Nürnberg

Tafel 24 Glasfläschchen aus römischen Gräbern in Köln, Zypern, Mainz und Andernach, Kr. Mayen. 1.-4. Jh. n. Chr. Germanisches Nationalmuseum, Nürnberg

Tafel 25   Römischer Paradehelm aus Theilenhofen,
Kr. Weißenburg-Gunzenhausen, Bayern. 2. Jh. n. Chr. Der
aus verzinktem Messingblech getriebene, reich verzierte
Helm wurde zusammen mit einem eisernen Infanteriehelm
im Bereich des Lagerdorfes des Kastells von Theilenhofen
gefunden, wo er wahrscheinlich zu Beginn des 3. Jh. n. Chr.
vergraben wurde.
Helme dieser Art waren nicht für den Kriegseinsatz bestimmt,
sondern wurden bei militärischen Reiterspielen der römischen
Hilfstruppen in ihren Garnisonen verwendet. Es handelt sich
nicht um Offiziershelme, worauf die verschiedenen Besitzer-
inschriften von gemeinen Soldaten auf dem Helm von Theilen-
hofen hinweisen. Germanisches Nationalmuseum, Nürnberg

Tafel 26   Offiziershelm des 4. Jahrhunderts n. Chr. Eisen mit
vergoldeter Silberblechauflage sowie Resten von Nasen- und
Nackenschutz. Gefunden im Kies der Wertach in Augsburg-
Pfersee. Der Helm besteht aus zwei eisernen Halbschalen, die
mit einem über die Scheitellinie verlaufenden Kamm zusam-
mengenietet sind. Helme dieses Typs gehen auf persisch-
sassanidische Vorbilder zurück und wurden in konstantini-
scher Zeit im römischen Heer eingeführt.
Germanisches Nationalmuseum, Nürnberg

Mit der Verdichtung der Siedlung stieg der Bedarf an Rohstoffen an. So auch an Salz, das nicht nur für die Ernährung und die Konservierung von Lebensmitteln benötigt wurde, sondern auch in der Gerberei und Metallurgie eine wichtige Rolle spielte. Frühe Abbauorte wie der *Dürrnberg* bei *Hallein* oder *Hallstatt* selbst verloren allerdings im Lauf der Latènezeit ihre quasi Monopolstellung im süddeutschen Raum, nachdem Salz in größerem Maße aus Sole gradiert werden konnte. *Bad Nauheim, Schwäbisch Hall, Karlstein bei Reichenhall* und *Halle an der Saale* sind die Namen einiger bereits in prähistorischer Zeit bestehender Salzsiederorte.

Regelrechte Salinen konnten in *Schwäbisch Hall* und *Bad Nauheim* untersucht werden. Die Solschächte waren von einem quadratischen Rahmenwerk eingefaßt, aus denen die Sole durch hölzerne Rinnen in einbaumartige Holztröge lief, wo sie einige Zeit zum Abklären stehenblieb. Das Stören und Soggen der Sole und der Sud erfolgten jeweils in Spezialgefäßen. Im letzten Arbeitsgang wurde das gesottene Salz in porösen Tonbehältern zu festen Formen gebrannt, deren Maß und Gewicht offenbar festen Normen unterlag. Die Gewinnung von Salinensalz erfordert große Holzmengen als Brennstoff für die Sudfeuer, und dementsprechend war auch der Holzeinschlag in der Umgebung der Salinen, so daß in Verbindung mit dem Unterhalt der zugehörigen Arbeitskräfte nachhaltige Veränderungen in den jeweiligen Kleinlandschaften anzunehmen sind.

Ähnliche Veränderungen sind an den Verhüttungsplätzen für Eisen vorauszusetzen, wie dies vor allem für das Siegerland belegt ist. Von der Produktion der Eisenschmiede ist nur ein verschwindender Bruchteil erhalten. Neben ›ländlichen‹ Schmiedeerzeugnissen, die wohl hauptsächlich aus Werkzeugen und Gerät bestanden, sind auch Arbeiten belegt, die wohl im Sonderauftrag in spezialisierten Betrieben gearbeitet wurden, so zum Beispiel gut gehärtete Schwertklingen. Dasselbe gilt für die Toreuten und Edelschmiede, die bereits in den Bereich des Kunsthandwerks gehören, das von der frühen Latènezeit an immer größere Bedeutung gewinnt. Viele Techniken der Hallstattzeit wurden vervollkommnet oder auch aus südlichen Zonen neu übernommen. Bernstein und Koralleneinlagen wurden in der Mittellatènezeit durch Email und roten Glasfluß ersetzt. Sapropelit, eine Faulschlammkohle bernsteinartigen Charakters, wurde wie Glas zum Werkstoff für Schmuck, und auch Silber fand in kleinen Mengen Verarbeitung. Für die Spätlatènezeit kann schließlich festgestellt werden, daß alle wesentlichen Produktionstechniken des vorindustriellen Zeitalters zumindest in Grundzügen von den keltischen Handwerkern beherrscht wurden.

Die so durchstrukturierte, in Grundzügen bereits hochkulturliche Wirtschaft mit ihren weitverzweigten Handelsbeziehungen und kom-

118 *Spindelförmiger Eisenbarren, Länge 48,8 cm.*
Der Barren stammt aus einem offensichtlichen Händlerdepot
mit einer größeren Zahl ähnlicher Stücke, das bei Biberach in
Baden-Württemberg gefunden wurde.
Germanisches Nationalmuseum, Nürnberg

plexen Produktionsweisen ist ohne Münzverkehr nicht denkbar. Wenn auch der Tauschhandel mit Vieh, Fellen oder Menschen nicht aufgehoben wurde und gewichtsmäßig genormte Eisenbarren und Salzkuchen weiter ihren festen Verkehrswert hatten, so waren die nach antikem System geprägten Silber- und Goldmünzen nicht nur Zeichen zivilisatorischen Fortschritts, sondern ein realer Faktor der Wirtschaft. Die keltischen Münzen ahmen griechische Vorbilder nach, wobei die Gewichtseinheiten in etwa einander entsprechen. Die Münzbilder sind extrem stilisiert und keltisch umgewandelt. Sie bezeichnen eine Vielzahl von Prägestätten im gesamten Raum der Latènekultur. Zugleich dürften Verbreitungskonzentrationen bestimmter Münztypen dem jeweiligen Geltungsbereich entsprechen, durch den zumindest in der Spätzeit die Stammesterritorien umschrieben werden. Im übrigen zählte der Metallwert der Münzen, der mit Feinwaagen festgestellt wurde. Die keltischen Bezeichnungen und das Wertverhältnis der unterschiedlich großen Münzen zueinander ist nicht bekannt.

Das Münzwesen scheint bereits im späten 4. Jahrhundert v. Chr. Eingang in die keltische Wirtschaft gefunden zu haben, worauf Umstilisierungen nach Prägungen Philipps II. und Alexanders des Großen hinweisen. Zur vollen Entfaltung ist es jedoch erst in der Spätlatènezeit gelangt (Farbtafel 21).

Die meisten in Süddeutschland gefundenen keltischen Münzen – die kleinen einseitig geprägten goldenen Exemplare werden volkstümlich ›Regenbogenschüsselchen‹ genannt – stammen aus Gallien, Norikum und dem von keltischen Boiern besiedelten Böhmen. Vindelikische Münzen sind offensichtlich im großen Oppidum von Manching bei Ingolstadt an der Donau geprägt worden, wo sich Schrötlingsformen für den Metallguß fanden.

Die spätlatènezeitlichen Zivilisationserscheinungen sind ohne straffe Gesellschaftsstruktur, weitläufige Handelsbeziehungen und vor allem zentrale Orte als Herrschafts-, Wirtschafts- und Kultmittelpunkte nicht denkbar. C. Julius Caesar schildert in seinem Bericht über den gallischen Krieg die Oppida, die als Hauptorte der gallisch-keltischen Stammesterritorien stets Brennpunkte seiner Strategie in den Feldzügen zwischen 58 und 51 v. Chr. waren. Im Rom Ciceros entnahm man den Berichten des Feldherrn erstaunt, wie nahe das abgelegene Gallien den eigenen Verhältnissen war. Ob *Gergovia* oder *Alesia,* in dem sich Vercingetorix (Abb. 119) den Römern nach vergeblichem Befreiungskampf ergab, es handelte sich bei den Oppida allemal um Städte, die in ihrem Bauprinzip eng mit der mittelmeerischen Stadtidee und speziell der der griechischen Polis verwandt waren (Abb. 116).

Auf dem *Mont Beuvray,* dem alten gallischen *Bibracte,* ehemals Hauptstadt der Haeduer, das Caesar als »Oppidum apud Haeduos maximae

119   Tetradrachme des Phillipustyps (Silber) aus dem Donauraum (a). Hypo-Bank, München. – Arvernischer Goldstater mit Bildnis und Umschrift Vercingetorix (b). Cabinet de Médailles, Paris. – Silberdenar der römischen Republik zur Zeit Caesars aus einer gallischen Münzstätte (c), etwa 50 v. Chr. Die Rückseite zeigt unter einer Trophäe mit keltischen Waffen einen gefangenen Gallier mit auf den Rücken gefesselten Händen. Durchmesser 1,9 cm. Staatliche Münzsammlung, München

auctoritatis« bezeichnet *(bell. gall. VII, 55)*, bestand einer der bedeutendsten Handelsplätze in Mittelgallien. An günstiger verkehrsgeographischer Stelle gelegen, wird auf beherrschender Höhe ein Areal von 135 Hektar von einem fünf Kilometer langen Wall umschlossen. Die Untersuchung zeigte, daß es sich um einen *murus gallicus* handelt, ein mit Geröll verfülltes, auf der Vorderseite mit einer Trockenmauer verblendetes Holzkastenwerk, an das auf der Innenseite eine tiefe Erdrampe aufgeschüttet war (Abb. 122). Mauern dieser Art verschlangen eine Unmenge von Holz und Eisennägeln; ihre Zerstörung bereitete sogar den römischen Belagerungsmaschinen Schwierigkeiten. Die Zugänge zur Stadt waren mit Zangentoren gesichert (Abb. 122). Auf dem Mont Beuvray konnten neben einem Handwerkerviertel ein Wohnbezirk für

120   Die Verbreitung der spätkeltischen Oppida und Viereckschanzen im 2. und 1. Jahrhundert v. Chr.
Viereckschanzen: offene Quadrate (Nach Schwarz) Oppida: gefüllte Kreise. (Nach Schaaff/Taylor)

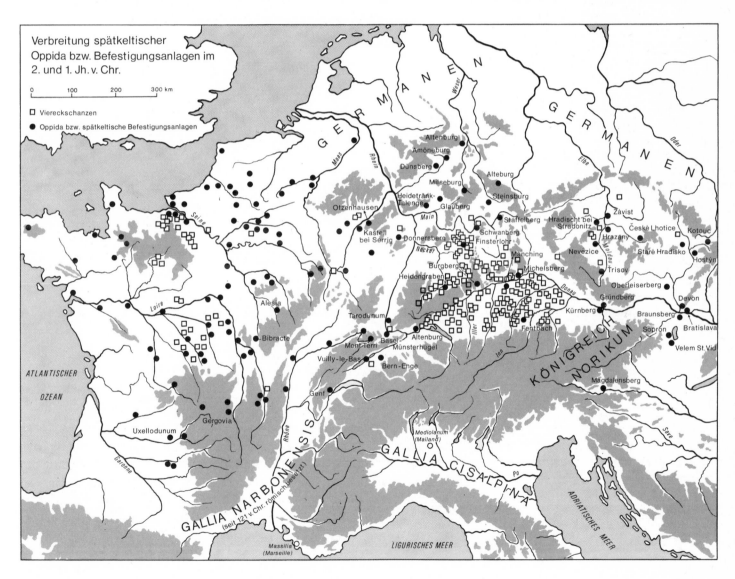

a

*121   Das vindelikische Oppidum bei Manching, Kr. Pfaffen-
hofen a. d. Ilm, südöstlich von Ingolstadt an der Donau,
Bayern. Luftaufnahme mit eingezeichnetem Wallverlauf der
keltischen Stadt. Der 7 Kilometer lange Wall umfaßt ein Areal
von 380 Hektar. Im Westen schützte das Flüßchen Paar und
im Norden die Donau das Stadtgebiet (a). In dem zum Teil
noch mehrere Meter hohen Wall der Keltenstadt (b) sind zwei
Mauerphasen verstürzt. Bei der älteren handelt es sich um
einen sogenannten Murus Gallicus, der aus einem mit Bruch-
material und Erde angefülltem Kastenwerk aus schweren, mit
langen Eisennägeln verbundenen Holzbalken bestand. An der
Rückseite befand sich eine angeschüttete Erdrampe, ein Graben
war der Mauer vorgelagert. In einer zweiten Bauphase wurde
dem Murus Gallicus eine Pfostenschlitzmauer (vgl. Abb. 116)
vorgeblendet. (Nach Torbrügge-Uenze)
In die Mauer waren mindestens zwei sogenannte Zangentore
(c) eingelassen. Der Rekonstruktionsvorschlag zeigt eine
zweispurige lange Torgasse zwischen hohen Zwingmauern
und einen hölzernen Torbau. (Nach Krämer 1975)*

die Vornehmen und vor allem eine Art Forum mit Kultbauten nachgewiesen werden. Der Bebauungsplan entspricht somit genau der wirtschaftlichen Struktur der städtisch organisierten Welt des Mittelmeerge-
bietes.

Für Gallien ist der Stadtcharakter durch die Berichte Caesars eindeutig überliefert. In Süddeutschland gehört eine Reihe von Befestigungsanlagen mit Sicherheit derselben Kategorie an, wenn auch mit dem
zeitlichen und räumlichen Abstand vom Mittelmeergebiet unterschiedliche Baumuster und Formen der inneren Organisation gegeben sein
könnten. Diese und andere Fragen zur Oppidazivilisation müssen aber
offen bleiben, da großflächige Ausgrabungen bisher nur in *Manching*
und in *Altenburg-Rheinau* in Südbaden durchgeführt worden sind.

Im Spektrum des Fundmaterials von weit voneinander entfernten
Plätzen aber – ob vom *Mont Beuvray,* dem *Hradišt von Stradonitz* in
Böhmen, *Manching bei Ingolstadt* oder *Velém St. Vid* in Ungarn – zeigen
sich immer wieder dieselben bezeichnenden Erscheinungen, die auf
Produktions- und Herrschaftszentren schließen lassen und wegen der
Austauschbarkeit der Fundobjekte den Eindruck einer regelrechten
›Oppidazivilisation‹ machen. Diese Zeugnisse der spätkeltischen Stadt-
kultur erstrecken sich in einem breiten Streifen von Frankreich bis nach
Ungarn und vom Alpennordrand bis an die germanische Peripherie
(Abb. 120). Größe, Topographie und Befestigungsstärke der Anlagen
haben nicht immer dasselbe Schema und unterscheiden sich wohl je
nach Rang und Bedeutung.

Anders als in Gallien sind östlich des Rheins die antiken Namen selbst
der bedeutendsten Städte nicht überliefert. Möglicherweise ist das *Alci-
moennis* des Ptolemäus mit dem Oppidum auf dem *Michelsberg* bei Kehlheim a. d. Donau identisch und *Menosgada* auf den *Staffelberg* bei Staffelstein in Oberfranken zu beziehen (Abb. 116). Dagegen ist der Name des
großen Oppidum bei *Manching* an der Donau, bei dem es sich mit
ziemlicher Sicherheit um die Hauptstadt der keltischen *Vindeliker* im
bayerischen Alpenvorland gehandelt hat, vollständig aus der Überlieferung verschwunden.

Im Gegensatz zu fast allen oppidaähnlichen Wallanlagen in Süddeutschland, die normalerweise in Sporn- oder Plateaulage, in Fluß-
schleifen oder sonst leicht fortifikatorisch ausbaubaren Plätzen angelegt
sind, fällt die Lage *Manchings* im Flachland der Donauebene um so mehr
auf. Sie ist darin nur mit *Mediolanum* (Mailand), der Hauptstadt der
keltischen *Insubrer* in der Poebene zu vergleichen. Die topographische
Situation ist wahrscheinlich verkehrsgeographisch bedingt und diente
der Kontrolle der Donausüdstraße am Kreuzungspunkt mit einem Süd-
Nordweg über die Donau (Abb. 121).

Die einst direkt am Südufer des Stromes gelegene Keltenstadt ist

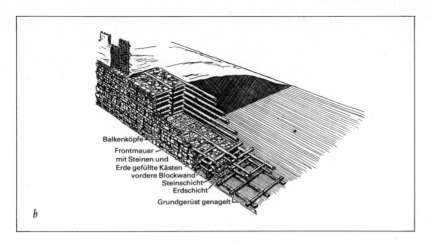

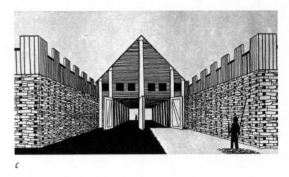

c

b

wohl noch in der Mittellatènezeit gegründet und mit einem sieben Kilometer langen *murus gallicus* gesichert worden, der während seines Beste-
hens offenbar einmal erneuert werden mußte. Stark befestigte Zangentore schützten die Zugänge zu dem wirschaftlich prosperierenden Gemeinwesen (Abb. 121 c). Aber wirtschaftliche Kraft und starke Befestigungen konnten seinen Untergang nicht verhindern. Irgendwann gegen
Ende des 1. Jahrhunderts v. Chr. wurde es zerstört. Möglicherweise von
den Truppen des Drusus und des Tiberius im Verlauf des römischen
Alpenfeldzugs im Jahr 15 v. Chr., wenn nicht schon vorher innerkelti-
sche Wirren seinen Untergang verursacht haben.

Wie die Oppida, so verraten auch die Kultplätze der Kelten südliche
Einflüsse, die baulich und gedanklich umgesetzt religiös-architek-
tonischen Ausdruck in den ›spätkeltischen Viereckschanzen‹ finden
(Abb. 122). Die vor allem in Süddeutschland und Teilen Nordfrank-
reichs verbreiteten Geländedenkmäler erwiesen sich in modernen Aus-
grabungen als eingefriedete heilige Bezirke mit tiefen Kultschächten und
Opferfeuerstellen, in denen hölzerne Umgangstempel errichtet waren.
Im Prinzip entsprechen sie gallo-römischen Heiligtümern.

Die meist abseitige Lage dieser Sakralorte von den eigentlichen Siedlungsarealen und ihre relativ große Anzahl (Abb. 122) weisen auf die
hervorragende Bedeutung des Religiösen in der keltischen Gesellschaft
mit ihrem von einer mächtigen Priesterschaft gesteuerten Klientelwesen
hin. Die Viereckschanzen waren offensichtlich die spirituellen Zentral-
punkte der Spätlatènezeit und vielleicht auch Stätten der Rechtspre-
chung, die nach Caesar *(bell. gall. VI 13)* in Gallien den Druiden zustand.

Festzuhalten bleibt, daß mit dem Untergang der Oppidazivilisation
im Lauf des letzten vorchristlichen Jahrhunderts, im Westen durch Römer, im Norden und Nordosten durch Germanen verursacht, die Entwicklung des Keltentums zur Hochkultur zum zweitenmal und jetzt
endgültig unterbrochen worden ist. Alle Voraussetzungen, bis auf die

a

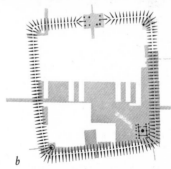

b

122 *Die Viereckschanze von Holzhausen, Gemeinde Ding-
harting, Kr. Bad Tölz-Wolfratshausen, Bayern. Luftaufnahme der Viereckschanze (a). Planaufnahme mit eingezeichneten
Grabungsbefunden (b). Innerhalb der Umwallung die Kult-
schächte und die Pfostenlöcher des kleinen Umgangstempels.
(Nach Schwarz 1975)*

Schrift, waren gegeben. Woran es lag, daß die zivilisatorisch rückständigen Germanen über den Rhein nach Westen und über die Mittelgebirge nach Süden vorstoßen und das Keltentum in der Spätlatènezeit zum Rückzug zwingen konnten, öffnet einen Katalog von Fragen, die nur unzureichend zu beantworten sind. Das Vordringen Roms und die relativ schnelle Befriedigung Galliens ist leichter verständlich. In jedem Fall aber wurde das Keltentum, dessen Oberschicht in der späten Hallstatt- und Frühlatènezeit schon einmal mit der mittelmeerischen Welt beinahe verwachsen war und denselben Lebensstil pflegte wie ihre etruskischen und griechischen Vorbilder, von Römern und Germanen aufgerieben, zwischen denen es vordem wie ein Filter gewirkt hatte. Die Niederlage des Vercingetorix vor Alesia hatte für die europäische Geschichte eine ähnlich einschneidende Bedeutung wie der Sieg des Arminius im Teutoburger Wald 60 Jahre später. Mit beiden Ereignissen wurden die Weichen für Jahrhunderte gestellt. Germanien blieb frei, während die Niederlage des Vercingetorix die tiefgreifende Romanisierung Galliens und der linksrheinischen Gebiete zur Folge hatte. Zwar blieb keltische Eigenart im Brauchtum, Kult und in der Kunstauffassung noch lange wirksam, doch wurde die keltische Sprache allmählich ganz aufgegeben und überlebte nur in den Randgebieten der Britischen Inseln. Im römisch besetzten Süddeutschland verlief der Romanisierungsprozeß ähnlich, fand aber hier wie auch in den Rheinlanden sein Ende mit der Germanisierung in der Spätantike und dem frühmittelalterlichen Landausbau.

123 Tierplastiken der mittleren oder späten Latènezeit. Hinten der Bronzestier von Weltenburg, Kr. Kelheim, Länge 11,4 cm und davor der Widder von Sempt, Kr. Ebersberg, Oberbayern. Beide Bronzen sind Einzelfunde, der Widder wurde in der Nähe einer Viereckschanze gefunden und Weltenburg liegt unweit dem keltischen Oppidum von Kelheim, Niederbayern. Beide Tiere sind nach keltischem Geschmack stilisiert.
Prähistorische Staatssammlung, München

124   Versilberte Kupferplatte vom Kultkessel von Gunde-
strup, Amt Aalborg, Jütland, Dänemark. Mythologische
Szene mit Gottheit (vgl. Abb. 132).
Nationalmuseet, Kopenhagen

In der bereits geschichtlichen Zeit wird die Dynamik des Geschehens
deutlich, die archäologisch wenn überhaupt nur statisch und in Stufen
sowie Materialhorizonten dargestellt werden kann. Dabei hatte das
Städtewesen für die Kulturentwicklung der Festlandkelten – die Insel-
kelten mit ihrer längeren Unabhängigkeit wären gesondert zu betrach-
ten – eine doppelbödige Bedeutung. In den zentralen Oppida konzentrierte sich die Macht der einzelnen gallischen Völkerschaften. Sie waren
Zeichen des zivilisatorischen Fortschritts, aber zugleich entschied ihre
Einnahme oder Belagerung über das Geschick der einzelnen Stämme
und schließlich ganz Galliens. Ähnliche Schicksale wie die gallischen
Oppida durch die Römer müssen die stadtartigen Anlagen zwischen
Alpenrand und deutschen Mittelgebirgen durch die Germanen erlitten
haben. Ein Modell dieses Vorganges kann allerdings noch nicht erstellt
werden.

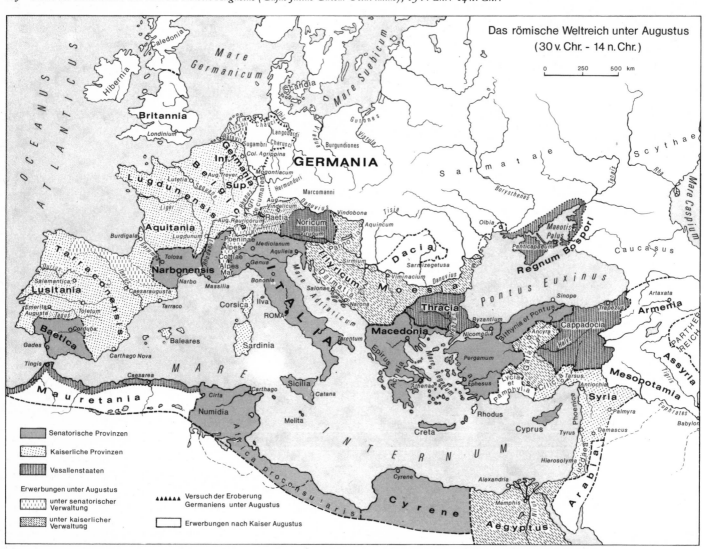

Das römische Weltreich unter Augustus
(30 v. Chr. - 14 n. Chr.)

0   250   500 km

Mit dem Vordringen der Römer an Rhein und Donau in den Jahrzehnten um die Zeitenwende treten die Kulturen Mitteleuropas in verstärktem Maße in das Licht der Geschichte. Die Rheinlande, Südwestdeutschland und das Bayerische Alpenvorland bis zur Donau und dem Nordrand der Schwäbisch-Fränkischen Alb werden für Jahrhunderte Teil des Imperium Romanum. In den Provinzen Ober- und Niedergermanien, Rätien und Norikum überdeckt die römische Zivilsation ältere keltische und germanische Kulturen. Nach wechselvollen Kämpfen, die in der berühmten Schlacht im Teutoburger Wald 9 n. Chr. kulminierten, geboten Rhein- und Donaugrenze sowie später zusätzlich der Obergermanisch-Rätische Limes dem Vordringen germanischer Scharen nach Süden und Westen Einhalt. Die germanische Gefahr, die mit den Zügen der *Kimbern* und *Teutonen* sowie im Eingreifen der *Sveben* des Ariovist in Cäsars gallischem Krieg ihren Niederschlag in der römischen Geschichtsschreibung gefunden hat, war für lange Zeit gebannt (Abb. 125).

Die Germanen

RÖMER UND GERMANEN

Germanen – blonde, blauäugige, hünenhafte Gestalten in schimmernder Wehr, die Bösen sind dunkelhaarig mit dichtem Bart; tapfere, hinterlistige, arglose, offene, brutale und freigebige Schlagetots mit geflügelten Helmen und großen Schwertern, die in riesigen dunklen Wäldern hausen und Wolf, Bär und Auerochsen mit dem Spieß erlegen; Saufbrüder auf Bärenfellen, Met aus Trinkhörnern, dazu Weiber und Gesang; Mord und Totschlag; hehre Frauen in wallenden Gewändern, manchmal auch nur in Felle gekleidet, spinnen das Garn und harren der Rückkehr ihrer Helden aus der Schlacht; Männer, mit dem ›furor teutonicus‹ behaftet, ziehen aus, um die Welt und insbesondere die Römer das Fürchten zu lehren.

Derart überzeichnet, je nach Zeitgeist negativer oder positiver, in bestimmten Abschnitten der jüngsten deutschen Geschichte auch heroisiert, ziehen die alten Germanen – unsere Vorfahren – seit der Romantik durch die in- und ausländische Trivialliteratur. Germanen – ein feststehender ethnischer und sprachlicher Begriff. Doch wer waren diese Germanen wirklich?

Über Germanien, Land und Leute berichtet ausführlich P. Cornelius Tacitus in seiner ›Germania‹. Dieses Werk, das in einer Handschrift des 9. Jahrhunderts im Kloster Fulda erhalten blieb, entstand am Ende des 1. Jahrhunderts nach Christus und ist das wichtigste ethnographische Zeugnis Germaniens für die beiden Jahrhunderte um die Zeitenwende. Die Angaben des Tacitus, eines der größten Geister seiner Zeit, scheinen im ganzen zuverlässig und richtig zu sein. Seine Gewährsleute waren

126 *Münzporträt: Gajus Julius Caesar (100-44 v. Chr.).*

wahrscheinlich Freunde und Bekannte, die als Offiziere und Kaufleute in Germanien tätig gewesen sind. Möglicherweise lebte Tacitus selbst eine Zeitlang in der Rheingegend, wo er Germanen aus eigener Anschauung kennenlernte. Zudem konnte er sich auf die reichhaltige, seit weit über hundert Jahren angesammelte völkerkundliche Literatur stützen. Poseidonios von Apameia in Syrien (135-51 v. Chr.) hat als erster antiker Historiker um 90 v. Chr. »Germanen« genannt und beschrieben, sie aber als einen Teilstamm der Kelten aufgefaßt. C. Julius Caesar (Abb. 126) unterschied in seinen Anmerkungen zum ›Gallischen Krieg‹ erstmals ziemlich klar zwischen Kelten und Germanen und berichtete in zwei kurzen Darstellungen über ihre Lebensweise. Livius (59 v. Chr. bis 17 n. Chr.) behandelte in seinem großen Geschichtswerk ›Germaniens Lage und Sitten‹, und Plinius der Ältere (gest. 79 n. Chr.) beschrieb in seinem heute verlorenen Werk aufgrund langjähriger eigener Diensterfahrung die ›Germanenkriege‹ vom Auftreten der Kimbern am Ende des 2. vorchristlichen Jahrhunderts bis 47 n. Chr. Unter Agrippa wurde in Rom nahe dem Pantheon eine Weltkarte aufgestellt, auf der jedermann die Lage der einzelnen Völkerstämme ersehen konnte. Vor diesem Hintergrund schildert Tacitus Geographie, Ethnographie und Kulturzustände in Germanien. Die Wechselfälle römisch-germanischer Geschichte und Politik dieser Zeit sind bei Caesar und in den Annalen des Tacitus neben einer Reihe von Werken anderer römischer Historiographen nachzulesen.

Direkte Kontakte zwischen Römern und Germanen konnten sich erst beim Niedergang des Keltentums nördlich der Alpen ergeben. Vorboten kommender Ereignisse waren die Einfälle der Kimbern und Teutonen in Oberitalien am Ende des zweiten vorchristlichen Jahrhunderts, wobei den Römern zunächst nicht bewußt war, daß es sich bei diesen nördlichen Barbaren nicht um Kelten, sondern um ›Germanen‹ handelte. Julius Caesar trifft im ersten Jahr des Gallischen Krieges auf »Germanen«, eine ethnische Bezeichnung, die er von keltisch-gallischen Mittelsmännern übernimmt.

Die von Ariovist geführten *Haruden, Markomannen, Triboker, Vangionen, Nemeter, Sedusier* und *Sveben* werden von Caesar als Eindringlinge in Gallien und damit in die römische Machtsphäre gekennzeichnet. Sie mußten über den Rhein – der von Caesar postulierten Völkerscheide zwischen Kelten und Germanen – zurückgeworfen werden. Obwohl Caesar bald erfahren mußte, daß die in der Belgica – dem nördlichen Teil Galliens – ansässigen *Eburonen, Condrusen, Paemanen, Caerosen* sowie die belgischen *Remer* über sich selbst berichteten, sie seien größtenteils germanischer Herkunft und ehedem über den Rhein eingewandert, beharrte der römische Feldherr und mit ihm auch die jüngere römische

Historiographie auf seinem statischen Germanenbegriff: Links des Rheines Gallier, rechts davon Germanen. Bei den Feldzügen in die rechtsrheinischen Gebiete während der fünfziger Jahre des 1.Jahrhunderts v.Chr. lernte Caesar als unmittelbare Anrainer im Norden die *Usipeter* und *Tenkterer,* weiter stromaufwärts die *Sigambrer* und *Ubier* kennen. Über die Siedlungsverhältnisse am Mittel- und Oberrhein schweigt er. Im Inneren Germaniens werden *Sveben* und *Cherusker* erwähnt. Nach Caesars Abzug fließen Nachrichten zu den ethnischen Verhältnissen am Rhein spärlicher. Begrenzte Feldzüge, die vor allem die Umsiedlung germanischer Völkerschaften zum Ziel hatten, sind überliefert, bis sich im Jahre 15 v.Chr. die Lage ändert. Unter Kaiser Augustus wurden die Zentralalpen und das Alpenvorland bis zur Donau von Drusus und Tiberius erobert (Abb. 127). Folge davon war, daß das römische Reich eine lange, ungünstige Rheingrenze hatte, einen Nachteil, den der Imperator durch die Eroberung und Befriedung Germaniens bis hin zur Elbe ausgleichen wollte. Ausgangspunkt der Feldzüge waren seit 12 v.Chr. die Doppellegionslager in *Mainz, Köln* und *Xanten.* Drusus unternahm zunächst einen Feldzug gegen die *Usipeter* und *Sigambrer,* dann ging er mit der Flotte in die Nordsee, schloß mit den *Friesen* einen Bündnisvertrag und gelangte zu Wasser ins Land der *Chauken.* Nach Errichtung von Kastellen an der Ems und vielleicht auch an der Weser fuhr er zurück. Im darauffolgenden Jahr stieß er lippeaufwärts gegen die Cherusker bis zur Weser vor und legte nach schweren Kämpfen an der Lippe ein Kastell an. In den nächsten beiden Jahren operierte Drusus von *Mainz* aus gegen die *Chatten,* dann kämpfte er gegen *Sveben* und *Cherusker* und drang über die Weser bis zur Elbe vor, die wahrscheinlich in der Gegend der Saalemündung oder weiter nördlich erreicht wurde. Dort ließ er ein Siegesdenkmal aufrichten, erkrankte auf dem Rückweg und starb. Der Titel ›Germanicus‹ wurde ihm posthum verliehen. Die Nachfolge im Kommando der Rheinarmee übernahm Tiberius, der sich mit Unterbrechungen von 8 v.Chr. bis 12 n.Chr. in Gallien und Germanien aufhielt. Im Jahre 1 n.Chr. stieß von Süden, möglicherweise vom Legionslager *Augsburg-Oberhausen* her, der Feldherr L. Domitius Ahenobarbus bis über die Elbe vor; er schloß Verträge mit den Germanen und errichtete am Strom einen Augustus-Altar. Tiberius zog im Jahre 4 n.Chr. in das Land der *Canninefaten,* dann zu den *Brukterern, Chatuariern* und *Cheruskern,* die sämtlich zur Anerkennung der römischen Oberhoheit und zur Stellung von Hilfstruppen gezwungen wurden. Die römischen Legionen setzten über die Weser und bezogen erstmals im Inneren Germaniens ein Winterquartier, das wohl im Raum von Paderborn zu suchen ist. Im Jahre 5 fand eine kombinierte Aktion von Flotte und Landheer statt. Die Flotte fuhr über den Rhein in die Nordsee, stieß wahrscheinlich bis zum Skagerrak vor und lief anschließend in die Elbe

127 Münzporträts: (a) Augustus (63 v. Chr.-14 n. Chr.), (b) Germanicus, Sohn des Drusus (13-16 n. Chr.) Vorder- und Rückseite, (c) Tiberius (14-37 n. Chr.) und (d) Claudius (41-54 n. Chr.).

128 Unterwerfung eines Barbarenführers. Im Hintergrund die Feldzeichen der am Markomannenkrieg beteiligten Legionen. Drei Legionszeichen der im Hintergrund gezeigten Art gingen im Verlauf der Varuskatastrophe verloren. Rom, Ehrenmal Marc Aurels. Konstantinsbogen, Attika. Relief VIII

ein. Das Landheer unterwarf die *Chauken* und vereinigte sich mit dem Flottenverband an der mittleren Elbe. Die Winterquartiere wurden wieder in Germanien bezogen. Das Land schien nach dieser Machtdemonstration befriedet. Außerhalb der römischen Einflußsphäre stand nur noch das Reich des Marbod, der 8 v.Chr. seine *Markomannen* nach Böhmen geführt und durch geschickte Bündnispolitik mit den *Hermunduren, Langobarden* und *Semnonen* einen großen germanischen Bund gebildet hatte.

Für die Römer bestand kein unmittelbarer Anlaß, gegen Marbod vorzugehen, doch sahen sie in der Machtkonzentration eine allgemeine Bedrohung. So wurden zur Zerschlagung des Markomannenreiches zwölf Legionen bereitgestellt. Im Jahre 6 brach Sentius Saturninus mit fünf der acht rheinischen Legionen von Mainz aus in Richtung Böhmen auf. Tiberius rückte mit sieben Legionen von Carnumtum (Niederösterreich) an der Donau gegen Böhmen vor. Das Unternehmen mußte aber wenige Tage vor Abschluß des Zangenangriffs abgebrochen werden, da in Dalmatien und Pannonien ein Aufstand losbrach und die Legionen dorthin verlegt werden mußten. Marbod schloß mit Tiberius Frieden. Fünf der acht rheinischen Legionen waren zu dieser Zeit in Dalmatien beschäftigt.

In der Zeit zwischen 5 und 9 n.Chr. konnte Germanien mindestens bis zur Weser, möglicherweise aber auch bis zur Elbe als römisch kontrolliert gelten. Vielleicht wurde aus politischen Gründen bereits der Titel Provinz benutzt. Römische Soldaten lagen dort im Winterquartier, Märkte bestanden, Handel und Wandel blühten. Bei *Köln* stand ein Altar, der als Zentralheiligtum für den Kaiserkult in Germanien geplant war, die Ara Ubiorum. Diese Entwicklung fand in den Ereignissen des Jahres 9 n.Chr. ein abruptes Ende. Im Jahre 7 n.Chr. hatte P. Quintilius Varus das Oberkommando am Rhein und in Germanien übernommen. Sein Versuch, in Germanien römisches Recht einzuführen und Steuern einzutreiben, machte böses Blut. Gaius Julius Arminius, Sohn des cheruskischen Edlen Segimer, römischer Bürger und Offizier im Ritterrang, mit der römischen Kriegskunst und Sprache wohlvertraut, organisierte eine Verschwörung. Die Stämme zwischen Rhein und Weser schlossen sich zusammen und vernichteten im Jahre 9 in der bekannten *Schlacht im Teutoburger Wald* drei römische Legionen (Abb. 128). Die Reste der Armee zogen sich an den Rhein zurück. Varus beging Selbstmord, und Kaiser Augustus beklagte den Verlust seiner Truppen. Die Kastelle im Inneren Germaniens wurden aufgegeben. In den Jahren 11 bis 17 unternahmen Tiberius und dann Germanicus (Abb. 127), der Sohn des Drusus, Vorstöße über den Rhein hinweg, um den alten Zustand wiederherzustellen. Nach wechselvollen Kämpfen mußte die römische Führung einsehen, daß eine Befriedung und die Einverleibung

Germaniens in das Imperium nicht möglich waren. Germanien – die *Germania libera* – blieb politisch frei, doch nicht frei von römischen Einflüssen aller Art. Bis auf wenige Korrekturen, in Südwestdeutschland z.B. die Errichtung des obergermanisch-rätischen Limes, blieben Rhein und Donau über Jahrhunderte die Hauptgrenzlinien zum nördlichen Barbaricum (vgl. S. 178 ff.).

Germanen: Für die Römer eine Formel, die offensichtlich auf alle Völkerschaften angewendet wurde, die zwischen Rhein, Donau, Weichsel sowie den skandinavischen Inseln siedelten und nicht als Gallier, Räter, Pannonier oder Sarmaten und Daker zu erkennen waren. Aber waren die ›Germanen‹ ein Ethnikum, das Gemeinsamkeiten in Sprache, Kultur und Physis aufwies? Verstanden sie sich selbst als Germanen? Fragen, die seit langem Gegenstand historischer, germanistischer und archäologischer Forschung sind. Tacitus vertritt in seiner ›Germania‹ ganz allgemein die Auffassung, daß die Germanen unvermischte Ureinwohner seien, was sich in ihrem gleichartigen Aussehen und Brauchtum zeige. Dagegen aber steht, daß ›Germanen‹ offensichtlich eine Sammelbezeichnung ist, die ursprünglich als Selbstbezeichnung nur bei den linksrheinischen Germanenstämmen, z.B. den oben erwähnten *Eburonen, Remern* usw. im nördlichen Gallien üblich war, die dann – und das ist in der antiken Literatur häufig zu beobachten – auf die Völkerschaften eines geographisch umschriebenen Gebietes übertragen wurde. Tacitus selbst weist darauf hin, daß der Name ›Germanen‹ erst neueren Datums ist. Ursprünglich Fremdbezeichnung, sei er von den Stämmen als Eigenbenennung übernommen worden, die zuerst den Rhein überschritten hätten und in Gallien seßhaft geworden waren. Daneben aber bestünden noch echte alte Stammesnamen. Der Germanenname selbst verschließt sich der etymologischen Deutung. Es ist ungewiß, ob er germanischen, keltischen oder lateinischen Ursprungs ist. Man kann jedoch annehmen, daß die als Germanen bezeichneten Völkerschaften verwandte Idiome gesprochen haben.

Die antike Germanenethnographie kennt zwei Gliederungen des Gesamtvolkes. Plinius d. Ä. und Tacitus stellen die sogenannten *Mannusstämme,* die sich aus den Kultverbänden der *Ingvaeonen, Istvaeonen* und *Herminonen* zusammensetzen, den *Sveben* gegenüber und zeigen deutliche Unterschiede hinsichtlich Siedlungsraum, Kult und äußerem Habitus auf. Daneben werden weitere Stammesnamen genannt, die nur mühsam in das vorgegebene Schema einzupassen sind. Versucht man, alle sich zum Teil widersprechenden Angaben zur germanischen Ethnographie im ersten nachchristlichen Jahrhundert zusammenzustellen, ergibt sich folgendes Bild (Abb. 129).

Westlich des Niederrheines, in Belgien und den südlichen Niederlanden sind bereits vor Caesars Auftreten in Gallien Germanen im eigentlichen Sinn des Wortes, nämlich die zum Teil keltisierten *Menapier*, *Eburonen*, *Aduatuker*, *Tungrer*, *Treverer* usw. ansässig.

Zwischen Main, Rhein, Elbe und Nordsee siedeln die *Mannusstämme:* Im Norden die *Ingvaeonen*, in der Mitte die *Herminonen* und dicht am Rhein die *Istvaeonen*, wobei unklar bleibt, welche Stämme den einzelnen Verbänden zugerechnet werden können. Nach Tacitus siedelten zwischen Rhein und Weser von Süd nach Nord im heutigen Hessen die *Chatten*, *Usipeter*, *Tenkterer*, am Niederrhein die *Brukterer* und die *Chamaven* an der oberen Jjssel. Die *Friesen* saßen an der Nordseeküste zwischen Zuidersee und Ems; *Angrivarier*, *Dulgubiner* und *Chasuarier* zwischen Ems und Mittelweser. *Cherusker* und *Chauken* bewohnten die Gebiete an Mittel- und Unterweser.

Wiederum als eigene Völkergruppe werden die *Sveben* aufgefaßt. Sie haben ihre Wohnsitze an der Elbe und in den östlichen Gebieten. *Semnonen* und *Langobarden* und die sogenannten *Nerthusvölker* sind im Norden ansässig, *Hermunduren* in Mittel- und Süddeutschland, *Markomannen* in Böhmen, *Quaden* in der Slowakei und *Bastarnen* an der unteren Donau. Als Restgruppen svebischer Expansionsbestrebungen in vorcaesarischer Zeit werden manchmal die links des Oberrheins ansässigen *Triboker*, *Nemeter* und *Vangionen* aufgefaßt. Eine weitere Gruppe germanischer Völkerschaften bilden nach Plinius die *Vandilier*, die sich in *Burgunder*, *Vatiner*, *Chariner* und *Gotonen* aufteilen. Ganz im Norden werden noch die *Svionen* genannt, die wohl mit den späteren Schweden gleichzusetzen sind.

Das von Plinius, Tacitus und anderen gezeichnete und nach modernen Forschungsergebnissen korrigierte Bild der ethnisch-politischen Gliederung Germaniens ist statisch. Es zeigt im wesentlichen die Verhältnisse im ersten nachchristlichen Jahrhundert auf. Faßt man die genannten Völkerschaften zu geographischen Gruppen zusammen, so kann zwischen *Nordseegermanen*, *Rhein-Wesergermanen*, *Elbgermanen* und *Ostgermanen* unterschieden werden. Die Motorik geschichtlicher Entwicklung, welche zu diesen Zuständen geführt hat, ist nicht offensichtlich und wird nur dann erkennbar, wenn die antiken Geschichtsschreiber beiläufig auf innergermanische Verschiebungen und Kämpfe hinweisen.

Im gesamten ergibt sich, daß das Zusammentreffen zwischen Römern und Germanen zu einem Zeitpunkt stattfand, als in den Gebieten nördlich der Alpen seit längerer Zeit bereits politische Umschichtungen im Gange waren. Germanen hatten sich im zweiten vorchristlichen Jahrhundert in Belgien niedergelassen. In der Mitte des ersten Jahrhunderts trifft Caesar in Gallien auf germanische *Sveben*. Zugleich wird berichtet, daß die *Helvetier* ursprünglich im Dekumatland, dem heutigen Südwestdeutschland, saßen und wiederum von den *Sveben* von dort verdrängt worden waren. *Markomannen* setzten sich in der Zeit um Christi Geburt in Böhmen, dem ehemaligen Wohnsitz der keltischen *Boier*, fest. Hundert Jahre vorher durchzogen Kimbern und Teutonen Süddeutschland, wobei wir nicht wissen, welche Folgen das Auftreten dieser Wanderstämme im politischen Gefüge der spätkeltischen Welt hatte und welche Reaktionen sie auslösten, da diese Gebiete zu jener Zeit noch nicht in der Interessensphäre Roms lagen. Die spärlichen historischen Nachrichten machen aber deutlich, daß bereits lange vor der Zeitenwende eine germanische Expansion stattgefunden hat, die erst durch das Vordringen der Römer an Rhein und Donau zum Stillstand gebracht wurde. Einzelne Vorstöße, die zum Teil Jahrzehnte auseinanderliegen und dadurch den Eindruck von isolierten Unternehmungen machen, sind geschichtlich überliefert. Im Rückblick – sozusagen im Zeitraffer – waren sie aber Teil einer durch Bevölkerungsdruck ausgelösten allgemeinen Wanderbewegung, hinter der allerdings keine bewußte, planmäßig gesteuerte Politik stand. Dem Zwang der Lebensumstände folgend scheint das Ziel der einzelnen Gruppen und Völkerschaften auf Landgewinn zur Existenzsicherung gerichtet gewesen zu sein. Hintergründe und Ursachen der historischen Motorik sind nur aus uns unbekannten innergermanischen Verhältnissen zu begreifen. Überlagerungen älterer Bevölkerungen, Assimilierungen und Akkulturationen physischer und zivilisatorischer Art waren sicherlich Folge der Germanisierung weiter Gebiete Mitteleuropas, die möglicherweise in taciteischer Zeit ihren vorläufigen Abschluß gefunden hat. Modelle dieses sich über Jahrhunderte erstreckenden Vorganges innerhalb der schriftlosen Kultur Mitteleuropas sind mit allen Vorbehalten über die Analyse und Interpretation der materiellen Hinterlassenschaft der betroffenen Bevölkerungen zu gewinnen.

Die vorrömische Eisenzeit

Die ethnographisch kulturellen Zusammenhänge im Germanien der Zeitenwende und ihre weitere Entwicklung im Verlauf des ersten Jahrtausends werden durch die archäologische Deutung der älteren, nur archäologisch faßbaren Zivilisationen in diesem Raum durchschaubar. Fundbestand, Formenspektrum, Fundbedingungen und Grabbräuche zwischen Rhein und Oder, deutschen Mittelgebirgen und Nordsee sind nicht einheitlich, doch unterscheiden sie sich im Gesamtbild deutlich von den gleichzeitigen Hallstatt- und Latènekulturen Süddeutschlands. Wie schon für die vorausgehende Bronzezeit ist auch für die Beschreibung der sogenannten ›Eisenzeit‹ in Norddeutschland eine eigenständige chronologische Terminologie notwendig (Abb. 130).

Ein wesentlicher und übergreifender epochenbestimmender, materieller Faktor ist die Übernahme der Kenntnis von Eisenerzverhüttung und Eisenbearbeitung seit der Zeit um 700 v. Chr. Sie machten die bäuerlichen Kulturen dieses Gebietes weitgehend unabhängig von den Rohstoffquellen des nunmehr wichtigsten Werkstoffes. Während der gesamten Bronzezeit mußte Metall importiert werden. Eisenerz hingegen stand fast überall im heimischen Boden zur Verfügung. Neben den sogenannten ›Trümmererzvorkommen‹ der Ausbißzonen großer Eisenerzlager am Rand der Mittelgebirge war als Rohstoffquelle vor allem das ›Raseneisenerz‹ oder ›Sumpferz‹ von größter Bedeutung. Sein Vorkommen ist in Norddeutschland ausschließlich auf Gegenden mit hohem Grundwasserstand beschränkt. Es tritt vorwiegend in Niederungen auf und ist im gesamten norddeutschen Moor- und Geestgebiet in größeren und kleineren Lagerstätten vorhanden. Das fast überall im Boden lagernde Eisen wird unter Mitwirkung humoser Stoffe vom Grundwasser gelöst und mitgeführt. Eine Ausscheidung erfolgt dort, wo das Grundwasser nahe an die Oberfläche gelangt und durch den Sauerstoff in Zusammenwirkung mit Mikroorganismen ein Oxydationsprozeß eingeleitet wird. Der Eisengehalt der braunschwarzen, oft fest verbackenen und schlackig wirkenden Oxydationszonen, die manchmal bis zu einer Mächtigkeit von zwei Metern auftreten, kann bis zu 45 Prozent betragen. Aufschlüsse über Eisengewinnung und Eisenverarbeitung geben uns verschiedene Fundplätze. Röstanlagen, Rennfeueröfen, Ausheizherde und Schmiedeplätze sowie Meilergruben sind in Einzelbelegen oder als Gesamtkomplex archäologisch nachgewiesen. Die Trümmer- oder Raseneisenerze wurden zur Vorbereitung auf den eigentlichen Schmelzprozeß im Holzkohlefeuer flacher, offener Mulden durchgeglüht, um sie von Feuchtigkeit, Kohlensäure und gegebenenfalls von Schwefel zu befreien. Mit dem ›gerösteten‹ Eisenerz wurde dann der Rennfeuerofen beschickt. Räumlich und zeitlich gegliedert ist zwischen verschiedenen Rennfeueröfen zu unterscheiden.

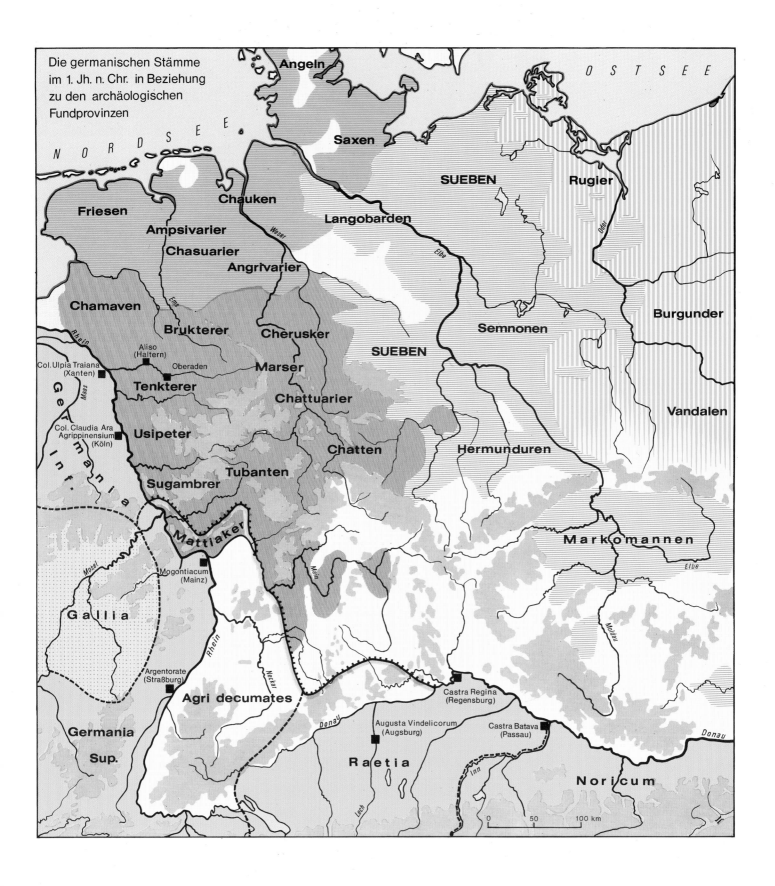

Die germanischen Stämme
im 1. Jh. n. Chr. in Beziehung
zu den archäologischen
Fundprovinzen

O S T S E E

N O R D S E E

Angeln

Saxen

SUEBEN

Rugier

Friesen

Chauken

Langobarden

Weser

Elbe

Oder

Ampsivarier

Chasuarier

Angrivarier

Chamaven

Ems

Brukterer

Cherusker

SUEBEN

Semnonen

Burgunder

Aliso
(Haltern)

Oberaden

Rhein

Col. Ulpia Traiana
(Xanten)

Marser

Vandalen

Maas

Tenkterer

Chattuarier

Germania
inf.

Col. Claudia Ara
Agrippinensium
(Köln)

Usipeter

Chatten

Hermunduren

Tubanten

Sugambrer

Mattiaker

Markomannen

Mosel

Elbe

Mogontiacum
(Mainz)

Main

Moldau

Gallia

Rhein

Neckar

Argentorate
(Straßburg)

Agri decumates

Castra Regina
(Regensburg)

Germania
Sup.

Donau

Augusta Vindelicorum
(Augsburg)

Castra Batava
(Passau)

Donau

Lech

Inn

Raetia

Noricum

0   50   100 km

In Norddeutschland gebräuchlich war ein konischer, oben offener Ofen aus spreugemagertem Lehm von einem Meter Höhe, der über einer halbmetertiefen und ebenso breiten runden, lehmverstrichenen Grube aufgebaut war. Die Wandungsdicke des holzverstärkten Aufsatzes betrug nur 4-5 Zentimeter, knapp über dem Boden befanden sich seitlich Zuglöcher (Abb. 130). Trotz der äußeren Gestalt derartiger Anlagen handelt es sich nicht um ›kleine Hochöfen‹, denn wie der Name sagt, kommt in solchen Öfen nicht das Eisen, sondern nur die Schlacke zum Rinnen. Der Ofen wurde zunächst mit Holzkohle vorgeheizt, dann von oben mit wechselnden Lagen von Holzkohle und zerkleinertem Erz beschickt. Meist waren die Öfen an Hängen mit leichtem Aufwind aufgestellt, damit durch die Windlöcher ein starker Zug im Ofen entstand. Moderne Versuche haben erwiesen, daß mit einem so konstruierten Ofen Temperaturen bis 1200° Celsius erzeugt werden können, wodurch die Schlacke zum Fließen gebracht wird und sich das im Erz enthaltene Eisen in den Luftblasen der Schlacke konzentriert. Der leichtflüssige, eisenarme Anteil der Schlacke trennt sich von dem eisenreicheren. Er wurde durch einen seitlichen Anstich der Erdgrube zum Abfließen gebracht. Am Ende des Schmelzvorganges blieb in der Ofengrube ein schwerer, mit Eisenkörnern durchsetzter, von Fließstrukturen und Hohlräumen durchzogener Schlackenklotz zurück, die sogenannte ›Luppe‹ oder der ›Wolf‹. Schmiedbares Eisen war damit noch nicht gewonnen. Die Luppe mußte aufbereitet werden. Nach ihrer Zertrümmerung konnten die zusammengeklebten Eisenkörnchen aus der Schlacke ausgelesen werden. Manchmal scheint man den ›Wolf‹ geschmiedet zu haben, wobei er in sogenannten Ausheizherden zum Glü-

129 Karte der germanischen Stämme im 1. Jahrhundert n. Chr. nach historischen Quellen und die archäologischen Fundprovinzen (Schematisiert nach v. Uslar). Nordseegermanen: grün, Rhein-Weser Germanen: blau, Elbgermanen: rot, Ostgermanen: gelb

130 Vergleichsschema zur Chronologie und Terminologie der vorrömischen Eisenzeit. ★ Gliederung nach O. Montelius u.a. ★★ Gliederung nach P. Reinecke u.a. (1) Südwestdeutsche Fürstengräber; (2) Keltenwanderung; erste Erwähnung der Kelten bei Herodot; (3) Römer in Gallien und am Rhein; (4) Germanenkriege des Augustus; (5) Alpenfeldzug unter Drusus und Tiberus 15 v. Chr.; Besetzung des Alpenvorlandes bis zur Donau; (6) Errichtung des obergermanisch-raetischen Limes;(7) P. Cornelius Tacitus ›Germania‹

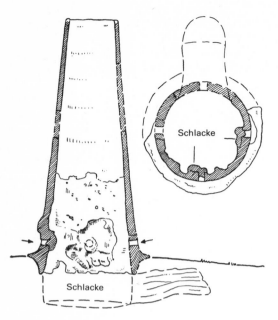

131 Rekonstruktion eines Rennfeuerofens von Scharmbeck, Kr. Harburg. Ursprüngliche Höhe etwa 1 Meter. (Nach Jacob-Friesen)

hen gebracht und die Schlacke allmählich herausgehämmert wurde. Das so gewonnene Eisen war sehr weich und mußte in verschiedenen Schmiedegängen gestählt werden. Verschiedenste Praktiken dürften zur Anwendung gekommen sein. Rennfeueröfen konnten meistens nur einmal benutzt werden. Der tönerne Oberbau wurde entweder zerschlagen oder – falls es die Konstruktion zuließ – zur Wiederverwendung abgenommen. Die Ofengruben mußten aufgebrochen werden, um die Luppe zu entnehmen. Dies ist auch ein Grund, weshalb Rennfeuergruben mit ihren Schlackenresten bei größeren Flächenabdeckungen zu Dutzenden dicht nebeneinander auftreten. Die zur Verhüttung notwendigen großen Holzkohlemengen gewann man in grubenförmig eingetieften Meilern auf dem Gelände der Schmelzplätze, die verständlicherweise meist in waldreichen Gegenden liegen, da für die Gewinnung von 50 Kilogramm Eisen etwa 350-400 Kilogramm Holzkohle erforderlich waren. Es ist anzunehmen, daß die Kenntnis der Eisengewinnung anfänglich nur einer begrenzten Zahl von Spezialisten bekannt war. Nach dem archäologischen Fundbild – Rennfeuergruben werden häufig bei großen Flächenabdeckungen in der Nähe von Siedlungen oder auch in waldreichen Gegenden gefunden – wurde die Technologie der Eisenverarbeitung allmählich Gemeingut der bäuerlichen Gesellschaften.

Die Verwendung von Eisen als wichtigstem Werkstoff für Waffen und Gerät ist die kulturübergreifende Neuerung der Zeit. Schmuck wurde weiterhin aus Bronze hergestellt, und die Produktion der Tonware geschah in derselben Weise wie in den vorausgegangenen Perioden. Auch die wirtschaftlichen Grundlagen – Ackerbau und Viehzucht – waren die gleichen. Verbindungen zum Süden und Westen zeigen sich in einzelnen Importfunden, vor allem aber in der Technik der Eisenverhüttung sowie in einzelnen Zügen des Kultes. Überzeugende Beispiele sind der Kultwagen von *Dejbjerg* und der Silberkessel von *Gundestrup*, die beide keltischen Werkstätten entstammen (Abb. 132). In der Keramik, im Grabbrauch und in den Beigabensitten sind jedoch lokale und geographische Unterschiede festzustellen, die den norddeutschen Raum während der vorrömischen Eisenzeit keineswegs einheitlich erscheinen lassen. Mehrere, zum Teil stark voneinander abweichende Formengruppen verweisen auf unterschiedliche Traditionen und verschiedenartige Kulturverbindungen. Geographische Differenzierung und durch Überlieferungslücken bedingte Ungewichtigkeiten im Fundmaterial haben zur Folge, daß in Norddeutschland nur für Teilbereiche eine schärfere chronologische Schichtung gegeben ist, während man sich im allgemeinen mit einer Zweiteilung in einen älteren und jüngeren Abschnitt der vorrömischen Eisenzeit begnügen muß. Die ältere Phase entspricht zeitlich der Hallstattzeit, die jüngere der Latènezeit im südlichen und westlichen Mitteleuropa (Abb. 130).

132 Der Silberkessel von Gundestrup, Jütland. Der Kultkessel mit 69 cm Randdurchmesser ist aus mehreren figürlich verzierten Platten- und einem Bodenstück zusammengesetzt. Die Deutung der Szenen ist vielfältig, in jedem Fall aber handelt es sich um Kultbilder aus der keltischen Mythologie. Herkunft und Alter werden sehr unterschiedlich beurteilt. Wahrscheinlich handelt es sich um eine nordgallische Arbeit des 1. Jh. v. Chr., die irgendwann von Germanen in einem Moor im Norden Jütlands versenkt wurde. Nationalmuseet, Kopenhagen

Vom Niederrhein im Westen bis ins Oder-Weichsel-Gebiet, vom Nordrand der Mittelgebirge bis an die Küsten von Nord- und Ostsee herrscht
während der Eisenzeit Brandbestattung im Grabbrauch vor. Nur in den
Kontaktzonen zum hallstättisch-keltisch geprägten Süden wird die Regel zeitweise von einzelnen archäologischen Fundgruppen durchbrochen. Prinzipiell kann bei Brandgräbern, abgesehen von der Grabarchitektur und den Beigabensitten, zwischen vier Arten der Leichenbestattung unterschieden werden (Abb. 133).

Die bekannteste, aber sicher nicht häufigste Art von Brandgräbern
sind Urnenbestattungen. Der aus den Scheiterhaufenresten aufgesam-
melte Leichenbrand ist in ein Ton- oder Metallgefäß gefüllt. Beigaben,
ob sie im Feuer des Scheiterhaufens gelegen haben oder nicht, sind in
oder neben der Urne niedergelegt. Auch in Leder- und Stoffbeuteln
oder in Holzschachteln bzw. Holzgefäßen konnte man die Asche dem
Boden anvertrauen, die natürlich vergangen sind und sich archäologisch
als ›Knochenlager‹ häufig zwischen Urnengräbern zu erkennen geben.

Eine Sonderform des Urnengrabes ist das sogenannte ›Brandschüttungsgrab‹. Der Leichenbrand wurde hier ebenfalls in einem Gefäß verwahrt, doch ist die Grabgrube nicht mit Erdreich, sondern mit den
Resten des Scheiterhaufens gefüllt, so daß die Urne von Holzkohle,
durchglühter Erde, kleinen kalzinierten Knochenstücken und ver-
schmolzenem Metall umgeben ist.

Ganz auf einen Leichenbrandbehälter verzichtete man beim ›Brand-
grubengrab‹. Leichenbrand und Scheiterhaufenreste, unter denen sich
auch Beigabenreste finden können, wurden ohne besondere Ordnung in
die Grube gefüllt.

Eine eigenartige Grabform stellen die sogenannten ›Scheiterhaufenbe-
stattungen‹ dar, die manchmal auch als ›Brandflächengräber‹ bezeichnet
werden. Den abgebrannten Scheiterhaufen überdeckte man einfach mit
Erde, ohne dem Leichenbrand noch eine besondere Behandlung zukom-
men zu lassen.

Die Bestattungsweise ist unabhängig von der Grabform. Häufig mischen sich die Rituale. Ihre Variationen können nur kleinräumig und für
bestimmte Zeiten auf Generalformeln reduziert werden. Gefäße und
unverbrannte Beigaben finden sich in und neben der Urne oder in der
Brandschüttung. Bestattungen erfolgen sowohl in Flachgräbern großer
Urnenfelder als auch in Hügeln, wobei Urnen, Knochenlager oder
Brandschüttungen nebeneinander auftreten. Über die äußere Kenn-
zeichnung der Gräber ist wenig bekannt. Hügel waren sichtbar, bei den
Flachgräbern ist an Pfähle, hölzerne Stelen oder ähnliches zu denken.
Das Totenbrauchtum stellt sich dürftig dar. In den Urnen- und Brand-
schüttungsgräbern ist das ursprünglich auf dem Scheiterhaufen Vorhan-

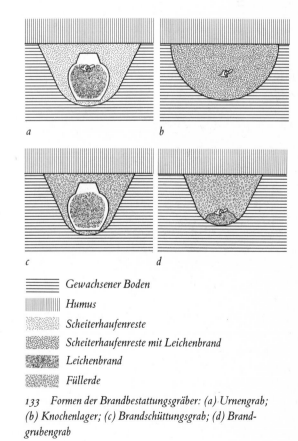

Gewachsener Boden

Humus

Scheiterhaufenreste

Scheiterhaufenreste mit Leichenbrand

Leichenbrand

Füllerde

*133 Formen der Brandbestattungsgräber: (a) Urnengrab;
(b) Knochenlager; (c) Brandschüttungsgrab; (d) Brand-
grubengrab*

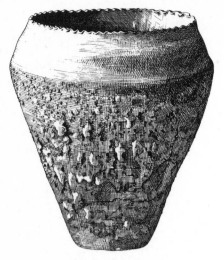

134   Rauhtopf mit Wellenrand vom Typ ›Harpstedt‹. Der
Unterteil des dickwandigen handgeformten, etwa 45 cm hohen
Tongefäßes ist geschlickt. Aus Schwarmstedt, Kr. Falling-
bostel, Niedersachsen. (Nach Jacob-Friesen)

dene nur fragmentarisch und in Auswahl erhalten. Zumindest aber die Menge der Urnen ist für kulturhistorische und siedlungsgeschichtliche Analysen relevant. Brandgruben und Knochenlager hingegen fallen, wenn sie überhaupt registriert werden, selbst statistisch kaum ins Gewicht. Wo derartige Bestattungsweisen die Regel sind, ergibt sich oberflächlich der Eindruck einer ärmlichen Kultur, wenn nicht gar einer Siedlungsleere.

Deutlich zeigt sich dieser materielle Niveauunterschied im Rheinland. Beidseits des Mittelrheins ist die *Hunsrück-Eifel-Kultur* verbreitet. Archäologisch umschrieben beinhalten die Hügelgräber mit Körperbestattungen Materialinventare, die starke Einflüsse aus dem süddeutschen und ostfranzösischen Hallstattbereich aufweisen. In der *Jüngeren Hunsrück-Eifel-Kultur*, die etwa der Latènezeit im Süden entspricht, sind in Körperflachgräbern reicher Import aus den südlich und westlich angrenzenden Zonen und sogar aus Italien nachgewiesen. Fürstengräber mit prachtvoller Ausstattung bezeugen eine sozial differenzierte Gesellschaft. Reichliche Beigaben erlauben mannigfaltige Rückschlüsse auf Tracht, Wirtschaft und Kunsthandwerk (siehe S. 111 ff.).

Völlig anders hingegen die archäologischen Verhältnisse zur gleichen Zeit am Niederrhein, dem Bereich der sogenannten *Niederrheinischen Grabhügelkultur*. Seit der jüngeren Steinzeit wurden dort beidseits des Rheines die Toten verbrannt und in Urnen unter Grabhügeln beigesetzt. Bei den Aschengefäßen finden sich nur vereinzelt zusätzliche Keramiken, höchstens eine Deckschüssel. Schmuck und Trachtbestandteile sind selten. Der eintönige, indifferente Formenvorrat erschwert die chronologische Schichtung. Selbst die Trennung in eine ältere und jüngere Phase scheint nicht immer möglich. Bemerkenswert ist, daß Einflüsse aus der in archäologischer Sicht reichen Hunsrück-Eifel-Kultur in der Nierrheinischen Grabhügelkultur nicht festzustellen sind. Dagegen treten bereits in der älteren Vorrömischen Eisenzeit im Bereich dieser Gruppe Grab- und Keramikformen auf, die eindeutige Entsprechungen in Nordwestdeutschland haben. Ob allerdings die sogenannten ›Harpstedter Rautöpfe‹, ›Terrinen‹ und ›Doppelkonischen Gefäße‹ Zeugen einer Zuwanderung oder Durchdringung der alteingesessenen Bevölkerung durch fremdstämmige Elemente sind, muß dahingestellt bleiben. Der archäologische Befund könnte allerdings, trotz der Dürftigkeit der Quellen, in dieser Weise interpretiert werden (Abb. 134).

Der jüngste Abschnitt der vorrömischen Eisenzeit ist durch Funde beidseits des Niederrheines nur spärlich zu belegen. Totenverbrennung und Bestattung in Brandgrubengräbern sowie das Fehlen chronologisch verwertbarer Beigaben beeinträchtigen die Möglichkeiten archäologischer Deutungen. Der Unterschied zur Zone beidseits des Mittelrheins bleibt weiterhin bestehen. Im Bereich der Hunsrück-Eifel-Kultur ist das letzte latènezeitliche Jahrhundert vor der Zeitenwende durch Brandgräber mit viel Keramikbeigabe gekennzeichnet. Trotz der Angleichung des Bestattungsritus bleibt jedoch das scheinbare Süd-Nord-Kulturgefälle offensichtlich.

Der Beginn der Eisenzeit in Nordwestdeutschland und darüber hinaus in den Niederlanden ist wie im Bereich der Niederrheinischen Grabhügelkultur wenig markant. Die schlichte Keramik hat sich allmählich aus bronzezeitlichen Vorformen entwickelt. Beigaben und Schmuckformen sind spärlich und wenig typisch. Nadeln, Rasiermesser, Gürtelhaken und ähnliches gehören zum gemeinmitteleuropäischen Formengut und haben nur insoweit Bedeutung, als ihr Vorkommen die chronologische Einordnung des Fundmaterials erlaubt. Brandgräber in zum Teil seit der Bronzezeit kontinuierlich belegten Friedhöfen bilden die übliche Bestattungsform. Offenbar in zeitlichem und örtlichem Nebeneinander kommen kleine Grabhügel und Flachgräber vor. Oft sind diese Bestattungen mit Kreis-, manchmal auch schüssellochförmigen Gräben eingefaßt, wobei die chronologischen Verhältnisse der verschiedenen Formen zueinander aufgrund des Fehlens von Urnen und datierenden Beigaben kaum geklärt werden können.

Keramiken vom *Harpstedter Typ* – Rauhtöpfe mit Wellenrand – treten seit der älteren vorrömischen Eisenzeit in größeren Flachgräberfeldern und in kleinen Grabhügeln vermutlich bis in die jüngere vorrömische Eisenzeit hinein als Urnen auf. Die typologisch älteren Formen sind doppelkonisch mit kurzem Ober- und langem Unterteil und oft sehr hoch. Sie erinnern an Vorratsgefäße. Jüngere Beispiele haben mehr tonnen- oder terrinenförmiges Aussehen. Mit den weitverbreiteten Harpstedter Rauhtöpfen ist ganz offensichtlich kein ›Kulturkreis‹ umschrieben. Vielmehr scheint es sich um eine Art ›Grabsittenkreis‹ zu handeln, in dem es üblich war, den Leichenbrand in einfachen Haushaltstöpfen beizusetzen. Die lange Lebensdauer dieser Sitte zeigt, daß in Nordwestdeutschland während der vorrömischen Eisenzeit Kontinuität im Brauchtum und wahrscheinlich damit auch in der Besiedlung bestand (vgl. Abb. 90).

Der zweite keramische Formenkreis wird als *Nienburger Gruppe* bezeichnet. Sie tritt gegen Ende der älteren Phase der Eisenzeit vor allem im östlichen Teil des Verbreitungsgebietes der Harpstedter Rauhtöpfe an der mittleren Weser auf und reicht mit ihren jüngsten datierbaren Funden bis weit in die jüngere vorrömische Eisenzeit. Typisch für die Gruppe sind weitwandige Gefäße mit geglätteter Oberfläche, kurzem, abgesetztem, schwach ausladendem Hals und gewölbter Schulter, die meist durch Strichgruppen in Winkelform und mit Dellen verziert sind. Fast alle bekannten Größen dieser Gruppe wurden als Urnen verwendet. Mit Deckschalen und manchmal kleinen, ebenso verzierten Beigefäßen

135   Keramikformen der ältereisenzeitlichen Nienburger Gruppe. Urne mit Deckschale aus Estorf, Kr. Nienburg; Graburnen aus Garbsen, Kr. Neustadt a. Rübenberg und Wenden, Kr. Nienburg, Höhe 19 cm. (Nach Jacob-Friesen)

136 Graburne aus rötlich gebranntem Ton und halbmond-
förmiges eisernes Rasiermesser aus Goskar, Westpreußen.
Höhe 22 cm. Schwarzglänzende Schale, Beigefäß eines
ältereisenzeitlichen Urnengrabes der Lausitzer Kultur aus
Kollin, Westpreußen. 7. Jh. v. Chr.
Germanisches Nationalmuseum, Nürnberg

137 Grabform und Leitfunde der ›Stufe Wessenstedt‹. Urne
und Deckschale aus Wessenstedt, Kr. Uelzen, Niedersachsen.
Doppelkonisches, als Urne verwendetes Gefäß, Höhe 18 cm,
aus Medingen, Kr. Uelzen. (Nach Jacob-Friesen)

versehen, finden sie sich in ausgedehnten Flachgräberfeldern und
manchmal als Nachbestattungen in bronzezeitlichen Hügelgräbern.
Kulturmorphologisch tendiert die Nienburger Gruppe nach Mitteldeutschland und in den hallstättisch beeinflußten Mittelgebirgsraum
(Abb. 135, 136).

Gegenüber dem Niederrheingebiet, Nordwestdeutschland und den
Räumen an der mittleren Weser mit ihrem relativ ärmlichen und archäologisch wenig differenzierbaren Fundbestand, der kaum kulturgeschichtliche Aussagen zuläßt, weisen die Landschaften der norddeutschen Tiefebene zwischen Unterweser und Odermündungsgebiet ein
Fundmaterial auf, das aufgrund von Typenreichtum und Formenkom-
binationen eine eindeutig gestufte, chronologische Gliederung ermöglicht. Typologisch und siedlungsgeographisch stellt der Fundstoff eine
geschlossene Formengruppe dar, deren Eigenständigkeit sich in einem
Bündel gemeinsamer archäo-kultureller Erscheinungen dokumentiert.
Namengebend für diese Kultur, die durch Sachformen und Bestattungssitten umschrieben wird, ist das Urnenfeld von *Jastorf* im Kreis Uelzen,
das ab 1897 ausgegraben wurde. Das Material von weiteren großen
Urnenfriedhöfen, vor allem von *Ripdorf* und *Seedorf*, ermöglichte
schließlich die kombinationsstatistisch belegbare Stufengliederung des
Fundgutes in vier Schichten, wobei die Stufe *Seedorf* archäologisch den
Übergang zur römischen Kaiserzeit umschreibt (Abb. 130). Die Größe
der Urnenfriedhöfe in diesem Bereich ist unterschiedlich. Oft umfaßt sie
mehrere tausend Bestattungen, die häufig eine Belegungskontinuität

von der älteren vorrömischen Eisenzeit bis in die römische Kaiserzeit aufweisen. Die älteste Phase der vorrömischen Eisenzeit im Bereich der unteren Elbe bildet die Stufe *Wessenstedt*, deren keramisches Formengut in spätbronzezeitlichen Traditionen wurzelt. Sie ist durch Brandbestattungen in flachen kleinen Hügeln gekennzeichnet. Die Urnen mit Deckschalen sind in kleinen Steinkisten beigesetzt. Metallbeigaben kommen selten vor und waren fast immer dem Brand ausgesetzt. Die früheisenzeitlich-hallstattzeitliche Datierung bestätigen Schwanenhalsnadeln und trapezförmige Rasiermesser aus Bronze und Eisen (Abb. 137).

Die folgende Stufe *Jastorf (a)* gehört noch der älteren vorrömischen Eisenzeit an und ist durch weitbauchige, tonnen- oder beutelförmige Gefäße mit engem Hals, gekröpfte Nadeln aus Eisen und zungenförmige Gürtelhaken gekennzeichnet. Die Urnen, in denen häufig ein kleines Gefäß liegt, sind zum Teil noch in Hügeln, meistens aber in Flachgräbern mit Rollsteinpackung beigesetzt. Die nächste Phase *Jastorf (b)* ist deutlich von der vorhergehenden abgesetzt. Die Tonware hat unter Frühlatèneeinfluß häufig schwarz polierte Oberfläche, der Umriß ist schärfer profiliert. Als typische Schmuckformen treten dreieckige Gürtelhaken, Segelohrringe, Bombennadeln und Plattenfibeln auf. In den Flachgräbern dieser Stufe sind die Steinpackungen nicht mehr sorgfältig gesetzt, dafür finden sich häufig mehrere Urnen und Knochenlager unter einem Deckpflaster (Abb. 138).

Die jüngere Eisenzeit wird im wesentlichen mit der Stufe *Ripdorf* umschrieben. Veränderungen im Grabbau zeigen sich nur insoweit, als kaum noch Steinummantelungen und Deckpflaster vorkommen. Verstärkt treten Brandgruben auf. Die schwarz polierte Keramik zeigt Zick-Zack-Muster und zeichnet sich durch scharfe Profile aus. Das Schmuckensemble umfaßt ältere Formen, z.B. die gekröpfte Nadel, und spezifische Sonderbildungen wie die ›Holsteiner Nadel‹ oder die ›Kreuznadel‹. Daneben kommen Fibeln vom sogenannten Früh- und Mittellatèneschema in Mode. Eine weitere Leitform sind Haftarmgürtelhaken (Abb. 139, 140).

Das Formengut der Stufe *Seedorf* entwickelt sich lückenlos aus dem älteren und mündet in seiner Spätphase bruchlos in die römische Kaiserzeit ein. Die Urnen stehen frei im Boden, Brandgrubengräber kommen nicht mehr vor. In den Keramikformen sind zunächst weitbauchige Gefäße mit verdicktem Rand und etwas schlankere Typen mit hochliegender Schulter bestimmend. Charakteristisch für den jüngeren Abschnitt sind Tonsitulen mit scharfem Schulterumbruch, eingezogenem Unterteil und trichterförmigem Kragenrand. Einen weiteren wichtigen Typ vertreten bauchige Töpfe mit kurzem Rand. Die handgemachte Keramik ist sehr sorgfältig gearbeitet. Fast immer ist die Oberfläche glänzend schwarz poliert und häufig mit eingeritzten Winkelbändern

138 Grab- und Keramikformen der Stufen ›Jastorf a‹ und ›Jastorf b‹. Oben: Urnen der älteren Phase aus Jastorf, Kr. Uelzen und Wölpe, Kr. Nienburg, Niedersachsen. Unten: Urnen der jüngeren Phase aus Oitzen, Kr. Uelzen. Anfang jüngere Eisenzeit (vgl. Abb. 131). (Nach Jacob-Friesen)

147

b

*139   (a) Grabformen und Aschengefäße der Stufe ›Ripdorf‹
aus den Urnenfriedhöfen von Jastorf, Ripdorf und Weyhausen,
Kr. Gifhorn, Niedersachsen. 4.-2. Jh. v. Chr. (Nach Jacob-
Friesen). (b) Tongefäß der jüngeren vorrömischen Eisenzeit,
Stufe Ripdorf. Grabfund aus der Gegend von Eutin,
Kr. Lübeck, Schleswig-Holstein, Höhe 20,5 cm.
Germanisches Nationalmuseum, Nürnberg*

und Rautenmustern verziert. Neben den heimischen Tongefäßen wurden in dieser Spätstufe auch erstmals aus dem Süden importierte Bronzegefäße als Urnen in den Gräberfeldern des *Jastorf-Kreises* verwendet,
so z. B. dünnwandig gegossene Bronzeeimer mit Henkelattaschen in
Form von Delphinen. An Metallbeigaben treten Fibeln und durchbrochene Gürtelhaken aus Bronze auf. Ein völliges Novum im Fundspektrum sind Waffengräber, die am Ende der vorrömischen Eisenzeit in
diesem Raum vereinzelt und weit gestreut faßbar werden (Abb. 141,
142).

Wie Norddeutschland weist auch der obersächsisch-thüringische
Raum in der älteren vorrömischen Eisenzeit kein einheitliches Kulturge-
präge auf (Abb. 130). Im Osten besteht als Nachfolgegruppe der Lau-
sitzer- die *Billendorfer-Kultur.* Die bronzezeitlichen Urnenfelder werden
durchgehend belegt, Siedlungen und Befestigungen bestehen weiter.
Bruchlos stellt sich auch die formale Entwicklung der Keramik in den
Gräbern dar. Miniatur- und Beigefäße haben hallstättischen Charakter
und sind neben Schmuckformen und dem Vorkommen von Eisen einziges datierendes Element (Farbtafel 8).

Ähnlich stagnierend ist die Entwicklung im Harzvorland und im
Saale-Mündungsgebiet. In Siedlungen und Gräberfeldern ist kein Bruch
festzustellen. Gängige Grabformen sind Urnenflachgräber in freier Erde
oder in sogenannten Steinkisten. Die Grabkeramik ist von Lausitzer
Traditionen bestimmt. Daneben kommen aber auch ›Haus- und Ge-

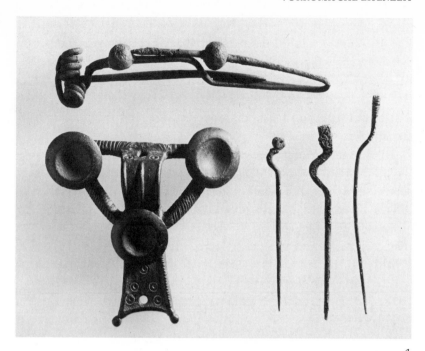

a

b

140 *Bronze und Eisenschmuck aus Brandgräbern der vor-*
römischen Eisenzeit: (a) Eiserne Fibel vom Mittellatène-
schema aus Lüneburg, gekröpfte Nadeln und Schwanenhals-
nadel, Länge 8,7 cm, aus der Gegend von Lüneburg, gegossene
Bronzefibel aus Mölln-Medow auf Rügen, Bez. Rostock (sog.
Pommersche Fibel), und (b) drei eiserne Gürtelhaken aus
Norddeutschland, der breite aus Vehlefanz bei Oranienburg,
Bez. Potsdam. Germanisches Nationalmuseum, Nürnberg

sichtsurnen‹ vor, welche zusammen mit den Steinkisten die Verbindung
zum *Hinterpommerisch-Westpreußischen Gesichtsurnenkreis* aufzeigen (Farbtafel 20).

Steinkistengräber stellen im Oder-Weichsel-Raum den größten Anteil vorgeschichtlicher Bodendenkmäler überhaupt. In den Gebieten
westlich der Oder treten sie nur zeitlich befristet, eingestreut zwischen
heimischen Grabformen auf und geben sich als fremdartig zu erkennen.
Die unteriridisch angelegten Kisten sind aus behauenen Steinplatten zusammengesetzt, der Boden ist oft gepflastert. Sie dienten offensichtlich
als Familienbegräbnisse, denn häufig finden sich mehrere Urnen mit ein
oder zwei kleinen Beigefäßen in den Steinkisten. Neben gewöhnlicher
Haushaltsware kommen als Aschenbehälter die ausgesprochenen Funer-
algefäße in Gesichts- und Hausform vor, die in ihrer formalen Gestaltung und im ideellen Gehalt weite Verbindungen bis nach Italien und
Skandinavien haben. Während das Kerngebiet der *Steinkistenkultur* relativ arm an Metallbeigaben ist, gibt es sie im mitteldeutschen Bereich in
Form von Schwanenhalsnadeln und Schälchennadeln häufiger: Sie bestätigen die ältereisenzeitliche Datierung (Abb. 90).

Während die Billendorfer-Kultur noch bis in die Frühlatènezeit reicht,
können die Steinkistengräber mit Gesichts- und Hausurnen nicht bis in
die jüngere Eisenzeit verfolgt werden. An ihre Stelle treten Gräberfelder
lokaler ›Jastorf-Prägung‹. Nur in Thüringen bleiben ältere Verhältnisse
noch bestehen (Abb. 130).

149

141 *Schwarzglänzende Urnen und ein importierter kampanischer Bronzeblecheimer mit gegossener Delphinattasche, der ebenfalls als Aschenbehältnis verwendet wurde, Höhe 24 cm. Nienbüttel, Kr. Uelzen. Späte ›Seedorf‹-Stufe, 1. Jh. v. Chr. (Nach Jacob-Friesen)*

142 *Gegossene Delphinattasche eines kampanischen Eimers aus einem Brandgrab bei Lüneburg, Niedersachsen, Höhe 9,5 cm, vgl. Abb. 141.*
Germanisches Nationalmuseum, Nürnberg

Auch hier entwickelt sich die sogenannte *Thüringische Kultur* bruchlos aus der jungbronzezeitlichen Unstrut-Gruppe. Häufig sind Körpergräber unter überhügelten Steindecken mit voller Schmuckbeigabe. Die Wendelringe weisen auf Verbindungen nach Westen, Steigbügel- und Halsringsätze nach Süden, wie überhaupt das Fundgut der frühen Eisenzeit in diesem Raum kulturmorphologisch bedingt zum Hallstattkreis gehört (Abb. 143).

Zu Beginn der jüngeren vorrömischen Eisenzeit verstärkt sich der südliche Einfluß auf die *Thüringische Gruppe*, die nun mehr oder weniger zur süddeutschen Latènekultur zu rechnen ist. Die Körpergräber der frühen Latènezeit enthalten neben Beigaben, die Weiterbildungen bodenständiger früheisenzeitlicher Formen sind, Einfuhrstücke aus den südlichen Gebieten, wie etwa Tierkopffibeln, Knotenarmringe, Petschafthalsringe und anderes mehr. In Männergräbern sind nach keltischem Vorbild Waffen beigegeben (vgl. Abb. 110-114).

Die Keramik ist auf der schnell rotierenden Drehscheibe hergestellt, keltisches Münzwesen findet Eingang in den Randbereich mittelmeerischer Zivilisation. Ältere befestigte Höhensiedlungen, so die *Steinsburg* auf dem *Kleinen Gleichberg* bei Römhild oder die *Alteburg* über *Arnstadt* u.a., werden zu regelrechten ›Oppida‹, also befestigten Zentralorten für Herrschaft, Kult und Wirtschaft ausgebaut (vgl. Abb. 120). Ein wirtschaftlicher Mittelpunkt lag schon in der älteren vorrömischen Eisenzeit im Gebiet der heutigen Stadt *Halle an der Saale*. Dort sind an vielen Stellen Reste einer großen stadtähnlichen Siedlung angetroffen worden, die eindeutig mit der Nutzung der halleschen Solequellen in Verbindung stehen. Die Gewinnung und der Handel mit Salz bewirkten eine wirtschaftliche Prosperität, die ihren Niederschlag in zahlreichen Importstücken aus den Rheinlanden, Süddeutschland, Böhmen, Italien und den Donauländern fand. In der Siedlung und den dazugehörigen Gräberfeldern sind Funde der Hausurnen-, der Thüringischen und der Billendorfer Gruppe mit all ihren Eigenarten festzustellen, die sich in ihrer Gesamtheit als eine ›Mischkultur‹ darstellen. Die stadtartige Anlage bestand bis in die jüngere Eisenzeit und wurde dann allmählich aufgelassen. Welche politischen oder wirtschaftlichen Ereignisse den Niedergang der Siedlung verursacht haben, ist unbekannt. Es fällt jedoch auf, daß sichere Grab- und Siedlungsfunde keltisch geprägter Art aus den jüngeren Stufen der Latènezeit im südlichen Thüringen auch sonst nicht mehr feststellbar sind.

Dagegen ist die jüngere vorrömische Eisenzeit im nördlichen und östlichen Thüringen durch das Auftreten von Brandgräberfeldern geprägt, die im Totenbrauchtum und im keramischen Formengut den Jastorf-Gruppen an der Unterelbe und im nördlichen Mitteldeutschland nahestehen. Der sorgfältig ausgelesene Leichenbrand wurde in meist

ziemlich groben Tongefäßen mit Deckschale frei im Boden stehend
bestattet. Beigefäße sind nur selten zu beobachten. Eine typische Form
stellen ›Rauhtöpfe‹ dar, wenig gegliederte Gefäße mit geglättetem Hals
und kräftig gerauhtem Unterteil. Daneben kommen spärlich verzierte,
glattwandige vasenförmige Töpfe und weitmündige Terrinen vor. Leisten und Buckel, reihenförmig und flächig zusammengefaßte Stich- und
Strichmuster bilden den Ornamentschatz. Die Formen der handgemachten Gefäße sind sehr langlebig, und die Gräber sind nur aufgrund
der Metallbeigaben chronologisch differenzierbar. In den frühen Bestattungen der sogenannten Mitteldeutschen Brandgräber-Gruppe sind im
Leichenbrand gekröpfte Nadeln mit Schälchen- und Tutuluskopf, Se-
gel- und Schildohrringe sowie zungenförmige Gürtelhaken enthalten,
Schmuckensembles, wie sie entsprechend in Gräbern der Stufe Jastorf
im östlichen Norddeutschland vorkommen (Abb. 140).

Mit dem Vordringen der mitteldeutschen Brandgräber-Gruppe nach
Süden gerät ihre materielle Kultur unter den Einfluß der Latènezivilisa-
tion. In einem offensichtlich tiefgreifenden Akkulturationsprozeß werden zahlreiche Formen, vor allem aber auch Techniken übernommen.
Typisch für die Gräber der entwickelten vorrömischen Eisenzeit dieser
Gruppe sind Fibeln vom Früh- und Mittellatèneschema. Sie finden in
verschiedenen Varianten bis in das letzte vorchristliche Jahrhundert Verwendung und verdrängen die Gewandnadeln weitgehend. Auch der
übrige Schmuckbestand – bronzene Gürtelgehänge, durchbrochene
Gürtelhaken, Stabgürtelhaken, Hals- und Armringe – entstammt formal
dem Latènebereich und ist importiert oder kunstfertig im Lande selbst
nachgeahmt. Speziell im südlichen Mitteldeutschland, in Thüringen und
im mittleren Saalegebiet, an der Elster und im Elbtal bei Dresden, also in
verkehrsgeographisch nach Süden geöffneten Räumen, treten in Siedlungen und Gräberfeldern mitunter auf der Drehscheibe hergestellte
Terrinen und Schalen auf. Die Technik wurde aus den keltischen Latène-
gebieten übernommen und strahlt kurzphasig bis nach Norddeutschland aus.

Am Ende der vorrömischen Eisenzeit ist archäologisch ein Kulturwandel festzustellen. Die Belegung der mitteldeutschen Brandgräber-
Friedhöfe bricht ab. Vereinzelt treten Waffengräber auf. Die kaiserzeitlichen Nekropolen setzen an anderer Stelle neu ein. Inwieweit dieser
einschneidende Vorgang historisch deutbar ist, bleibt vorläufig dahingestellt.

Ähnliche Entwicklungen wie sie für Mitteldeutschland aufgezeigt
werden können, sind auch im übrigen Bereich der deutschen Mittelgebirge festzustellen. Fast überall ist der Übergang von der späten Bronze-
zur frühen Eisenzeit fließend. Brandbestattung ist der vorherrschende
Grabritus, Einflüsse aus der süddeutschen Hallstattkultur sind die Regel.

143   Halsring aus einem tordierten bronzenen Vierkantstab,
sog. ›echter‹ Wendelring aus Mitteldeutschland und ein tordierter Bronzearmring aus derselben Gegend, Durchmesser
12,4 cm. Ältere Eisenzeit, etwa 6. Jh. v. Chr.
Germanisches Nationalmuseum, Nürnberg

Im Laufe der jüngeren vorrömischen Eisenzeit ist mancherorts eine Verdichtung latènezeitlich-keltischer Einflüsse bemerkbar. Ringwallanlagen, vereinzelte Körpergräber mit Waffenbeigabe, gelegentliches Auftreten von Drehscheibenkeramik, Funde keltischer Münzen und anderes kennzeichnen diese Gebiete als Randzonen latènezeitlich-keltischer Kultur, wobei im Nordteil eine abfallende Häufigkeit dieser Elemente und eine über Jahrhunderte bis in die römische Kaiserzeit reichende Siedlungskontinuität festzustellen sind.

SACHBESITZ UND UMWELT

Bedingt durch Grabbrauch und Beigabensitte erscheint die materielle Hinterlassenschaft der vorrömischen Eisenzeit in der Zone nördlich der Mittelgebirge vergleichsweise ärmlich. Spärliche oder durch den Brand zerstörte Beigaben, eingeschränkte Typenauswahl an Schmuck und Trachtzubehör verzerren das Kulturbild. Grundsätzlich ist dabei zu bedenken, daß Grabinventare selbst in extrem aufwendigen Fällen stets nur einen geringen Teil des vormals vorhandenen Sachbesitzes der Bestatteten repräsentieren können. Andere Fundkategorien und archäologische Erkenntnisse verdichten die Fakten zur Rekonstruktion vergangener Zivilisationen, wobei je nach Quellenlage die empirisch gewonnenen Vorstellungen mehr oder weniger lückenhaft sind.

Abgesehen von der jüngsten Phase der vorrömischen Eisenzeit war es im norddeutschen Raum nicht üblich, Waffen oder größere Geräte in die Gräber zu legen, Waffen, vor allem Schwerter, sind daher nur in Einzelfunden, meist aus Flüssen oder Mooren bekannt. Es handelt sich in allen Fällen um bronzene und eiserne Schwerter, die eingeführt waren und keine eigene Produktion vertreten (vgl. Abb. 87). Güter des gehobenen Bedarfs wurden vielfach aus dem zivilisatorisch überlegenen Süden bezogen. So hat ein als Urne verwendeter Bronzekessel mit eisernen Ringattaschen aus *Verden* eine genaue Entsprechung in einem hallstattzeitlichen Hügelgrab aus Bayrisch-Schwaben. Aus einem Blech zusammengebogene, gebördelte und vernietete zylindrische Metallgefäße mit glatter oder gerippter Wandung – sogenannte Rippenzisten – sind in mehreren Exemplaren als Leichenbrandbehältnisse überliefert. Der Typus dieser ursprünglich in Italien entwickelten Gefäße späthallstatt-frühlatènezeitlicher Form ist in lockerer Streuung über ganz Mitteleuropa verbreitet. Gleichartig im Totenritual verwendet wurden ›Rheinische Situlen‹. Nach ihrem Hauptverbreitungsgebiet am Mittelrhein entstammen sie der Hunsrück-Eifel-Kultur. Die Wertschätzung dieser Metallgefäße, wenn sie auch schließlich als Aschenbehältnisse in den Boden gelangten, zeigt sich in den häufigen antiken Flickungen. Soweit die Bronzeblechgefäße in Gräbern überliefert sind, wurden sie wie Urnen behandelt. In ihren Herkunftsländern dienten Kessel oder Eimer nach mittelmeerischem Brauch hingegen als Gefäße zum Mischen von Wasser und Wein und waren Bestandteil von Trinkservicen gehobener Gesellschaftsschichten. Auch in Norddeutschland hatten die Metallgefäße ihren Stellenwert im sozialen Prestige, doch ist nicht zu entscheiden, ob nur die Eimer oder aber auch die ursprünglich zugehörigen Getränke, etwa Wein und fremde Trinksitten eingeführt wurden (Abb. 144).

Hallstattschwerter und Metallgefäße sind als Flußfunde bzw. als Aschenbehältnisse überliefert. Über eine Reihe von Schmuckformen und Geräte einheimischer Prägung informieren nur Hortfunde. Bei derartigen Depots handelt es sich in den wenigsten Fällen um einfache Versteckfunde, meistens sind kultische Intentionen für die Verbergung bestimmter Gegenstände vorauszusetzen, sei es, daß sie zur Selbstausstattung für das Jenseits oder als Weihegaben für Naturgötter gedacht waren. Gerade in Landschaften und Kulturperioden mit einem wenig aufwendigen Totenbrauchtum füllen Hortfunde Kenntnislücken. Mit räumlich wechselnden Typen herrscht im gesamten nord- und mitteldeutschen Raum, in den östlich angrenzenden Gebieten und in Dänemark Ringschmuck vor, der in der Mehrzahl fraglos als Weihegabe in Mooren oder einst offenen Gewässern versenkt wurde. Es ist nicht zu entscheiden, ob Halsringe der verschiedenen Typen ausschließlich Frauenschmuck darstellen oder ob sie wie für den Torques im keltischen Bereich überliefert, charakteristische Schmuckstücke bzw. Würdezeichen des Mannes waren, da sie in den Grabinventaren nicht vorhanden sind. Ebenso sind die Intentionen ihrer Niederlegung unbekannt. Möglicherweise steht das Opfern von Ringen mit einem Fruchtbarkeitskult in Zusammenhang, der dann auf gemeinsame religiöse Vorstellungen im Gesamtverbreitungsraum schließen läßt.

Hohlwulstringe, Wendelringe, Ringe mit Petschaftenden und Kronenhalsringe sind die Hauptformen, die mit unterschiedlicher Verbreitung und Zeitstellung das aus Gräbern bekannte Formenspektrum ergänzen. Hohlwulstringe, im Wachsausschmelzverfahren durch Guß über einem Tonkern hergestellt und mit gegossenen oder gepunzten geometrischen Ornamenten verziert, gehören der älteren und der frühen jüngeren vorrömischen Eisenzeit an. Sie treten in verschiedenen Varianten in der norddeutschen Tiefebene auf, wobei regionale Gruppierungen erkennbar werden. Dieselbe Zeitstellung kommt den Wendelringen zu, die im Mittelgebirgsraum auch in Gräbern überliefert sind. Die Variationsbreite ist groß (Abb. 143). Man unterscheidet zwischen ›echten‹, mit wechselnder Windung aus einem Ringstab tordierten Wendelringen oder ›unechten‹, d.h. gegossenen Ringen. Eine eigenartige Gruppe bronzenen Halsschmuckes stellen die Kronenhalsringe dar. Massiv gegossen sowie mit Scharnier- und Steckverschluß versehen, sind sie bis

144 Importierte Bronzegefäße als Urnen in Nordwestdeutschland. Rippenziste aus Luttum, Kr. Verden, Höhe 16 cm; sog. Rheinische Situla aus Bürstel, Kr. Grafschaft Hoya. 6.-5. Jh. v. Chr. (Nach Jacob-Friesen)

an das Ende der vorrömischen Eisenzeit als Weihegaben, seltener in Grabfunden, in Dänemark und östlich der Weser bis nach Ostpreußen und in einzelnen Exemplaren bis nach Südrußland verbreitet. Nadel- und Gehängeschmuck treten vereinzelt in Hortfunden auf. Die wenigen Beispiele zeigen, daß die eisenzeitliche Tracht weitaus reicher und differenzierter war, als dies in den unansehnlichen Grabfunden deutlich wird. Grab- und Hortfunde sind nur ein Teil der archäologischen Erkenntnismöglichkeiten, die begrenzte Rückschlüsse auf die materielle Kultur erlauben. Wesentliche Aufschlüsse über die Lebensumstände sind Ergebnis der Siedlungsarchäologie. In Kombination mit naturwissenschaftlichen Disziplinen wie Pollenanalyse, Sedimentanalyse, Osteologie und Phosphatuntersuchungen gibt sie Einblick in die Struktur und Wirtschaftsweise vorzeitlicher Siedelgemeinschaften. Abgesehen von naturräumlichen Gegebenheiten ist das Klima jeweils übergreifender Faktor agrarischer Prosperität.

Die vorrömische Eisenzeit fällt klimatisch mit dem frühen Subatlantikum zusammen. Gegenüber der Bronzezeit wurde das Klima allmählich feuchter und kühler. Buche, Tanne und Hainbuche lösen im Lauf der Zeit den früher vorherrschenden Eichenmischwald ab. Die offene Waldlandschaft, in die der Mensch durch Beweidung mit Vieh und durch Rodung immer mehr eingriff, veränderte sich kaum. Angebaut wurden alle Getreidesorten. Weizen ist in einer Reihe von Varianten überliefert, so z.B. Emmer und Dinkel. Gerste und Roggen, Hafer und Hirse drängten langsam den Weizenanbau zurück. Daneben wurden Erbsen, Linsen und Ackerbohnen sowie Lein kultiviert. Früchte, so Nüsse, Bucheckern und Obst in vielerlei Arten ergänzten den Speisezettel. Gartenwirtschaft wurde bereits seit der Jungsteinzeit betrieben. Wie schon in den älteren Perioden verwendete man zur Feldbestellung Sohl- und Hakenpflüge. Das Getreide wurde auf länglichen und muldenförmigen Reibsteinen gemahlen. Als Haustiere dienten weiterhin Hund, Schaf und Ziege, Schwein, Rind und Pferd, wobei letzteres im Vergleich zu heute extrem kleinwüchsig war. Wildtierknochen in den Siedlungen geben Hinweise auf die Jagd. Spinnwirtel und Webstuhlgewichte belegen das heimische Textilhandwerk, deren Produkte in prachtvollen, z.T. kompliziert gewebten Mänteln aus den Moorleichenfunden vereinzelt überliefert sind.

In ausreichendem Umfang ergrabene ältereisenzeitliche Siedlungen sind uns aus dem Küstenraum bekannt, während im Binnenland nur partielle Aufschlüsse Einblick in Hausbau und Siedlungsform geben. Nach den Befunden in der Marschensiedlung von *Boomborg-Hatzum* an der Emsmündung handelte es sich um dreischiffige Hallenhäuser mit Pfosten-Bohlenkonstruktion. Das Dach wurde von Innenpfosten getragen. Die Wände bestanden entweder aus Bohlen oder Flechtwerk mit

Lehmbewurf. Der größte aufgedeckte Hausgrundriß war 21 Meter lang und 6,5 Meter breit und in einen Wohn- und einen Stallteil gegliedert. Im Wohnteil befand sich der mit Tongefäßscherben gepflasterte Lehmherd, im Stall dienten beidseits des Mittelganges durch Flechtwände voneinander abgetrennte Boxen zur Aufnahme des Viehs. Die Ernte wurde in separaten Speichern von rechteckigem oder quadratischem Grundriß aufbewahrt. Flechtwerkzäune trennten die einzelnen Hofkomplexe voneinander. Inwieweit diese dörfliche Siedlungsform des Küstenraumes auf das übrige Norddeutschland übertragen werden darf, bleibt dahingestellt, doch sind zumindest die dreischiffigen Hallenhäuser in Grundrissen auch aus anderen Gegenden und mit Modifikationen bis in die Völkerwanderungszeit überliefert. Auf Allgemeines sind die Aussagen zur Sozialstruktur beschränkt. Die Vielfalt der Grab- und Beigabensitten sowie der Forschungsstand stehen entsprechenden Auswertungen entgegen. Hortfunde, importierter Schmuck und eingeführtes Gerät zeigen, daß es in den durchweg bäuerlich strukturierten Gesellschaften vermögende Schichten gegeben hat, die sich eine bessere Lebenshaltung leisten konnten. Es ist von einer dörflichen Siedlungsweise auszugehen, in der Händler und Handwerker eine mehr oder weniger tragende Rolle gespielt haben. Ein spezialisiertes Handwerk kann, abgesehen von der Mittelgebirgszone, kaum nachgewiesen werden. Bodenständige kunsthandwerkliche Erzeugnisse gibt es nicht. Wenn derartiges überliefert ist, stammt es aus dem keltischen Bereich, wie z. B. der Wagen von *Dejbjerg* in Jütland oder der Kessel von *Gundestrup* (Abb. 132). Über die politische Organisation sagen die Bodenfunde nur wenig aus. Spekulationen sind Tür und Tor geöffnet. Ringwallanlagen im Südteil des Untersuchungsgebietes deuten aber darauf hin, daß es in bestimmten Gegenden zentrale Machtkonzentrationen gegeben hat.

ARCHÄOLOGISCHE ETHNOGRAPHIE

Insgesamt zeigen sich in den materiellen Hinterlassenschaften aus den Räumen zwischen Rhein und Oder, Main und Nordsee, so wie sie sich in den Grab-, Hort- und Siedlungsfunden darstellen, bäuerlich strukturierte Gesellschaften, die von Süden und Südwesten her regional und zeitlich unterschiedlich wechselnd intensiven Einflüssen aus der Hallstatt- und später der keltisch geprägten Latènekultur ausgesetzt waren. Das Kulturgefälle von Süd nach Nord ist offensichtlich. Archäologisch ist das nach Grab-, Sach- und Siedlungsformen beschriebene Gebiet in drei große Regionen zu gliedern (Abb. 90).

Im Mittelrheingebiet und in der Mittelgebirgszone sind Gruppen faßbar, die nach ihren Lebensäußerungen mit Einschränkungen dem Süddeutschen Kulturkreis zuzurechnen sind. Über die Hunsrück-Eifel-Kultur hinaus sind die lokalen Gruppen der Mittelgebirge periphere Erscheinungen der Hallstatt- und später der Latènekultur. Keltische Zivilisation wird vor allem während der Latènezeit deutlich. In Thüringen und Hessen, zwischen Main und Ruhr bestanden stadtähnliche Anlagen, Oppida mit zentralörtlicher Funktion (Abb. 120). Keltisches Geld war in Umlauf, Glasarmringe und Drehscheibenkeramik wurden produziert. Eisenbarren und Hortung von Eisengerät in großen Depots sowie Verhüttungsanlagen, namentlich im Siegerland, zeugen vom hohen Leistungsstand der Eisengewinnung und Verarbeitung, die nicht hinter der in den keltischen Kerngebieten zurückstand. Im Grabbrauch herrschte Brandbestattung, daneben kommen aber auch, wie in Thüringen, Körpergräber vor, die in der Spätlatènezeit selten sind. Im Gegensatz zu den nördlich angrenzenden Landschaften sind die Brandgräber mit reichlicher Keramikbeigabe versehen. Insgesamt zeigt sich eine in manchen Zügen einheitliche Gesamtkultur, die in lokale, formenkundlich umschriebene Gruppen gegliedert ist. Sie sind in ältereisenzeitlichen Traditionen verwurzelt, typologisch und siedlungsgeographisch ist kein Bruch gegeben.

Beidseits des Niederrheins ist die rheinische Grabhügelkultur mit ihrer bezeichnend einförmigen und ärmlichen Grabausstattung verbreitet. In ihr sind nur wenige Einflüsse aus den südlich angrenzenden hallstatt- und latènezeitlichen archäologischen Gruppen festzustellen. Dagegen breitet sich die für Nordwestdeutschland typische Harpstedter Keramik allmählich über den Niederrhein aus. Im jüngsten Abschnitt der vorrömischen Eisenzeit sind die Verhältnisse aufgrund fehlender Beigaben vollends undurchsichtig. Deutlich abgesetzt und als einheitliche Fundgruppe gut zu beschreiben, stellt sich die sogenannte Jastorf-Kultur im Elbgebiet dar (Abb. 90). Lokale Ausprägungen dieser Kultur mit spezifischen Gruppeneigenheiten dringen im Verlauf der jüngeren vorrömischen Eisenzeit nach Süden vor und sind in Mitteldeutschland als ›Mitteldeutsche Brandgräbergruppe‹ Jastorfer Prägung faßbar. Kontinuierliche Belegung der Gräberfelder bis in die römische Kaiserzeit, in der die germanische Besiedlung der nämlichen Gebiete historisch bezeugt ist, und bruchlose Weiterentwicklung der Keramikformen weisen diese, im archäologischen Rückblick dynamischste Gruppe in ihren Kerngebieten als ›frühgermanisch‹ im Sinne einer geographischen Bestimmung nach späteren ethnographischen Berichten aus, während über die Volkszugehörigkeit der Mittelgebirgszone und Nordwestdeutschlands Definitives nicht zu sagen ist. Welche Gründe für den Niedergang der spätlatènezeitlichen Randkulturen im südlichen Teil des Untersuchungsgebietes ausschlaggebend waren, ist ungewiß. Fundlücken, Forschungsstand und Datierungsprobleme stehen einer befriedigenden Beantwortung der damit zusammenhängenden Fragen entgegen. Es bleibt im Grunde

nicht mehr, als das Verbreitungsbild der Sachkulturen der jüngeren vorrömischen Eisenzeit dem der römischen Kaiserzeit gegenüberzustellen
(Abb. 90 und 129).

Dabei zeigt sich einmal, daß der Rhein in der vorrömischen Eisenzeit
keine Völker- oder Kulturscheide war, Grenzzonen verlaufen eher in
west-östlicher Richtung, dem Rand der Mittelgebirge folgend. Erst mit
dem Auftreten der Römer am Rhein wird dieser zur politischen Grenze.
Zugleich sind im Inneren Germaniens neue archäologische Fundgruppie-
rungen festzustellen, die sich teilweise mit älteren Kulturregionen decken.
In den vormals keltisch geprägten Zonen am Rhein, in den Mittelgebirgen und an deren Nordrand sowie im Gebiet der rheinischen Grabhügelkultur sind ›rhein-wesergermanische Funde‹ mit niedrigerem zivilisatorischen Standard verbreitet. Nordwestdeutschland, das Küstengebiet und Schleswig-Holstein gehören zum *nordseegermanischen Kreis*,
während Nordostdeutschland und das Elbgebiet zum *elbgermanischen
Formenkreis* gerechnet werden, der sich bruchlos aus der Jastorf-Kultur
entwickelt hat.

Die Umgruppierungen, die in manchen Gebieten einen regelrechten
Kulturbruch zur Folge hatten, haben wohl im zweiten oder ersten vorchristlichen Jahrhundert stattgefunden. Hierauf weisen die antiken
Nachrichten seit Poseidonius hin und auch im archäologischen Befund
machen sich allerlei Sondererscheinungen bemerkbar, seien es Zerstö-
rungshorizonte in Siedlungen, der Abbruch von Gräberfeldern oder das
Auftreten fremdartiger Beigabensitten, wie das erstmalige Vorkommen
von Waffengräbern in der Spätlatènezeit im jastorfgeprägten Milieu.
Eine Konsolidierung der Verhältnisse scheint dann nach den Germanenkriegen eingetreten zu sein, die ihren Niederschlag sowohl in der antiken Germanenethnographie wie auch im archäologischen Bereich gefunden hat (Abb. 129).

Die seit langem zwischen Historikern, Germanisten und Archäologen
diskutierte Frage der ethnischen Zugehörigkeit der Bevölkerung am
Rhein und zwischen Main und Nordsee, welche schließlich in Überlegungen zu ›Völker zwischen Kelten und Germanen‹ einmündete, hat im
Grunde nur akademischen Wert. Seit dem ersten vorchristlichen Jahrhundert werden Germanen beidseits des Rheins erwähnt, sind also dort
bereits in der Spätlatènezeit ansässig. In den Grabsitten und Sachformen
ist keine Einheit festzustellen. Die ›Keltisierung‹ in Wirtschaft und Organisation vor allem im Mittelrheingebiet ist offensichtlich und nicht
weniger intensiv als die der weit linksrheinisch siedelnden belgischen
Stämme, welche sich teilweise ihrer »germanischen Herkunft« rühmen.
Nördlich dieser Zone sind in der jüngeren vorrömischen Eisenzeit Gemeinsamkeiten im archäologischen Befund zwischen Maas und Ems
festzustellen. Deutlich davon und von den südlich angrenzenden Land-

schaften abgesetzt, tritt östlich der Weser im Unterelbgebiet die Jastorf-Kultur auf, deren ›germanischer‹ Charakter unbestritten ist, wenn man als Kriterium ihre Kontinuität bis in die römische Kaiserzeit zugrunde legt.

Beim jetzigen archäologischen und sprachwissenschaftlichen Forschungsstand besteht kein methodisch einwandfrei begründbarer Anlaß, den Völkern zwischen Rhein und Weser, Main und Nordsee in der jüngeren vorrömischen Eisenzeit unabhängig von möglichen älteren Bevölkerungssubstraten ihren im sprachlichen Sinn wie auch in ihren archäologisch faßbaren Verhaltensweisen ›germanischen‹ Charakter abzusprechen. Es sei denn, man erklärt nur die Bevölkerung an der Elbe zu ›Germanen‹, die in der antiken Überlieferung allerdings anfänglich als Sveben bezeichnet wurden, und läßt außer Acht, daß eine sprachlich-ethnische Einheit durchaus in mehrere Volksgruppen mit regional unterschiedlichen Kulturausprägungen gegliedert sein kann, was fallweise auf ethnische Entwicklungen und Assimilierungsprozesse zurückzuführen ist.

Die römische Kaiserzeit im freien Germanien

›Römische Kaiserzeit‹ ist ein leicht mißverständlicher chronologischer Terminus technicus in der vor- und frühgeschichtlichen Fachsprache, der im allgemeinen die historischen Perioden vom 1. bis 4. Jahrhundert n. Chr. auch im freien, also gerade im nicht von Rom besetzten Germanien zwischen Rhein- und Donaugrenze umschreibt. Es ist zugleich die Zeit, in der die germanischen Völkerschaften mehr oder weniger intensiv in das Licht der Geschichte und damit in ein ›frühgeschichtliches‹ Stadium eintreten, wie das Jahrhunderte vorher bereits bei den Kelten der Fall war. Zwar besteht keine eigene schriftliche Überlieferung, doch berichten lateinische und griechische Quellen verstärkt über Kulturzustände und politische Ereignisse in diesen Räumen, die im übrigen weiter in einem prähistorischen Milieu erscheinen.

Wenn auch mißverständlich, so ist die Periodenbezeichnung ›Römische Kaiserzeit‹ nicht abwegig. Denn die kulturelle, politische und soziale Entwicklung in Germanien war durch Impulse und Einflüsse aus dem Römerreich geprägt. Pointiert zeigen sich diese Verbindungen schon zu Beginn der römisch-germanischen Beziehungen. Arminius, vornehmer Cherusker und Führer des Aufstandes von 9 n. Chr., war zugleich römischer Bürger und Offizier im Ritterstand. Er beherrschte offensichtlich auch die lateinische Sprache. Im Jahr 16 n. Chr. beschimpfte er über die Weser hinweg seinen Bruder Flavus, der als hochdekorierter Offizier im Heer des Germanicus diente, mit einem von lateinischen Brocken durchsetzten Wortschwall, so daß die Römer den Inhalt verstanden (Tacitus, *Ann.* II, *10*). Segestes, Segimer, Sigimundus und vielen anderen Vornehmen der germanischen Völkerschaften zwischen Rhein und Elbe waren römische Sitten und Gebräuche wohlvertraut, sei es, daß sie als Geiseln im Zuge der römischen Bündnispolitik oder im Rahmen der Romanisierungsbestrebungen in Germanien selbst während der Regierungszeit des Kaisers Augustus nachhaltige Berührung mit der mittelmeerischen Zivilisation hatten. In der Breitenwirkung nicht zu unterschätzen ist der Umstand, daß viele Germanen gepreßt oder freiwillig in römischen Auxilien (Hilfstruppen) dienten, welche in Infanterie-, Kavallerie- und gemischte Verbände gegliedert, die Aktionen der Legionen tatkräftig zu unterstützen hatten. Während der langen Dienstzeit bekamen die Söldner zwangsläufig Einblick in die römische Taktik, aber auch in das Leben der römischen Grenzprovinzen. Wie schnell die ›Barbaren‹ lernten, zeigt unter anderem das Beispiel des Marbod, König der Markomannen, und wie Arminius, römischer Bürger im Ritterstand, seine germanischen Krieger nach den Grundsätzen römischer Taktik operieren ließ.

Auch wirtschaftlich haben diese Kontakte ihren Niederschlag in den historischen und archäologischen Quellen gefunden. Über die Grenzen hinweg herrschte ein reger Handel. Von den Hermunduren wird berichtet, daß sie freien Zugang zur rätischen Provinzhauptstadt *Augsburg* (Augusta Vindelicorum) hatten. Römisches Geld war in Germanien im Umlauf, wobei nach Tacitus »die Stücke mit gezahntem Rand und die mit dem Bild eines Zweigespanns« am beliebtesten waren. Nicht ohne Grund, denn es handelte sich hierbei um Denare republikanischer Zeit, deren Silbergehalt wesentlich höher als derjenige der nominal gleichwertigen kaiserzeitlichen Münzen mit den Bildnissen der Imperatoren war. Offensichtlich spielten diese Prägungen in der Naturwirtschaft Germaniens eine ähnliche Rolle wie bis in jüngste Zeit die ›Maria-Theresia-Thaler‹ in Ostafrika. Wesentlich war nicht der Nominal- sondern der Metallwert. Römische Geschäftemacher, vielleicht auch offizielle Stellen, scheinen die sachliche Barbarenschläue unterlaufen zu haben, indem Münzen aus einem silberummantelten Bleikern in den Handel gebracht wurden, Fälschungen, die in einzelnen Exemplaren als Bodenfunde aus dem freien Germanien überliefert sind.

Die Intensität des Handels und des Imports römischer Gebrauchs- und Luxuswaren nach Germanien – Beute aus Kriegszügen, Tribute und Ehrengeschenke sind hier im ›Import‹ mit eingeschlossen – zeigt sich eindringlich in den Bodenfunden des 1. bis 4. nachchristlichen Jahrhunderts. Bei der relativen Fülle des Materials ist aber immer zu bedenken, daß nur ein geringer Teil des ehemals Vorhandenen als Grabbeigaben, Weihe- oder Schatzfunde in den Boden gelangte und daß hiervon wiederum nur ein Bruchteil bekannt ist. Gerade die römischen Importgegenstände in den Gräbern aber sind es, welche die chronologische Untergliederung des Fundmaterials ermöglichen, so daß unter diesem Aspekt die Bezeichnung ›Römische Kaiserzeit im Freien Germanien‹ ihre Rechtfertigung findet.

DIE ÄLTERE RÖMISCHE KAISERZEIT

Die ältere römische Kaiserzeit im freien Germanien umfaßt im wesentlichen das erste und das zweite Jahrhundert bis zu den Markomannenkriegen in den Regierungsjahren des Kaisers Marc Aurel (161–180). Bis auf wenige militärische Unternehmungen und die durch den Bataveraufstand im Jahre 69/70 ausgelösten Unruhen im Zusammenhang mit der Nachfolge Neros herrschte ein relativ ausgewogenes Verhältnis zwischen Römern und Germanen an Rhein- und Donaugrenze, die in dieser Zeit durch den obergermanisch-rätischen Limes miteinander verbunden wurden. Im Inneren Germaniens herrschten die Zustände, wie sie von Tacitus in seiner ›Germania‹ beschrieben sind.

Tacitus und andere antike Autoren unterschieden bei den Germanen außerhalb des Imperiums fünf große Völkerschaften, bei denen es sich

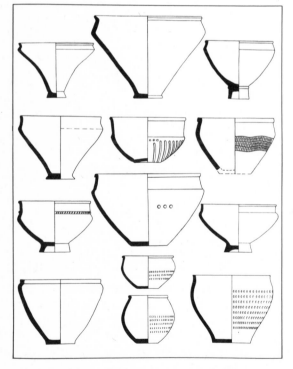

145   *Keramikformen der rhein-wesergermanischen Gruppe. Verschiedene Fundorte, 1. Jh. n. Chr. (Nach R. v. Uslar)*

möglicherweise auch um Kultgemeinschaften handelt (siehe S. 135ff.): Die *Istväonen* im Westen, die *Ingväonen* an der Nordseeküste, die *Herminonen* im Binnenland, die *Nerthusstämme* nördlich davon und im Osten die *Vandilier*. Erstaunlicherweise ergab die eingehende Analyse des archäologischen Materials aus diesen Räumen kombinations- und formenstatistisch abgesicherte Fundgruppen, die kartographisch weitgehend mit dem von den antiken Autoren gezeichneten Bild übereinstimmen.

VÖLKERSCHAFTEN UND FUNDGRUPPEN

Wesentliches Unterscheidungskriterium sind die Tongefäße und ihre Verzierung, daneben treten manche Fibelformen regional begrenzt auf. Andere Schmuckgegenstände hingegen haben allgemeine Verbreitung und sind gruppenspezifisch nicht aussagefähig. Im gesamten Untersuchungsgebiet herrscht im Grabritus weiter Brandbestattung mit ihren oben geschilderten Varianten vor. Insgesamt kann zwischen vier Gruppen unterschieden werden (Abb. 129): Die *rhein-wesergermanische Gruppe* ist zwischen Main, Rhein und mittlerer Weser, im südhannoverschen Bergland sowie in Thüringen verbreitet. Im keramischen Fundstoff treten meist unverzierte Situlen-, schüssel- und schalenförmige Gefäße mit Standfußbildung hervor (Abb. 145). Die Bestattungen sind als Urnen-, Brandgruben- oder Brandschüttungsgräber angelegt. Die Beigaben waren dem Scheiterhaufenfeuer ausgesetzt oder wurden seltener absichtlich zerschlagen und verbogen in den Grabgruben niedergelegt. Viele Bestattungen enthalten überhaupt keine Metallreste. Vielleicht ist die relative Beigabenarmut auf das Auslesen des wertvollen Rohstoffs aus dem Brandschutt zu erklären. Siedlungsfunde ergänzen das archäologische Bild. Im Verlauf des 1.Jahrhunderts ist eine Ausbreitung von Funden *rhein-wesergermanischen* Charakters bis ins Main- und Saalegebiet festzustellen.

Die *germanische Fundgruppe an der Nordseeküste* findet sich im niedersächsischen Küstengebiet, zwischen Ems und Weser und in Schleswig-Holstein (Abb. 129). Einer eindeutigen Beschreibung dieser Gruppe steht wie schon in der vorrömischen Eisenzeit die Sitte der Brandgrubengräber und die weitgehende Beigabenlosigkeit der wenigen Urnengräber gegenüber. Die Keramik – Standfußgefäße, Trichterschalen und Trichternäpfe – sind typologisch aus älteren Formen des ersten vorchristlichen Jahrhunderts entwickelt und zeigen in den Kontaktzonen mit den angrenzenden Formengruppen Übereinstimmungen (Abb. 146).

Überlieferungsbedingungen, intensive Feldforschung und die Zahl der geborgenen Gräber lassen die *elbgermanische Gruppe* gleich der älteren *Jastorf-Kultur* als prägnanten Formenkreis erscheinen, der in einer breiten Zone entlang der Elbe von Norddeutschland bis Böhmen ver-

146   Tongefäße des 1.-4.Jh.s aus germanischen Brandgräberfriedhöfen Nordwestdeutschlands. Verschiedene Fundorte. Niedersächsisches Landesmuseum, Hannover

161

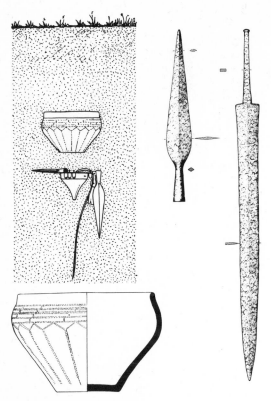

147 *Grabfund der älteren römischen Kaiserzeit aus Hamburg-Marmstorf. Der Leichenbrand des Kriegers war in der Urne mit Rollrädchenverzierung beigesetzt, in der sich auch die Bronzefibel fand. Unter dem Aschengefäß waren der Schild mit eisernem Stangenbuckel, eine Lanze und ein Speer sowie ein Kurzschwert römischer Provenienz, Länge 64 cm, niedergelegt. Die Waffen wurden bei der Bestattung rituell unbrauchbar gemacht. 1. Jh. n. Chr. (Nach Jacob-Friesen)*

breitet ist. Der schier unüberschaubare Bestand an Tongefäßen und Eisengerätschaften, Bronze und Silberschmuck des elbgermanischen Kreises ist nicht Folge einer besonders aufwendigen Totenausstattung, sondern durch die große Zahl untersuchter Gräber bedingt (Abb. 129).

In den bekannten Urnenfriedhöfen sind oft tausende von Bestattungen dicht nebeneinander angelegt. Der Leichenbrand wurde überwiegend in Urnen bestattet. Neben Tongefäßen als Aschenbehältnissen treten bronzene Gefäße unterschiedlicher Form und Herkunft auf. Beigefäße sind selten. Trachtzubehör und Beigaben waren in der Regel dem Feuer ausgesetzt. Eisen hat sich durch die ›Feuerpatina‹ relativ gut erhalten, während Gold-, Silber- und Bronzeschmuck, Beinkämme, Gläser, Glasperlen und ähnliches stark verschmolzen sind und nur in Fragmenten nachgewiesen werden können. Schwerter, Hiebmesser, Lanzen und andere sperrige Beigaben sind verbogen und im Aschengefäß oder in der Grabgrube niedergelegt (Abb. 147).

Die Bestimmung des Geschlechts der Bestatteten geschieht – abgesehen von neuesten chemischen Untersuchungen des Leichenbrandes – nach der geschlechtsspezifischen Art der Beigaben. Dabei ist auffällig, daß häufig auf bestimmten Friedhöfen nur Männer-, auf anderen ausschließlich Frauengräber nachzuweisen sind. Ob aus diesen Befunden auf getrennte Männer- und Frauenfriedhöfe geschlossen werden darf, bleibt beim derzeitigen Forschungsstand und der Quellenlage offen, weil eine große Zahl von Gräbern beigabenlos und kaum eine Nekropole vollständig untersucht ist.

Die Siedlungs- und Grabkeramik der elbgermanischen Gruppe ist in Formen der *Seedorf-Stufe* der Jastorf-Kultur verwurzelt und durchläuft eine bruchlose Entwicklung von der vorrömischen Eisenzeit bis in die jüngere römische Kaiserzeit. Tonangebend im Fundstoff sind schwarzglänzend polierte Tonsitulen, Terrinen und Pokale mit Standring. Auf den Gefäßschultern finden sich mit Rollrädchen aufgebrachte Mäander- und Stufenbänder; Girlanden-, Winkel- und Vertikalbänder schmücken den Gefäßfuß. Metallene Importgefäße in Form von Eimern, Ausguß- und Mischbecken, von denen die Henkelattaschen mutwillig abgerissen sind, wurden wie in den älteren Perioden als Urnen genutzt (Abb. 148).

Häufiger als an der Nordsee und im Rhein-Wesergebiet ist die Waffenbeigabe im elbgermanischen Bereich festzustellen. Waffengräber treten bereits in der zweiten Hälfte des letzten vorchristlichen Jahrhunderts vereinzelt auf und sind wahrscheinlich ostgermanisch beeinflußt, wobei die Waffenformen – Schwerter, Lanzen, Speere und Schilde – anfänglich keltische, später römische Herkunft verraten. Mengenstatistisch sind Waffengräber auch während der älteren römischen Kaiserzeit die Ausnahme; im jüngsten Abschnitt dieser Epoche können sie kaum noch nachgewiesen werden. Sporen und Trensen belegen die reiterliche

Komponente in den älterkaiserzeitlichen Bestattungen. Im Massenvergleich der elbgermanischen Befunde zeichnet sich der persönliche Sachbesitz der Bevölkerung ab. Zur Ausrüstung der Männer gehörten halbmondförmige eiserne Rasiermesser, die zusammen mit anderen Utensilien in einer ledernen Gürteltasche getragen wurden. Das Toilettegerät wird durch Kämme und eiserne Scheren ergänzt. Bogenmesser aus Bronze oder Eisen kommen in Männer- und Frauengräbern vor, während Feuerstahle (Schlageisen) eine typische Beigabe in Männergräbern sind. Schnallen, Riemenzungen und sonstige metallene Gürtelbeschläge treten vorwiegend in Männergräbern auf. Sie stellen die Reste von Leibgurten, Wehrgehängen und Schuhriemen dar, wobei die Silber-, Bronze- und Eisenbeschläge stilistisch von provinzialrömischen Formen beeinflußt sind. Wichtiger Bestandteil der germanischen Frauentracht sind Fibeln, kleine Gewandspangen mit federnder Nadelkonstruktion aus Silber, Bronze oder Eisen. Zur Frauentracht gehörten meist mehrere Fibeln, während bei den Männern häufig nur eine Gewandhafte den Mantel schloß.

Die Fibeln selbst sind, ähnlich wie die Gürtelbeschläge, stark von provinzialrömischen Formen beeinflußt, haben aber dennoch ihr eigenes Gepräge. In ihrer Formenvielfalt sind sie wichtiges Indiz zur chronologischen Differenzierung der Grabfunde. Darüber hinaus lassen sich in der Verbreitung bestimmter Typen regionale Konzentrationen erkennen, die wiederum Rückschlüsse auf bestimmte Trachtprovinzen erlauben. Schließlich sind als echte Beigaben in den Männergräbern noch die Trinkhörner zu nennen, wichtige Requisiten romantischer Germanenvorstellung. Von den aus Auerochs- oder Rindergehörnen hergestellten Trinkgefäßen haben sich nur die tüllenförmigen Spitzenbeschläge aus Bronze oder Silber, die metallenen Mündungseinfassungen und die feingliedrigen Trageketten erhalten. Auf importierte gläserne Trinkgefäße weisen verschmolzene Glasreste in den Brandgräbern hin.

148   Tongefäße (Urnen) aus dem elbgermanischen Friedhof von Darzau, Kr. Lüchow-Dannenberg, Niedersachsen. Die schwarzglänzenden Gefäße tragen Rollrädchenmuster in Form von Streifenmäandern, Swastiken und Winkelbändern, vereinzelt auch plastische Girlanden und Kanneluren. Niedersächsisches Landesmuseum, Hannover

Als vierte archäologische Provinz in Germanien während der römischen Kaiserzeit zeichnet sich eine *ostgermanische Gruppe* ab. Sie ist östlich der Oder im heutigen Polen verbreitet und reicht mit ihren Ausläufern bis an die Schwarzmeerküste. Westlich der Oder-Neiße-Linie treten Grabfunde ostgermanischen Charakters in Vorpommern, dem östlichen Brandenburg und in der Lausitz auf (Abb. 129). Typisch für diese Gruppe sind Brandgrubengräber, die mit den Scheiterhaufenrückständen auch die Reste der verbrannten Beigaben enthalten. Waffenbeigabe ist relativ häufig, die Frauengräber sind durch reiche Fibelkombinationen gekennzeichnet. Die Keramik unterscheidet sich in manchen Formen deutlich von der elbgermanischen Tonware. Im Dekor herrschen Mäandermuster vor, die jedoch im Gegensatz zur elbgermanischen Zierweise nicht mit dem Rollrädchen, sondern in Strichmanier eingeritzt sind. Ansonsten unterscheidet sich diese Gruppe von den westelbischen im Kulturbild nicht wesentlich.

FÜRSTENGRÄBER UND RÖMISCHER IMPORT

In dem von Brandbestattungen bestimmten archäologischen Milieu in Nord- und Nordostdeutschland hebt sich eine durch Bestattungsritus, Grabbrauch und Beigabenkombination umschriebene Gräbergruppe ab, die nach dem namengebenden Fundort als *Füstengräber vom Lübsow-Typ* bezeichnet werden (Abb. 149). Innerhalb der Gemarkung des mittelpommerschen Dorfes *Lübsow* wurden zu Beginn unseres Jahrhunderts an verschiedenen Stellen mehrere reiche Grabinventare unsachgemäß geborgen. Nachuntersuchungen in den dreißiger Jahren erbrachten nähere Erkenntnisse zu Grabbau und Bestattungsweise. Die durch auffallend viel römischen Import gekennzeichneten Inventare stammen fast ausnahmslos aus Körpergräbern. Die Toten waren in Baumsärgen in Nord-Süd orientierten, bis zu 8 Quadratmeter großen, steinummantelten hölzernen Grabkammern beigesetzt, die bis zu zwei Meter in den Boden eingetieft und überhügelt waren. Der aufwendige Grabbau geht einher mit auffälligem Beigabenreichtum. Zur Tracht der Toten gehörten meist mehrere, paarig getragene Silber- und Bronzefibeln sowie silberne Schmucknadelpaare und silberne und bronzene Gürtelbeschläge. An Körperschmuck treten goldene Fingerringe, Goldberlocks, Glas-, Filigran- und Bernsteinperlen auf. Außerhalb des Baumsarges in der Grabkammer fanden sich Bronzekämme, Messer, Scheren, Knochennadeln, Metallbeschläge von kleinen Schmuckkästchen und Spielsteine. Pferdetrensen, Sporen und Metallbeschläge von Trinkhornpaaren sind Belege für männliche Bestattungen, während qualitätvolle einheimische Keramik zur Aufnahme von Speise und Trank in den Gräbern beiderlei Geschlechts diente. In regelrechten Sätzen zusammenge-

149 *Verbreitung der Fürstengräber der Lübsow-Gruppe im 1. und 2. nachchristlichen Jahrhundert. (Nach Eggers)*

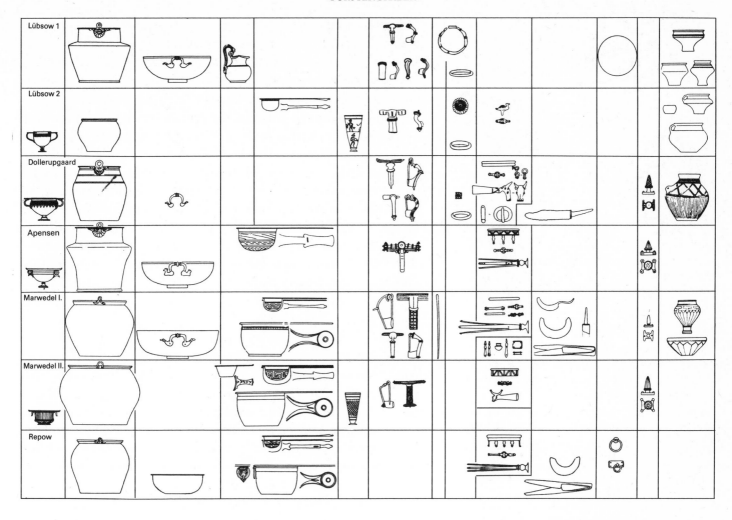

stellt, fand sich in den Gräbern dieser Gruppe römisches Silber- und Bronzegeschirr: Eimer, Becken, Becher, Kannen und Griffschalen, Teller und Kellen mit Sieb, Glasschalen und Glasbecher (Abb. 150).

Die *Fürstengräber der Lübsow-Gruppe* erweisen sich in Bauart, Bestattungsweise und Beigabenkombination im Gesamtbild ihrer Verbreitung als erstaunlich einheitlich und spiegeln in ihrer Ausstattung das Lebensbild einer gehobenen sozialen Schicht wider (Abb. 151). Eine soziologische Interpretation im Rahmen der älterkaiserzeitlichen Kultur gestaltet sich gleichwohl schwierig. Der Begriff ›Fürstengräber‹ impliziert die Vorstellung eines gemeingermanischen Adels, möglicherweise sogar eines Königtums, wie es für die Ostgermanen bei Tacitus überliefert ist. Bei kritischer Betrachtung zeigt sich jedoch, daß die Unterschiede zu den Brandgräbern nur im aufwendigen Grabbau und in der Leichenbestattung liegen, wobei letztere in gegensätzlichen religiösen Vorstellungen verwurzelt sein muß. Der Beigabenreichtum in den Gräbern vom

150 Tabellarische Darstellung der Beigaben in einigen ›Fürstengräbern‹ der älteren römischen Kaiserzeit. In den Spalten von links: Importierte Silber- und Bronzegefäße. Becher, Eimer (Mischgefäße), Siebe und Kasserollen zum Weingenuß, Bronzebecken und -kannen zur Toilette. Glasbecher, Bronze- und Silberfibeln, Hals- und Armschmuck, Trinkhornbeschläge, Rasiermesser und Scheren, Sporen aus Silber und Bronze sowie einheimische Tonware. (Nach Eggers)

Lübsow-Typ hingegen kann mit dem der Brandgräber nicht in Relation gesetzt werden, da die Erhaltungsbedingungen grundsätzlich verschieden sind. Aus den geringen Resten ist nur zu erahnen, was einem wohlhabenden Germanen alles mit auf den Scheiterhaufen gegeben wurde, das dann, wie der Leichnam selbst in Rauch aufging, zerstört wurde oder verlorenging. Glassplitter und verschmolzenes Metall können Glasbecher, Bronzegefäße und Edelmetallschmuck repräsentieren, wie sie in den Körpergräbern erhalten sind. Das Exzeptionelle bei den Gräbern vom Lübsow-Gruppe liegt somit nicht im Beigabenreichtum, sondern im unterschiedlichen Grabritus. Daß die in ihrer Erscheinung ungewöhnlichen Körpergräber und die ausstattungsmäßig vergleichbaren Brandbestattungen Begräbnisse der gesellschaftlich höheren Schichten sind, zeigt neben den Edelmetallbeigaben vor allem der römische Import. Mischkessel, Ausgußbecken, Kellen, Kasserolen, Schöpfer, Siebe und Becher stellen in wechselnder Kombination Trinkservices nach römischem Vorbild dar. Kannen und Griffpfannen dienten der Toilette (Abb. 150, 151).

Die gehobene germanische Gesellschaftsschicht übernahm römische Sitten und versuchte ganz offensichtlich, römische Lebensweise zu imitieren und hob sich damit von der Masse des Volkes ab. Auf welchem Wege und unter welchen Umständen die wertvollen Geschirre bis tief ins Innere Germaniens gelangten, ob als Beute, Gastgeschenke oder durch regulären Handel, bleibt der Phantasie des einzelnen überlassen. Wie intensiv der ›Import‹ war, beweist die Masse des einschlägigen Materials. Seine Datierung bildet das Gerüst zur chronologischen Gliederung der germanischen Funde der Kaiserzeit.

Was alles an römischen Tafelgeschirren in Germanien ›im Handel‹ war, zeigt der berühmte Schatzfund von *Hildesheim*. Ursprünglich in einer Truhe oder Kiste verpackt, waren nicht weniger als 68 Teile von silbernem Tafelgeschirr im Gesamtgewicht von 54 Kilogramm gegen Ende des 1. Jahrhunderts n. Chr. vergraben worden. Wie dieser Schatz, der ein Sammelsurium von Stücken unterschiedlichen Alters und unterschiedlicher Herkunft darstellt, zusammengekommen ist, wem er gehörte und warum er vergraben wurde, kann nicht geklärt werden. Möglicherweise handelt es sich um den Hausschatz eines germanischen Edlen.

151 Prunkgefäße aus dem Hildenheimer Silberfund. Kantaros, sog. Maskenbecher (Höhe 15 cm), und Silberkrater (Mischgefäß), Höhe 38 cm, Herkulesschale, teilvergoldet, und Minervaschale, Durchmesser 32 cm. Galvanoplastische Nachbildungen, Landesgewerbeanstalt, Nürnberg. Darunter Beigaben aus dem Fürstengrab von Marwedel II, vgl. Abb. 150. Teile des silbernen römischen Trinkservices mit Bronzesieb zum Abseihen des Weines, silberner Endbeschlag eines Trinkhornes in Stierkopfform und Silberfibel mit breiter Spirale und Zopfbandauflage. Niedersächsisches Landesmuseum, Hannover

»Tegumen omnibus sagum fibula aut, si desit, spina consertum ...« leitet Tacitus sein Kapitel 17 der *Germania* ein: »Als Kleidung dient allen ein Umhang, der mit einer Spange oder, wenn diese fehlt, mit einer Nadel zusammengehalten wird ...« Sonst, fährt er fort, sind sie zu Hause nicht weiter bekleidet, nur die Begüterten hätten ein besonderes Unterkleid, das straff am Körper anliege und die Glieder heraustreten ließe. Häufig seien, vor allem im Inneren Germaniens, Pelze und Fellkleider. Die Frauen hätten keine andere Kleidung als die Männer, nur trügen sie öfters Leinenkleider, die Arme und Brustansatz freilassen.

Dieses von Tacitus überlieferte, ärmliche Bild germanischer Tracht, das sicherlich als antiker Topos zu werten ist und den prunksüchtigen Römern die Schlichtheit germanisch-barbarischer Kleidung deutlich machen sollte (denn sinngemäß schreibt er weiter ... »obwohl die Kleider offenherzige Einblicke in das Dekolleté der Damen erlauben, herrscht trotzdem Sittenstrenge«), kann durch ikonographische und archäologische Zeugnisse korrigiert und ergänzt werden.

Wichtige Erkenntnisse zu Material, Schnitt und Webetechnik germanischer Kleidung in der Eisenzeit und römischen Kaiserzeit ergibt die Untersuchung der Moorleichen aus Nordwestdeutschland und Jütland. Moore oder vermoorende noch offene Gewässer hatten zu allen Zeiten etwas Unheimliches an sich. Unfälle und Verbrechen, aber auch Opferungen und Urteilsvollstreckungen mögen die Ursachen für die Versenkung von Menschen im Morast gewesen sein. Zahlreiche Moorleichen, nackt oder bekleidet niedergelegt, mit Reisig oder Steinen beschwert, gefesselt und mit schräg in den Boden gesteckten Pfählen im Moor festgehalten, zeigen Spuren gewaltsamer Tötung. Tödliche Stich- und Hiebverletzungen, Spuren von Henken und Erdrosseln lassen sich an den von Moorsäure gegerbten Leichen feststellen (Abb. 152). Zerschundene Frauenleichen mit verbundenen Augen und zur Hälfte kahl geschorenem Schädel finden sich. Übeltäter waren es offensichtlich, die zum Teil ihr schandbares Ende im Sumpf fanden: »... Feiglinge, Kriegsscheue und Perverse versenkt man im Schlamm und Moor und wirft noch Flechtwerk darauf«, schreibt Tacitus im 12. Kapitel der *Germania*. Die Schicksale und Hintergründe der Versenkung der einzelnen Individuen im Moor werden vielschichtig sein. Neben der Straftötung ist in einzelnen Fällen an Opferung oder rituelle Sonderbestattung im Sumpf zu denken. Die Erhaltung der Leichen ist je nach Zusammensetzung der Säuren in den einzelnen Mooren unterschiedlich. Manchmal haben sich nur Haut und Haare erhalten, während die Weichteile und Muskeln sowie die Knochen gänzlich aufgelöst sind. In anderen Fällen war nur das Skelett konserviert. Meistens bewegt sich der Erhaltungszustand zwischen diesen Extremen.

152 Kopf der Moorleiche von Tollund, Jütland, mit Lederhaube. An der Einschnürung des Halses ist deutlich zu sehen, daß der Mann erwürgt worden war, bevor er im Moor samt der Lederschlinge versenkt wurde. 1. Jh. n. Chr. Nationalmuseet, Kopenhagen

153 Germanische Mäntel der jüngeren vorrömischen Eisenzeit und der römischen Kaiserzeit. Links der Prachtmantel II aus dem Vehnemoor. Fadengerechte Rekonstruktion. 4. Jh. n. Chr. (Nach Schlabow). Rechts der Prachtmantel von Thorsberg, Kr. Neumünster, Schleswig-Holstein. In der fadengerechten Rekonstruktion erscheint der Tuchmantel blaugrau kariert mit abgesetzten weißen Bordüren. 3. Jh. n. Chr. Textilmuseum, Neumünster

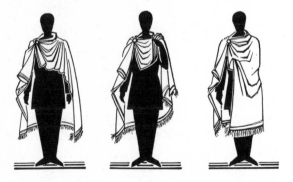

154 Form und Faltenwurf des Mantels der Moorleichen von Hunteburg, Kr. Wittlage, Niedersachsen. Jüngere vorrömische Eisenzeit. (Nach Schlabow)

Von höchstem kulturhistorisch-trachtkundlichen Wert sind die im Moor erhaltenen Kleidungsstücke (vgl. Abb. 153). Aufschlußreich ist ein Fund aus dem *Großen Moor bei Hunteburg* im Kreis Wittlage. Zwei junge Männer, 1,85 und 1,90 Meter groß, mit mittel- bzw. dunkelblondem Haar und kurz geschnittenem Bart waren, jeder in eine große Decke gehüllt, auf der Seite dicht nebeneinanderliegend regelrecht im Moor bestattet. Die Kopfpartien der beiden Leichen aus dem vierten oder dritten vorchristlichen Jahrhundert wurden bei der Auffindung im Torf stark in Mitleidenschaft gezogen, so daß unklar bleibt, auf welche Weise die Männer ums Leben kamen. Abgesehen vom persönlichen Schicksal und der Interpretation der ›Sonderbestattung‹, haben die beiden Decken eine besondere handwerks- und trachtgeschichtliche Bedeutung. Die Kanten der in einem Stück in Köperbindung gewebten Wolldecken von 3,00 zu 1,80 bzw. 2,60 zu 1,76 Meter Größe sind mit Bordüren in Brettchenweberei gefaßt. Eine Schmalseite ist mit Fransen verziert. Bei den beiden Decken aus der jüngeren vorrömischen Eisenzeit handelt es sich um ärmellose Mäntel, wie sie noch von Tacitus beschrieben werden.

Die lange Lebensdauer und vielseitige Funktion dieses Kleidungsstückes zeigt die Rekonstruktion des Prachtmantels aus dem *Vehnemoor*. Als Original liegt ihr eine in mehreren Fragmenten um ein kleines emailliertes Bronzegefäß des 2. Jahrhunderts n. Chr. gewickelte Decke zugrunde, die 1880 beim Torfstechen im oldenburgischen *Wardenburg* gefunden wurde. Die Nachbildung ergab ein auf dem ›stehenden Webstuhl‹ mit kompliziertem Rautenkörper hergestelltes Tuch von 3 mal 1,8 Metern dessen Ränder allseitig mit einer kunstvollen Kante in Brettchenweberei versehen sind und an zwei Seiten noch sorgfältig geflochtene Fransen besitzt. Farblich kontrastierte das ursprüngliche Hellbeige des Mantels mit den leuchtend rot und beige gestreiften und braun abgesetzten Kanten. Wie derartige Decken als Mäntel funktionierten, haben praktische Versuche gezeigt. Sie wurden in der Längsbahn doppelt gefaltet, über die Achsel gelegt und auf der rechten Schulter durch eine Gewandspange zusammengehalten. Der rechte Arm und die Beine blieben frei, doch konnte man sich bei Bedarf auch vollständig in dieses Mehrzweckkleidungsstück einhüllen (Abb. 154).

Für die nachchristliche Eisenzeit sind in den Mooren Nordwestdeutschlands als männliche Bekleidungsstücke noch ärmellose und langärmelige Hemdblusen sowie Knie- und Knöchelhosen nachgewiesen. Vereinzelt treten Kopfbedeckungen in Form von pelzverbrämten Lederkappen auf. Vom Unterzeug ist nichts erhalten, da dieses wohl aus Leinen bestand und von den Gerbsäuren zersetzt wurde. Dies wird auch einer der Gründe sein, weshalb von der Frauentracht in den Moorfunden wenig überliefert ist. Der Denkmälerbestand ist auf einen kurzen

Wollrock und einen Fellkragen sowie mehrere bodenlange Röcke und einteilig gewebte Kleider beschränkt. Daß die Frauenkleidung dennoch relativ aufwendig war, zeigen neben römischen Bilddarstellungen vor allem die Fibeln, welche die einzelnen Kleidungsteile zusammenhielten. In den Brand- und Körpergräbern kamen sie manchmal in bis zu drei Paaren vor (Abb. 155).

Die aus den Moorfunden gewonnenen Erkenntnisse dürfen allerdings nicht generalisiert werden. Sie erfassen vielleicht nur eine nordwestdeutsche Trachtgruppe, die etwa der ›germanischen Gruppe an der Nordseeküste‹ entspricht (Abb. 129), während das ›rhein-wesergermanische‹, das ›elbgermanische‹ und das ›ostgermanische‹ Gebiet durchaus spezifische Trachteigentümlichkeiten aufweisen könnte. Mantel, Überhemd und Hosen in den verschiedensten Varianten sind jedoch überall als germanische ›Grundtracht‹ vorauszusetzen. Komplizierte Webmuster und Farbe der Kleidungsstücke, Frauenschmuck und metallbeschlagene Gürtel der Männer, so wie sie in den Brand- und Körpergräbern überliefert sind, stehen jedenfalls in eindeutigem Gegensatz zu der eingangs erwähnten taciteischen Äußerung über die Schlichtheit der germanischen Tracht.

Ähnlich vorsichtig werden auch die Äußerungen von Tacitus über die Bewaffnung der Germanen zu intepretieren sein (*Germania 6*). Er beschreibt sie im wesentlichen als auf Speer mit scharfer Eisenspitze und bemalten Schild beschränkt. Schwerter und schwere Lanzen oder gar Helme und Panzer seien sehr selten. Die Wertschätzung der Waffen in der germanischen Männerwelt, die in ihren späten Ausläufern noch prägnant bis ins hohe Mittelalter verfolgt werden kann, zeigt sich in dem Hinweis, daß »keine Angelegenheit, weder öffentlicher noch privater Art, anders als in Waffen erledigt wird« (Tacitus, *Germania 13*). Die Waffenweihe, d.h. die Ausstattung eines jungen Mannes mit Speer und Schild, machte ihn überhaupt erst zum vollwertigen Mitglied der Gesellschaft. Einem Römer mußte die Waffenausrüstung eines germanischen Heerhaufens aber unzulänglich erscheinen. Er hatte als Vergleich die Uniform der schwer bewaffneten römischen Legionssoldaten und die einheitlich ausgerüsteten Hilfstruppen vor Augen, deren Schutz- und Trutzwaffen in den hochkulturlich organisierten ›fabricae‹ sozusagen in Großproduktion hergestellt wurden.

Die Entwicklung der eisenzeitlichen Waffenformen und der Bewaffnung im norddeutschen Raum ist aufgrund des allgemeinen Fehlens der Waffenbeigabe in den Brandgräbern kaum darzustellen. Neben den importierten bronzenen und eisernen Hallstattschwertern (siehe S. 152), sind für die ältere Eisenzeit nur kleine Lanzenspitzen und Dolchmesser nachweisbar. Etwas später kommen nach Ausweis dänischer Moorfunde einschneidige Kurzschwerter, Lanzenspitzen und Schilde ver-

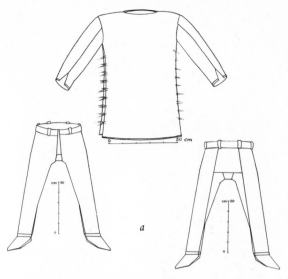

155 *Männerkittel sowie Vorder- und Rückseite einer langen Hose mit Gürtelschlaufen und Fußlappen aus dem Moor von Thorsberg. Römische Kaiserzeit. (Nach Schlabow). Darunter vornehmer Germane mit langärmeligem Kittel, lange Hose und fransenbesetztem Mantel neben einer Frau mit ähnlichem Überwurf und langem, mehrfach gerafftem Kleid (b). Ausschnitt aus der ›Schlacht gegen die Barbaren‹ auf dem Marmorsarkophag eines römischen Generals unter Marc Aurel. Rom, Museo Nazionale*

156 Auxiliarsoldat in leichter Bewaffung auf einem Grab-stein von Bingerbrück. Der 81 cm breite Stein zeigt Annaius Daverzus, Soldat der IV. Delmatarer Kohorte mit Gladius, Dolch und zwei leichten Lanzen. 1. Jh. n. Chr. Museum Bad Kreuznach

schiedener Form und vereinzelt Kettenpanzer in Gebrauch. Auf die Knappheit von Eisen weisen eine Reihe von zu Speerspitzen zugeschnittenen Röhrenknochen und Geweihstangen hin. Über Lanzen- und Speerschäfte aus Eschenholz geben uns wiederum Moorfunde Auskunft. Einige der bis zu 3 Meter langen Waffen sind an beiden Enden zugespitzt, andere sind am unteren Ende verdickt. Reste von Schnurumwicklungen zeigen, daß die Speere mit Hilfe einer Schlinge geschleudert wurden.

Die jüngere vorrömische Eisenzeit ist durch das umfangreichere Auftreten neuer Waffenformen aus dem keltischen Latènebereich gekennzeichnet. Bedingt durch die Sitte der Waffenbeigabe ist die materielle Einwirkung der Latènekultur am frühesten und ausgeprägtesten in den ostgermanischen Gräberfeldern Schlesiens und des Oder-Weichsel-Raumes festzustellen. Um Christi Geburt ist diese Sitte vorübergehend auch vereinzelt in den anderen Gebieten nachweisbar. Neben zweischneidigen Langschwertern mit Schlagmarken und Metallscheiden erscheinen große, manchmal mit Silbereinlagen versehene Lanzenspitzen. Schwere einschneidige Hiebschwerter mit Holz- oder Metallscheiden und kleinere Kampfmesser setzen die Tradition einheimischer Waffenformen fort. Als Fernwaffen sind Speere mit Widerhakenspitzen typisch, während Pfeil und Bogen offensichtlich keine Rolle spielten. Als Schutzwaffe stand weiterhin der Schild im Vordergrund, wobei die metallenen Schildbuckel auf keltischen Einfluß zurückzuführen sind. Ihre Entwicklung von der einfachen Band- zur spitzenbewehrten Buckelform läßt Rückschlüsse auf Änderungen in der Taktik zu. Die Schutzwaffe wurde im Nahkampf zugleich zum Stoß verwendet. Auf den Kampf Mann gegen Mann weist auch das häufigere Auftreten von Schaftlochäxten hin, wobei Sporen in zahlreichen Gräbern berittene Krieger bezeugen (Abb. 158).

Inwieweit sich aus den Waffenformen und ihrer Kombination in den Gräbern Rückschlüsse auf die jeweils typische Kampfweise ziehen lassen, kann nur angedeutet werden. Das gilt besonders für die ältere vorrömische Eisenzeit mit ihrer archaisch, wenn nicht überhaupt primitiv wirkenden Bewaffnung. Im jüngeren Abschnitt ist die Rüstung waffentechnisch dem Niveau der keltischen Latènekultur angeglichen. Schwere Hiebwaffen, Lanzen und Schilde betonen die Bedeutung des Nahkampfes. Am Ende der Entwicklung ist eine bevorzugte Kombination von Lanze, Speer und leichtem Schild und zugleich ein Zurücktreten der schweren Waffen festzustellen, die mit dem vermehrten Auftreten von Sporen als Hinweis auf Reiterei einhergeht. Offensichtlich zeigt sich hierin ein Trend zur leichten beweglichen Kampfweise, in der der verbissene Nahkampf vermieden wurde. Wahrscheinlich ist diese Tendenz in unmittelbarem Zusammenhang mit den historischen Ereignissen während der Germanenkriege zu sehen. Eine flexible Taktik – schnelle Attacken und sofortiges Lösen vom Gegner – war die einzige Möglichkeit der germanischen Bauernkrieger, den militärisch gedrillten, schwer bewaffneten römischen Berufssoldaten zu widerstehen. In der offenen Feldschlacht und im Nahkampf hatten sie – wie das schon die Gallier samt ihrer typischen Bewaffnung unter Vercingetorix erfahren mußten – aufgrund der waffentechnischen und taktischen Überlegenheit der römischen Truppenkörper keine Chance.

Die beinahe standardisierte Waffenkombination – Lanze, Speer und leichter Schild – ist auch während der älteren Kaiserzeit typisch für die Bewaffnung im freien Germanien. Zugleich aber macht sich, vor allem bei den Schwertern, die als Waffen wohl mehr den Charakter von Rangzeichen hatten, römischer Einfluß bemerkbar, wenn es sich nicht überhaupt um römische Importstücke handelte. Allgemein ist eine Angleichung der Schwertformen an die römische Stichwaffe, den Gladius, festzustellen. Ringknaufschwerter werden von der römischen Reiterei samt den zugehörigen Scheiden und metallbeschlagenen Wehrgehängen übernommen oder im Lande selbst kopiert. Weiterhin im Gebrauch blieben leichte einschneidige Hiebschwerter und der übrige Kanon der Waffenformen der jüngsten vorrömischen Eisenzeit. Kettenpanzer sind in einigen Exemplaren als Weihefunde aus Mooren bekannt. Auffällig ist, daß trotz der stark spürbaren römischen Einflüsse auf die Formen und das schmückende Zubehör in der germanischen Bewaffnung während des 1. und 2. Jahrhunderts nur übernommen wurde, was in das Konzept der leichten Rüstung und beweglichen Kampfweise paßte. Gladius, Pilum, Helm, Plattenpanzer und römische Schilde sind, obwohl sie sicherlich häufig in die Hände von Germanen fielen, nur ausnahmsweise in Germanien gefunden worden. Faßt man die Fakten zu Tracht und Bewaffnung eines Germanen der älteren Kaiserzeit zusammen, so stellt sich das Idealbild eines vornehmen Kriegers als ein Mann mit langem Haupthaar, Blusenhemd und Hose sowie über der rechten Schulter geschlossenem Mantel dar, dessen Füße mit gespornten Bundschuhen bekleidet sind. Metallbeschlagener Leibgurt und an der Hüfte getragenes Schwert im ebenfalls verzierten Wehrgehänge, Lanze, Speer und Schild runden das wahrscheinlich farbenfrohe Erscheinungsbild ab. Erstaunlicherweise unterscheidet es sich im äußeren Habitus kaum von dem eines leicht bewaffneten Auxiliarsoldaten, wie es auf römischen Grabsteinen überliefert ist (Abb. 156).

Ein allmählicher Wandel in der Bewaffnung ist erst im Laufe der jüngeren und vor allem der späten römischen Kaiserzeit, dem 3. und 4. Jahrhundert, festzustellen. Quellen sind, neben ostgermanischen Grabfunden, die Waffenopfer in den dänischen und südskandinavischen Mooren, weil Waffenbeigabe im norddeutschen Raum zu dieser Zeit

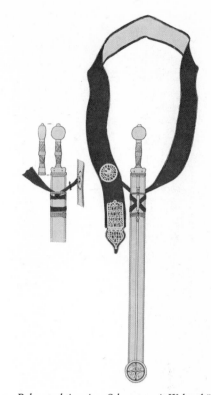

157 *Rekonstruktion eines Schwertes mit Wehrgehänge. Das römische Reiterschwert mit reich verziertem Dosenortband wurde an einem breiten, mit durchbrochen gearbeiteten Zierbeschlägen besetztem Schultergurt getragen. (Nach Oldenstein)*

158 *Speerspitzen und Widerhakenlanzenspitze, Länge*
30 cm, sowie ein bronzener Reitersporn aus Gräbern der
jüngeren Kaiserzeit in Camburg, Kr. Jena, Bez. Gera.
Germanisches Nationalmuseum, Nürnberg

nicht üblich war. In Gräbern und Mooren treten nur noch zweischneidige Schwerter auf, bei denen drei Haupttypen zu unterscheiden sind: gladiusartige Kurzschwerter, Rapiere mit langer kantiger Klinge und am häufigsten die Spatha, eine Schwertform mit flacher Klinge und nahezu parallel verlaufenden Schneiden. Sie ist eine der Waffenformen, die stetig weiterentwickelt bis in das späte Mittelalter in Gebrauch ist. Die Scheiden der Schwerter, oft kunstvoll verziert, bestanden aus fellgefütterten flachen Holzschalen und waren außen mit Leder überzogen. Zierbeschläge aus Metall – Ortbänder, Scheidenmundbleche und vor allem die Riemendurchzüge bzw. Schwerttragebügel bezeugen, daß die Schwerter nach römischem Vorbild an breiten metallbeschlagenen Schultergurten getragen wurden (Abb. 157). Die auf Eschenholz geschäfteten Lanzen- und Speerspitzen besaßen anfänglich noch eine große, wohl funktionsbedingte Variationsbreite. In der späten Kaiserzeit, dem 4. Jahrhundert, fallen bajonettartige Vierkant- und langtüllige Widerhakenspitzen auf. Bemerkenswert ist, daß in den wenigen bekannten Grabfunden eine genormte Kombination von schwerer Lanzenspitze mit geschweiftem Blatt und langtülliger Widerhakenspitze häufig vorkommt (Abb. 158).

Massiert treten jetzt wieder Äxte als Nahkampfwaffen auf. Die Schilde waren nach Ausweis der Moorfunde kreisrund mit einem Durchmesser von einem halben bis zu einem Meter und besaßen entweder kalottenförmige oder konische Schildbuckel. Vereinzelte Beispiele sind stangenbewehrt, mit Silber plattiert und mit Steineinlagen verziert. Sie dürften wohl Kennzeichen gehobener militärischer Führer nach spätrömischem Vorbild gewesen sein. Neu im Waffenarsenal sind Pfeil und Bogen, die häufig mit Lanze oder Speer, Beil und Schild kombiniert auftreten. Nach dem Vorkommen von Pfeilspitzen aus Bronze oder Silber in Verbindung mit silbernen Sporenpaaren in den reichen mitteldeutschen Gräbern der jüngeren Kaiserzeit scheint der Fernwaffe, Pfeil und Bogen, in diesem Zeitabschnitt eine besondere Bedeutung zugekommen zu sein, die wahrscheinlich mit einer neuerlichen Umstellung der Kampftaktik zusammenhängt. In Mooren gebündelt niedergelegte Bögen deuten auf germanische Bogner-Gruppen hin, möglicherweise eine Antwort auf die seit dem späten 2. Jahrhundert verstärkt eingesetzten orientalischen Bogenschützeneinheiten in der römischen Armee.

DIE JÜNGERE UND DIE SPÄTE RÖMISCHE KAISERZEIT

Oberflächlich betrachtet stellt sich die archäologische Hinterlassenschaft der jüngeren römischen Kaiserzeit in weiten Teilen der Germania Magna als kontinuierliche Weiterentwicklung der materiellen Kultur aus älteren, einheimischen Formen dar. Datierendes Moment in der schematischen Chronologie der etwa zweihundert Jahre umfassenden Periode ist weiterhin der römische Import. Daneben bilden die Markomannenkriege in der zweiten Hälfte des 2. Jahrhunderts und der Zusammenbruch der römischen Grenzverteidigung ein Jahrhundert später historische Zäsuren, die zur archäologischen Periodisierung in eine ›jüngere‹ und in die ›späte Kaiserzeit‹ des 4. Jahrhunderts beitragen.

Das Gebiet beidseits der Elbe und in Nordostdeutschland zeigt viele Gemeinsamkeiten in den Grabsitten, Schmuck- und Tongefäßformen. Vorherrschend ist weiterhin die Urnenbestattung, neben der Brandschüttungen und Knochenlager in Flachgräbern vorkommen. Später treten gebietsweise Hügelgräber von ca. 10 Meter Durchmesser auf, die manchmal von einem Kreisgraben mit Öffnung nach Südosten eingefaßt sind. Die Tradition der älteren ›Fürstengräber‹ setzen Körpergräber mit relativ reichen Beigaben fort. Eine allgemeine Erscheinung ist die Reduzierung der Beigaben. Waffen verschwinden weitgehend aus den Inventaren. Als Urnen werden in der Regel kleine weitmündige Schalen verwendet, in denen der sauber ausgelesene Leichenbrand und die Beigabenreste verwahrt sind. Die Grabkeramik stellt, wie Siedlungsfunde zeigen, eine Auswahl des tatsächlich vorhandenen keramischen Formenvorrats dar. Die Profile der Gefäße sind streng dreigegliedert, die Unterteile oft kanneliert und die Umbrüche durch Horizontalwülste konturiert. Erstmals tritt in dieser Zeit eine im Lande selbst hergestellte Drehscheibenware auf. Diese Keramik, in Technik und Form höchstwahrscheinlich von römischer Terra-nigra-Ware angeregt, ist dünnwandiger

159   Tongefäße der späten römischen Kaiserzeit aus Mitteldeutschland (links) und Wehrstedt, Kr. Hildesheim, Niedersachsen mit schlichter Ritzverzierung. Höhe 8,3 cm. Germanisches Nationalmuseum, Nürnberg

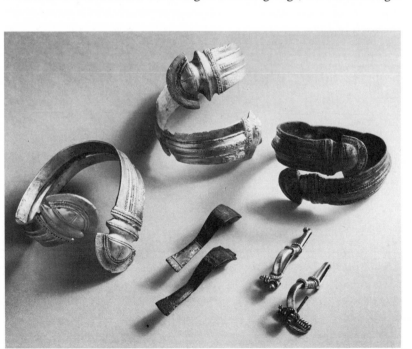

160   Bronze- und Silberschmuck aus Gräbern der jüngeren Kaiserzeit. Paare von silbernen Armringen und Silberfibeln mit umgeschlagenem Fuß, Länge 5,3 cm, aus Hirschfeld, Ostpreußen. Ein entsprechender bronzener Schlangenkopfring aus Elbing in Westpreußen und ein Fibelpaar aus Bronze mit bandförmigem Bügel und Kerbschnittdekor von Camburg, Bez. Gera. Germanisches Nationalmuseum, Nürnberg

und feintoniger als die handgemachten Vergleichsexemplare (Abb. 159). Sie heben sich deutlich ab von den sogenannten ›spätrömischen Töpfen‹, einheimischen handgearbeiteten, grob gemagerten Gefäßen aus rötlichbraunem Ton von gedrungener Form, weiter Mündung und geschlicktem Unterteil. Der weit verbreitete Typ ist bis in die Völkerwanderungszeit in Verwendung.

An Kleiderschmuck kommen in den Gräbern Fibelformen vor, die sich deutlich von den älteren, stärker provinzialrömisch beeinflußten Typen unterscheiden (Abb. 160). Scheibenfibeln aus Bronze mit aufgelegten figürlich verzierten Preßblechen sowie Fibeln mit Bügelplatte und Preßblechzier sind frühe Denkmale originaler germanischer Kunst. Silberne Fingerringe, Schlangenkopfarmringe, Halsringe, Perlen und Knochenkämme ergänzen das fragmentarische Bild weiblicher Tracht und kunsthandwerklichen Schaffens (Abb. 161).

Die fortwährenden Kontakte zum Römerreich zeichnen sich in einem breiten ›Importstrom‹ ab. Provinzialrömisches Tafelgeschirr aus Ton in Form von Terra-sigillata- und Terra-nigra-Servicen, Spruchbecher und zum Teil szenisch bemalte Glasbecher, Bronzegeschirr und Bronzegerät und selbst Götterstatuetten gelangten in die Gräber Germaniens. ›Hemmoorer Eimer‹, gegossene Messingeimer mit Standfuß, steiler Wandung und Henkel, die sorgfältig auf der Drehbank nachgearbeitet und zuweilen mit Tierfriesen versehen sind (Abb. 162), dienten einer gehobenen sozialen Schicht in Nordwestdeutschland als Aschengefäße. Reste reicher Beigaben von Silber-, Gold und Bronze sowie Spielsteine betonen die gestiegenen Ansprüche führender germanischer Kreise in diesen Gebieten, deren materielle Hinterlassenschaft ansonsten auf ältere Formen der ›germanischen Gruppe an der Nordseeküste‹ zurückzuführen ist (Abb. 129).

161   Bernsteinkette aus einem Frauengrab des 4. Jahrhunderts von Werbach, Kr. Tauberbischofsheim, Baden-Württemberg. Germanisches Nationalmuseum, Nürnberg

162   Oberteil eines gegossenen Bronzeeimers (b) mit tordiertem Henkel vom Typ ›Hemmoor‹, vgl. Zeichnung (a) nach Jacob-Friesen. Zwischen zwei Ornamentbändern ist ein Jagdfries zu sehen. Tierbilder wie sie auf den Hemmoorer Eimern und auf sonstigen Importgegenständen nach Germanien gelangten, haben sicher die Phantasie der heimischen Kunsthandwerker angeregt und schließlich zur Herausbildung eines eigenständigen germanischen Kunststils geführt.
Niedersächsisches Landesmuseum, Hannover

a
b

174

Differenzierter und damit leichter interpretierbar stellen sich die Verhältnisse in Mitteldeutschland dar. Im Lauf der älteren römischen Kaiserzeit waren das Thüringer Becken und das mittlere Saalegebiet allmählich Teil des ›rhein-wesergermanischen Kreises‹ geworden. Das nördliche und östliche Mitteldeutschland blieb im Fundgut elbgermanisch bestimmt. Im 3. Jahrhundert kann dann der gesamte Raum aufgrund bestimmter Schmuck- und spezifischer Keramikformen wieder als elbgermanisch bezeichnet werden. Der archäologisch relevante Kulturwandel war offensichtlich nicht durch einen Bevölkerungswechsel bedingt. Älterkaiserzeitliche Siedlungen bestehen fort, und die Brandgräberfriedhöfe werden kontinuierlich weiterbelegt. Im Fundstoff selbst sind rhein-wesergermanische Formenentwicklungen wirksam. Ein historisch nicht überlieferter, sicher politisch fundierter Überschichtungsprozeß, der die Ausweitung elbgermanischer Einflußsphären dokumentiert, ist rekonstruierbar.

DIE MITTELDEUTSCHE SKELETTGRÄBERGRUPPE

Während im 3. Jahrhundert Grabritus und Keramikformen in Mitteldeutschland noch eindeutig an den elbgermanischen Kreis anschließen, setzt mit dem Aufkommen der sogenannten ›Mitteldeutschen Skelettgräbergruppe‹ eine eigenständige politisch-kulturelle Entwicklung ein, die schließlich im *Thüringerreich* des 5. und 6. Jahrhunderts ihre historischen Dimensionen erreicht.

Am Anfang stehen die ›Fürstengräber‹ vom Typ *Haßleben-Leuna*. Im berühmten ›Fürstinnengrab‹ von *Haßleben* nördlich von Erfurt ruhte die Tote in einer ehemals mit Holz verschalten Grabkammer, deren Sohle in drei Meter Tiefe lag und drei Meter lang und fast zwei Meter breit war. Die Verstorbene lag in Nord-Süd-Richtung im Südwestteil der prunkvoll mit Gebrauchs- und Schmuckgegenständen sowie Geschirr- und Speisebeigaben ausgestatteten Kammer. Ursprünglich war alles mit Tüchern abgedeckt, von deren Gewebe sich oxidierte Reste auf den Bronzegefäßen erhalten haben (Abb. 163). Das feingewebte Kopftuch der Toten war mit zwei Silbernadeln im Haar befestigt. Ein verzierter Goldring mit Öse lag um den Hals. Ein Prunkkollier aus Glas, Goldperlen, Berlocken, goldenen und silbernen axtförmigen Anhängern und drei durchlochten, römischen Aurei schmückten die Brust. Im selben Bereich lag noch eine Bernsteinkette mit achterförmigen Anhängern. Paare von silbernen Zwei-Rollen-Fibeln und bernsteinbesetzten Tutulusfibeln hielten Ober- bzw. Untergewand zusammen, das von einem schlichten Gürtel mit Silberschnalle und Riemenzunge gerafft wurde, an dem ein Beuteltäschchen mit zwei Silbermesserchen und einer silbernen Stopfnadel herabhing. Zwei Knochennadeln, ein Kamm und zwei große Glasperlen lagen daneben. An der Hand trug die Dame einen schweren

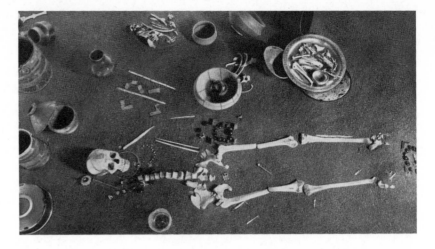

163 *Das Grab der ›Fürstin‹ von Haßleben, Kr. Erfurt in Thüringen in musealer Rekonstruktion mit den Originalfunden. Frühes 4. Jh. n. Chr. (Nach Behm-Blancke)*

164 *Holzeimer, Höhe 18,6 cm, mit Silberbeschlägen und verziertem Silberbügel aus dem Grab der ›Fürstin‹ von Haßleben. Museum für Frühgeschichte Thüringens, Weimar*

granulierten Goldring mit gefaßtem Almandin. Vom Riemenwerk der Beinbekleidung waren noch ein Paar Silberschnallen erhalten. Im Mund der Toten fand sich als Grabobulus nach antikem Brauch eine Goldmünze des Kaisers Gallienus. Weiteres Geschmeide, so ein Paar schwere Goldfibeln mit gefaßten Bernsteinperlen, ein silberner Fingerring und zwei Bernsteinketten, war in zwei metallbeschlagenen Schmuckkästchen niedergelegt. Haushalts- und Tafelgeschirr, zum Teil mit Speiseresten von Schaf, Ziege, Gans, Huhn, Wildbret und Fisch, waren in der Grabkammer verteilt. Darunter fanden sich acht Tongefäße einheimischer und römischer Provenienz, zwei Holzeimer mit Messing- und Silberbeschlägen (Abb. 164), römisches Tafelgeschirr aus Bronze und Silber sowie ein vollständiges Weinservice mit Bronzeeimer, Kasserole und Sieb, vier Glasbecher und ein kleiner Silberlöffel. Geht man davon aus, daß die Grabkammer – wie wir aus späteren Beispielen wissen – mit Mobiliar ausgestattet und die Wände möglicherweise mit Tüchern behängt waren, so ist das Grab von Haßleben in der Tat als ›fürstlich‹ zu beurteilen.

Ein in seiner Ausstattung gleichwertiges, wenn auch nicht so reiches ›Fürstengrab‹ wurde in *Leuna bei Halle* geborgen. Der Tote lag ebenfalls Nord-Süd orientiert in einer geräumigen, holzverschalten, fast drei Meter in den Boden eingetieften Kammer. Obwohl das Grab antik beraubt war – die Frevler hatten es offensichtlich auf den Edelmetallschmuck abgesehen –, gibt der Rest des Inventars immer noch die Vorstellung einer weit überdurchschnittlichen Ausstattung (Abb. 165). Von der Ausrüstung des Toten waren noch ein Paar reich verzierte Silbersporen, ein Bogen und zwei Pfeile mit silbernen Spitzen erhalten. Unberührt an der rechten Seite der Grabkammer standen zwei Fußschalen, ein Faltenbecher, eine römische Bronzegeschirrgarnitur sowie eine Silberschale, Glasbecher, Glastablett und Silberlöffel. Weiterhin gehörten zum Inventar ein großes Tablett aus Lindenholzbrettchen mit Bronzeteller, eine Elfenbeinschatulle, eine große Bronzeschüssel und ein Brettspiel mit an die 60 Spielsteinen aus einer glasartigen Masse.

Das Auftreten der Körpergräber vom Typ Haßleben-Leuna und der bald darauf einsetzenden, einfacher ausgestatteten *Mitteldeutschen Skelettgräber* in einem durch Brandbestattungen gekennzeichneten archäologischen Milieu hat zu vielerlei Überlegungen, Interpretationen und Spekulationen Anlaß gegeben. Das plötzliche Vorkommen von außergewöhnlich reichen Körpergräbern in der Zeit um 300 wurde vielfach mit einer Einwanderung fremder Gruppen erklärt und der Reichtum der Bestattungen auf ihre Beteiligung an den Kriegszügen ins Römerreich während der zweiten Hälfte des 3. Jahrhunderts zurückgeführt. Zweifellos handelt es sich bei diesen Gräbern um die Bestattungen der führenden Schicht, was nicht nur der Beigabenreichtum wahrscheinlich macht. Die Toten wurden in kleinen Sippengrablegen bestattet, die von den gleichzeitigen Urnenfriedhöfen abgesondert sind und schon damit den sozialen Abstand von der breiten Bevölkerungsschicht dokumentieren. An diesem ›frühen Adel‹ orientierte sich, zumindest im Grabbrauch, im Laufe der Zeit auch das übrige Volk (Abb. 166). Brand- und Körperbestattungen kamen zumindest am Beginn des 4. Jahrhunderts ganz offensichtlich noch nebeneinander vor, bis schließlich das Leichenbegräbnis das Totenritual beherrschte. Möglicherweise ist dieser Vorgang in ursächlichem Zusammenhang mit den Funeralsitten in den römischen Provinzen zu sehen, da dort etwa zur gleichen Zeit die Brandbestattung allmählich vom Leichenbegräbnis abgelöst wurde. Enger Kontakt und die überall festzustellende Orientierung der germanischen Oberschicht an den gehobenen römischen Lebensstandard waren vielleicht ausschlaggebend für den Wandel im Bestattungsbrauch, worauf nicht zuletzt die als Obolus beigegebenen Goldmünzen in den Gräbern von *Haßleben* deuten, eine Sitte, die bis dahin in Germanien unbekannt war.

Die Zusammenfassung der archäologischen Fakten zeigt, daß unter rein prähistorischen Aspekten im norddeutschen Raum im allgemeinen eine kontinuierliche Entwicklung bis weit in das 4. Jahrhundert n. Chr. festzustellen ist. Anders hingegen in Mitteldeutschland, wo das alte Brauchtum der Totenverbrennung durch die Leichenbestattung zu Beginn des 4. Jahrhunderts abgelöst wird und zugleich eindeutig eine führende Schicht faßbar wird, die offensichtlich integrierende Kraft der thüringischen Stammesbildung ist. Modellhaft wird im Vergleich beider Regionen deutlich, daß politische und gesellschaftliche Ereignisse oder Entwicklungen von großer Tragweite nicht unbedingt eine archäologische Resonanz haben müssen. Denn auch für Nord- und Westdeutschland sind nach den historischen Quellen tiefgreifende politische Änderungen im Verlauf der jüngeren römischen Kaiserzeit anzunehmen.

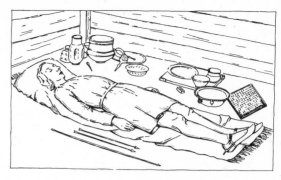

165 Zeichnerische Rekonstruktion des antik beraubten ›fürstlichen‹ Männergrabes von Leuna, Kr. Merseburg. (Nach W. Schulz)

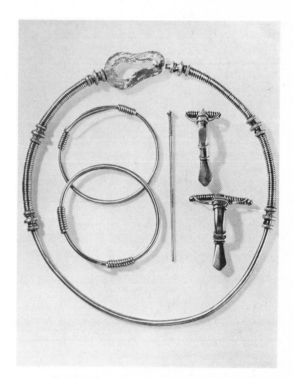

166 Silberschmuck aus einem reichen Frauengrab von Dienstedt, Kr. Arnstadt und Guthmannshausen, Kr. Sömmerda. Halsring, Durchmesser 16,9 cm, Armringpaar, Nadel und Fibelpaar. Museum der Friedrich-Schiller-Universität, Jena

GERMANEN AM LIMES

Nach den Germanenkriegen unter Augustus und Tiberius entwickelte sich an Rhein- und Donaugrenze ein relativ friedliches Verhältnis zwischen Römern und Germanen. Die römische Verwaltung ging zur linearen Grenzverteidigung über. In Süddeutschland wurden im Lauf des I. Jahrhunderts noch kleinere Gebietserweiterungen vorgenommen, die vor allem verkehrsstrategische Bedeutung hatten. Südwestdeutschland, die ›agri decumates‹ und die Wetterau wurden besetzt. Zugleich fand in Raetien eine Vorverlagerung der Grenze nördlich der Donau statt. Die

167   Der Verlauf des obergermanisch-raetischen Limes und sein Hinterland

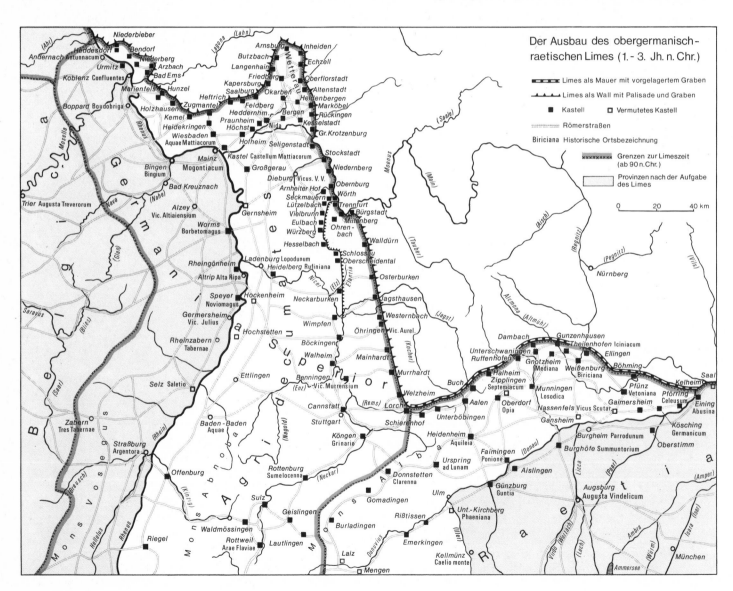

Der Ausbau des obergermanisch-raetischen Limes (1.- 3. Jh. n. Chr.)

Limes als Mauer mit vorgelagertem Graben

Limes als Wall mit Palisade und Graben

■ Kastell   □ Vermutetes Kastell

Römerstraßen

Biriciana   Historische Ortsbezeichnung

Grenzen zur Limeszeit (ab 90 n.Chr.)

Provinzen nach der Aufgabe des Limes

0   20   40 km

Grenzlinie vom Taunus über den Odenwald, am Neckar entlang und von dort nach Osten abbiegend bis hin zur Donau bei Eining, wurde durch in Holz-Erde-Kastellen stationierte Garnisonen gesichert. Unter dem Schutz der Truppen breiteten sich römische Zivilisation und Kultur, Handel und Wirtschaft aus. Zum Schutz der prosperierenden Provinzen wurde die Grenze im 2. Jahrhundert zum ›obergermanisch-raetischen Limes‹ ausgebaut. Die gesamte Strecke war mit einer Palisade und später noch durch einen Flechtwerkzaun gesichert. Holztürme in genormten Abständen und kleinere Truppenunterkünfte dienten der Überwachung des Grenzverkehrs. Die Kastelle im Hinterland waren alle nach einem einheitlichen Schema angelegt (Abb. 168). Die Abmessungen richteten sich nach der Größe der Garnison. Wesentliches Kennzeichen sind die stark abgerundeten Ecken der rechtwinkeligen Umwehrung, vier Tore und das Zentralgebäude, die Principia. Zu einem derartigen Lager, in dem ausschließlich Auxiliartruppen kaserniert waren, gehörten ein Kastellbad und das Lagerdorf, der ›vicus‹, in dem Handwerker und Händler und zum Teil auch die Angehörigen der Soldaten lebten.

Unter Antoninus Pius (138-161) wurde die Grenzverteidigung nochmals verstärkt, was sich vor allem im Ausbau der Kastelle in Stein und in der Vorverlegung des Limes auf die Linie *Wörth-Miltenberg-Lorch* und *Schirendorf-Aalen-Buch-Ruffenhofen* zeigt (Abb. 167). Damit war die größte Ausdehnung des Imperiums im Alpenvorland erreicht. Gleichzeitig hat der raetische Limes seine endgültigen Garnisonen erhalten, deren Namen und Standorte von Bauinschriften, Ziegelstempeln und Militärdiplomen bekannt sind. Bei den Bronzetäfelchen handelt es sich um Entlassungsurkunden von Auxiliarsoldaten, denen nach 25jähriger Dienstzeit das römische Bürgerrecht erblich verliehen wurde (Abb. 170).

Mit dem Ausbruch der Markomannenkriege fand die lange Zeit ungestörter Entwicklung ihr Ende. Überhaupt bedeutet diese kriegs- und krisenreiche Zeit einen markanten Einschnitt innerhalb der römischen Geschichte. In der Regierungszeit des Kaisers Marc Aurel (161-180) tritt deutlich der Übergang von der ›pax romana‹, dem römischen Reichsfrieden, zu den instabilen Verhältnissen der Spätantike in Erscheinung. Dieselbe Bedeutung als Zeitenwende hat sie für die geschichtliche, soziale und kulturelle Entwicklung im freien Germanien. Schon im ersten Regierungsjahr des Kaisers mußten die *Chatten* am obergermanischen Limes bekämpft werden. Im mittleren Donauabschnitt machten sich zur gleichen Zeit gefährliche Unruhen bei *Markomannen* und *Quaden* bemerkbar. Germanische Stammesgruppen aus dem Inneren Germaniens verlangten unter Gewaltandrohung Landzuweisungen in den römischen Provinzen. Sie wurden durch hinhaltende Verhandlungen von ihrem

168 Luftaufnahme des Kohortenkastells Eining/Abusina, Kr. Kelheim, an der Stelle, wo der obergermanisch-raetische Limes auf die römische Donaugrenze stößt. Die mittelrömischen Steinmauern und teilweise die Innenbebauung sind im Fundament zu erkennen. In einer Ecke die Reste des viel kleineren spätrömischen Kastells sowie außerhalb der Umfriedung die Grundrisse der zugehörigen Badeanlagen.

169 Münzporträt des Kaisers Domitian (81-96) mit der Rückseite »GERMANIA CAPTA« und des Kaisers Antoninus Pius (138-161)

179

Vorhaben so lange abgebracht, bis 165/66 der Partherkrieg im Osten des Reiches für Rom erfolgreich abgeschlossen war. Marc Aurel (Abb. 171) erkannte die Gefahr an der Donau und hob zwei neue Legionen in Italien aus, um die Grenze zu sichern und einen Präventivschlag zu führen. Bevor die langwierigen Kriegsvorbereitungen abgeschlossen waren, drangen im Jahre 166 auf 167 etwa 6000 *Langobarden* und *Obier* aus dem Markomannengebiet über die Donau vor. Sie konnten von einem Reiterregiment und der Infanterie zurückgeschlagen werden. An dieser Aktion scheinen eine ganze Reihe von Germanenstämmen beteiligt gewesen zu sein, denn die Quellen berichten, daß der Markomannenkönig Ballomarius als Sprecher von 11 Stammesgesandtschaften um Frieden mit den Römern bat. Im Jahr 169 begab sich Marc Aurel selbst an die Donaufront, um die Offensive einzuleiten. Ein Jahr später erlitt das römische Heer jedoch eine schwere Niederlage. *Markomannen* und *Quaden* stießen durch Pannonien über die Julischen Alpen bis nach Oberitalien vor. Aquileia wurde belagert, Opitergium zerstört (Abb. 172). Die römische Welt geriet in Panik. Seit den *Kimbern* und *Teutonen* war Italien erstmals wieder direkt von Barbaren aus dem Norden bedroht. Dieses unglaubliche Ereignis brachte die Völkerschaften entlang der gesamten Nordgrenze des Reiches in Bewegung. An der unteren Donau entwickelten sich Kämpfe mit Germanen und Sarmaten. *Markomannen*, *Quaden* und andere Stämme stießen donauaufwärts bis nach Noricum und Raetien vor. Die *Chatten* fielen wiederum in Obergermanien ein, und in Raetien und Noricum trieben sich germanische Scharen herum, deren Wirken in den Zerstörungshorizonten der Kastelle und den vergrabenen Münzschätzen der verängstigten Provinzialen faßbar ist. Die Situation konnte im Jahre 171 militärisch bereinigt werden. Die aus Italien zurückkehrenden *Markomannen* und *Quaden* verloren Beute und Leben bei dem Versuch, die Donau in Richtung Heimat zu überqueren. Nachdem Marc Aurel in Carnuntum einen Sonderfrieden mit den *Quaden* geschlossen hatte, begann 172 der Krieg gegen die *Markomannen*, in den auch bald wieder die *Quaden* verwickelt waren. Inzwischen fielen die *Chauken*, über See kommend, in der Provinz Belgica ein. Ein Einbruch von Germanen im raetischen Limesabschnitt zwischen Weißenburg und Regensburg erfolgte 174. An beiden Nebenkriegsschauplätzen konnten die Eindringlinge rasch besiegt werden. Im Jahr 175 war der 1. Markomannenkrieg beendet; den besiegten Germanen wurden harte Friedensbedingungen diktiert. Neben den spannenden Schilderungen des Cassius Dio und den Angaben der Scriptores Historiae Augustae ist die Markussäule auf der Piazza Colonna in Rom beredtes Zeugnis dieses Krieges. Auf dem 42 Meter hohen Monument sind in einem fortlaufenden Spiralband die wichtigsten Kriegsereignisse in plastischen Bildern und Szenen festgehalten (Abb. 173).

170 Entlassungsurkunde für den Helvetier CATTAUS aus der Ala GEMELLIANA und die Verleihung des römischen Bürgerrechts für sich, seine Frau SABINA, seinen Sohn VINDELICUS und seine Tochter MATERIONA aus dem Jahre 64 n. Chr. Teil eines aus zwei Bronzetäfelchen bestehenden sog. ›Militärdiploms‹, dessen Original im Kapitol von Rom aufbewahrt wurde. Geiselprechting, Kr. Traunstein, Oberbayern. Prähistorische Staatssammlung, München

171 Marc Aurel auf dem Schlachtfeld. Ausschnitt von der Marc-Aurel-Säule. Rom, Piazza Colonna

Der Friede mit den *Markomannen* war nur von kurzer Dauer. Im Jahre 177 brachen neue Kämpfe aus. Marc Aurel und sein Sohn und Mitkaiser Commodus begaben sich auf den Kriegsschauplatz. Der Verlauf der Kampfhandlungen ist nur fragmentarisch überliefert. Jedenfalls überwinterten 40000 römische Soldaten im Feindesland. Das Ende des Krieges erlebte Marc Aurel nicht mehr, Commodus schloß einen Frieden zwischen Römern und Markomannen, der von langer Dauer war. Die römisch-transdanubischen Beziehungen scheinen sich bald gebessert zu haben, wie die Siedlungsdichte im 3. Jahrhundert zeigt (Abb. 174). Fürstliche Grablegen mit exklusivem Gold- und Silberschmuck, sowie zahlreiches römisches Tafelsilber, figürlich verzierte Schalen, Platten, Tassen, Pokale und Glasgefäße belegen einen intensiven Kontakt zwischen der germanischen Führungsschicht und dem Römischen Reich.

Hintergründe und Auswirkungen der Markomannenkriege sind nur in größerem Rahmen deutbar. Die suebischen *Markomannen*, die erstmals von Julius Caesar im Heer des Ariovist genannt werden, siedelten im letzten vorchristlichen Jahrhundert im Maingebiet. Von Drusus 9 v. Chr. geschlagen, führte König Marbod den Stamm nach Böhmen. Zahlreiche Grabfunde elbgermanischen Charakters sind archäologischer Nachweis für die historisch überlieferte Landnahme in Nordböhmen. Die machtvolle Herrschaft, die Marbod von Böhmen aus über eine ganze Reihe elbgermanischer Stämme ausübte, endete 19 n. Chr. durch die von Rom unterstützte Revolte des Markomannenfürsten Katvalda. Dieser wie-

172 *Die germanischen Vorstöße in den Jahren 166/67 und 170. (Nach Böhme)*

173 *Hinrichtung gefangener Germanen durch Landsleute unter römischer Militäraufsicht während des Markomannenkrieges. Marc-Aurel-Säule, Rom*

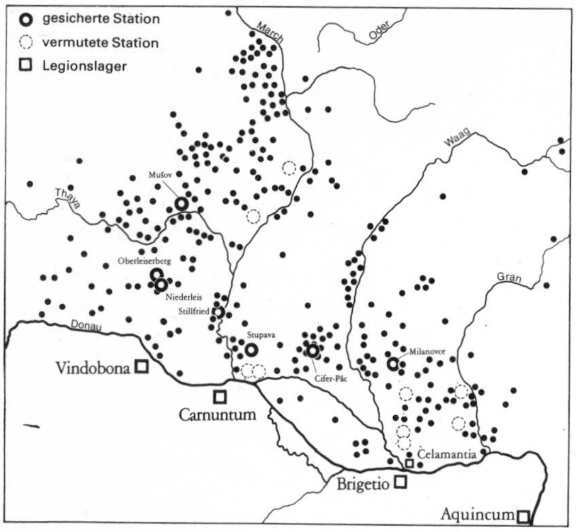

174 Karte der germanischen Besiedlung nördlich der mittleren Donau im 3. Jahrhundert n. Chr. und der römischen Handelsstationen (offene Signaturen) im markomannisch-quadischen Gebiet sowie der römischen Legionslager an der pannonischen Donaugrenze. (Nach Böhme)

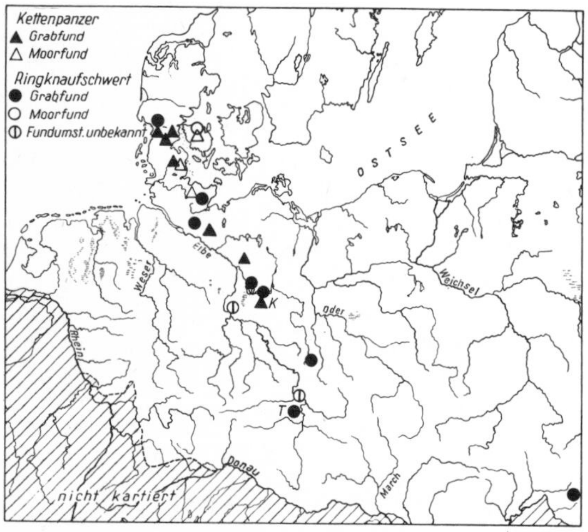

175 Verbreitungskarte römischer Ringknaufschwerter und Kettenpanzer, die möglicherweise infolge der Markomannenkriege als Beute nach Germanien gelangten. (Nach Böhme)

derum wurde vom Hermundurenkönig Vibilius vertrieben und mußte, wie Marbod vorher, ins römische Exil gehen. Die zahlreiche markomannische Gefolgschaft beider Stammesfürsten wurde am linken Donauufer zwischen March und Waag angesiedelt und der Herrschaft des Quadenkönigs Vannius unterstellt.

Die *Quaden*, ein ebenfalls elbgermanischer Stamm, standen in einem engen Klientelverhältnis zu Rom. Es ist nicht bekannt, seit wann dieses Volk seine Wohnsitze in den Gebieten zwischen March und Waag innehatte, doch brachte die Lage gegenüber Carnuntum, wo wichtige Handelswege aus dem Inneren Germaniens zusammenliefen, dem kleinen Reich eine beachtliche Prosperität. Im Jahre 50 n. Chr. erlag das Reich einem Angriff der *Hermunduren* und *Lugier*, Vannius floh nach Pannonien, seine von den *Hermunduren* protegierten Neffen regierten als »reges Sveborum« mit Billigung Roms das Reich an der March. Die günstige wirtschaftsgeographische Lage dieses Gebietes scheint schon im 1. Jahrhundert auf die nordböhmischen Markomannen eine gewisse Anziehungskraft ausgeübt zu haben, wie der Vergleich zweier Fundkarten zeigt. Nordböhmen zeichnet sich zur Zeit des Marbod in den Grabfunden durch Schmuck, Waffen und frührömischen Import als dicht besiedeltes Machtzentrum aus. In der zweiten Hälfte des Jahrhunderts erscheint das Verhältnis gerade umgekehrt, und reichere Grabfunde und eine dichtere Besiedlung finden sich in Südmähren und der Südwestslowakei, wobei mit einer stetigen Zuwanderung von *Markomannen* zu rechnen ist (Abb. 176). Zwischen Markomannen und Quaden auf der einen und den Römern auf der anderen Seite bestanden zwar eindeutige Verträge, die über 150 Jahre ein weitgehend gedeihliches Gegenüber gewährleisteten, doch ist es bei der starken Konzentration von germanischen Stammesverbänden im Vorfeld des Donaulimes zwischen *Vindobona (Wien)* und *Brigetio (Ószöny)* nicht verwunderlich, daß auf der relativ kurzen Strecke drei römische Legionen stationiert waren (Abb. 174). Die Germanen als Foederaten hatten bei Bedarf Hilfstruppen zu stellen, die Grenzverteidigung nach Norden zu übernehmen und mußten die Königswahl durch den römischen Kaiser bestätigen lassen. Das gute Verhältnis zeigt sich auch in dem Umstand, daß im Gebiet nördlich der Donau römische Baulichkeiten bestanden, die möglicherweise als ›Faktoreien‹, römische Handelsstationen im Barbaricum, anzusehen sind.

Bezeichnenderweise wurden die Kampfhandlungen an der mittleren Donau auch nicht direkt von den Markomannen oder Quaden ausgelöst, sondern von den *Langobarden* und *Obiern*, die tief aus dem Inneren Germaniens kamen und um Landzuweisung in den römischen Provinzen nachsuchten. Den vertraglich verpflichteten Markomannen und Quaden gelang es offensichtlich nicht mehr, ihre nördlichen Nachbarn von kriegerischen Einfällen ins Römerreich abzuhalten. Vielmehr gelangten sie selbst in den Sog dieser Unternehmungen. Auslösendes Moment für die Wanderbewegungen in der Germania Magna, dessen Völkerschaften den bei römischen Autoren mehrfach erwähnten Druck auf die mit dem Reich verbündeten germanischen Grenzstämme ausübten, mögen Klimaverschlechterungen und Landnot gewesen sein. Primär waren es aber sicher nicht reine Beutezüge, sondern mehr die Suche nach einer gesicherten Existenz, wie die häufig überlieferten Bitten der Barbaren um Landzuweisungen in den römischen Provinzen zeigen.

Auch archäologisch läßt sich die Infiltration des markomannisch-quadischen Stammesgebietes durch Zuwanderer aufzeigen, die schließlich zum Bevölkerungsstau an der Donaugrenze geführt hat. Bestimmte Fibeltypen, Gürtelbeschläge, Armringe und Keramikformen, die kennzeichnend für ostgermanische Gruppen im Oder-Weichselgebiet sind, treten plötzlich in den böhmischen und mährischen Gräbern auf. Welche tatsächlichen Ausmaße diese vermutete Zuwanderung hatte, kann beim heutigen Forschungsstand nicht näher umschrieben werden. Aber nicht nur aus dem Oder-Weichselgebiet, in dem man in erster Linie mit *Vandalen* zu rechnen hat, sind Vorstöße zur mittleren Donau erfolgt. *Langobarden* und *Obier* werden in den Quellen erwähnt, desgleichen *Cherusker, Sueben, Hermunduren, Vandalen, Bastarnen, Markomannen, Naristen* und *Quaden*. Und wenn man die Verbreitungskarte der Opfer- und Grabfunde mit römischen Ringknaufschwertern und Kettenpanzern betrachtet, so scheinen auch südskandinavische Stammesverbände in die Kämpfe an der mittleren Donau verwickelt gewesen zu sein (Abb. 176). Man gewinnt den Eindruck, daß die ganze Germania Libera durch den langwährenden Krieg in Bewegung geraten ist, gerade dann, wenn man noch die Vorstöße der *Chatten* und *Chauken* ins römische Reichsgebiet mit in die Überlegung einbezieht. Die zur gleichen Zeit nach Südwestdeutschland gerichteten Einfälle ›germanischer‹ Krieger sind Vorboten der Völkerschaften, die knapp 50 Jahre später als *Alamannen* in Erscheinung treten. Es ist sicher, daß in der Zeit der Markomannenkriege die Ansätze zur Bildung der germanischen Großstämme liegen, die im 3. und den folgenden Jahrhunderten in den schriftlichen Quellen erscheinen. Bezeichnenderweise werden nämlich eine Reihe älterer Stammesbezeichnungen nach den Markomannenkriegen nicht mehr erwähnt.

DIE SPÄTRÖMISCHE ZEIT

Die Schäden auf dem Nebenkriegsschauplatz Süddeutschland wurden noch während der Regierungszeit des Kaisers Commodus (178-192) behoben. Unter dem Schutz der III. Italischen Legion, die seit 178 in *Regensburg* (Castra Regina) stationiert war, konnten die Kastelle am Limes

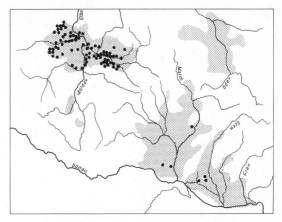

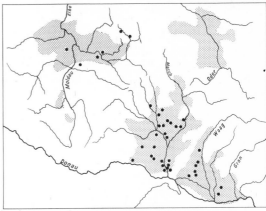

176 Verteilung der germanischen Fundkomplexe im 1. Jahrhundert (oben) und im 2. Jahrhundert n. Chr. (unten) in der Tschechoslowakei. Die gerasterten Flächen bezeichnen die Siedlungsgebiete der Markomannen und Quaden in der älteren Kaiserzeit. (Nach Böhme)

wieder instandgesetzt werden, wie dies aus Bauinschriften hervorgeht. Für das römische Südbayern wirkte sich die erstmalige Anwesenheit einer Legion vorteilhaft aus. Unter Septimius Severus (Abb. 177) wurden die Fernstraßen in Obergermanien rechts des Rheines und in Raetien erneuert und durch Posten der Benifiziarier, einer Art Straßenpolizei, gesichert. Wirtschaft, Handel und Wandel im Hinterland des Limes blühten nochmals auf (Abb. 178, 179, Farbtafel 23 und 24). Die Romanisierung der Provinzialen machte gerade in dieser Zeit große Fortschritte, so daß Kaiser Caracalla (211-217) mit der Constitutio Antoniniana allgemein das römische Bürgerrecht gewährte. Mithraskult (Abb. 182) und Christentum drangen aus dem Osten in die nördlichen und westlichen Provinzen vor. Sie dokumentieren ein neues religiöses Bewußtsein und die Abkehr von dem althergebrachten griechisch-römischen Pantheon und die Hinwendung zu den Heils- und Erlösungslehren des Orients.

Im Jahr 213 werden – als Vorboten böser Zeiten - in den Quellen erstmals die *Alamannen* erwähnt. Caracalla (Abb. 177) unternimmt einen Feldzug gegen den neuen Stammesverband; den Prestigesieg über die Barbaren scheint er sich jedoch mit Gold erkauft zu haben. Zur Sicherung wird der raetische Limes endgültig in Stein ausgebaut. Doch auch diese Maßnahme kann die Ereignisse nicht mehr aufhalten. Ab dem Jahr 233 wurde das Hinterland des obergermanisch-raetischen Limes über Jahrzehnte hinweg von den *Alamannen* verwüstet. Der erste Ansturm muß verheerend gewesen sein. Die Kastelle am raetischen Limes wurden zerstört, weit im Hinterland brach das Leben in vielen Siedlungen und Gutshöfen ab. Die Schlußmünzen von Münzschätzen zeigen, daß auch 242 und 245 germanische Einfälle in Raetien stattgefunden haben, bis schließlich 259/60 einer der schwersten Alamanneneinfälle die militärische und zivile Adminitration der nordalpinen Provinz endgültig vernichtete. Alamannische Scharen konnten über die Westschweiz, wo Aventicum-Avenches zerstört wurde, bis nach Mailand vorstoßen. Erst dort wurden sie von Kaiser Gallienus besiegt. »Sub Principe Gallieno ... amissa Raetia ... Noricum Pannoniaeque vastatae« (unter Kaiser Gallienus wurde Raetien verloren, Noricum und Pannonien verwüstet) schreibt ein späterer Panegyriker über diese Jahre, zu denen ansonsten wenig historische Quellen existieren. Auch die folgende Zeit blieb nach Ausweis der Münzschätze unruhig. 268 schlug Kaiser Claudius II. am Gardasee *Alamannen*, die über den Brenner eingefallen waren; 271 vernichtete Kaiser Aurelian alamannische und juthungische Scharen am Ticino bei Pavia. Die Bedrohung war so groß, daß Rom befestigt wurde. Nach der Ermordung Aurelians, der vorher noch das gallische Sonderreich, das von 258 bis 274 bestand, wieder an Rom anschließen konnte, erfolgten neue Angriffe der Germanen. 258 schon hatten die *Franken*, ein ebenfalls neuer Stammesverband, den Rhein überschritten

177 Münzen der Kaiser Septimius Severus (192-211) und Marcus Antoninus Pius, gen. ›Caracalla‹ (211-217) mit Rückseite.

178 Römischer Reisewagen (carruca dormitoria) aus Virunum, Kärnten. Relief der römischen Kaiserzeit, eingebaut in der Vorhalle der Stiftskirche Maria Saal.

184

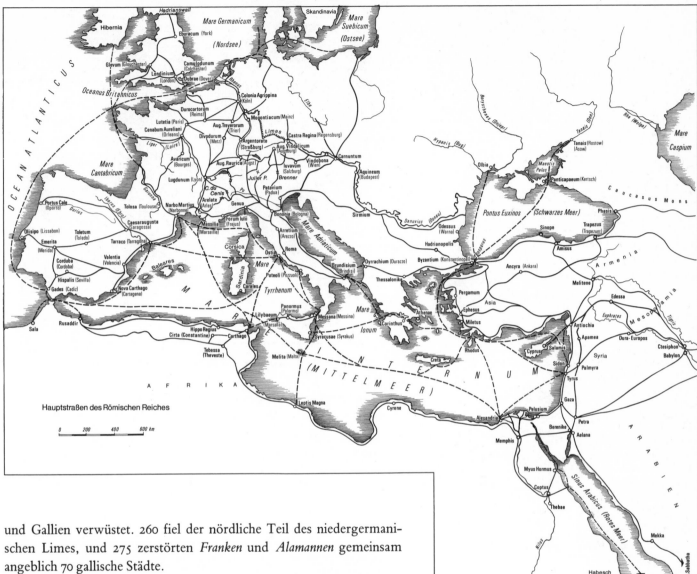

179 Hauptstraßen des römischen Reiches. (Nach Lauffer)

und Gallien verwüstet. 260 fiel der nördliche Teil des niedergermanischen Limes, und 275 zerstörten *Franken* und *Alamannen* gemeinsam angeblich 70 gallische Städte.

Erst unter Probus (276–282) und seinen Nachfolgern gelang eine einigermaßen dauerhafte Stabilisierung der Verhältnisse durch systematische Feldzüge. Alamannen und Franken wurden aus Gallien vertrieben; kurz darauf stießen römische Truppen ins ehemalige Dekumatland vor. *Burgunder, Vandalen* und *Goten* konnten aus Raetien zurückgeschlagen werden. Die Rheingrenze war wieder hergestellt. Eine Ehreninschrift von 281 aus Augsburg nennt den Kaiser Probus (Abb. 182) einen »restitutor provinciarum et operum publicorum providentissimus ac super omnes retro principes fortissimus imperator« (weitblickender Erneuerer der Provinzen und Festungswerke sowie als tapferster Feldherr alle früheren Kaiser übertreffend). Das Dekumatland und die nördlich der Donau gelegenen Teile Raetiens blieben aber endgültig verloren.

185

180   Rechts: Gesichtsmasken von Straß, Kr. Kelheim und aus dem Schatzfund von Eining, Kr. Kelheim, Bayern. Gesichtsmasken aus Bronze wurden bei Reiterspielen des römischen Militärs getragen. Es sind mehrere Typen von Masken bekannt, die offensichtlich gegnerische Parteien kenntlich machten. Straß vertritt den ›römischen‹ und die Maske aus Eining den ›orientalischen‹ Typus. 2.-3. Jh. n. Chr.
Unten: Panzerbeschläge mit Mars und Minerva aus dünnem Bronzeblech von einer Paraderüstung, wie sie zusammen mit den Gesichtsmasken bei Reiterspielen getragen wurden. Aus dem römischen Schatzfund v. Manching, Kr. Pfaffenhofen a. d. Ilm, Bayern, 2.-3. Jh. n. Chr., der wie die anderen Schatzfunde während der militärischen Katastrophen der 1. Hälfte des 3. Jahrhunderts im Hinterland des Limes vor den alamannischen Scharen vergraben wurde. Prähistorische Staatssammlung, München

Die auf allen Gebieten erkennbaren Strukturkrisen versuchten Kaiser Diocletian und sein Mitregent Maximian durch umfassende Reformen zu beheben. Die Verwaltung wurde völlig neu organisiert, das Reich in 12 aus mehreren Provinzen bestehende Diözesen gegliedert. Einige Provinzen, so auch Raetien, das jetzt zur italischen Diözese gehörte, wurden zweigeteilt: In Raetia I mit der Hauptstadt *Chur* und Raetia II mit dem Präsidialsitz *Augsburg.* Die Regentschaft im Osten des Reiches übernahm Diocletian, im Westen Maximian. Später erfolgte noch eine weitere Machtteilung, in dem die beiden Caesaren Galerius und Constantius die nördlichen Gebiete zur Verwaltung übertragen bekamen (Abb. 183). Die Tetrarchie hatte offensichtlich den Zweck, die Verwaltung möglichst effektiv zu gestalten. Das Heer wurde durch zahlreiche neu aufgestellte Einheiten verstärkt, das Wirtschaftsleben durch eine Münzreform auf eine neue Grundlage gestellt. Der bereits unter Probus installierte spätrömische Rhein-Iller-Donau-Limes, der aus einer Kette von kleinen Kastellen am Oberrhein, in Oberschwaben, an der Iller und an der Donau bestand, wurde weiter ausgebaut (Abb. 185). Von historischer Bedeutung ist der Umstand, daß im Bereich des Donau-Iller-Rhein-Limes die Verwaltungsgebiete dreier Tetrarchen zusammenstießen: Östlich des Inns die zu Illyrikum gehörenden norischen Provinzen des Kaisers Galerius, im Westen die zur gallischen Diözese zählende Provinz Sequania des Caesar Constantius mit *Trier* als Hauptstadt und die beiden Raetien zwischen Bodensee und Inn, die zu Italien mit der Residenz *Mailand* gehörten (Abb. 183, 187). Insgesamt war den Reformen Erfolg beschieden. Zwar kam es immer wieder zu Kämpfen mit *Franken* und

Alamannen in Gallien und Rätien, von denen spärliche historische Nachrichten und archäologische Befunde berichten, doch im großen und ganzen herrschte bis in die Mitte des Jahrhunderts Ruhe.

Um 330 n. Chr., dem Jahr, in dem Kaiser Konstantin die Hauptstadt von Rom nach Konstantinopel verlegt hatte, wurde das römische Heer nochmals verstärkt und neu organisiert. Neben den Garnisonstruppen in den Grenzkastellen (*limitanei*) wurde ein mobiles Feldheer, die *Comitatenses,* aufgestellt, deren Namen und Standorte in der Notitia dignitatum, einem Staatshandbuch aus der Zeit um 400 n. Chr. erhalten sind. Über die Ausrüstung und Stärke dieser Truppen wissen wir im Vergleich zur älteren und mittleren Kaiserzeit wenig. Militärgürtel, Zwiebelknopffibeln als Rangabzeichen und Offiziershelme von Eliteeinheiten (Farbtafel 25) sowie Pferdegeschirre lassen das Bild einer schlagkräftigen Truppe in spätrömischer Zeit aufkommen, deren Waffen aus Fabriken in Italien (sechs), Gallien (neun) und Illyrikum (fünf) geliefert wurden.

In den fünfziger und sechziger Jahren des vierten Jahrhunderts kam es erneut zu schweren Kämpfen mit *Alamannen* und *Franken,* die viele Städte in Gallien zerstören und sich zeitweise im Elsaß festsetzen. Unter den Kaisern Constantius II. (Abb. 184) und Julian wurden Feldzüge über den Rhein unternommen und die Befestigungen nochmals verstärkt. Über die Geschehnisse dieser Zeit, über das Hin und Her der Kämpfe, über Intrigen am Hof der römischen Feldherrn berichtet authentisch der vornehme römische Offizier Ammianus Marcellinus.

181   Münzporträts der Kaiser Gallienus (253-268) mit Rückseite, Probus (276-282) als Restitutor Orbis (Wiederhersteller des Erdkreises) und darunter Diocletian (284-305).

182   Altarbild des Mithraskultes von Heidelberg-Neuenheim.

183 Das Tetrarchenstandbild aus rotem Porphyr mit den Augusti und Caesares Diocletian, Maximian, Galerius und Constantius I. Chlorus. Gesamthöhe 130 cm. Um 300 n. Chr. Venedig, San Marco, ursprünglich in Konstantinopel aufgestellt.

Der kraftvolle Kaiser Valentinian (364–375) ging erfolgreich gegen die *Alamannen* und *Franken* im Westen vor. Strafexpeditionen führten ihn weit ins feindliche Hinterland. Rechtsrheinisch wurden Brückenköpfe errichtet, Provinzialrömer aus germanischer Gefangenschaft befreit und Germanen in die römische Gefangenschaft abgeführt. Die Kämpfe zogen sich die ganze zweite Jahrhunderthälfte mit wechselseitigem Erfolg hin. 401 schließlich berief der vandalische Oberbefehlshaber des Westreiches, Stilicho (Abb. 188), die Truppen von der Rhein- und nordalpinen Grenze zum Schutz Italiens gegen die *Westgoten* ab. Damit war für die Provinzen Raetia I und Raetia II die zentrale zivile und militärische römische Verwaltung beendet, während die Rheingrenze noch weitere 50 Jahre Bestand hatte. Dies hatte zur Folge, daß die offene Siedlungsweise aufgegeben wurde. Die Provinzialen zogen sich, soweit sie überhaupt im Lande blieben, auf befestigte Höhensiedlungen oder in den Schutz mauerumwehrter Städte zurück.

Der Entvölkerung, die zugleich eine bedrohliche wirtschaftliche Schwächung bedeutete, begegnete die spätrömische Verwaltung in den gallischen und germanischen Provinzen mit einschneidenden Zwangsmaßnahmen. Germanen wurden in den Grenzen und im Inneren der Provinzen als eine Art von ›Wehrbauern‹ angesiedelt. Seit Beginn des 4. Jahrhunderts berichten die Quellen immer wieder von Laeten, gefangenen Germanen und anderen fremdstämmigen Gruppen, die in den

184 (a) Münzbild Constantins I., des Großen (306–337). und (b) Constantius' II. (337–340 n. Chr.). Darunter (c) Valens (367–375) mit der Rückseite (d) Valens als Sieger mit Standarte, die das Christogramm zeigt, und Globus; kniend ein gefangener Barbar.

188

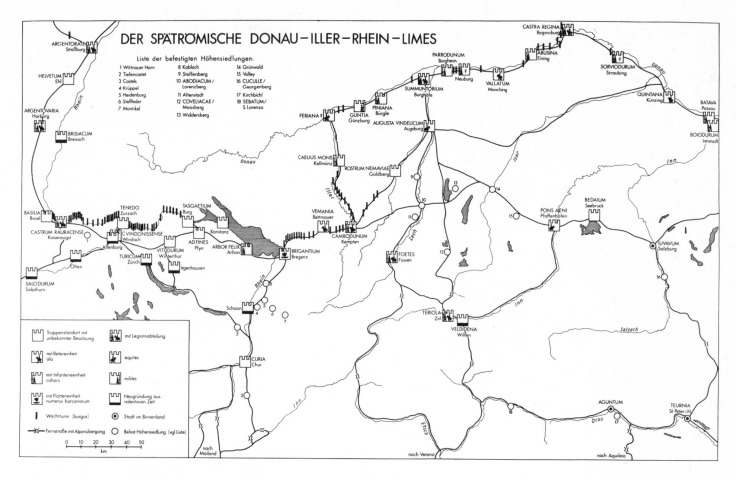

DER SPÄTRÖMISCHE DONAU–ILLER–RHEIN–LIMES

Liste der befestigten Höhensiedlungen:

1 Wittnauer Horn
2 Tiefencastel
3 Castels
4 Krüppel
5 Heidenburg
6 Stellfeder
7 Montikel
8 Koblach
9 Stoffersberg
10 ABODIACUM / Lorenzberg
11 Altenstadt
12 COVELIACAE / Moosberg
13 Widdersberg
14 Grünwald
15 Volley
16 CUCULLE / Georgenberg
17 Kirchbichl
18 SEBATUM / S. Lorenzo

Truppenstandort mit unbekannter Besatzung
mit Legionsabteilung
mit Reitereinheit ala
equites
mit Infanterieeinheit cohors
milites
mit Flotteneinheit numerus barcanorum
Neugründung aus valentinian. Zeit
Wachtturm (burgus)
Stadt im Binnenland
Fernstraße mit Alpenübergang
Befest. Höhensiedlung (vgl. Liste)

0 10 20 30 40 50
km

verwüsteten Provinzen die Kriegsschäden zu beseitigen hatten, in isolierten Siedlungen als Bauern tätig waren und vor allem der Aushebung
und dem strengen römischen Militärdienst unterworfen waren. In der
Notitia Dignitatum, dem letztmals im frühen 5. Jahrhundert überarbei-
teten Staatshandbuch, werden in Nordgallien, Belgien und Niedergermanien, von der Normandie bis zur Maas und von der Kanalküste bis
zur Loire zwölf Laetenpräfekturen aufgezählt. Der Dienst der in halbfreien, römischen Militärsiedlungen lebenden Laeten war eine der wichtigsten Ressourcen spätrömischer Militärmacht. Die Siedlungen samt
ihrem landwirtschaftlichen Ertrag waren Staatsdomänen oder gallischen
Städten zugeordnet. Sie besaßen vermutlich eine begrenzte Selbstver-
waltung nach heimischem Recht, zugleich aber war das Nutzungsrecht
der *terrae laeticae* mit der persönlichen, erblichen und kollektiven Wehr-
pflicht verbunden. Diese barbarischen Gemeinwesen, die aufgrund von
Heiratsverboten mit den provinzialrömischen Bevölkerungsgruppen ihr
Volkstum wohl lange bewahren konnten, unterstanden militärischen
Präfekten, die wiederum dem ›magister militum‹, dem römischen Heermeister und Oberkommandierenden des Reiches, unterstellt waren.

*185 Der spätrömische Rhein-Iller-Donau-Limes mit Fern-
straßennetz und Befestigungsanlagen im Hinterland zur Zeit
Valentinians I. Mitte des 4. Jahrhunderts n. Chr. (Nach
Garbsch)*

Aber nicht nur die Ansiedlung der halbfreien Laeten bewirkte die ›Barbarisierung‹ der spätrömischen Provinzen. Seit Kaiser Julian und Valentinian I. sind mit einzelnen fränkischen und anderen germanischen Stammesgruppen Verträge geschlossen worden, die diesen eine geschlossene Ansiedlung auf römischem Boden erlaubten. Vor allem der Raum zwischen Schelde, Maas und Niederrhein wurde seit der Mitte des 4. Jahrhunderts von derartigen Maßnahmen betroffen. Als ›Foederaten‹ übernahmen *Franken* in diesem Bereich die Grenzverteidigung gegen ihre Landsleute am jenseitigen Rheinufer. Die römischen Grenztruppen konnten ins Feldheer übernommen werden. Daneben wurden aber auch germanische Truppen aus den Gebieten rechts des Rheins für den römischen Kriegsdienst geworben und vertraglich gebunden. Nur so ist verständlich, daß unter Valentinian I., Gratian und Valentinian II. römische Offiziere germanischer Abkunft in der spätantiken Militärhierarchie zu den höchsten Ämtern im Westreich gelangen konnten. Die meist dem fränkischen und alamannischen Adel entstammenden hohen Offiziere kamen sicherlich nicht allein, sondern mit ihrer Gefolgschaft über den Rhein, womit das germanische Element in den gallischen Provinzen um eine weitere Komponente vermehrt wurde.

Die Verhältnisse in Südbayern, der spätantiken Provinz Raetia II, können nach den historischen Quellen weniger deutlich als in den Rheinprovinzen nachgezeichnet werden. Archäologische Untersuchungen aber zeigen für die spätrömische Zeit nach den Alamannenstürmen eine dreiphasige Siedlungsentwicklung im Schutz des Iller-Donau-Limes (Abb. 185). Der mindestens zwei Jahrzehnte anhaltende Zustand permanenter Unsicherheit im Alpenvorland zwang die Provinzialbevölkerung zur Änderung der Siedlungsweise. Die Flachlandsiedlungen wurden aufgegeben und leicht zu verteidigende Höhen abseits der großen Durchgangsstraßen aufgesucht. Friedhöfe, in denen die Toten, im Gegensatz zur mittleren Kaiserzeit erdbestattet sind, werden neu angelegt. In der ersten Hälfte des 4. Jahrhunderts bewirkte die scheinbare Ruhe im Inneren wie an den Grenzen des Reiches eine bescheidene Prosperität. Gutshöfe scheinen wieder bewirtschaftet worden zu sein. In den Beigaben der Gräber zeigt sich ein gewisser Wohlstand. Zugleich fällt im Fundstoff dieser Zeit eine ›germanische Komponente‹ in den Gräberfeldern auf, die wahrscheinlich auf eine Ansiedlung germanischer Bevölkerungsgruppen an der Donaugrenze und auf dem flachen Land zurückzuführen ist (Abb. 189). Man wird annehmen dürfen, daß sie die Äcker zu bestellen und Kriegsdienst zu leisten hatten, wobei ihre rechtliche Stellung unbekannt ist. In der zweiten Hälfte des 4. Jahrhunderts ändert sich das Siedlungsbild, wohl bedingt durch den verheerenden Juthungeneinfall von 357, nochmals grundlegend. Die Zivilbevölkerung zog sich endgültig in ummauerte Plätze zurück, und es gibt Anhalts-

186 *Fresko des 1. Jahrhunderts n. Chr. vom Magdalensberg bei Klagenfurt: Iphigenie trägt das Idol der Artemis von Tauris. Landesmuseum, Klagenfurt*
Unten Büchse aus Bein in Form eines Frauenkopfes aus Heidenheim, Baden-Württemberg. 2./3. Jh.
Baden-Württembergisches Landesmuseum, Stuttgart

punkte dafür, daß das Militär die Bewirtschaftung der Gutshöfe zur Versorgung der Truppe übernahm. Siedlungen und Friedhöfe, in denen bei den Männergräbern das militärische Accessoire überwiegt, brechen um 400 n.Chr. ab, eine Beobachtung, die ganz offensichtlich mit dem Abzug der römischen Verwaltung aus Raetien zur Zeit des ›magister militum‹ Stilicho (Abb. 188) zusammenhängt. Nominell besteht der Anspruch Roms auf das Alpenvorland als Teil der italischen Diözese allerdings noch bis in die Regierungszeit Theoderichs des Großen.

DIE GERMANISCHE VÖLKERWANDERUNG

Die Germanenzüge des 3. Jahrhunderts waren die Vorboten oder eigentlich schon Teil der großen Völkerwanderung (Abb. 190), die schließlich zum Untergang des Weströmischen Reiches und zur politisch-kulturellen Neugestaltung Europas führte. Die Vorgänge waren höchst komplexer Natur. Nicht nur im Westen, an Rhein und oberer Donau ergaben sich aus dem Vordringen der *Alamannen* und *Franken* auf römisches Reichsgebiet territoriale Verluste und tiefgreifende Wandlungen in der politischen, wirtschaftlichen, militärischen und ethnischen Struktur des späten Kaiserreiches. In auffallender Parallelität der Ereignisse hatte

187 Bruchstück eines zwischen 316 und 326 n. Chr. entstandenen Deckenfreskos aus dem kaiserlichen Palast in Trier. Dargestellt ist möglicherweise Maxima Fausta, die Gattin Konstantin I. und Mutter des Caesars Crispus, der das gallische Teilreich von Trier aus regierte. Bischöfliches Museum, Trier

188 Das Elfenbeindiptychon von Monza. Es zeigt Stilicho, Sohn eines Vandalen und römischer Heermeister (magister militum) des Westreiches, mit Lanze, Schwert und Schild als Konsul im Jahr 400 n. Chr. Der Mantel wird über der rechten Schulter von einer sog. Zwiebelknopffibel, die nach Form und Material differenzierte Rangabzeichen darstellten, zusammengehalten. Die zugehörige Elfenbeinplatte zeigt seine Gattin Serena, die Nichte des Kaisers Theodosius und seinen Sohn Eucherius, ebenfalls mit Zwiebelknopffibel. Derartige Klapptafeln aus Elfenbein mit den Bildnissen der Kaiser oder Konsuln wurden am Jahresbeginn oder bei Antritt eines hohen Staatsamtes an einflußreiche Privatleute oder hohe Beamte verschenkt. Domschatz, Monza

191

189 Verzierte Bronzeschnalle von einem Militärgürtel aus Gauting, Kr. Starnberg, Oberbayern, Länge 5,6 cm. 4. Jh. n. Chr. Germanisches Nationalmuseum, Nürnberg

190 Die Züge germanischer Völkerschaften im 4. und 5. Jahrhundert nach den historischen Quellen.

Rom vor allem auch an der unteren Donau im 3. und 4. Jahrhundert mit *Goten* und *Herulern* existenzbedrohende Kämpfe auszustehen. *Goten* und *Heruler*, seit dem 2. Jahrhundert in Südrußland und nördlich der unteren Donau ansässige ostgermanische Völkerschaften, fielen 252 n. Chr. in Dacien ein. Kaiser Decius verlor Schlacht und Leben bei Abrittus in der Dobrudscha. Seit diesem Schicksalsjahr wurden Kleinasien und Griechenland beinahe Jahr für Jahr von gotischen und herulischen Raubscharen heimgesucht. 271 räumte Gallienus die Provinz Dacia nördlich der Donau. Die *Westgoten* rückten in diese norddanubische Landschaft ein und verstärkten so den Druck auf die Balkanhalbinsel. An der mittleren Donau schlug Kaiser Aurelian zur gleichen Zeit die *Vandalen*, die unter Probus in Dacien angesiedelt wurden. Nachdem sie dort eine vernichtende Niederlage durch die *Westgoten* hinnehmen mußten, nahm Rom

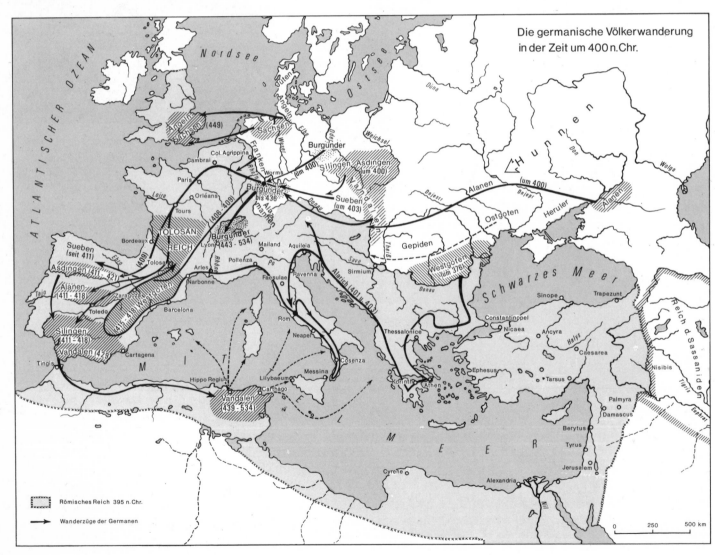

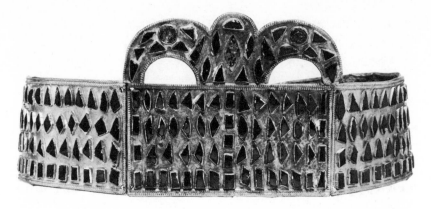

191 *Diadem von Kertsch, Krim. Der Kopfschmuck, Durchmesser 15 cm, besteht aus Gold und ist mit einzeln gefaßten Granaten unregelmäßiger Form verziert. Drei Fassungen der stirnseitigen antithetischen Vogelköpfe sind mit grünem Glasfluß gefüllt. Das Diadem stammt aus einem Frauengrab mit künstlich deformiertem Schädel. Gotisch oder sarmatisch, um 400 n. Chr. Römisch-Germanisches Museum, Köln*

die Reste dieses ostgermanischen Stammes als Foederaten in Pannonien auf.

Ständige Kämpfe zwischen *Goten* und Ostrom prägten das 4. Jahrhundert. Wie im Westen Franken und Alamannen, so wurden im Osten *Goten* und andere Barbaren in das römische Heer aufgenommen. Vornehme Germanen gelangten zu höchsten militärischen Ehren. Gotische und andere ostgermanische Kriegsgefangene wurden in den östlichen Provinzen angesiedelt. Ein Kulturausgleich fand statt, dessen augenscheinlichster Beleg die gotische Bibel des arianischen Bischofs Wulfila ist. Den letzten Anstoß zur großen Wanderung der ostgermanischen Völker gaben die Hunnen, ein Reitervolk asiatischer Herkunft, die 375 das gotische Großreich des Ermanerich in Südrußland zerschlugen (Abb. 192). Ein Großteil der vor den gefürchteten Hunnen flüchtenden *Westgoten* setzte in voller Bewaffnung und mit Kind und Kegel über die Donau und wurde von Kaiser Valens in die grenznahen Provinzen aufgenommen, wo es bald zu schwerwiegenden Zerwürfnissen kam. Sie kulminierten 378 in der Schlacht bei Adrianopel, wo Kaiser Valens Kampf und Leben verlor. Nach verschiedenen Plünderzügen auf dem Balkan sind die westgotischen Gruppen unter Kaiser Theodosius als Foederaten in Thracien und Dacien nachweisbar. Im Jahr 395 wurde der Westgotenkönig Alarich vom oströmischen Kaiser Arcadius zum »magister militum per Illyrikum«, d.h. zum militärischen und zivilen Befehlshaber der illyrischen Diözese ernannt. 401 zog Alarich, bestens mit Waffen aus den illyrischen Waffenschmieden ausgerüstet, wohl auf Drängen des Arcadius nach Italien. Er mußte sich aber vor den Truppen des weströmischen Heermeisters Stilicho, der vandalischer Abkunft war, wieder auf den Balkan zurückziehen. 403 war die Hauptstadt des weströmischen Reiches von Rom nach Ravenna verlegt worden; 408 rückte Alarich mit seiner gesamten Volksgruppe wieder in Italien ein, um von Sizilien aus nach Afrika überzusetzen; 410 starb er und wurde im Flußbett des Busento bei Cosenza begraben. Sein Schwager und Nachfolger

192   Die Ausbreitung der artifiziellen Schädeldeformation unter dem Einfluß des Hunnenreiches. (Nach Werner)

- ◉ *3.-4. Jahrhundert (spätsarmatisch)*
- ● *5. Jahrhundert (Attilazeit)*
- ◗ *Ende 5.-Anfang 6. Jahrhundert*
- ○ *nicht datierbare Vorkommen*

Verwaltungseinteilung und germanische Herrschaften auf dem Territorium des Römerreiches Mitte des 5. Jahrhunderts.

Westreich

  I. Praefectus Praetorio Galliarum

  II. Praefectus Praetorio Illyrici Italiae et Africa

Ostreich

  III. Praefectus Praetorio per Illyricum

  IV. Praefectus Praetorio per Orientem

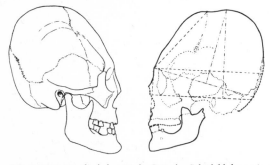

Die steppennomadisch-hunnische Sitte der Schädeldeformation (Turmschädel) wurde nur von den germanischen Stämmen der Völkerwanderungszeit übernommen, die längere Zeit unter hunnischer Oberhoheit standen: Ostgoten, Gepiden, Skiren, Heruler, Thüringer, Burgunder. Nach dem Zusammenbruch des Hunnenreiches kam die Sitte bei den Germanen bald aus der Mode, doch wirkte sie archäologisch gesehen noch bis in den Beginn des 6. Jahrhunderts nach, da das Einschnüren des Schädels im Säuglingsalter vorgenommen wurde.
Links deformierter Schädel von Tsjung-Tipä am Talas, Kasakstan; rechts deformierter Schädel aus Obermöllen, Sachsen.

Athaulf, führte die *Westgoten* durch Italien, Südgallien und Spanien nach Gallien, wo sich 418 zwischen Pyrenäen und Garonne das bald von Rom unabhängige *Westgotenreich von Tolosa* (Toulouse) konstituierte.

Das Vordringen der Hunnen in die ungarische Tiefebene veranlaßte die *Vandalen* und *Alanen*, ihre pannonischen Wohnsitze aufzugeben und nach Westen abzuziehen. *Sveben* und möglicherweise *Quaden* aus dem Marchgebiet schlossen sich dem Zug an. Nachdem ein fränkisches Foederatenaufgebot geschlagen war, überschritten sie 406 den Rhein bei Mainz und verwüsteten das von regulären Truppen entblößte Gallien, ein Ereignis, über das die zeitgenössischen Quellen in lapidaren Sätzen Schreckliches berichten.

409 erfuhr Spanien dasselbe Schicksal, bis sich *Vandalen, Sveben* und *Alanen* in den Besitz der iberischen Halbinsel teilten. Das Verhältnis zwischen germanischen Eroberern und romanischen Einwohnern scheint sich aber bald gebessert zu haben, wie eine merkwürdige Stelle im Geschichtswerk des spanischen Bischofs Orosius zeigt, das zwischen 414 und 417 n. Chr. verfaßt ist: »Die Barbaren (gemeint sind *Vandalen, Sveben* und *Alanen*), die ihre Schwerter verflucht haben, haben die Pflugschar in die Hand genommen und hegen die übrigen Römer wie Bundesgenossen und Freunde, so daß unter diesen schon manche Römer gefunden werden, die lieber mitten unter den Barbaren arm, aber frei sein wollen, als unter den Römern infolge der Steuerlasten in dauernder Unruhe zu leben.« Nach wechselvollen Kämpfen mit den mit Kaiser Honorius foederierten *Westgoten* setzen 80000 Vandalen 429 unter ihrem König Geiserich von Andalusien, das durch sie seinen Namen erhalten hatte, nach Afrika über, um dort ein Reich zu gründen, das über 100 Jahre wesentlicher Machtfaktor im westlichen Mittelmeerraum war.

Etwa zur selben Zeit hatte sich im östlichen Mitteleuropa unter Führung Attilas (434-453) das mächtige Hunnenreich gebildet, dessen Einfluß sich vom Rhein bis zur Wolga – mit Schwerpunkt in der ungarischen Tiefebene – erstreckte (Abb. 192). Zahlreiche germanische Völkerschaften – *Ostgoten, Gepiden, Skiren*, aber auch die *Thüringer* und andere kleine Germanengruppen – waren der hunnischen Herrschaft untertan. Sogar Byzanz war zeitweilig den Hunnen tributpflichtig. Kontingente des gefürchteten Steppenvolkes kämpften in römischen Diensten gegen Germanen. Die Fronten wurden je nach Vorteil gewechselt. 437 vernichtete ein hunnisches Aufgebot im römischen Auftrag das *Burgunderreich von Worms*, eine historische Begebenheit, die ihren literarischen Niederschlag im Nibelungenlied gefunden hat, wo der Großkhan der Hunnen als König Etzel überliefert ist. Die Reste der *Burgunder* wurden bald darauf in der Sapaudia, dem heutigen Savoyen angesiedelt, wo sie eine bis in das 6. Jahrhundert reichende, selbständige Herrschaft errichteten.

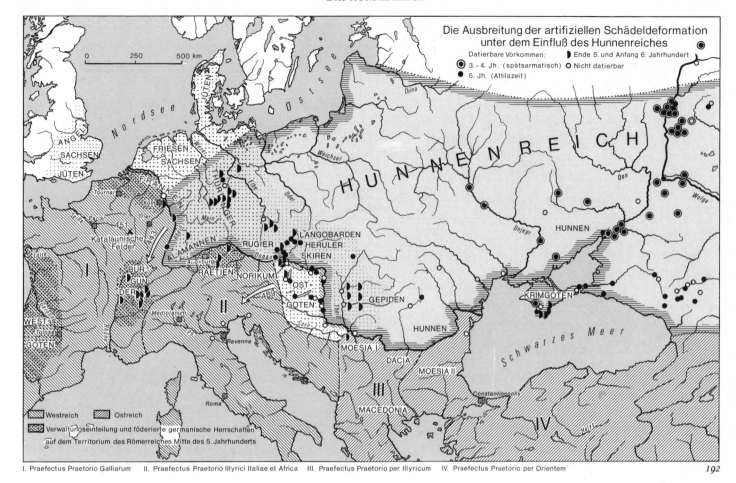

Die Ausbreitung der artifiziellen Schädeldeformation
unter dem Einfluß des Hunnenreiches
Datierbare Vorkommen: ◗ Ende 5. und Anfang 6. Jahrhundert
◉ 3. - 4. Jh. (spätsarmatisch) ○ Nicht datierbar
● 5. Jh. (Attilazeit)

Westreich Ostreich
Verwaltungseinteilung und föderierte germanische Herrschaften
auf dem Territorium des Römerreiches Mitte des 5. Jahrhunderts

I. Praefectus Praetorio Galliarum   II. Praefectus Praetorio Illyrici Italiae et Africa   III. Praefectus Praetorio per Illyricum   IV. Praefectus Praetorio per Orientem

192

Attila (got. ›Väterchen‹), von den Zeitgenossen als ›Geißel Gottes‹
apostrophiert, richtet sein Augenmerk nach Westen. 451 überschritt er
mit einer gewaltigen Heermacht aus Hunnen, verbündeten *Ostgoten* und
Gepiden sowie anderen unterworfenen Völkerschaften den Rhein. Auf
den *katalaunischen Feldern* in der Nähe von Troyes in der Champagne
stellte sich ihm der römische Feldherr und Patricius Aëtius entgegen. Im
Verband mit den *Westgoten* und fränkischen Hilfstruppen wurde Attila
geschlagen. Nach dem Rückzug aus Gallien starb Attila 553, und das
Hunnenreich löste sich, vor allem wegen der Aufstände von *Gepiden*
und *Ostgoten*, binnen weniger Jahre auf. Hunnen sind in der Folge nur
noch als Hilfstruppen im byzantinischen Heer nachweisbar, während
sich *Ostgoten* in Pannonien und *Gepiden* im Theiss-Maros-Gebiet nieder-
lassen (Abb. 192).

In der Mitte des 5. Jahrhunderts wird die Auflösung des Weströmischen Reiches endgültig offenbar (Abb. 193). Ende des 4. Jahrhunderts
hatte sich die Zahl der Diözesen und Provinzen gegenüber der diokletia-
nischen Zeit vermehrt, der Gebietsstand ist allerdings nahezu gleichge-

195

193 *Karte des Römerreiches zur Zeit Theoderichs des Großen*

blieben. Geräumt werden mußten bald nach 400 Britannien und das raetische Alpenvorland.

Schwerwiegende politische Folgen hatte die Teilung des Reiches unter den beiden Söhnen des Kaisers Theodosius 1., die Honorius den Westen, Arcadius den Osten zuwies (Abb. 194, 195). Obwohl unter den Nachfolgern die ideelle Einheit des Reiches nicht in Abrede gestellt war, lebten sich die beiden Reichsteile rasch auseinander. Die Herrscher nahmen in der Gefahr wenig Rücksicht aufeinander, manchmal spielten sie sogar die Reichsfeinde gegeneinander aus. Im Rückblick scheint es fast so, als ob Byzanz bei derartigen Aktionen die geschicktere Hand bewiesen hat. Die *Westgoten*, die im Jahr der Reichsteilung 395/96 Griechenland plünderten, wandten sich schließlich unter ihrem König Alarich, wohl auf Betreiben des Arcadius, gegen das Westreich. Die *Vandalen* und andere ostgermanische Völkerschaften taten es ihnen gleich, und auch die hunnische Macht zerbrach schließlich erst im Westen. Seit Beginn des 5.Jahrhunderts stellt sich so der Verfall des Westreiches wie ein einziger Liquidationsprozeß dar.

Während im 4.Jahrhundert die Germanisierung des römischen Heeres und die grenznahen Landzuweisungen an die barbarischen Foederaten durchaus bewußt und gesteuert vorgenommen worden waren, konnten die weströmischen Herrscher im 5.Jahrhundert die Landnahme der *Westgoten, Vandalen, Sveben, Franken* und *Burgunder* in Gallien, Spanien und Afrika nur nachträglich sanktionieren und sie nominell als ›Verbündete‹ im Reich aufnehmen. Der Verselbständigung der Staaten hatten sie nichts mehr entgegenzusetzen. Die Führer dieser Germanenscharen wurden von den weströmischen Kaisern sogar als gleichwertig angesehen, wie die 414 geschlossene Ehe zwischen dem Westgotenkönig Athaulf und der, später in Ravenna begrabenen, Prinzessin Galla Placidia, Halbschwester des Kaisers Honorius, zeigt (Abb. 195). Endlich konnte es sich – mit Einverständnis des oströmischen Kaisers – der germanische Gardeoffizier Odoaker sogar erlauben, im Jahre 476 den letzten weströmischen Kaiser Romulus Augustulus abzusetzen und als König der germanischen Söldner in Italien das Kernland des Imperium

194   Missorium des Kaisers THEODOSIUS I. (379-395). Der Kaiser mit seinen beiden Söhnen Honorius und Arcadius. Silber. Akademie, Madrid

195 (a) Honorius und seine Gattin Maria. Kameo aus dem Jahr 398. Sammlung Edmond de Rothschild. (b) Münze mit Bildnis des Arcadius, Prägeort Mailand (395/408). (c) Gallia Placidia (gest. 450), Goldsolidus.

Romanum, allerdings unter der nominellen Oberhoheit von Byzanz, zu verwalten. Das weströmische Reich hatte de facto aufgehört zu existieren.

Den vorletzten Akt der germanischen Völkerwanderungszeit bestritten die *Ostgoten*. Bis 455 dem hunnischen Groß-Khan mit eigenen Königen heerespflichtig, siedelten sie nördlich der unteren Donau. Nach dem Zusammenbruch des Hunnenreiches waren sie für kurze Zeit als Foederaten in Pannonien ansässig, um dann, wie Jahrzehnte vorher die Westgoten, über Jahre hinweg in verschiedenen Gruppen den Balkan zu verwüsten. Der byzantinische Kaiser Zeno wies ihnen schließlich Wohnsitze in den Provinzen Dacia ripense und Moesia inferior zu, bis er 488 den Ostgotenkönig Theoderich (Abb. 196), als ›magister militum‹ mit seinem Volk ausschickte, um für ihn Italien in Besitz zu nehmen. Die Kämpfe mit Odoaker dauerten von 489 bis 493, ehe Theoderich den besiegten ›germanischen‹ weströmischen König im Palast von Ravenna eigenhändig in einem wohl vorgeblichen Akt der Blutrache tötete. Anlaß dazu war die Vernichtung des Rugierreiches an der mittleren Donau durch Odoaker, bei welcher der mit Theoderich blutsverwandte Rugierkönig umgekommen war. Theoderich, der Dietrich von Bern der Sage und später der Große genannt, war nach dieser skrupellosen aber wohl notwendigen Tat unumschränkter Herrscher in Italien.

In der Zeit um 500 n. Chr. war das gesamte Gebiet des ehemaligen weströmischen Reiches in die germanische Staatenbildung einbegriffen. Die *Ostgoten* unter Theoderich beherrschten Italien, die *Vandalen* saßen in Afrika, *Westgoten* und *Sveben* teilten sich die iberische Halbinsel. *Jüten*, *Angeln* und *Sachsen* unterhielten Königreiche in Britannien. Machtvoll griffen die *Franken* aus dem Gebiet um Tournai und Cambrai unter ihrem König Chlodwig nach Gallien aus. 486 verschwindet mit der Herrschaft des Syagrius im Pariser Becken der letzte Rest römischer Herrschaft in Gallien. 496 und 97 schlug der Frankenkönig aus dem Haus der Merowinger die *Alamannen,* und 507 zwang der inzwischen katholisch getaufte Herrscher die arianischen *Westgoten,* sich fast gänzlich aus Gallien nach Spanien zurückzuziehen, wo sie 300 Jahre, bis zum Einbruch der Araber herrschten. Dominierender Machtfaktor dieser Zeit sind die *Ostgoten* und *Franken*. Vor allem Theoderich scheint mit Weitblick die Idee einer großgermanischen Foederation verfolgt zu haben. Zu fast allen germanischen Herrscherhäusern knüpfte er verwandtschaftliche Bande, die zugleich politische Bündnisse waren. Seine Bemühungen aber wurden von Franken und Byzantinern gleichermaßen vereitelt.

Als letzter (ost-)römischer Kaiser hat Justinian (527-565) versucht, das Imperium Romanum in seiner Gesamtheit wiederherzustellen, ein Vorhaben, das ihm teilweise und auf begrenzte Zeit auch wirklich gelang.

Sein Feldherr Belisar vernichtete in einer Blitzaktion 534 das *Vandalen-reich* in Afrika, nach 20jährigem, wechselvollem Krieg gelang es ihm und seinem Nachfolger Narses, die *Ostgoten* zu besiegen. Auf der iberischen Halbinsel waren territoriale Gewinne zu verzeichnen. Beim Tode Justinians erstreckte sich die Macht des byzantinischen Kaisers wieder vom Euphrat bis nach Südspanien. Doch schon drei Jahre später, im Jahr 568, ging Italien bis auf wenige Exklaven an die *Langobarden* verloren. In die Wohnsitze dieses ursprünglich elbgermanischen Stammes in Pannonien rückten die Awaren nach, ein Volk von Reiternomaden, das im späten 6. und im 7. Jahrhundert neuer Machtfaktor auf dem Balkan wurde. Dieses jüngste, auf reichsrömischem Boden gegründete germanische Staatswesen der Völkerwanderungszeit, bestand über 200 Jahre, bis 774 Karl der Große den letzten Langobardenkönig Desiderius absetzte und sich von da an »rex Francorum et Langobardorum atque patricius Romanorum« nannte.

Die germanische Völkerwanderung ist ein historischer Begriff, der nach allgemeiner Auffassung die Zeit zwischen dem Vordringen der Hunnen an die untere Donau und der Errichtung der ostgotischen Herrschaft in Italien, also im wesentlichen das 5. Jahrhundert n. Chr. umfaßt und einen letzten Nachklang im Wanderzug der Langobarden hatte. »Völkerwanderung« impliziert die sicher nicht falsche und in den zeitgenössischen Quellen vielfach belegte Vorstellung von kriegerischen Horden mit ihren Wagentrecks, die sich aus dem Lande nährend, mordend und plündernd die römischen Provinzen durchziehen, bis sie irgendwo für kurze oder auch längere Zeit feste Wohnsitze als Verbündete der ost- oder weströmischen Kaiser nehmen. In ihrer endgültigen Bleibe entwickelten die ostgermanischen Volksgruppen oder Gefolgschaften – von Völkern im modernen Sinn kann wohl kaum die Rede

196 Bildnis Theoderich des Großen auf einer Gemme mit dem Monogramm des Herrschers, darunter sein Porträt auf einer Münze.

197 Der Palast des Theoderich in Ravenna, das seit 403 Hauptstadt des weströmischen Reiches war. Mosaik in der von Theoderich erbauten Kirche S. Apollinare Nuovo, Ravenna. Folgende Seite: Blick auf das Mosaik in der Kuppel des um 520 von Theoderich erbauten Baptisteriums der Arianer in Ravenna, heute S. Maria in Cosmedin.

197

sein – in einer kulturell fremden Umgebung erstaunliche staatsbildende Kräfte. Eine dünne germanische Oberschicht, deren innere soziale Schichtung wir nicht kennen und von der die römischen und griechischen Quellen nur die von Geburt ›Vornehmen‹, nämlich die *nobiles, duces, reges* und *reguli,* d.h. Führer, Könige, Kleinkönige bzw. Häuptlinge erwähnen, die zudem durch ihr christlich-arianisches Bekenntnis glaubensmäßig von ihren katholischen Wirtsvölkern getrennt ist, macht sich die noch vorhandene spätantike Infrastruktur zu Nutze und kommt zu zeitgemäßeren Staatsformen als der erstarrte spätrömische Zwangsstaat.

Möglicherweise hängt hiermit ursächlich zusammen, daß sich die zahlenmäßig kleinen germanischen Gruppen – 80000 *Vandalen,* davon maximal 16000 Krieger, eroberten das für Rom äußerst wichtige Afrika; nicht mehr als 100000 *Ostgoten* beherrschten Italien und kämpften 20 Jahre gegen byzantinische Heere – überhaupt etablieren konnten. Die Masse der Provinzialen, als Colonen in halbfreiem Zustand an die Scholle gebunden, fühlten sich von den Barbaren, abgesehen von religiösen und vielleicht kulturellen Ressentiments, offensichtlich nicht mehr unterdrückt als unter römischer Verwaltung. Und sie brauchten keine Zwangsaushebungen zu befürchten, denn die Verteidigung übernahm die germanische ›Kriegerkaste‹.

Die strikte Trennung von germanischem und romanischem Element durch Glaubensbekenntnis, Heiratsverbot und unterschiedliche Gesetze im Vandalen- und Ostgotenreich (Abb. 193) hatte aber endlich doch fatale Folgen. Die zahlenmäßig schwache, sozial isolierte Herrenschicht, fand keinen Rückhalt in der eigentlich staatstragenden, romanischen Oberschicht und erlag beinahe zwangsläufig den Angriffen der Byzantiner. *Franken* und *Burgunder* in Gallien, die *Westgoten* und *Sveben* in Spanien sowie die *Langobarden* in Italien scheinen einem ähnlichen Schicksal wohl nicht zuletzt deshalb entgangen zu sein, weil sie allmählich die scharfe gesellschaftliche Trennung aufhoben und vom Arianismus zum Katholizismus übergetreten sind, was freilich die allmähliche Assimilierung des germanischen Elements in der romanischen Bevölkerung bewirkte. *Ostgoten* und *Vandalen* hingegen wurden buchstäblich physisch eleminiert.

So eindrucksvoll die Geschichte dieser frühen germanischen Staatengebilde der Völkerwanderungszeit ist, hatte sie wenig Einfluß auf die weitere Entwicklung hin zum christlichen Abendland. Die Weichen wurden im Norden gestellt, wobei die *Langobarden* in Italien als wichtige Vermittler mittelmeerischer Kultur in die Gebiete nördlich der Alpen zu gelten haben. Folge der großen germanischen Völkerwanderung war aber nicht nur die Umgestaltung Westeuropas. In den entvölkerten Landschaften oder zumindest in den siedlungsmäßig ausgedünnten Räumen des östlichen Mitteleuropa und des nördlichen Balkans, in denen in der mittleren und späten Kaiserzeit noch germanische Völkerschaften erwähnt werden, rückten, bedingt durch das entstandene Machtvakuum, im Gefolge der Awaren die slawischen Stämme ein.

Der Untergang des Weströmischen Reiches im 5. Jahrhundert stellt sich in der Geschichtsschreibung häufig als Kulturkatastrophe dar. Es wird der Eindruck vermittelt, als ob von den Errungenschaften der klassisch-römischen Zivilisation nichts die Stürme der Völkerwanderungszeit überdauert hätte. Der Beginn des germanisch geprägten Frühen Mittelalters erscheint als ein völliger Neuanfang. In der Gesamtheit und für weite Landstriche, in denen einst die römische Zivilisation blühte, trifft dies sicherlich zu. Dennoch sieht die neuere Forschung den Übergang von der Spätantike zum Frühen Mittelalter nicht als scharfe Zäsur. Der konservative Charakter der Regierung Theoderichs in Italien, die Übernahme des römischen Beamtenapparates in den anderen germanischen Herrschaften auf reichsrömischem Boden, das Weiterbestehen des römischen Rechts für die romanischen Bevölkerungsteile sowie das in Bistümern und Diözesen organisierte katholische Christentum in den überwiegend romanischen Gebieten ermöglichte in eingeschränktem Umfang die Tradierung antiker Kultur in das germanische Mittelalter. Zudem darf nicht übersehen werden, daß die ›Barbarisierung‹ der römischen Streitkräfte, die Aufsiedlung weiter Landstriche mit Germanen und die allmähliche Landnahme vor allem der *Franken* in Nordgallien und Belgien zu einem nicht zu unterschätzenden Kulturausgleich zwischen Provinzialbevölkerung und den germanischen Elementen im 4. und 5. Jahrhundert geführt haben. Daneben bestanden die großen antiken Städte an Rhein und Donau weiter, wenn auch die ethnische Gewichtung sich allmählich verlagerte. Ob *Köln, Trier, Augsburg* oder *Regensburg*, ein Rest romanischer Bevölkerung muß verblieben sein, wie vor allem die Tradition im kultischen Bereich zeigt.

Überdies scheinen im nordgallisch-belgischen Raum ganze Industrien der Keramik-, Glas- und Metallverarbeitung das unruhige 5. Jahrhundert überdauert zu haben. Die ›Barbarisierung‹ des Hinterlandes dieser Städte war eine Voraussetzung für die Überlieferung spätantiker Kultur in die veränderte Umwelt des frühen Mittelalters. In Nordfrankreich und am Rhein entstand allmählich eine romanisch-germanische Mischkultur, die nachhaltigen Einfluß auf die Entwicklung der rechtsrheinischen Völker ausübte, wobei den *Franken* eine tragende Vermittlerrolle zukam.

Beispiele für den totalen Kulturbruch sind ebenfalls zu erbringen. Für Raetien und Noricum schildert Eugippius im Jahre 511 die Zustände in dieser Gegend in der 2. Hälfte des 5. Jahrhunderts in der Lebensbeschreibung des 482 gestorbenen hl. Severin. Anfang der sechziger Jahre kam der wandernde Mönch Severin, ein Mann aus vornehmer römischer Familie, »auf göttlichen Befehl« aus dem Osten nach Noricum Ripense und in das östliche Raetien. Er wurde bald zum geistigen Führer des ganzen Landstriches, in dem er die romanische Bevölkerung inmitten

Spätantike
und
Frühes Mittelalter

203

der zusammenbrechenden Ordnung im christlichen Glauben bestärkte, zur wirtschaftlichen Selbsthilfe und zum organisierten Widerstand anhielt. Aufgrund seiner Persönlichkeit konnte er für die in bedrückenden Verhältnissen lebenden Romanen vieles tun. Im Westen trat er dem König der Alamannen Gibuld bei *Passau* entgegen, im Osten gewann er Einfluß auf den König des *Rugierreiches* nördlich der Donau. Trotzdem konnten sich die schlecht bewaffnete, völlig verarmte und demoralisierte Bevölkerung sowie die Kastellbesatzungen, die nur noch sporadisch entlohnt wurden, nicht mehr gegen die Übergriffe germanischer Horden schützen. 473/75 zogen sich die Romanen von *Künzing,* dem Kastell Quintana, nach *Passau* (Batavis bzw. Boiotro) und von da bald darauf nach Lauriacum *(Lorch a. d. Enns)* zurück. Die Restbevölkerung in Passau wurde noch im selben Jahr von plündernden Thüringern erschlagen. Daraufhin sammelte sich die romanische Bevölkerung in Favianis im Machtbereich des Rugierreiches. Der endgültige und vollständige Exodus der Romanen nach Italien erfolgte unter Mitnahme des Leichnams des hl. Severin im Jahre 488, nachdem Odoaker das *Rugierreich* zerschlagen hatte. Spätestens mit dem Auszug dieser Bevölkerungsgruppe wäre nach den historischen Quellen alles römische Leben erloschen, und trotzdem weisen Ortsnamen und archäologische Befunde auf vereinzelt weiterbestehende romanische Gemeinschaften hin. Dennoch ist für diesen Raum ein echter Neuanfang gegeben, wenn der italische Dichter und Hagiograph, der spätere Bischof von Poitiers, Venantius Fortunatus zwischen 565 und 571 schreibt, daß man »von Westen kommend bei Augsburg und am Lech auf die *Bajuwaren* stoße«.

Wie von den *Bajuwaren,* den Vorfahren der heutigen Altbayern und Österreicher, die überhaupt erstmals Mitte des 6. Jahrhunderts als Stamm erwähnt werden, so ist auch wenig von den anderen Stämmen der germanischen Völkerwanderungszeit, ob *Franken, Sachsen, Thüringer* und *Alamannen* sowie im Grunde auch von den ostgermanischen Völkern bekannt. Die antiken Quellen berichten vornehmlich über politische Ereignisse, über Schlachten, Reichsbildungen, Raubzüge und dynastische Zusammenhänge, in welche die Barbaren aus römischer Sicht verwickelt waren. Nur vereinzelt findet man in den Schriftzeugnissen ethnographische und kulturmorphologische Anhaltspunkte. Darüber hinaus sind Angaben zur Siedlungsgeographie, zur Siedlungsgeschichte, zum Siedlungsgang, zur Gesellschaftsstruktur und zur materiellen und geistigen Kultur im Raum zwischen Seine und Elbe, Nordsee und Alpen gerade im 5. bis 8. Jahrhundert besonders dürftig. Über großpolitische Ereignisse sind wir unterrichtet. Es ist bekannt, wie die Merowingerkönige seit Childerich I. († 482) und Chlodwig († 511) ihre Herrschaft in Gallien und Germanien beidseits des Rheines mit großer Energie bereits zu Beginn des 6. Jahrhunderts organisierten. Romanen in Aquitanien

Tafel 27 Ostgotische Adlerfibel von Domagnano, Republik
San Marino. Um 500 n. Chr. Die mit 246 Zelleinlagen
verzierte Adlerfibel (Brustspange) aus 22karätigem Gold von
128,44 g Gewicht ist einer der bedeutendsten archäologischen
Kleinfunde aus dem ostgotischen Italien Theoderich d. Gr. Die
12 cm lange Fibel mit Almandin-, Elfenbein- und Lapislazuli-
einlagen hat ihr Gegenstück in einer Pariser Privatsammlung,
mit der zusammen sie mit weiteren Geschmeiden ursprünglich
ein Schmuckensemble bildete.
Germanisches Nationalmuseum, Nürnberg

Tafel 28 Silbervergoldete Kleinfibeln, teils mit Almandineinlagen und in Tierform, aus fränkischen Frauengräbern von
Andernach, Kr. Mayen, Kaltenengers, Kr. Koblenz, Höchstadt a. d. Aisch, Mittelfranken, und Delme, Dèp. Moselle,
Frankreich. Die Scheibenfibeln sind teils flächig mit Almandinen eingelegt oder mit einzeln gefaßten Steinen verziert und
granuliert. 6. Jh. n. Chr.
Germanisches Nationalmuseum, Nürnberg

Tafel 29   Silberohrringe aus fränkischen und alamannischen Gräbern des 6. und
7. Jahrhunderts und eine reich mit kleinem vogelförmigen Zellwerk auf granulierter
Grundfläche verzierte Scheibenfibel aus Andernach, Kr. Mayen. Bei den Ohrringen
finden sich sowohl solche mit einfachem Silberpolyeder, sowie cloisonnierte und mit Perlen
verzierte Stücke. 2. Hälfte 6. Jh. Germanisches Nationalmuseum, Nürnberg

30

31

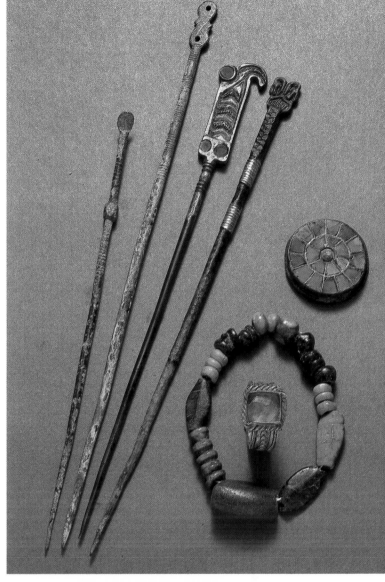

Tafel 30   Ketten und Kleiderbesätze aus Glasfritteperlen aus Frauengräbern des 6. und 7. Jahrhunderts n. Chr. im alamannischen und fränkischen
Siedlungsbereich. Germanisches Nationalmuseum, Nürnberg

Tafel 31   Silbervergoldete Bügelfibeln mit Kerbschnittdekor und vereinzelt mit Steineinlagen von Andernach und Eich, Kr. Mayen sowie
Niederbreisig, Kr. Ahrweiler, Helmitzheim in Mittelfranken, Zöbingen,
Kr. Aalen und aus Lothringen. Daneben sind einige S-Fibeln und eine
kleine Vierpaßfibel abgebildet. Die Bügelfibeln wurden in der Frauentracht des 5. und 6. Jh. paarweise untereinander getragen und dienten
wahrscheinlich zum Zusammenhalten einer Art Wickelrock, während die
Kleinfibeln im Grab in Brustlage gefunden wurden. 6. Jh. n. Chr.
Germanisches Nationalmuseum, Nürnberg

Tafel 32   Silbervergoldete Haarpfeile mit zum Teil plastisch gestalteten
Köpfen aus Gräbern des 6. und 7. Jahrhunderts n. Chr.: Vorges, Dèp.
Aisne; Pfahlheim, Ostalbkreis und Gondorf, Kr. Mayen. Almandinbro-
sche aus Buch im Ostalbkreis, Glasfritteperlen von einem Kleiderbesatz
aus einem Grab in Kaltenengers, Kr. Koblenz und ein goldener Fingerring
mit Steineinlage von unbekanntem Fundort.
Germanisches Nationalmuseum, Nürnberg

Tafel 33   Gläser aus fränkischen und alamannischen Gräbern des 6. und
7. Jahrhunderts n. Chr. Zwei sog. ›Sturzbecher‹ des 6. Jh. aus Kaltenengers, Kr. Koblenz, zwei sog. ›Tummler‹ aus Mertloch, Kr. Mayen, und
im Vordergrund das Fragment eines kobaltblauen Netzbechers aus
Pfahlheim im Ostalbkreis. 7. Jahrhundert.
Germanisches Nationalmuseum, Nürnberg

32

33

und Neustrien, Franken in Austrien, Burgunder in der Sapaudia, Alamannen, Thüringer und Bajuwaren waren dem fränkisch-merowinigischen Königshaus untertan (Abb. 193). Vom Verhältnis zwischen dem katholischen König Chlodwig und arianischen Theoderich (Abb. 197) wird berichtet. Theudeberts Großmachtpläne zur Zeit Justinians I. werden andeutungsweise erwähnt, ebenso wie die Anstrengungen der späteren Merowingerkönige, um die Erhaltung der Reichseinheit. Agathias, Prokop, Venantius Fortunatus und insbesondere Gregor von Tours sowie eine Reihe anderer zeitgenössischer Historiographen sind unsere Gewährsleute.

DIE REIHENGRÄBER

Das Geschehen in der Merowingerzeit ist in lapidaren Berichten überliefert. Die wenigen, sich kaum noch vermehrenden Textquellen sind seit langem Gegenstand von historischen Interpretationen und Konstruktionen. Detailliertere Einblicke in die materielle Kultur, Sozialstruktur und in das Brauchtum der germanischen Völker gibt die Archäologie. Sie illustriert, korrigiert und ergänzt das Geschichtsbild in den Jahrhunderten zwischen der Antike und dem abendländischen Mittelalter. Grundlage der kulturgeschichtlichen Kenntnisse sind vornehmlich Grabfunde. Seit dem späten 5. Jahrhundert bis zum Ende des 7. Jahrhunderts war bei den meisten germanischen Völkern Sitte, die Toten in West-Ost orientierten, reihenweise angelegten Gräbern innerhalb größerer Friedhöfe beizusetzen. Nach heidnischem Brauchtum wurden die Verstorbenen in ihrer Tracht und mit ihrem persönlichen, vom Erbgang ausgeschlossenen Eigentum, bestattet. Bei den Männern waren dies vor allem die Waffen, bei den Frauen Schmuck und Hausgerät. Speise und Trank in Gefäßen aus Holz, Ton, Bronze und Glas dienten als Wegzehrung für die Reise ins Jenseits. Münzen – als Datierungsanhalte für die Gräber von großem Wert – waren nach antikem Brauch als Weggeld gedacht. Aus der Verbreitung der Friedhöfe und ihrer archäologischen Analyse ergeben sich Hinweise auf Art, Umfang, Dichte und Dauer germanischer Besiedlung. Reichtum, Qualität und Kombination der Grabinventare sind Spiegelbild individuellen Besitzstandes sowie gesellschaftlicher und struktureller Schichtung. Schließlich dokumentieren einzelne Grabbeigaben das Eindringen christlicher Glaubensinhalte in die heidnisch-germanische Vorstellungswelt.

GRABFUNDE UND SIEDLUNG

Die Belegung der ältesten bisher erfaßten Reihengräberfelder setzt am Ende der germanischen Expansion in der 2. Hälfte des 5. Jahrhunderts ein, und zwar in großem Umfang gerade in den Gebieten, die diese

Tafel 34 (Seite 208) Silber- und messingtauschierte, bzw. silbertauschierte eiserne Riemenbeschläge aus alamannischen Gräbern des 7. Jahrhunderts in Ellwangen-Pfahlheim. Links Schnalle und dreiteilige Beschläggarnitur eines breiten Gürtels, rechts oben silberplattierte und messingtauschierte Eisenbeschläge eines Gürtels mit Nebenriemen, Mitte und rechts unten: Teile von dreiteiligen Leibgürtelgarnituren; Mitte unten: Beschläge eines Pferdehalfters. Germanisches Nationalmuseum, Nürnberg

Völkerschaften neu erworben hatten. So unterscheiden sich die fränkischen Reihengräber im Pariser Becken kaum von denen auf rheinischem und belgischem Boden oder von den alamannischen Friedhöfen in Südwestdeutschland. Die Belegung scheint hier wie dort zur gleichen Zeit mit denselben archäologischen Erscheinungen zu beginnen. Eine Kernfrage ist, ob der Grabritus und die Bestattungsform, vor allem aber auch die Waffenbeigabensitte aus den ursprünglichen Siedlungsgebieten jenseits des Rheines mitgebracht wurden, oder aber ob sie erst in den neuen Siedlungsgebieten entstanden sind und inwieweit die Reihengräbersitte ein Indiz für die ethnische Zugehörigkeit der Bestatteten ist. Die Klärung dieser Probleme erfordert die Berücksichtigung der politischen und kulturellen Verhältnisse, als wichtigen Teilaspekt aber eine Rückblende auf Bestattungssitten der germanischen Völkerschaften während des 4. und 5. Jahrhunderts. Auf den mitteleuropäischen Bereich bezogen müssen dabei zwei Gebiete im Vordergrund der Betrachtung stehen, nämlich Südwestdeutschland und der nordfranzösich-belgische Raum. Trotz unterschiedlicher Voraussetzungen in beiden Gebieten führt die Entwicklung im Endeffekt zur gleichen archäologischen Fundsituation.

DIE ALAMANNISCHE LANDNAHME

Seit Ende des 3. Jahrhunderts war das Land zwischen Main, Rhein, Bodensee und Iller wieder Teil der Germania Libera. Die *Alamannen,* das »gens populosa« der antiken Schriftsteller, hatten den Römern die ›ager decumates‹ entrissen. Sie waren zur Landnahmezeit kein geschlossener Verband. Ammianus Marcellinus, der wichtigste Gewährsmann für das 4. Jahrhundert, spricht von 15 Stämmen, so von den *Brisgawii, Raetowarii, Bukinowantii* und den *Lentiensis,* in deren Namen Landschaftsbezeichnungen wie *Breisgau* und *Ries* enthalten sind. Kleinkönige (reguli) führten die Gruppen, die sich aus Gefolgschaften (comites), Adeligen (optimates) und Freien zusammensetzten. Im Krieg traten sie als gemischte Verbände aus Reitern und Infanterie auf. Zur Bewaffnung gehörten Langschwert und Schild, Axt, Lanze, Speer sowie Pfeil und Bogen.

Trotz der häufigen Erwähnung in den römischen Quellen ist der archäologische Nachweis der alamannischen Eroberer schwierig, obwohl seit spätestens 300 mit einer geschlossenen germanischen Volkssiedlung gerechnet werden muß. Der Bevölkerungswechsel zeigt sich anfänglich eigentlich nur negativ: Die provinzialrömische Besiedlung des Dekumatlandes bricht in der Mitte des 3. Jahrhunderts jäh ab, mittelrömische Brandgräberfriedhöfe werden nicht weiter belegt und die Münzreihe in den Limeskastellen reichen nicht über die Mitte des 3. Jahrhunderts. Befestigungen und zivile Steinbauten zerfielen, Dörfer und städtische Gemeinwesen waren verödet. Nirgendwo ist eine Weiterbewirtschaftung der römischen Gutshöfe festzustellen. Hinweise auf das Fortbestehen eines romanischen Bevölkerungssubstrats in Südwestdeutschland, das fortan ›Alamannien‹ genannt werden kann, sind beim heutigen Stand der Forschung kaum zu erbringen.

Die Gründe für das weitgehende Fehlen frühalamannischer Siedlungsspuren sind vielfältig. Ausschlaggebend aber dürften die Überlieferungsbedingungen sein, denn siedlungsleer blieben die von Rom aufgegebenen fruchtbaren Landschaften sicher nicht lange. Wiederum von Ammianus Marcellinus wissen wir, daß die *Alamannen* in hölzernen Gehöften siedelten und die römischen Ruinen mieden. Höchstens ihre Gräber legten sie in diesen an. So etwa in *Stockstadt a. Main*, wo eine nur durch Pfostenlöcher und Scherben dokumentierte frühalamannische Siedlung außerhalb und die zugehörigen Gräber innerhalb des zerfallenen Römerkastells nachgewiesen werden konnten. Ausnahmen bestätigen die Regel. Auf dem *Ebel bei Frankfurt a. M.* wurde in den dreißiger Jahren ein römischer Gutshof, d.h. eine ›villa rustica‹, ausgegraben. Der archäologische Befund, leider nur unzureichend dokumentiert, zeigt eindeutig, daß die Baulichkeiten im 4. Jahrhundert von den *Alamannen* weiterbenutzt wurden. Keramikreste und Münzen, vor allem aber nachträglich eingezogenes Trockenmauerwerk beweisen eindeutig die nachrömische Bewirtschaftung. Zudem wurde in nur 50 Meter Entfernung von den Gebäuden ein Nord-Süd orientiertes Grab aufgedeckt, in dem möglicherweise einer der Hofbesitzer mit Schwert, Streitaxt und Schild sowie einheimischer und provinzialrömischer Keramik beigesetzt war. Mehrere mitgefundene Fibeln haben formal enge Parallelen im Mittelelbgebiet.

Eine Besonderheit des alamannischen Siedlungsraumes sind die sogenannten ›Gauburgen‹ (Abb. 198). Diese befestigten Höhenplätze, von denen bisher nur der *Glauberg* am Rande der Wetterau und der *Runde Berg bei Urach* in Süd-Württemberg planmäßig untersucht sind, waren ganz offensichtlich Siedlungen mit zentralörtlicher Funktion, die mehr oder weniger als Repliken der gleichzeitigen befestigten provinzialrömischen Zivilsiedlungen zu sehen sind. Die Topographie der Örtlichkeiten, Hausgrundrisse, Reste von Handwerkzeugen, Gußformen für Schmuck und Gerät, kostbarer Edelmetallschmuck und Teile von Prunkwaffen weisen sie als wahrscheinliche Herrschaftsmittelpunkte aus, in denen sich das wirtschaftliche Leben nicht viel anders abspielte als in den entsprechenden grenznahen Siedlungen auf reichsrömischem Boden (Abb. 185). Bezeichnenderweise haben diese Höhensiedlungen, die zugleich Machtzentren regionaler Herrschaftsgebiete waren, das Ende des 5. Jahrhunderts nicht überdauert. Was den römischen Truppen bei ihren häufigen Feldzügen nach Alamannien offensichtlich nicht gelang, haben

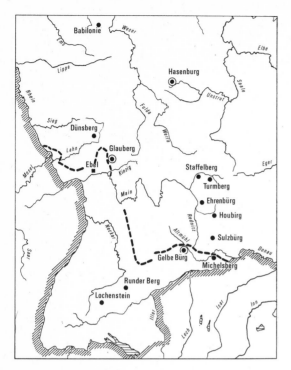

198 *Lage der gesicherten und vermutlichen Höhenburgen des 4. und 5. Jahrhunderts.*
Schraffiert: römische Reichsgrenze; gestrichelt: Verlauf des obergermanisch-raetischen Limes; Punkte: vermutete Höhenburgen; Punktkreise: archäologisch gesicherte Höhenburgen, zu denen inzwischen auch der Runde Berg bei Urach gehört. (Nach Werner)

199 *Bronzefibeln aus Niemberg, Saalkreis, Grab 11 und 14 sowie aus Trebitz, Saalkreis, Länge zw. 4,5 cm und 5,8 cm. Landesmuseum für Vorgeschichte, Halle*

die *Franken* unter Chlodwig nach ihrem Sieg über die *Alamannen* in der Schlacht bei *Zülpich,* 496/97 geschafft. Die Gauburgen mußten aufgegeben werden, die Befestigungen wurden geschleift. Zugleich hatte diese Niederlage den Verlust des Nordteiles der Alamannia zur Folge.

Ähnlich wie die Siedlungen können auch frühalamannische Grabfunde nur spärlich nachgewiesen werden. Im 4. und am Anfang des 5. Jahrhunderts ist die Alamannia zwischen zwei Grabsittenkreisen eingekeilt. Im elbgermanisch-mitteldeutschen Raum bestehen ausgedehnte Urnenfelder. Dazwischen treten um 300, hauptsächlich im Saalegebiet, vereinzelt reich ausgestattete Körpergräber in kleinen Gruppen auf, die weiter oben als ›Fürstengräber‹ vom Typ *Haßleben-Leuna* beschrieben wurden (siehe S. 175 ff.). Sie lösten im Lauf des 4. Jahrhunderts die Entstehung der sogenannten mitteldeutschen Skelettgräbergruppe aus, die im 5. Jahrhundert räumlich scharf begrenzt als ›Niemberger Gruppe‹ bezeichnet wird (Abb. 199, 200). Auf römischem Gebiet erfolgte nördlich der Alpen in der 2. Hälfte des 3. Jahrhunderts der allmähliche Wechsel von der Leichenverbrennung zur Körperbestattung. In der Folgezeit entstehen vor den Toren der spätantiken Städte von *Mainz, Straßburg, Basel* und *Regensburg* große Friedhöfe, deren nicht einheitlich orientierte Gräben zwar Schmuck- und Speisebeigaben in unterschiedlicher Quantität und Qualität enthalten, aber niemals Waffen. Dasselbe gilt für die ländlichen Friedhöfe, etwa in Raetien, wo in der Zeit um 400 die Beigabensitte in den provinzialrömischen Friedhöfen überhaupt aufhört.

Über den ganzen südwestdeutschen Raum verstreut treten in der Landnahmezeit vereinzelt Nord-Süd orientierte Körpergräber auf, die zum Teil mit relativ reichen Beigaben und schweren Waffen versehen sind. Anders als in Mitteldeutschland kommen beispielsweise aber im Grab vom *Ebel* bei Frankfurt und in einer Reihe anderer südwestdeutscher Gräber Schwerter, Schilde und Äxte vor, Beigaben, die weder in Mitteldeutschland noch bei der provinzialrömischen Bevölkerung üblich sind.

Aufgrund der dürftigen Quellenlage ist das rechtsrheinisch gelegene Gräberfeld von *Lampertheim* bei Worms von Bedeutung. Beim Kiesabbau konnten 56 Gräber der 1. Hälfte des 4. Jahrhunderts geborgen werden (Abb. 201). Davon waren 16 als Nord-Süd orientierte Körpergräber angelegt, von denen sechs beigabenlos waren, zwei Speer und Axt sowie eines eine Spatha enthielten. Die 20 Urnen- und 30 Brandgrubengräber besaßen nur kümmerliche oder überhaupt keine Beigaben. Aus dem Befund in *Lampertheim* ist zu erschließen, daß die Alamannen in der Frühzeit, wie schon in ihren Herkunftsgebieten an der mittleren Elbe, vorwiegend Brandbestattung und Beisetzung des Leichenbrandes in organischen Behältnissen übten, was mit ein Grund dafür sein mag, daß größere Gräberfelder dieser Zeit bisher archäologisch selten nachgewiesen sind. Die Inventare der 16 Körpergräber in Lampertheim zeigen eine starke provinzialrömische Komponente, welche sich in importierter Keramik und in Trachteigentümlichkeiten dokumentiert, die aus der Grenznähe und dem Güteraustausch über den Rhein resultiert. Allgemein aber dürften die wenigen Nord-Süd orientierten Gräber und die kleinen Grabgruppen der alamannischen Oberschicht zuzurechnen sein, wobei das hervorstechendste Kriterium die Beigabe von schweren Waffen ist.

Im 5. Jahrhundert macht sich mit der Ausdehnung des Hunnenreiches bis an den Rhein ein östlicher Einschlag im Fundmaterial bemerkbar, der sicherlich nicht nur auf die Sachgüter wirkte, sondern bestimmt auch die Grabsitten der germanischen Oberschicht nachhaltig beeinflußte. Bekannt sind die Funde von *Altlussheim* und *Wolfsheim* im Mittelrheingebiet, die sich aufgrund reicher Edelmetallbeigaben sowie Schmuck und Waffen östlichen Ursprungs als Einzelgräber ostgermanischer Herkunft zu erkennen geben (Abb. 203). Sie wurden in der ersten Hälfte des 5. Jahrhunderts im hochwassergefährdeten Bereich des Rheines angelegt und haben in der eigenartigen Wahl des Bestattungsplatzes eine Parallele in der Bestattung Alarichs I. im Flußbett des Busento. Als Einzelfunde sind Silberfibeln donauländischer Herkunft von Höhenplätzen im alamannischen Siedlungsraum bekannt, die weitreichende östliche Verbindungen belegen. Selbst die Schädeldeformation wurde bei *Thüringern* und *Burgundern* von den Hunnen übernommen, ein weiteres Zeichen dafür, wie stark der kulturelle Einfluß des mongolischen Steppenvolkes auf die Gesellschaft der abhängigen germanischen Völkerschaften war (Abb. 192). Man darf davon ausgehen, daß gerade in der ersten Hälfte des 5. Jahrhunderts infolge der Ausdehnung des hunnischostgermanischen Großreiches in den mittel- und süddeutschen Bereich östliche Kulturerscheinungen gebündelt übertragen wurden, die ihre Wurzeln im südrussisch-pontischen Bereich hatten und rechts des Rheines noch lange wirksam waren.

In der 2. Hälfte des 5. Jahrhunderts ist ein Wandel im Grabbrauch festzustellen. Kleine Grabgruppen mit meist gut ausgestatteten West-Ost orientierten Gräbern und frühmerowingischen Sachformen sind offensichtlich die archäologische Hinterlassenschaft adeliger Sippen. Manchmal bilden diese frühen Adelsgrablegen den Kern größerer Ortsfriedhöfe, die bis in das 6. und 7. Jahrhundert kontinuierlich belegt wurden. In keinem Fall aber schließen diese Friedhöfe an ältere Bestattungsplätze an, so daß aufgrund der archäologischen Situation ein Abbruch älterer Traditionen und die Herausbildung neuer Entwicklungen in Alamannien während der 2. Hälfte des 5. Jahrhunderts angenommen werden muß, deren auslösendes Moment nur in größerem Rahmen erfaßt werden kann.

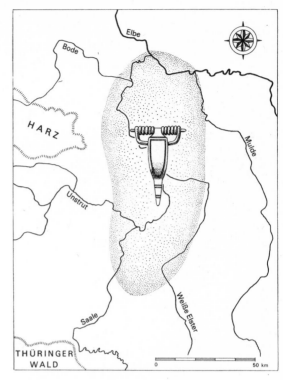

200 Hauptverbreitungsgebiet der ›Niemberger‹ Fibeln im 4. und 5. Jahrhundert n. Chr. (Nach Behm-Blancke)

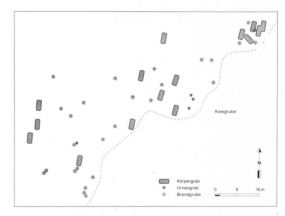

201 Schematisierter Plan eines Brand- und Körpergräberfeldes des 4. Jahrhunderts von Lampertheim, Kr. Bergstraße. (Nach Christlein)

213

202 Schwert mit goldblechverkleideter Scheide und breiter, mit planen Almandinen in herzförmigem Zellwerk cloisonnierter Parierstange. Das Schwert östlicher Herkunft wurde zusammen mit einem säbelartigen einschneidigen Hiebschwert in einem Grab der 1. Hälfte des 5. Jahrhunderts n. Chr. gefunden. Altlußheim, Nordbaden. Badisches Landesmuseum, Karlsruhe

Anders als im Dekumatland liegen die Verhältnisse vom 3. bis 5. Jahrhundert im nördlichen Gallien, in der Belgica und in Niedergermanien. Diese Gebiete erfreuten sich im Schutz der Rheingrenze bis in die Mitte des 3. Jahrhunderts einer außergewöhnlichen Prosperität, dann kommt es auch hier zum Niedergang. Die ständigen Einfälle der Franken und Alamannen führten zur Entvölkerung ganzer Landstriche. Schlechtere Böden sind überhaupt aufgegeben worden, Hunsrück und Eifel verwaldeten und wurden erst im hohen Mittelalter wieder aufgesiedelt. Seit Diocletian versuchten die römischen Herrscher die Entvölkerung durch die Ansiedlung von germanischen Kriegsgefangenen auszugleichen. Als Laeti grundhörig, hatten sie Wehrdienst zu leisten und unterstanden den Laetenpräfekturen (siehe S. 188f.). In der 2. Hälfte des 4. Jahrhunderts wurden ganze germanische Stämme und Gefolgschaften auf römischen Reichsgebiet als Foederaten angesiedelt. Den salischen Franken mußte 358 durch Staatsvertrag Toxandrien, das Gebiet nördlich der Straße von Köln nach Bavai, nachträglich zugesprochen werden. Beim Abzug des römischen Militärs von der Rheingrenze im Jahre 407 war das offene Land in Nordfrankreich und Belgien durch eine germanisch-provinzialrömische Mischbevölkerung besiedelt. Die Intensität der Germanisierung zeigte sich auch im Heer; unter Gratian (388) bestand die Hälfte des Offizierskorps aus Germanen.

Die historisch überlieferte germanische Infiltration des Gebietes zwischen Seine und Rhein dokumentiert sich archäologisch in den Grabfunden. Trachteigentümlichkeiten, Grabformen und vor allem die Waffenbeigabe sind Indiz für die ethnische Bestimmung der Bestattungen. Der Umfang germanischer Durchdringung zeigt sich in der Verbreitung typischer Altsachen (Abb. 202). Ein allgemeiner Überblick ergibt, daß die romanische oder vielleicht besser romanisierte Bevölkerung Nordgalliens, Belgiens sowie des Rheinlandes im 4. Jahrhundert noch in voller Bekleidung und mit Beigaben versehen beigesetzt wurde. Der Mann trug einen breiten Leibgut, manchmal ein kleines Messer, aber nie Waffen. In den Frauengräbern finden sich verschiedene Schmuckstücke – Colliers, Ohrringe, drahtförmige Bronzearmringe – aber nie Fibeln. In diesem Milieu relativ beigabenarmer Gräber, in denen die Massenware der belgisch-nordgallischen Bronze-, Glas- und Keramikindustrie dominiert, sind in Nordfrankreich und Belgien vereinzelt reiche Gräber mit beigegebenen schweren Waffen (Spatha, Lanze, Axt, Schild) festzustellen. Sie sind ebenso als ethnisches Kriterium zu werten, wie das Auftreten von Fibelpaaren, und zwar bis zu drei Ensembles in Frauengräbern, die sich darin grundsätzlich von den üblichen spätrömisch-romanischen Frauenbestattungen unterscheiden (Abb. 204, 205). Neuere Forschungen konnten des weiteren Holzeimer mit Bronze- und Eisen-

beschlägen, Scheren, Spinnwirtel, Eisenschnallen und dreieckige Bein-
und Knochenkämme als ungewöhnlich im romanischen Milieu und damit als spezifisch germanische Beigaben aussondern, Gegenstände, die
als Grabbeigaben eine lange Tradition im rechtsrheinischen Germanien
haben. Die Analyse einschlägiger Gräberfelder gibt Einblick in die Bevölkerungsstruktur und die Funktion des ›germanischen Elementes‹ in
der spätrömischen Gesellschaft.

Nach ihrer topographischen Lage ist zwischen Gräberfeldern von
städtischen, ländlichen und militärischen Siedlungen zu unterscheiden.
Zur ersten Kategorie gehört einer der Friedhöfe von *Vermand* bei Saint-
Quentin im Département Aisne. Die spätrömische Civitas Viroman-
duorum lag an einem Knotenpunkt wichtiger Fernstraßen. Außerhalb
der heute noch 10 Meter hohen Versturzwälle der Stadtbefestigung
wurden im letzten Jahrhundert drei spätantike Friedhöfe ausgebeutet.
Die meisten der 429 Gräber der im Südwesten gelegenen Nekropole
(Vermand III) sind Süd-Nord orientiert. Nur wenige weichen von dieser
Norm ab und weisen Nord-Süd oder West-Ost Richtung auf. Spezifische Beigaben und Bestattungsbräuche, so Waffen, Fibeln, Haarpfeile,
Eisenscheren, Kämme und Spinnwirtel, Holzeimer, Eberhauer, Män-
nerhalsringe, Frauengürtelschnallen und als Weggeld beigegebene Münzen aus Edelmetall in 51 Gräbern der zweiten Hälfte des 4. Jahrhunderts
zeigen, daß mit einem archäologisch erkennbaren germanischen Anteil
an der Gesamtbevölkerung von annähernd 20 Prozent zu rechnen ist,
deren Bestattungen ohne örtliche Konzentrationen über den ganzen
Friedhof verteilt sind. Berühmt ist das leider beraubte Grab des ›chef
militaire‹, offensichtlich die Grablege eines hohen germanischen Offi-
ziers in römischen Diensten, der mit seiner qualitätvollen Waffenausrüstung auf dem städtischen Friedhof der *Civitas Viromanduorum* begraben
worden ist (Abb. 206). Mit einem ähnlichen Anteil germanischer Elemente an der Bevölkerung in den spätantiken Städten Nordgalliens und
Belgiens in der zweiten Hälfte des 4. Jahrhunderts ist auch anderswo zu
rechnen, allerdings lassen die unzureichenden Unterlagen der vornehmlich im letzten Jahrhundert ausgebeuteten Gräberfelder keine verbindliche Analyse zu. Waffen, Militärgürtel und die zur germanischen Mehrfibeltracht gehörigen Silber- und Bronzefibeln wurden auch in *Boulogne-
Sur-Mer* (Bononia), *Amiens* (Sammarobriva), *Bavai* (Bagacum Ner-
viorum), *Saint-Quentin* (Augusta Viromanduorum), *Metz* (Mediomatri-
cum), *Tournai* (Turnacum) und *Tongern* (Civitas Tungrorum) gefunden.
Man wird diese Friedhöfe als romanisch-germanisch gemischt belegte
Nekropolen bezeichnen dürfen.

Durch geringere Gräberzahl unterscheiden sich die gleichzeitigen
Friedhöfe der ländlichen Bevölkerung. Zu dieser Gruppe zählt die kleine
Nekropole von *Abbéville-Homblières* bei Saint-Quentin, ebenfalls im Dé-

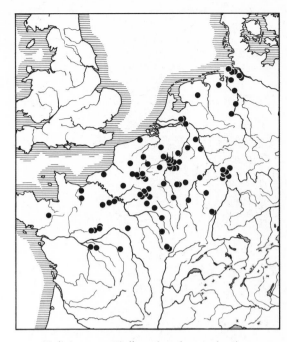

203   *Verbreitung von Waffengräbern des 4. und 5. Jh.
zwischen Loire und Elbe. (Nach Böhme)*

215

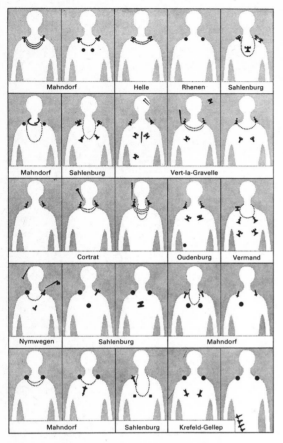

204 Fundlage von Kopf-, Hals- und Brustschmuck bei einigen ausgewählten germanischen Frauengräbern aus dem Raum zwischen Loire und Elbe. (Nach Böhme)

205 Tutulusfibelpaar, Höhe 10 cm, aus einem Frauengrab in Oudenburg, Westflandern. Auf einer bronzenen Grundplatte mit Nadelkonstruktion sind an einem Eisendorn die silbervergoldeten Blechtutuli aufgesetzt. Den oberen Abschluß bildete eine Bernsteinperle. 4. Jh. n. Chr. Gruuthusemuseum, Brügge

partment Aisne mit 81 Nord-Süd gerichteten Gräbern, einer West-Ost orientierten Körper- und drei Brandbestattungen. Der Begräbnisplatz gehört zu einer villa rustica der zweiten Hälfte des 4. Jahrhunderts, die an einer wichtigen Fernstraße in die Ardennen liegt. Nach den Beigaben kann von einem erheblichen Anteil germanischer Bevölkerung ausgegangen werden, wenn der Friedhof aufgrund der konsequenten Nord-Süd-Orientierung der Bestattungen nicht überhaupt als rein germanisch anzusprechen ist. Die explizite Auswertung des Befundes und seine Interpretation läßt auf zwei bis drei germanische Familien schließen, die mit ihrem Gefolge in einer Gesamtstärke von 40-50 Menschen seit der Mitte des 4. Jahrhunderts am Ort ansässig waren, den Gutshof bewirtschafteten und Sicherungsfunktionen ausübten. Etwas andere soziale und ethnische Verhältnisse deuten sich in den kleinen Friedhöfen von *Vert-la-Gravelle* und *Cortrat* an. Vert-la-Gravelle liegt unmittelbar an einer West-Ostverbindung in der südlichen Champagne im Département Marne. Unter den 34 geländebedingt Nordwest-Südost orientierten Gräbern war nur eines mit Waffen ausgestattet, während germanische Fibeltracht bei fast einem Drittel der weiblichen Bestattungen festzustellen war. Bringt man als weitere ›germanische‹ Kriterien Scheren und Schnallen in Kindergräbern ins Spiel, so sind 8 Gräber oder 24 Prozent der Bevölkerung nachweislich germanisch. Auffallend ist, daß die sechs reich ausgestatteten Gräber (Bronzegefäße und Edelmetallgegenstände) ausschließlich zur Gruppe der germanisch definierten Bestattungen gehören (Abb. 207). Es scheint somit, daß der germanische Personenkreis die sozial führende Schicht in der kleinen Siedlungsgemeinschaft war, wobei das starke Übergewicht der Frauen und das Zurücktreten reicher ausgestatteter Männer mit und ohne Waffen festzustellen ist. Erklärungen dieses Mißverhältnisses sind zwar Spekulation, doch ist die Überlegung sicher nicht abwegig, daß die sozial gleichrangigen Männer im auswärtigen Militärdienst standen, dort umkamen und deshalb nicht an ihrem Wohnsitz bestattet werden konnten.

Ähnliche Rückschlüsse lassen sich für den ebenfalls in jüngerer Zeit ausgegrabenen Friedhof von *Cortrat* im Département Loiret ziehen. Er gehört zu einer Siedlung mit günstigen Verkehrsverbindungen am Schnittpunkt einer Straße von der Seine zur Loire und der Fernstraße von Orléans nach Troyes. Die 38 vorwiegend Nord-Süd gerichteten Gräber deuten eine mit Vert-la-Gravelle vergleichbar geringe Bevölkerung von 15-25 Personen bei einer Belegungsdauer des Friedhofes von 50 Jahren an. Dem entspricht das prozentuale Verhältnis von Waffen- und Fibelgräbern von 1:3. Ein hoher Anteil der Bestattungen war beigabenlos und entzieht sich damit der Interpretation. Auch hier haben gerade die besonders reich ausgestatteten Gräber germanische Inventare. Die Anwesenheit einer germanischen Oberschicht, deren Bedeutung sicher nicht nur ortsgebunden war, zeigt das Grab eines Knaben oder Jünglings, der außer einer Axt eine bronzene vergoldete Zwiebelknopffibel trug, die in spätrömischer Zeit Rangabzeichen im Militär oder in der zivilen Verwaltung war (Abb. 208, vgl. Abb. 188).

Von den städtischen und ländlichen Nekropolen mit ›fremdartigen‹ germanischen Grabbeigaben, deren Zahl nicht unbeträchtlich ist, unterscheiden sich die Friedhöfe bei Militärkastellen in auffälliger Weise. In *Oudenburg* in Westflandern wurden vor wenigen Jahren 180 hauptsächlich West-Ost oder Ost-West orientierte Körpergräber ausgegraben, die zu einem spätrömischen Kastell am ›Limes saxonicus‹ gehörten, das in der ersten Hälfte des 4. Jahrhunderts angelegt worden ist. Neben 170 waffenlosen Männergräbern fanden sich nur zwei Waffengräber sowie zwei Frauengräber mit einer bzw. fünf Fibeln (Abb. 205), die sich dadurch einzig als ›germanisch‹ ausweisen. Ebenfalls verhältnismäßig wenige Waffengräber liegen aus dem zum spätrömischen Kastell Gelduba in *Krefeld-Gellep* gehörenden Militärfriedhof des 4. Jahrhunderts vor, obwohl in beiden Fällen angenommen werden darf, daß die Besatzungen stark mit Soldaten germanischer Herkunft durchsetzt waren. Einen ganz anderen Friedhofstyp vertritt hingegen die kleine Nekropole von *Furfooz* in den Ardennen. Unterhalb einer spätrömischen Bergbefestigung, die zur Sicherung der Straße von Köln nach Saint-Quentin angelegt war, fanden sich in den Ruinen einer mittelrömischen Badeanlage 25 Nord-Süd orientierte Körpergräber und zwei Urnengräber der zweiten Hälfte des 4. und vom Anfang des 5. Jahrhunderts. 70 Prozent der Männergräber waren mit Waffen ausgestattet, Frauengräber konnten insgesamt nur vier ausgesondert werden, was eindeutig auf eine rein germanische Besatzung schließen läßt.

Insgesamt zeigt sich in den vorgeführten Friedhofstypen die Durchdringung des Raumes zwischen Rhein und Loire mit germanischen Elementen. Sowohl in städtischen wie in ländlichen Friedhöfen sind aufgrund archäologischer Sachkriterien germanische Gräber in unterschiedlicher Verhältniszahl zu den Romanen auszuscheiden. Diese Gräber, vornehmlich im Verlauf der zweiten Hälfte des 4. Jahrhunderts angelegt, weisen zum Teil eine reiche Ausstattung auf, die Rückschlüsse auf einen gehobenen sozialen Stand zulassen. Anders hingegen bei den Militärfriedhöfen. Hier sind in zwei modern gegrabenen Friedhöfen nur spärlich spezifisch germanische Beigaben festgestellt worden, obwohl die Besatzung mit Sicherheit germanisch durchsetzt war. Dies zeigt einmal mehr, daß mit den oben gegebenen Ausscheidungskriterien nur eine bestimmte, zeitlich auf die 2. Hälfte des 4. Jahrhunderts beschränkte Schicht des germanischen Bevölkerungsanteiles zu fassen ist. Es handelt sich dabei sicher nicht um die Laeten, die als Kriegsgefangene seit diokletianischer Zeit in Nordgallien angesiedelt wurden. Vielmehr scheint

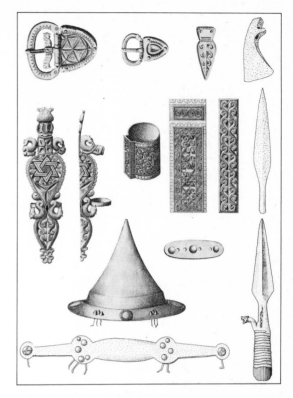

206 Gürtelschnalle und Lanzenschaftbeschläge aus vergoldetem, reich verziertem und nielliertem Silberblech aus dem Grab des ›Chef militaire‹ von Vermand, Dép. Aisne. Breite der Schnalle 4,8 cm. Zum Inventar des alt beraubten Grabes gehören noch weitere Gürtelbeschläge, eine Axt und eine Lanzenspitze, Schildbuckel mit Fessel, ein zweischneidiges Langschwert, von dem nur noch das Ortband vorhanden war und eine Saufeder. Metropolitan Museum of Art, New York

es sich um vornehme Germanen im römischen Dienst gehandelt zu haben, die mit ihren Familien als ›Reichsgermanen‹ Land zugewiesen bekamen, wenn sie nicht, wie das besonders eindringlich ein Kriegergrab aus der Zeit um 400 n.Chr. in *Liebenau* an der Weser zeigt, wieder in ihre Heimat zurückgekehrt sind. Der Großteil der germanischen Bevölkerung ist archäologisch nicht nachweisbar, sei es, daß sie sich in der fremden Umgebung dem provinzialrömischen Begräbnisritus angeschlossen haben, oder tracht- und brauchtumsmäßig schnell romanisiert wurden. Möglicherweise aber kann auch die Graborientierung bei fehlenden anderen Hinweisen als ethnisches Kriterium gewertet werden. Viele der Gräber mit ›germanischen Inventaren‹ Nordgalliens sind Süd-Nord gerichtet, d.h. der Kopf des Skelettes lag im Süden. Diese Orientierung wurde sowohl von den Provinzialen wie auch von den Barbaren im 4.Jahrhundert geübt, bevor erstere gegen 400 n.Chr., wahrscheinlich im Zusammenhang mit einer strafferen Organisation des Christentums, streng West-Ost und ohne Beigaben bestatteten. Es ist wahrscheinlich, daß die rechtsrheinischen Süd-Nord orientierten Körpergräber in den Niederlanden und in Nordwestdeutschland mit den gallischen in Verbindung zu bringen sind, denn die frühesten Körpergräber in den von Brandbestattungen geprägten nördlichen rechtsrheinischen Gebieten mit entsprechenden Inventaren treten ebenfalls in der zweiten Hälfte des 4.Jahrhunderts auf.

Genau umgekehrt verhält es sich mit den Nord-Süd orientierten Gräbern. Sie kommen in der zweiten Hälfte des 4.Jahrhunderts aber auch in der 1.Hälfte des 5.Jahrhunderts in Nordfrankreich und vor allem in Belgien vereinzelt, aber dann häufig mit germanischen Inventaren vor. Im Gegensatz zur Süd-Nord-Lage kommt die Nord-Süd-Lage der Toten, bei der der Kopf nach Norden zeigt, im rechtsrheinischen Germanien seit dem 1.Jahrhundert vor. Sie ist bei den skandinavischen Körpergräbern, den älter- und jüngerkaiserzeitlichen ›Fürstengräbern‹, der mitteldeutschen Skelettgräbergruppe, bei den ostgermanischen Gräbern und in Südwestdeutschland festzustellen. In der Gegend von *Magdeburg* wird diese Richtung bis in das 6.Jahrhundert beibehalten. Die Nord-Süd-Lage scheint ein spezifisches ethnisches Kriterium zu sein.

Faßt man den vorläufigen Stand der Forschung zur archäologischen Situation im besprochenen Gebiet zusammen, so ergibt sich, daß aus der Masse gallorömischer Gräberfelder des 4.Jahrhunderts Nekropolen und Einzelgräber ausgesondert werden können, die nach Waffenbeigabe, Trachtzubehör und Graborientierung germanischen Bevölkerungselementen zuzuweisen sind. Die stammesmäßig wahrscheinlich keineswegs einheitliche, aber militärisch offensichtlich bedeutsame Bevölkerungsgruppe bediente sich der Erzeugnisse des provinzialrömischen Gewerbes, übernahm bestimmte Sitten, so die ›Körperbestattung‹ und trug

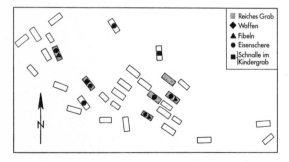

207   Verbreitung der Gräber mit reichen und außergewöhnlichen Beigaben im Friedhof von Vert-la-Gravelle, Dép. Marne. (Nach Böhme)

bedeutend zur ›Barbarisierung‹ des Landes zwischen Loire und Rhein bei (Abb. 202). Verbindungen ergeben sich über Sachtypen und Bestattungsformen vor allem zum nordwestdeutschen Raum. Man ist versucht, eine einheitliche Entwicklung der ›germanischen Zivilisation‹ zwischen Seine und unterer Elbe im 4. und frühen 5. Jahrhundert zu konstatieren.

KONTINUITÄT

Vergleicht man die Verhältnisse in Nordfrankreich und Belgien mit denen in Südwestdeutschland so fällt auf, daß die Anwesenheit germanischer Bevölkerungsteile innerhalb der spätrömischen Reichsgrenzen archäologisch eindeutiger nachzuweisen ist als die der geschlossen siedelnden Alamannen im ehemaligen Dekumatland. Hier wie dort treten Körperbestattungen mit spezifisch germanischen Beigaben auf, wobei zu bemerken ist, daß in den Herkunftsgebieten dieser Germanen – zwischen Niederrhein und Unterelbe sowie im Mittelelbgebiet – Brandbestattung vorherrscht. Waffengräber sind dort die Ausnahme. Wenn sie auftreten, dann meist in Verbindung mit Süd-Nord orientierten Körpergräbern, deren Anlage auf Anregungen aus den neu besiedelten Landschaften zurückgeht. Überdies muß festgehalten werden, daß die archäologisch faßbaren Germanengräber links des Rheins nach ihrem Beigabenreichtum der sozialen Oberschicht angehörten, deren Verbindung zum Weser-Elbgebiet durch Trachtgemeinsamkeiten dokumentiert ist. Die Beigabe von schweren Waffen (Spatha, Lanze, Schild und Axt) tritt in Nordgallien und Alamannien zur gleichen Zeit auf, ohne daß hierfür unmittelbare Vorformen im Beigabenritus der Herkunftsregionen und schon gar nicht im provinzialrömischen Bereich ausmachbar wären, sieht man von den älterkaiserzeitlichen Waffengräbern im Elbgebiet und in Ostdeutschland ab.

Welche Umstände die Herausbildung der neuen Grabsitten bei den Germanen ausgelöst haben, kann beim heutigen Stand der Forschung nicht geklärt werden. Das Phänomen des Wechsels im Bestattungs- und Beigabenritus kann nur als Faktum hingenommen werden. Vermutlich haben die engen Kontakte mit der spätantiken Welt zu einer Symbiose romanisch-christlicher und germanisch-heidnischer Vorstellungen geführt, deren archäologisch sichtbares Ergebnis das Totenbrauchtum im 4. Jahrhundert in den besprochenen Räumen ist.

Wie in Nordfrankreich und Belgien hört auch in Südwestdeutschland die Belegung dieser Friedhöfe in der Zeit um 400 n. Chr. auf. Erst in der zweiten Hälfte des 5. Jahrhunderts setzen kleine Gräbergruppen an anderer Stelle mit reich ausgestatteten Grablegen wieder ein. Man ist versucht, die archäologische Fundlücke mit der beginnenden Völkerwanderungszeit in Zusammenhang zu bringen, in der Südwestdeutschland

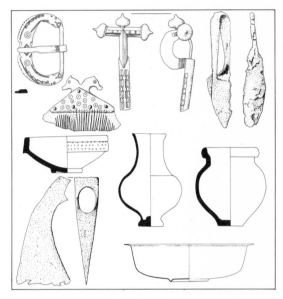

208 Inventar des Knabengrabes 30 von Cortrat, Dép. Loiret: bronzene Gürtelschnalle, bronzevergoldete Zwiebelknopffibel (vgl. hierzu das Diptychon von Monza Abb. 188), Eisenschere und Messer, Beinkamm mit dreieckiger Griffplatte und Tierköpfen, Schüssel, Flasche und Topf aus Ton, Eisenaxt und Bronzeschüssel. 2. Hälfte 4. Jh. (Nach Böhme)

durch die Züge der Ostgermanen und Hunnen sicher in Mitleidenschaft gezogen wurde. Es mag Umschichtungen und Siedlungswechsel in Alamannien gegeben haben, ein Bruch in der Siedlungskontinuität, der sich aufgrund der reinen Grabfundstatistik anzudeuten scheint, ist jedoch nicht gegeben. Das zeigen unter anderem die Ausgrabungsbefunde auf dem *Runden Berg bei Urach,* der im 4. und 5. Jahrhundert durchgehend besiedelt war (siehe S. 211 f.).

Günstiger liegen die Verhältnisse im nordfranzösisch-belgischen Raum. Während die ältere Forschung annahm, daß zwischen den germanischen Gräbern des 4. Jahrhunderts und den frühesten merowingerzeitlichen Reihengräbern in diesem Gebiet ebenfalls kein Zusammenhang bestünde, haben moderne Analysen des Fundmaterials und neue Ausgrabungen die Kontinuität germanischer Besiedlung von der Regierungszeit Kaiser Valentinians III. (425-455) bis zum Auftreten des fränkischen Königs Chlodwig (482-511) archäologisch nachgewiesen. Es ist die Zeit, als zuerst *Vandalen, Sveben* und *Alanen* Gallien verwüsten, Burgunder und Westgoten sich dort ansässig machen, und der römische Heermeister Aëtius im Bündnis mit den Westgoten Attila auf den katalaunischen Feldern schlägt. Schließlich wird der römische Machtbereich unter Syagrius durch die von Norden und Nordosten vordringenden Frankenkönige – und hier ist besonders Childreich I. (gest. 481/82), der Vater Chlodwigs aus dem Haus der Merowinger, zu erwähnen, dessen königlich ausgestattetes Grab in *Tournai* bereits im 17. Jahrhundert entdeckt worden ist – auf das Pariser Becken reduziert, bis endlich Chlodwig diesen letzten Rest römischer Herrschaft 486 liquidierte.

Exemplarisch können einige Friedhöfe angeführt werden, deren Belegung von der spätrömischen bis in die Merowingerzeit reicht und in deren Gräbern das germanische Element aufgrund der spezifischen Beigabensitte kontinuierlich faßbar ist. Das Gräberfeld von *Samson bei Namur* lag nahe einer spätrömischen Befestigung auf einem Plateau oberhalb der Maas. Die Inventare der 250 Gräber sind bei der Ausgrabung im 19. Jahrhundert vermischt worden. Dennoch lassen sich eine Reihe von Waffengräbern aussondern, die eine kontinuierliche Benützung des Friedhofes vom 4. bis ins 6. Jahrhundert bezeugen. Unter den 2300 aufgedeckten Gräbern bei der Mühle *Caranda* im Département Aisne sollen sich ungefähr 100 Süd-Nord gerichtete spätrömische Gräber, darunter ein reich ausgestattetes Frauengrab mit Mehrfibeltracht und ein Waffengrab befunden haben, die zwischen den West-Ost orientierten merowingerzeitlichen Reihengräbern angetroffen wurden. Ähnlich liegen die Verhältnisse in *Maule,* Département Yvelines, mit seinen 950 Bestattungen, die dem 4. bis 7. Jahrhundert angehören. Auch hier konnten zwischen den merowingerzeitlichen Reihengräbern etwa 100 Süd-Nord orientierte Bestattungen ausgegraben werden. Die Reihe dieser ›Übergangsfriedhöfe‹ in Nordfrankreich und in Belgien kann fortgesetzt werden. Wichtig ist die Feststellung einer punktuell nachgewiesenen Ortskontinuität germanischer Besiedlung seit der 2. Hälfte des 4. Jahrhunderts. Der ›Kontinuitätsbruch‹ ist nur scheinbar und zeigt sich vornehmlich in der Umorientierung der Grabrichtung in der 2. Hälfte des 5. Jahrhunderts, die wahrscheinlich mit einem verstärkten Einfluß des Christentums auf den germanischen Grabritus zusammenhängt. Zugleich aber belegen diese Friedhöfe und noch mehr die zahlreichen fränkischen Reihengräberfelder in Nordfrankreich und Belgien, daß mit der Ausdehnung der merowingischen Herrschaft auch eine germanische Aufsiedlung dieser Gebiete stattfand, wobei die neu hinzugezogenen Gruppen ein längst ansässiges, verwandtes germanisches Element antrafen, das bereits die spätrömische Zivilisation übernommen hatte.

Nur aus archäologischer Sicht erscheint diese Bevölkerungsgruppe im 5. Jahrhundert als Traditionsträger, da sie im Gegensatz zu den Romanen die Beigabensitte weiterübte und durch ihre Grabausstattung eine im wesentlichen ungestörte Entwicklung der materiellen Kultur in Nordfrankreich und Belgien von der Spätantike bis ins frühe Mittelalter belegt. Zugleich zeigen aber die Produkte des spätrömischen Gewerbes in den Grabensembles der Barbaren das Weiterleben der romanischen Bevölkerung auf, die in Wirklichkeit die antike Kultur bis in das Mittelalter überliefert hat.

Wie stark das germanische Element in diesen Räumen vertreten war, bleibt ohnehin dahingestellt. Von der sprachlichen Entwicklung ausgehend, muß man wohl ein Überwiegen der Romanen oder besser der ›romanisierten‹ Bevölkerung annehmen, obgleich die Zahl der frühen Reihengräberfelder keineswegs geringer ist als in Südwestdeutschland. Das kann jedoch einfach damit zusammenhängen, daß die ›Reihengräberzivilisation‹ aus der germanisch-romanischen Symbiose im nordgallisch-belgischen Raum entstanden ist und von dort aus auf die rechtsrheinischen Gebiete übertragen wurde.

Modellhaft läßt sich dieser Vorgang am archäologischen Befund in der Gemarkung des mainfränkischen Ortes *Kleinlangheim*, Landkreis Kitzingen, dokumentieren. In der Umgebung des heutigen Dorfes konnten in den letzten Jahren drei Friedhöfe untersucht werden (Abb. 209). Der germanische Friedhof im Nordosten erbrachte 155 Brandgrubengräber des 1.–5. Jahrhunderts und ein Nord-Süd orientiertes Waffengrab. Das merowingerzeitliche Reihengräberfeld nordwestlich des Ortes enthielt neben 244 Körperbestattungen und 7 Tiergräbern auch 49 Brandgruben und ein Urnengrab aus der gleichen Zeit. Der christliche Friedhof mit Bestattungen des 8. und 9. Jahrhunderts wurde schließlich unter der Kirche des Ortes angetroffen, so daß für die Gemarkung von Kleinlangheim, das 816 erstmals als ›Lancheim‹ in den Urkunden er-

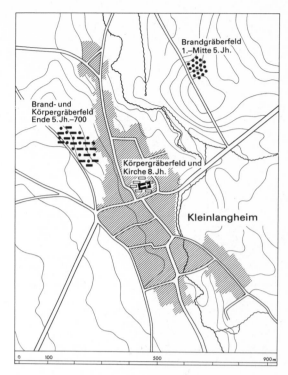

209 Frühgeschichtliche Topographie von Kleinlangheim, Kr. Kitzingen, Unterfranken. (Nach Pescheck)

210   Der Hügel Žuraň beim Dorf Podolí in Mähren von dem aus Napoleon 1805 die Schlacht von Austerlitz leitetete. Auf der beherrschenden Höhe befindet sich eine 40 Meter durchmessende Steinpackung von zwei Meter Mächtigkeit, in die zwei bis zu sieben Meter tiefe Schächte mit antik beraubten Begräbnissen eines Mannes und einer Frau der ersten Hälfte des 6. Jahrhunderts, wahrscheinlich Mitgliedern des langobardischen Königshauses eingetieft waren. (Nach Werner). Darunter die Königshügel von Gamla Uppsala aus dem 6. Jahrhundert n. Chr. nahe dem altgermanischen Zentralheiligtum von Uppsala in Schweden.

wähnt wird, eine Sieldungskontinuität vom 1. bis 9. Jahrhundert nach Christus archäologisch nachzuweisen ist. Das Brandgräberfeld wurde, wie auch anderswo regelhaft beobachtet werden kann, zu Beginn des 5. Jahrhunderts nicht mehr weiter belegt. Die Reihengräber setzen mit geringer zeitlicher Verzögerung nach der Mitte des Jahrhunderts an anderer Stelle ein. In *Kleinlangheim* ist von besonderer Bedeutung, daß zugleich mit den West-Ost orientierten Körperbestattungen weiter Brandschüttungsgräber während der gesamten Nutzungsdauer angelegt wurden. In Verbindung mit den Tierbestattungen bezeugen sie einmal das Fortbestehen rein heidnisch-germanischer Grabsitten während der Merowingerzeit in diesem Raum, zum anderen den direkten Zusammenhang mit dem älteren Brandgräberfeld. Die ungebrochene örtlich-ethnische Siedlungtradition von der späten Kaiserzeit bis in die Merowingerzeit ist eindeutig. Der Wechsel des Bestattungsplatzes und das Auftreten neuer Funeralsitten muß von äußeren Einflüssen bewirkt sein, die im Rahmen eines im einzelnen nicht nachvollziehbaren Akkulturationsprozesses in Zusammenhang mit der fränkischen Machtausdehnung stehen. Ein Bevölkerungswechsel hat nicht stattgefunden, ebensowenig wie ein derartig einschneidender Vorgang in der Verlegung des Friedhofes vom Reihengräberfeld zur Ortskriche in der Zeit um 700 n. Chr. zu sehen ist. Die Beigaben in den jüngsten Gräbern des merowingerzeitlichen Begräbnisplatzes und in den ältesten Bestattungen des Kirchfriedhofes sind austauschbar.

211   Das Mausoleum Theoderich des Großen (gest. 526) in Ravenna, der als ›Diedrich von Bern (Verona)‹ in die deutsche Heldensage einging. Sein Ostgotenreich umfaßte Italien mit Sizilien, Dalmatien und Illyrien, die Alpen und die Provence (vgl. Abb. 193).

Die Reihengräbersitte mit ihrem eigentümlichen Brauchtum wurde nicht von allen germanischen Völkerschaften übernommen. *Ost-* und *Westgoten* kannten diese Sitte nicht oder nur in reduziertem Maße. In den Gräbern der *Černiachov-* und *Šintana-de-Mureş-Kultur* Südrußlands und Rumäniens sind die Goten im 3. und 4. Jahrhundert in großen Nekropolen mit Nord-Süd orientierten Körperbestattungen nachweisbar. Die Toten wurden in ihrer vollen Tracht mit Speise- und Trankbeigaben beigesetzt. Kennzeichnend für die Frauengräber sind die Schmuckensembles, die in der Regel aus einem auf der Brust getragenen Fibelpaar, einer Gürtelschließe und Ohrringen bestanden. Eine Eigenart der Männergräber ist das vollständige Fehlen der Waffenbeigabe. Die Züge der *Goten* auf dem Balkan können mit Einzelgräbern und kleinen Grabgruppen, in denen diese Trachteigentümlichkeiten festzustellen sind, punktuell dokumentiert werden, wobei es sich ausschließlich um die Bestattungen einer sozial gehobenen Schicht handelt. In Italien, das immerhin über 50 Jahre unter ostgotischer Herrschaft stand, sind unverhältnismäßig wenige gotisch-germanische Grabfunde bekannt. Es handelt sich meist um Einzelgräber und kleine Grabgruppen, deren ethnische Zugehörigkeit überhaupt nur aufgrund der konservativen Frauentracht mit Fibelpaar und Schnalle kenntlich wird (Abb. 212). Der Reichtum der gotischen Oberschicht in Italien zeigt sich besonders deutlich im Fund von *Domagnano,* wo ein ungewöhnlich kostbares Schmuckensemble als Beigabe in das Grab einer vornehmen gotischen Dame gelangte (Farbtafel 27).

Diesem Brauchtum wirkte Theoderich der Großen entgegen, wie aus einem Brief an den ostgotischen Vollzugsbeamten Duda zu Beginn des 6. Jahrhunderts hervorgeht: Die Beigabe von Gold- und Silberschmuck bzw. -gerät wird verboten, da es den Toten (im christlichen Jenseits) nichts nützt und den Lebenden fehlt. Dem Beamten wird sogar aufgetragen zu erforschen, wo Schätze in Gräbern verborgen sind, um diese für den Staat zu beschlagnahmen. Das heidnisch wirkende Beigabenbrauchtum der arianisch-christlichen Goten sollte – abgesehen von der materiellen Begründung – den Begräbnissitten der christlichen italisch-romanischen Umwelt angeglichen werden. Im Mausoleum Theoderichs in *Ravenna* freilich ist jedoch die architektonische Umsetzung des nord- und osteuropäischen Grabhügelgedankens immer noch lebendig wie er u. a. in den germanischen Königsgräbern von *Alt-Uppsala* in Schweden und in dem *Žuran bei Austerlitz* in Mähren belegt ist (Abb. 210). In *Ravenna* kommt diese Idee in dem gewaltigen Monolithen aus istrischem Kalkstein von 10,75 Meter Durchmesser und 3,09 Meter Höhe des Kuppelabschlusses zum Ausdruck (Abb. 211). Die bei Theoderich faßbare Tendenz, mit dem althergebrachten Totenbrauchtum zu brechen, und der mangelnde Forschungsstand dürften die Ursachen für den

Die Merowingerzeit

ARCHÄOLOGIE

UND

GESCHICHTE

212 *Schmuckensemble eines ostgotischen Frauengrabes der
1. Hälfte des 6. Jahrhunderts n. Chr. aus der Romagna. Silber-
vergoldetes Fibelpaar mit halbrunder Kopfplatte, tierkopfförmigem Fuß und Almandinrundeln, Länge 15,6 cm. Silbervergoldete schwere Schnalle mit rechteckigem Beschlag, nielliertem Dorn und ausgebrochener Steinfassung.
Germanisches Nationalmuseum, Nürnberg*

spärlichen archäologischen Nachweis ostgotischer Herrschaft in Italien
sein.

Die *Langobarden* hingegen übernahmen noch in ihren alten Wohnsitzen an der mittleren Donau und in Pannonien ebenso wie die an Theiß
und Maroš ansässigen ostgermanischen *Gepiden* in der Zeit um 500 die
›Reihengräbersitte‹, bevor sie nach Italien zogen (Abb. 193, Farbtafel
37). Aufgrund dieses Totenbrauchtums ist die langobardische Siedlung
in Italien ungleich besser dokumentiert als die gotische. Die chronologische, geographische und soziale Schichtung des Fundstoffes sowie die
Zusammensetzung der Grabinventare geben Einblick in die Entwicklung der geistigen und materiellen Kultur in einer christlich-italisch geprägten Umwelt. Zugleich bietet das nördlich und südlich der Alpen
gleichartige Totenbrauchtum die Voraussetzung für vergleichende Be-
trachtungen beider Regionen.

Westgotische Grabfunde sind in größerer Zahl aus Spanien überliefert.
In den Friedhöfen des 6. Jahrhunderts, die sich im Raum Toledo-Madrid
konzentrieren, ist eine gewisse Angleichung an die Reihengräbersitte
festzustellen. Die Gräber sind West-Ost orientiert, enthalten manchmal
Speise- und Trankbeigaben. Waffen kommen jedoch nicht vor. Die
gotische Nationaltracht mit dem auf der Brust getragenen Bügelfibelpaar und der großen Gürtelschnalle ist auch hier festzustellen (Abb.
213).

Überhaupt nicht zum Reihengräberkreis gehören die norddeutschen
Gebiete zwischen Ems und Oder. Obwohl der Gesamtraum nicht einheitlich erscheint, überwiegt hier von der späten Kaiserzeit bis an das
Ende des 7. Jahrhunderts die Brandbestattung. Einflüsse aus dem spätrömischen Gallien dokumentieren gleichartige Sachtypen in den germanischen Gräbern zwischen Seine und Elbe. Gemeinsamkeiten im Grabritus zeigen sich in den Süd-Nord orientierten Körpergräbern innerhalb
der Brandgräberfelder im *Mittelwesergebiet* und im *Elb-Weser-Dreieck*.
(Abb. 201). Die ›gemischt belegten Friedhöfe‹ werden typisch für den
außerhalb der fränkischen Einflußsphäre gelegenen *sächsischen* Stammes-
bereich. Östlich der Elbe bis hin zur Oder wird ebenfalls Brandbestattung geübt, daneben treten weniger häufig Nord-Süd orientierte Körpergräber auf, die in ihrer Ausstattung dem Standard der merowingerzeitlichen Bestattungen entsprechen, bis schließlich gegen Ende des
6. Jahrhunderts eine starke Ausdünnung des germanischen Fundmaterials in diesen Räumen festzustellen ist, die nur mit einer Abwanderung
der Bevölkerung erklärt werden kann. Wenngleich auch der Grabritus
in diesen norddeutschen Gebieten von dem des Reihengräberkreises ab-
weicht, so ist im Bereich der archäologisch faßbaren materiellen Kultur
kein gravierender Unterschied festzustellen. Aufgrund des vorherrschenden Brandritus stellt sich der Sachbesitz zwar weniger reich dar als

im Gebiet der Reihengräbersitte, doch ist ein regelrechtes Kulturgefälle nicht gegeben. Viele Erkenntnisse können aus dem Bereich der Reihengräberzivilisation, deren Träger im wesentlichen *Franken, Alamannen, Bajuwaren, Langobarden* und *Gepiden* waren, ohne weiteres auf diese mit archäologischen Methoden weniger gut erfaßbaren Stammesgebiete übertragen werden (Abb. 193).

CHRONOLOGIE

Voraussetzung für die geschichtliche und kulturhistorische Interpretation der Reihengräberfunde ist die chronologische Ordnung des umfangreichen Materials. Derartige Versuche reichen weit in das 19. Jahrhundert zurück. Verläßliche Methoden zur chronologischen Differenzierung wurden jedoch erst in moderner Zeit erarbeitet. Joachim Werner, einer der Mentoren der merowingerzeitlichen Archäologie, lieferte mit der Untersuchung der ›Münzdatierten austrasischen Grabfunde‹ (1935) einen wesentlichen Beitrag zur Chronologie der west- und süddeutschen Reihengräber und damit zur zuverlässigen Auswertung dieser Denkmälergruppe für die frühmittelalterliche Siedlungs-, Kultur- und Wirtschaftsgeschichte. Grundlage seiner Studie waren Gräber mit Münzbeigaben aus den merowingischen Gebieten innerhalb der deutschen Sprachgrenzen, dem ›austrasischen‹ Teil des Frankenreiches. Die geschlossenen Funde stammen aus den fränkischen, alamannischen, thüringischen und bayerischen Stammesgebieten. Der Leitgedanke Joachim Werners war, daß die Zusammenfassung der Grabinventare zu chronologischen Gruppen mit gleichartigen Fundtypen für das gesamte Untersuchungsgebiet gelte. Unter diesen Voraussetzungen gliederte Werner das Material der Zeit zwischen 450 und ca. 700 in fünf Zeithorizonte, deren innere Schichtung noch durch historische Überlegungen, etwa über das Auftreten von ostgotischen Silbermünzen oder von italischlangobardischem Import in den Gräbern nördlich der Alpen plausibel gemacht wurde.

Unter anderen methodischen Gesichtspunkten erarbeitete Kurt Böhner ein Chronologiesystem, das er 1958 vorlegte. Aufbauend auf Werners Schema prüfte er dessen Ergebnisse an dem gesamten merowingerzeitlichen Fundmaterial des Trierer Landes nach. Eines der Ergebnisse war die relativchronologische Gliederung des Fundstoffes, deren Zeithorizonte durch Münzdatierungen abgesichert sind (Abb. 214). Eine Reihe von Studien zu einzelnen Fundtypen und Sachgruppen, zu Zierstilen und Importgegenständen, vor allem aber die Horizontalstratigraphie großer Reihengräberfelder, in denen sich aus dem Belegungsablauf der Bestattungen weitere feinchronologische Ansatzmöglichkeiten zur Bestimmung der Altertümer ergaben, haben die grundlegenden Zeit-

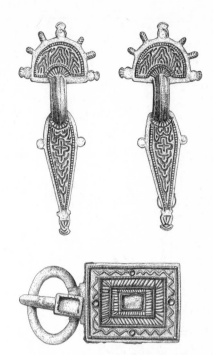

213 Bügelfibelpaar und Bronzeschnalle mit rechteckigem Beschläg. Schmuckinventar eines westgotischen Frauengrabes aus Spanien. Länge der gegossenen Fibeln 16,5 cm. Germanisches Nationalmuseum, Nürnberg

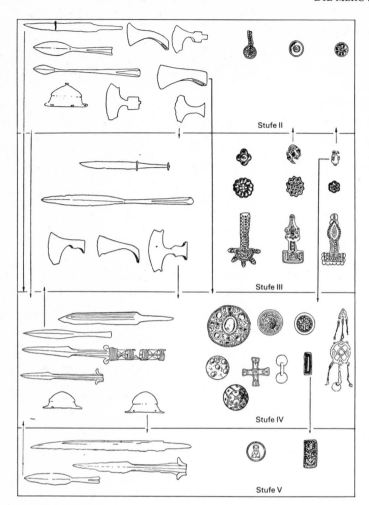

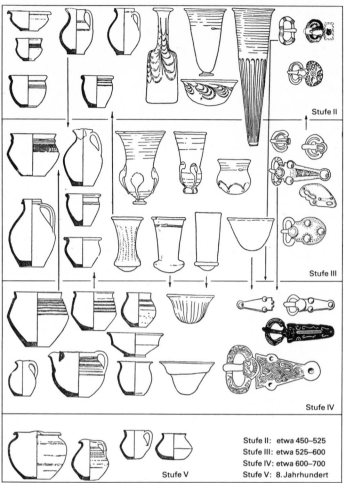

*214 Die Stufeneinteilung der geläufigsten fränkischen Alter-
tümer des Trierer Landes. (Nach Böhner)*

schemata ergänzt und bilden die Basis für weitergehende Aussagen zur
Archäologie der Merowingerzeit. Der modisch bedingte Wandel in
Form, Kombination und Zierweise des Trachtzubehörs, die Waffen und
sonstige Zurüstung mit Glas-, Metall- und Keramikgefäßen sowie
Eigentümlichkeiten im Grabbau ermöglichen eine Unterteilung der
Merowingerzeit nach den überlieferten Altertümern in eine ältere und
eine jüngere Periode, die als Ganzes in jeweils etwa drei Generationen
umfassende Phasen zu gliedern ist (Abb. 215).

DIE FRÜHE MEROWINGERZEIT

Die Frühe Merowingerzeit, im wesentlichen die zweite Hälfte des 5. und
die ersten Jahrzehnte des 6. Jahrhunderts, stellt gräberkundlich eine Kon-
solidierungsphase im Funeralbrauch und in den Modeerscheinungen
dar. Vergleichsweise wenige, dafür aber um so reicher ausgestattete

Einzelgräber und kleine Grablegen wahrscheinlich adeliger Sippen prägen das Fundbild. Musterhaft ist das Grab des 481 verstorbenen Frankenkönigs Childerich I. in *Tournai,* das bereits im 17. Jahrhundert entdeckt wurde und dessen Inventar bis auf wenige erhaltene Stücke nur aus alten Publikationen bekannt ist (Abb. 216). Neben einer großen Zahl von goldenen Bienen oder Zikaden – die in Nachahmung des alten Befundes auch den Krönungsmantel Napoleons I. zierten – fanden sich ein goldener Siegelring mit dem Namenszug des Königs, eine goldene Zwiebelknopffibel, Schnallen und Goldbeschläge sowie eine Reihe von Goldmünzen. Ein massiv goldener Handgelenkring kann als weiteres königliches Rangabzeichen gelten. An Waffen waren ein Prunkschwert mit goldenen und cloisonnierten Griff- und Scheidenbeschlägen, ein schmales, ebenso verziertes einschneidiges Hiebschwert, eine Lanzenspitze und ein Wurfbeil im Grab niedergelegt. Derart königliche Bestattungen sind selten, aber in einzelnen zeitgleichen Funden von *Apahida* in Siebenbürgen über das mährische *Blučina* bis hin nach *Pouan* an der Aube in Mittelfrankreich bekannt. Annähernd den gleichen Habitus weisen eine größere Zahl von Männergräbern auf, deren auffälligste Beigabe sogenannte Goldgriffspathen sind. Diese Schwerter, deren Griffe mit Goldblech verkleidet sind und deren Griff- und Scheidenbeschläge aus Edelmetall mit Steineinlagen bestehen, scheinen Attribut einer germanischen Führungsschicht gewesen zu sein, die in der 2. Hälfte des 5. Jahrhunderts vom Karpatenbecken über Südwestdeutschland bis nach Nordfrankreich faßbar ist. Daß diese Schwerter keine Kampfwaffen, sondern Rangabzeichen waren, zeigt der Befund an der Goldgriffspatha aus *Flonheim* Grab 5. Die Klinge des reich mit Gold und Almandineinlagen verzierten Schwertes war an einer Bruchstelle einfach vernietet (Abb. 217) und somit gebrauchsunfähig. Auch die übrigen Waffen in diesen frühmerowingischen Gräbern, die in vollständiger Kombination aus schmalem Langsax, Ango (Widerhakenlanze), Lanze, Franziska (Wurfbeil), Pfeilspitzen und Schild bestehen, sind offensichtlich durch Rechtsnormen geregelte Kennzeichen gesellschaftlicher Stellung (Abb. 235, S. 250).

Zugleich offenbaren sich in den qualitativ exzeptionellen Grabinventaren ›östliche Beziehungen‹. Der schmale Langsax, der Funktion nach ein Säbel, ist auf steppennomadisch-hunnische Formen zurückzuführen. Dasselbe gilt für dreiflügelige Pfeilspitzen, die im Grab von *Blučina* zusammen mit den Beschlägen eines asiatischen Kompositbogens auftreten. Im Gegensatz zu den exotischen Waffen, die nur kurzzeitig im Fundmaterial nachzuweisen sind, fanden die portepeeartigen ›magischen Schwertanhänger‹, Perlen aus Chalcedon, Gagat, Meerschaum, Bernstein, Bergkristall oder Glas, deren früheste Verwendung ebenfalls in Südrußland nachgewiesen ist, dauerhaften Eingang in das Schwert-

Absolute Datierung				Stufen nach Böhner 1958
—450/80—	frühmerowingisch	Ältere Merowingerzeit	AM I	II
—520/30—			AM II	III
—560/70—			AM III	
— 600	mittelmerowingisch	Jüngere Merowingerzeit	JM I	IV
—630/40—			JM II	
—670/80—	spätmerowingisch		JM III	V
720				

215 Phasengliederung und Terminologie der Merowingerzeit. (Nach Ament)

216 Oberteil der Goldgriffspatha mit cloisonnierten Gefäß- und Scheidenbeschlägen,
cloisonnierte Goldbeschläge des schmalen
Langsaxes, Goldbienen oder Zikaden mit
Almandineinlagen sowie goldener Siegelring
des Frankenkönigs Childerich I. (gest. 481/82)
aus seinem Grab in Tournai, Prov. Hainaut,
Belgien. Bibliothèque National, Paris

217 Die Goldgriffspatha aus Flonheim in
Rheinhessen mit cloisonnierten Griff- und
Scheidenbeschlägen, um 500. Museum Worms

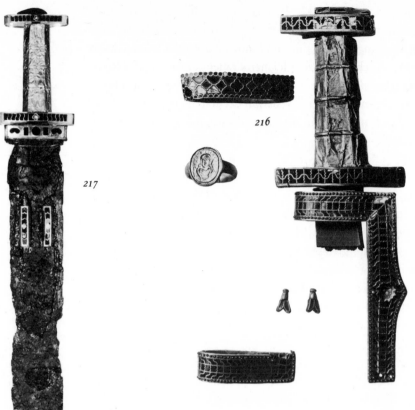

216

217

218

218 Zylindrische Schwertperle aus Meerschaum mit cloisonniertem Goldknopf aus
Krefeld-Gellep Grab 1782. Derartige Perlen
wurden frei am Schwertgriff hängend als
›portépées‹ getragen, 1. Hälfte 6. Jh.
Niederrheinisches Landschaftsmuseum,
Burg Linn

brauchtum der germanischen Stämme im 5. und 6. Jahrhundert (Abb.
218). Die östliche Komponente im Fundmaterial, oder besser der pon-
tisch-byzantinische Einfluß auf das Kunstgewerbe der zweiten Hälfte
des 5. Jahrhunderts, zeigt sich nachhaltig in der Verzierung der Waffen,
im Schmuck und im Trachtzubehör (Abb. 203). Der polychrome Zierstil, der durch die häufige Verwendung von Steineinlagen gekennzeichnet ist, steht in deutlichem Gegensatz zur spätrömisch-westlichen Tradition, wie beispielsweise der Vergleich von Goldgriffspathen mit gleichzeitigen Schwertern aus dem Rhein-Maasgebiet augenscheinlich macht.

Die Spatha aus *Krefeld-Gellep* Grab 42 gehört zu einer Gruppe von
Waffen, die in spätrömisch orientierten Werkstätten produziert wurden.
Die Griffe der offensichtlich qualitätvollen Schwerter bestehen aus Wal-
roß oder Elfenbein, die Scheidenbeschläge aus Bronze und sind kerb-
schnittverziert. Scheidenmundbeschlag und Ortbänder sowie die zum
Schwertgurt gehörenden Nieten und Schnallen machen einen genormten Eindruck (Abb. 219). Im Kontrast dazu stehen die Goldgriffspathen
und entsprechend verzierte Schwerter, deren prunkvolle Ausstattung
individuell gestaltet ist (Abb. 216, 217). Die Verbreitung beider
Schwerttypen deckt sich nur in Randgebieten.

Noch während der frühen Merowingerzeit wird im Fundmaterial ein
Ausgleich der verschiedenen kulturellen Strömungen faßbar, der zur

Ausbildung einer Art ›fränkischer Reichskultur‹ führte. Grabinventare aus Nordfrankreich sind mit solchen aus Südwestdeutschland austauschbar, ein Vorgang, der an Einzelbefunden dargestellt werden kann (Farbtafel 28-33). Auch in den zeitgleichen Frauengräbern, in der Regel ebenfalls Bestattungen der führenden Bevölkerungsschicht, ist anfänglich der östliche Einfluß spürbar, bis sich in der ersten Hälfte des 6. Jahrhunderts die Trachtmode von der Kanalküste bis nach Pannonien gleichartig darstellt.

In der Frühphase der Merowingerzeit ist die ›Reihengräbersitte‹ offensichtlich noch Privileg einer gehobenen Gesellschaftsschicht. Ob in der Francia, in Thüringen oder in Alamannien, überall sind hauptsächlich relativ reiche Grabfunde überliefert. Es macht den Eindruck, als ob sie die Hinterlassenschaft einer Art ›frühen Adels‹ seien, der nicht ortsgebunden und weitgehend unabhängig von einer Zentralgewalt kleinere Territorien beherrschte. Denn nur selten bilden diese Grablegen den Ausgangspunkt großer, bis an das Ende des 7. Jahrhunderts benützter Reihengräberfelder.

HERRSCHAFTS- UND STAMMESBILDUNG

Im Lauf der ersten Hälfte des 6. Jahrhunderts ändert sich das Fundbild allmählich. Mit dem Einsetzen der großen Ortsfriedhöfe ist eine quantitative Vermehrung des Fundmaterials und damit der archäologischen Quellen gegeben. Der im Vergleich mit der frühen Merowingerzeit im 6. und 7. Jahrhundert unproportional gesteigerte Fundanfall ist sicher nicht mit einer Bevölkerungsexplosion zu erklären, sondern eher durch die successive Übernahme der Beigabensitte durch breitere Bevölkerungsschichten, die vorher archäologisch nicht faßbar waren. Auffällig ist das Einsetzen der Mehrzahl dieser ›Ortsfriedhöfe‹ gerade in einer Zeit, als die fränkische Vormachtstellung in Mitteleuropa nach der endgültigen Niederwerfung der *Alamannen*, der Zerschlagung des *Thüringerreiches* sowie der Angliederung *Burgunds* endgültig gesichert war und der Frankenkönig Theudebert 539/40 an Kaiser Justinian I. schreiben konnte: »Per Danubium ad limitem Pannoniae usque in oceanis litoribus custodiente Deo dominatio nostra porrigetur« (MGH *Epist. 1, 133*). »Von den Gestaden des Ozeans bis zur Grenze Pannoniens entlang der Donau ist mit Gottes Schutz unsere Herrschaft errichtet.« Nach dem Niedergang der Ostgotenherrschaft in Italien konnten die *Franken* ihre Großmachtpolitik ungehindert betreiben. In Thüringen, dessen Adelsschicht in den Gräbern von *Großörner, Mühlhausen* und anderen Orten faßbar ist, in denen sich vereinzelt auch Verbindungen zum ostgotischen Italien und nach Skandinavien nachweisen lassen, wurden Herzöge eingesetzt, nachdem Clothar I. 531 bzw. 534 das bis dahin mächtige Thü-

219 Bronzenes Scheidenmundblech mit Girlande und Ortbandzwinge mit menschlichem Gesicht zwischen zwei Vogelköpfen aus Bronze. Scheidenbeschläge der Spatha aus Krefeld-Gellep Grab 43. Becher aus grünem Glas, sogenannter ›Rüsselbecher‹ aus derselben Bestattung, 2. Hälfte 5. Jh., Höhe 17,0 cm. Niederrheinisches Landschaftsmuseum, Burg Linn

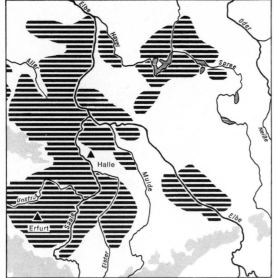

220 *Der Rückgang der germanischen Besiedlung und das
Vordringen der Slawen in Mitteldeutschland. (Schematisiert
nach B. Schmidt). Oben die germanische Besiedlung im 5. und
6. Jahrhundert, darunter die germanische Besiedlung im
7. Jahrhundert sowie das Auftreten frühslawischer Brandgräber (schräge Schraffierung).*

ringerreich zerschlagen hatte. König Herminafried mußte fliehen, seine
Nichte Radegunde wurde dem Frankenkönig zwangsweise vermählt.
Sie war es, deren ergreifende Totenklage bei Venantius Fortunatus in
seiner Elegie ›De excidio Thuringiae‹ überliefert ist: »Wie rasch stürzen
stolze Reiche zu Boden! Lang sich hinziehende Dachfirste, die in Zeiten
des Glücks dagestanden hatten, liegen nun durch die furchtbare Niederlage gebrochen, verbrannt am Boden. Die Halle, die vorher im königli-
chen Schmuck geprangt hatte, bedeckt jetzt, an Stelle gewölbter Decke,
Trauer erregende glühende Asche … Fürsten werden gefangen unter
Feindesgewalt weggeführt … Die im gleichen Jugendalter prangende
Menge kämpfender Jungmannen hat ihr Leben vollendet und liegt im
schmutzigen Staub des Todes. Die dichtgedrängte Reihe vornehmer
Königsmannen hat weder Grab noch Totenehren … Unbeerdigt bedek-
ken die Leichen das Feld, und so liegt das ganze Volk in einem einzigen
Grab …« Nach diesem im Kern sicher authentischen Bericht der Radegunde, die 587 als ›Heilige‹ in ihrem Kloster bei Poitiers starb – ihr
kostbares Gewand, die goldenen Spangen und Ringe hatte sie vorher der
Kirche geweiht –, ist der einheimische Adel von den *Franken* weitgehend ausgeschaltet worden. Die thüringische Militärmacht war gebrochen. Fränkische Militärposten überzogen das Land. Der fränkische Einfluß macht sich auch im Fundgut bemerkbar, wobei festzustellen ist, daß
aus der zweiten Hälfte des 6. Jahrhunderts und aus dem 7. Jahrhundert
keine Gräber mit vergleichbar reichen Inventaren wie zur Zeit des selbständigen Thüringerreiches überkommen sind. Vielmehr läßt sich
anhand der Verbreitung der germanisch-thüringischen Gräber in Mitteldeutschland eine allmähliche Reduzierung des Siedlungsgebietes feststellen. In die frei gewordenen Räume stießen nach Ausweis der Brandgräberfriedhöfe von Osten und Südosten her slawische Siedler nach, die
nach den Chroniken den Sorben zuzuweisen sind (Abb. 220).

Im Vergleich zum fränkisch-thüringischen Verhältnis scheinen die
Alamannen eine eher lockere Beziehung zur fränkischen Oberhoheit gehabt zu haben. 496 bereits von Chlodwig unterworfen, begaben sie sich
505 nach einem mißglückten Aufstand unter das Protektorat der *Ostgo-
ten*. Theoderich der Große bestätigte ihnen ihre Wohnsitze als Foedera-
ten in den nominell immer noch zu Italien gehörenden alten römischen
Provinzen Raetia I und Raetia II und schützte sie so vor fränkischen
Übergriffen. *Wittiges* trat diese Provinzen samt ihren Bewohnern im
Jahre 536 offiziell an die Franken ab, um sich deren Unterstützung gegen
die Byzantiner zu sichern. Bald darauf tauchten nach den Berichten von
Agathias, *(Historia I,6)*, Prokop *(Bellum Goticum II, 25-26)* und Paulus
Diaconus *(Geschichte der Langobarden II, 2)* alamannische Kontingente im
Gefolge der *Franken* unter ihren Herzögen *Buccelinus* und *Leuthari* in
Oberitalien auf und griffen in die Kämpfe um Mailand ein. Nach Agathias

230

(Historia 1, 6) waren diese Männer »Brüder und gebürtige Alamannen, besaßen aber bei den Franken großen Einfluß, so daß sie sogar Herzöge ihres Volkes wurden, wozu sie Theudebert zuvor bestellt hatte«. Nach den Schriftquellen und den Bodenfunden zu schließen, war das alamannische Stammesherzogtum relativ unabhängig von der fränkischen Zentralgewalt. Die kulturelle Entwicklung, so wie sie sich in den Grabfunden und später in der Lex Alamannorum widerspiegelt, verlief relativ eigenständig.

In denselben Zeitraum und in den Rahmen der politischen Konstellation der ersten Hälfte des 6. Jahrhunderts fällt auch die Entstehung des *bayerischen Stammesherzogtums,* das als letzter Machtfaktor des fränkischen Großreiches ins Licht der Geschichte tritt. Die Anfänge des Stammes liegen im Dunkel. Der schon mehrfach zitierte Venantius Fortunatus erwähnt die *Baiovarii* im Jahre 565 beiläufig und offensichtlich als gegebene Größe mit der geographischen Lokalisierung »östlich des Lech am Nordrand der Alpen« gleich zweimal (MGH *Auct. ant. 4,2* und *Praefatio* der Gedichtsammlung). Name und Wohnsitz dieses Stammes sind bei dem gotischen Geschichtsschreiber Jordanes 551 als östliche Nachbarn der Alamannen genannt (Abb. 193). Der erste überlieferte Bayernherzog ist der Agilolfinger *Garibald,* der im Jahre 555 anläßlich seiner Eheschließung mit der vom fränkischen König Chlothar geschiedenen langobardischen Prinzessin Walderada in der *Origo gentis langobardorum (c. 4)* bei Paulus Diaconus (1, 21) und bei Gregor von Tours (IV, 9) in Bezug auf das merowingische Königshaus »unus ex suis« namentlich als »dux« genannt wird.

Die Herkunft der *Bajuwaren,* Art und Zeitpunkt ihrer Einwanderung bzw. Herrschaftsbildung sind seit langem Thema heftiger Gelehrtendiskussion. Die plötzliche Nennung der Bajuwaren als Bewohner der Provinzen Raetien und Norikum, d.h. des Alpenvorlandes zwischen Lech und Enns, in der Mitte des 6. Jahrhunderts veranlaßte die Forschung zur Annahme einer kurz vorher erfolgten Einwanderung dieses Stammes. Dies um so mehr, als für diesen Raum, abgesehen von der Vita St. Severini, in der über die Einfälle der *Alamannen* unter Gibuld und die Zerstörung von Passau durch die *Thüringer* sowie den vollständigen Abzug der Romanen berichtet wird, nur spärliche und dazu höchstens indirekte Nachrichten vorliegen, welche eine Siedlungsleere implizieren. Zur Herkunftsfrage der vermeintlichen Neusiedler wurde der Volksname interpretiert und namenskundlich auf einer Einwanderung aus Böhmen geschlossen, eine Auffassung, die heute nicht mehr ungeteilt übernommen wird.

Auch die Archäologie lieferte ihre Beiträge zur Einwanderungstheorie der *Bajuwaren* im Alpenvorland. Grundlegend war die Feststellung, daß die großen, bis dahin bekannten Reihengräberfelder, die meist in

Verbindung zu alten Orten mit der typisch bayerischen ›ing‹-Endung stehen, mit ihren frühesten Bestattungen im zweiten Drittel des 6. Jahrhunderts einsetzen. Die Verbreitung der ›-ing‹-Ortsnamen und die Reihengräberfelder deuten den Gang der Neubesiedlung zwischen Donau und Alpen an. Den späten Landausbau dokumentieren Grabfunde des 7. Jahrhunderts in Verbindung mit jüngeren Ortsnamensschichten. Archäologischer Befund und historisch postuliertes Einwanderungsdatum stimmten überein. Der Neubesiedlung Altbayerns standen eigentlich nur verschiedene Einzelgräber und kleine Grabgruppen vom Anfang des 6. Jahrhunderts entgegen, die, wie beispielsweise *Barbing-Irlmauth,* keine Verbindung zu alten Orten hatten. Sie wurden entweder den *Thüringern* oder den *Alamannen* zugewiesen, deren Anwesenheit für die zweite Hälfte des 5. Jahrhunderts in diesen Gebieten bei Eugippius in der Severinsvita belegt ist.

Eine Loslösung vom alten Denkschema bewirkten die Ergebnisse der Ausgrabungen im Reihengräberfeld von *Altenerding,* Landkreis Erding in Oberbayern. Dieses bisher größte untersuchte Gräberfeld Süddeutschlands umfaßte ursprünglich mehr als 2000 Gräber mit zum Teil überdurchschnittlich qualitätvollen Inventaren und gehörte wohl zu einem bedeutenden Zentralort im Sempttal nordöstlich von München. Von besonderer Bedeutung für die bayerische Frühgeschichte und die Probleme der archäologischen Landesforschung allgemein ist der Umstand, daß dieser Friedhof von der zweiten Hälfte des 5. bis in das 7. Jahrhundert durchgehend benützt worden ist. In der ersten Belegungsphase überwiegt in den Gräbern das Beigabengut thüringisch-böhmischer, ostgotischer und früher langobardischer Provenienz. Daneben treten aber auch Inventare westlicher Herkunft auf, die Entsprechungen in den oben erwähnten ›alamannischen‹ Einzelgräbern haben (Abb. 221).

Fränkisch-alamannisches Fundgut wird in den Gräbern der mittleren Merowingerzeit dominierend (Abb. 214). In dieser Zeit sind langobardisch-italische Einflüsse mit bestimmten Fibeltypen faßbar. Der Proporz der reichen Gräber im Verhältnis zu ihrer Gesamtzahl nimmt in dieser Belegungsphase merklich ab, bis im 7. Jahrhundert eine ›Verarmung‹ in den Inventaren festzustellen ist, sei es, daß der Beigabenritus modifiziert wurde oder die vermögende Bevölkerungsschicht ihren Bestattungsplatz verlegte. Die kontinuierliche Benutzung des Friedhofes bis ans Ende der Reihengräberzeit ist durch Grabfunde mit tauschierten Gürtelgarnituren und Perlen hinreichend gesichert (Farbtafel 29 und 34).

Obwohl das Gräberfeld wegen der umfangreichen Restaurierungsarbeiten und der langwierigen wissenschaftlichen Analyse des Fundstoffes bisher nur in Vorberichten mit einzelnen Grabinventaren publiziert ist und die Gesamtveröffentlichung noch manche Aufschlüsse und Korrek-

221   Silbervergoldete Bügelfibeln unterschiedlicher Provenienz aus Frauengräbern im Reihengräberfriedhof von Altenerding, Kr. Erding, Oberbayern. (a) Bügelfibel mitteldeutsch-thüringischen Typs aus Grab 343. (b) Bügelfibel mit Spiraldekor ostgotischer Art aus Grab 146. (c) Zonenknopffibel langobardischen Typs aus Grab 447, Länge 10,5 cm, vgl. Farbtafel 37. (d) Silbervergoldete Bügelfibel westlicher Provenienz aus Grab 607. 1. Hälfte 6. Jh. (Nach Sage)

turen erbringen wird, geben einige Fundstücke und vorläufige Beobachtungen Anlaß zur Überlegung, ob der Friedhof nicht überhaupt weit in das 5. Jahrhundert zurückreicht. In einem Frauengrab wurde neben einer einfachen Eisenschnalle und einem großen Glasanhänger eine bronzene ›Elbefibel‹ gefunden, ein anderes enthielt eine eiserne silbertauschierte Armbrustfibel und ein weiteres Frauengrab einen bronzenen Halsring mit Ösenverschluß – alles Schmuckformen des 5. Jahrhunderts – die nicht etwa als ›Altstücke‹ ins Grab gelangten (Abb. 222).

Bedeutsam ist auch der anthropologische Serienbefund an den bodenbedingt gut erhaltenen Skeletten. Im Durchschnitt weichen ungefähr 14 Prozent aller untersuchten Individuen vom üblichen Typus der süddeutschen ›Reihengräberbevölkerung‹ ab und zeigen grazile, wohl stärker ›mediterrane‹ Züge. In einer Randzone im Südwesten des Friedhofs erhöht sich der Anteil der ›mediterranen Leute‹ um das Doppelte. Interessanterweise sind in diesem Bereich die frühesten Gräber angelegt, die trotz einzelner wertvoller und damit datierender Beigaben dem sonst im Friedhof aufscheinenden Ausstattungsmuster nicht folgen. Zudem gehören alle sechs weiblichen Individuen mit artifizieller Schädeldeformation, die auf hunnische Einflüsse zurückgeht und nur im Säuglingsalter ausgeführt werden kann, zu dieser anthropologischen Gruppe, die darüber hinaus einen relativ hohen Besitz mitteldeutsch-böhmischen Charakters aufweisen (Abb. 192). Vor endgültiger Veröffentlichung des Gesamtbefundes wird man bereits jetzt prophylaktisch festhalten dürfen, daß mit der beschriebenen Personengruppe eine ethnische Minderheit in *Altenerding* faßbar ist, die Mitte des 5. Jahrhunderts – zur Zeit des hunnischen Großreiches – bereits im Semptal ansässig war oder kurz davor von irgendwoher aus dem hunnischen Machtbereich Transdanubiens einwanderte. In diesem Zusammenhang verdienen auch die vereinzelten Grabfunde ›östlichen‹ Charakters der Mitte des 5. Jahrhunderts in Südbayern (Abb. 223) eine erneute Würdigung, die vor der Untersuchung des Altenerdinger Gräberfeldes als Bestattungen ›Ortsfremder‹ angesehen wurden *(Fürst, München-Giesing, Altegloffsheim)*. In *Altenerding* scheint die durch Rassemerkmale und unterschiedlichen Sachbesitz gekennzeichnete Minderheit noch im Verlauf der frühen Merowingerzeit kulturell und wahrscheinlich auch biologisch in die Gesamtbevölkerung vom ›Reihengräbertypus‹ integriert worden zu sein.

Die vorläufigen Ergebnisse der Grabungen in *Altenerding* verdeutlichen, daß eine geschlossene Einwanderung der *Bajuwaren* in der Mitte des 6. Jahrhunderts Fiktion ist. Über den Friedhof ist eine Siedlung zu erschließen, die nach der Zahl der Bestatteten und dem überdurchschnittlichen Wert der Beigaben in der Frühzeit überregionale Funktion hatte, möglicherweise der Zentralort einer potenten Adelssippe war und seit mindestens der Mitte des 5. Jahrhunderts bestand. Archäologisch

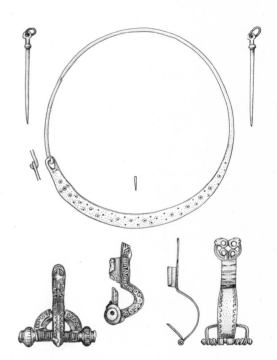

222 Inventar des Frauengrabes 421 von Altenerding. 2. Hälfte 5. Jh. Die Bronzenadeln mit Ring, Länge 6,8 cm, und die bronzene Blechfibel lagen links und rechts an den Schultern, die massiv bronzene, vergoldete, mit Spiralranken verzierte Armbrustfibel lag neben dem Kopf und der Bronzering umschloß den Hals. Schmuckformen, Schmuckensemble und die Lage im Grab zeigen, daß die Tote in einer für Süddeutschland fremden Tracht beigesetzt worden ist. Die nächsten Entsprechungen in Form und Kombination des Schmucks finden sich im südlichen Ostseeraum, womit sich möglicherweise weitreichende Heiratsbeziehungen der Altenerdinger Bevölkerung abzeichnen. (Nach Sage)

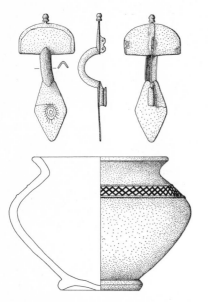

223   Erhaltenes Inventar eines frühvölkerwanderungszeitlichen Frauengrabes der 1. Hälfte des 5. Jahrhunderts aus Götting, Kr. Bad Aibling, Oberbayern. Silberfibel, Länge 12 cm und scheibengedrehtes Tongefäß. Zum Inventar gehörte ferner ein Beinkamm mit dreieckiger Griffplatte und Goldfäden einer Textilie. (Nach Keller)

und anthropologisch sind in der frühen Merowingerzeit, den politischen Verhältnissen entsprechend, überwiegend Einflüsse aus dem östlichen und nördlichen Bereich, aber auch aus dem Westen festzustellen.

Während der ersten Hälfte des 6. Jahrhunderts kehren sich die Verhältnisse um; der fränkisch-alamannische Einfluß wird dominierend. Die in der frühen Merowingerzeit stattfindende Verschmelzung kultureller und ethnischer Eigenarten, wie sie exemplarisch für die Gesamtentwicklung in *Altenerding* aufgezeigt werden kann, findet ihren Abschluß in der Bildung des bajuwarischen Großstammes unter fränkischer Oberhoheit. Bereits seit langem ansässige oder schichtenweise einwandernde Gruppen und germanische Gefolgschaften – es mag sich um alamannische, thüringische, markomannische, gotische, gepidische und langobardische Volkssplitter gehandelt haben – die wegen ihrer politischen Bedeutungslosigkeit in den Quellen nicht namentlich erwähnt sind, wurden durch die Herrschaftsbildung der agilolfingischen Herzöge zu einem Stamm vereint. *Altenerding* im Sempttal war möglicherweise einer der Hauptsitze der in der ›Lex Baiuvariorum‹ genannten fünf »vor-agilolfingischen« Genealogiae, der alten Geschlechter der Huosi, Fagana, Hahhilinga, Draozza und Anniona, denen in den bajuwarischen Volksgesetzen das doppelte Wergeld wie den gewöhnlichen Freien zugestanden worden ist.

Ähnliche Herrschafts- und infolge davon Stammesbildungen sind auch bei anderen germanischen Gruppen der Völkerwanderungszeit vorauszusetzen. Die *Alamannen*, nach Agathias ein »zusammengelaufenes und gemischtes Volk«, stellen sich noch im 4. Jahrhundert bei Ammianus Marcillinus als ein lockerer Verband aus 15 Teilstämmen dar, deren Führer weitgehend unabhängig agieren. Erst 496 in der *Schlacht bei Zülpich* sollen sie mit einem gemeinsamen König angetreten sein.

Chlodwig, der Sieger in dieser Schlacht, mußte erst eine Reihe von fränkischen Teilkönigen, so in *Cambrai* und *Köln*, beseitigen, um den fränkischen Großstamm zu einigen. Auf welcher rechtlichen oder möglicherweise auch religiös motivierten Grundlage die Herrschaftsansprüche führender Familien durchgesetzt wurden, ist nach den vorhandenen Quellen kaum noch rekonstruierbar. Daß aber manche Familien eine weit über den eigenen Stammesverband hinaus wirksame Sonderstellung hatten, die vielleicht mit einem ›Heilsgedanken‹ verbunden war, und daß diese ›hochadeligen‹ Sippen bestrebt waren, durch Heiratsverbindungen ihre Machtansprüche zu erweitern, ist in den frühmittelalterlichen Schriftquellen hinlänglich belegt. Dynastische Verbindungen auf der Grundlage germanischer Rechtsvorstellungen waren es, die den Zusammenhalt des fränkischen Großreiches gewährleisteten, so daß die ganze Epoche mit Recht als ›Merowingerzeit‹ bezeichnet werden kann.

Die Materielle Kultur

TRACHT UND BEWAFFNUNG

Über Tracht und Bewaffnung der Germanen in der Merowingerzeit ist in den Bild- und Schriftquellen nur Weniges an weit verstreuten Stellen überliefert. Um so aufschlußreicher ist ein Brief, den *Sidonius Apollinaris* im Jahre 469 an einen offensichtlich militärisch interessierten Freund schrieb. In diesem kulturhistorisch bedeutsamen Dokument schildert der vornehme und gebildete Römer fasziniert den Einzug des fränkischen Prinzen *Sigimer* mit seiner Gefolgschaft in Lyon (Sidonius Apollinaris, *Liber II, epist. XX*). Sigimer wirbt um die burgundische Königstochter und begibt sich inmitten seines Gefolges in fränkischer Nationaltracht zum Palast seines zukünftigen Schwiegervaters. »Der Prinz trägt ein weißes Seidengewand unter einem goldglitzernden scharlachroten Mantel, zu denen Haartracht und Hautfarbe passen. Er geht zu Fuß, umgeben von Pferden mit edelstein- und phalerenverzierten Zaumzeugen. Halbhohe Stiefel mit Fellbesatz, die Waden und Knie freilassen, sind die Fußbekleidung seiner Krieger. Die kurzärmeligen enganliegenden und buntgestreiften Oberkleider reichen bis zu den Knien. Purpurrot gesäumte Mäntel fallen von den Schultern. Die Schwerter hängen an übergelegten metallbeschlagenen und mit Fell verbrämten Wehrgehängen von den Schultern. In der Rechten halten sie Widerhakenlanze und Wurfbeil, die linke Seite ist von schneeweißen Rundschilden gedeckt, deren Mittelbuckel metallisch leuchten!« So farbenprächtig und kriegerisch beschreibt unser Gewährsmann den äußeren Habitus fränkischer Edler in der zweiten Hälfte des 5. Jahrhunderts.

Reduziert auf die metallischen Teile treten uns Tracht und Bewaffnung auch in den Gräbern entgegen, wobei die Masse der Bodenfunde differenziertere Aussagen zur Waffen- und Trachtentwicklung ermöglicht als die vereinzelten Schriftzeugnisse. Zugleich ergeben sich aus dem Reichtum und aus der Kombination der Beigaben Aussagen zur sozialen Stellung der Bestatteten. Voraussetzung für die Allgemeingültigkeit derartiger Analysen ist die Richtigkeit der These, daß die Beigabensitte zeitlich und regional einheitlichen rechtlichen und religiösen Normen unterworfen war und die Beigaben im jeweils gleichartigen archäologischen Milieu den realen Besitzstand und damit die rechtlich soziale Stellung des Bestatteten im Leben widerspiegeln.

Eine ideale Rekonstruktion der germanischen Männertracht des 5. bis 7. Jahrhunderts nach Christus ist beim heutigen Forschungsstand nahezu unmöglich. Sie muß aus einer Vielzahl archäologischer, ikonographischer und literarischer Komponenten erschlossen werden, wobei sicher ist, daß regionale, zeitliche und soziale Unterschiede vorhanden waren. Die Gefolgschaft Sigimers wird in farbenprächtiger, er selbst in kostba-

a

b

224 Fränkische Hoftracht in karolingischen Miniaturen. 1. Hälfte 9. Jh. (a) Vivian-Bibel fol. 423r, Paris, Bibliothèque Nationale. Neben dem Spathaträger, der das Schwert mit umgelegtem Wehrgehänge mit den typischen Beschlägen vor sich trägt, steht ein Franke in höfischer Tracht mit Mantel, Brokat gesäumtem Kittel, Hosen mit Hosenband und Schnürstiefeln. (b) Beschläge eines karolingischen Wehrgehänges wie in der Miniatur zu sehen im Original aus Bronze in Grab 55 von Stará Kouřim in Böhmen. 1. Hälfte 9. Jh.

rer Kleidung geschildert, die sichtbar aus einem kittelartigen Oberkleid, einem Überwurf und Halbstiefeln bestand. Diese Tracht unterscheidet sich im Prinzip kaum von der in den karolingischen Miniaturen des 9. Jahrhunderts abgebildeten Kleidung (Abb. 224). Von anderen Bildzeugnissen und aus Moorfunden sowie von Gewebeabdrücken an Metallgegenständen in den Gräbern ist bekannt, daß, bedingt durch klimatische Verhältnisse, auch lange Hosen ein wichtiges Bekleidungsstück waren. Alle bekannten Faktoren zusammengefaßt, darf man sich den Prototyp frühmittelalterlich-germanischer Männertracht folgendermaßen vorstellen: Lange Tuchhosen und ein leinenes Hemd, ein bis zu den Knien reichender lang- oder kurzärmeliger Kittel, der durch den Leibgurt zusammengehalten wurde, lederne Halbstiefel und ein Tuchmantel, der über der rechten Schulter geschlossen worden ist. Insgesamt unterscheidet sie sich kaum von der kaiserlichen Tracht.

Modische Wandlungen zeigen sich – zumindest archäologisch – nur in den Accessoires. Dies gilt vor allem für die Leibriemen. Sie wurden sichtbar über den Kitteln getragen, während die Hosen mit einem einfachen Stoffgürtel zugebunden waren. Durch Kombination und Form ihrer Beschläge sind sie ein wichtiger chronologischer Indikator. Auf die breiten, bronzebeschlagenen Militärgürtel provinzialrömischer Herkunft der späten Kaiserzeit folgte im germanischen Bereich eine Mode, in der die Gürtel durch eiserne, silbertauschierte Schnallen mit rechteckigem Beschlag zusammengehalten wurden. Die Gürtel, möglicherweise aufwendige Sattlerarbeiten mit Durchbruchmustern oder Stempeldekor sowie andersfarbig eingeflochtenen Riemen, wurden unter ostgermanisch-pontischem Einfluß in der frühen Merowingerzeit mit cloisonnierten Schnallen mit nierenförmigem Beschlag oder aus dem ostgotischen Italien eingeführten Bergkristallbügeln verziert. An der Rückseite wurden lederne Gürteltaschen angebracht, in denen das Kleingerät des täglichen Bedarfs wie Messer, Bartpinzette, Flickzeug und vor allem der Feuerstahl verwahrt wurden. Im Lauf des 6. Jahrhunderts machten sich in der Gürtelmode wieder verstärkt westlich-mediterrane Einflüsse bemerkbar. Es sind einfache Schnallen mit Schilddorn aus Bronze- oder Weißmetall, an denen der Gürtel mit zwei oder drei Haften befestigt ist. In der mittleren Merowingerzeit entwickeln sich daraus Schnallen mit dreieckigem beweglichen Bronzebeschlag und alsbald Garnitursätze aus Schnallen mit Beschlag, gleichgeformtem Gegenbeschlag und rechteckigem Rückenbeschlag, die den breiten Leibgurten aufgenietet waren. Schlaufenbeschläge zur Befestigung des Kurzschwertes und der Gürteltasche vervollständigten das Bild (Abb. 225). Die Variationsbreite in Material, Form und Dekor der dreiteiligen Garnituren ist groß und läßt in einigen Typen regionale Verbreitungsschwerpunkte erkennen (Farbtafel 34).

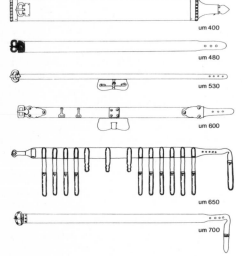

225 *Die Gürtelmode (Leibgurte der Männer) zwischen 400 und 700 n. Chr. (Nach Christlein)*

Die martialische Gürteltracht wurde bei *Bajuwaren, Alamannen* und im *fränkischen Rheinland* zu Beginn des 7. Jahrhunderts durch die exotisch wirkenden Gürtel mit Nebenriemen abgelöst. Sie bestanden aus einem Hauptriemen mit Schnalle und langer Riemenzunge, von dem mehrere mit Beschlägen verzierte Nebenriemen herabhingen, die wiederum in Metallzungen endeten. Der Gürteltyp ist wahrscheinlich byzantinischen Ursprungs und wurde von den östlichen Steppenvölkern, den Awaren im Donauraum und von den *Langobarden* in Italien im späten 6. Jahrhundert übernommen, von wo diese Mode in die Gebiete nördlich der Alpen ausstrahlte. Gürtel in dieser Tradition waren bei den Kosaken in Südrußland noch im 19. Jahrhundert in Gebrauch. Auch die Beschläge der vielteiligen Garnituren gibt es in mannigfaltigen Ausführungen aus Gold- oder Silberblech, Bronze oder silbertauschiertem Eisen. Der relativ kurzlebige Modetrend erreichte die westlichen Gebiete des Frankenreiches nicht. Dort wurden die dreiteiligen Garnituren weiterentwickelt, bis im Gesamtgebiet gegen Ende der Reihengräberzeit eine Reduzierung der Metallbeschläge auf die Schnalle und eine Riemenzunge festzustellen ist. (Abb. 225, Farbtafel 34).

Ähnliche Tendenzen wie bei den Leibgurten, denen wahrscheinlich mehr als nur funktionale Bedeutung zukam, lassen sich auch bei den Waffen feststellen, die mehr oder weniger ebenfalls Teil der persönlichen Ausstattung waren. Die Waffen gehören zum ›Hergewäte‹, dem vom Erbgang ausgeschlossenen persönlichen Eigentum des Mannes. Qualität und Kombination der Waffenausrüstung lassen auf die soziale Stellung des Toten schließen und geben zugleich Hinweise auf die reale Bewaffnung und das Kriegswesen in der Merowingerzeit. Die vornehmste, wenn auch nicht wichtigste Waffe ist das zweischneidige Langschwert, die Spatha. Sie wurde den Toten stets mit Scheide und umgewickeltem Wehrgehänge ins Grab gelegt. In der frühen Merowingerzeit wiesen die Schwerter meist reiche Verzierung auf. Das Gefäß, d. h. Knauf, Griff und Parierstange aus organischem Material, war mit Edelmetallblenden kaschiert und der Griff manchmal mit Goldblech verkleidet. Die innen mit einem kurzhaarigen Vlies gefütterten und außen mit Leder überzogenen Scheiden bestanden aus zwei flachen Schnallen aus längsgefasertem Holz und besaßen zahlreiche Beschläge wie Scheidenmundbleche, Kantenbeschläge, Riemenhalter und Ortbänder mit plastisch verzierten Zwingen. Vereinzelt haben sich unter günstigen Fundbedingungen Reste von Holzscheiden mit architektonischen oder figürlichen Flachreliefs erhalten, wie überhaupt angenommen werden darf, daß die Scheiden farbig gefaßt waren. Obwohl Schwerter dieser Art in erster Linie als Prunkwaffen aufzufassen sind und als solche im Kampf wohl kaum Verwendung fanden (siehe Abb. 216, 217), waren die Klingen qualitätvoll gearbeitet. Wesentliches Schmuckelement war

226 *Griff des Schwertes aus Grab 1 der langobardischen Nekropole von Nocera Umbra, Perugia, Italien. Die Metallteile des Schwertgefäßes bestehen aus Gold. Der Knauf war ehemals mit Almandinen eingelegt, die ineinandergreifenden Ringe sind mit goldenem Flechtdraht gefaßt. Oberes und unteres Querstück aus organischem Material waren mit Goldblechen kaschiert, die Schwertscheide besaß ein cloisonniertes Mundblech. Das Prunkschwert ist wahrscheinlich nicht langobardischer Provenienz. ›Ringknaufschwerter‹ treten seit dem 6. Jahrhundert vereinzelt in Gräbern der Zone nördlich der Alpen auf und sind im 7. Jahrhundert vor allem in Skandinavien und England verbreitet. Die Ringe hatten wahrscheinlich eine magische Bedeutung. Länge des Griffes 15 cm. Um 600 n. Chr. Museo dell'Alto Medioevo, Rom*

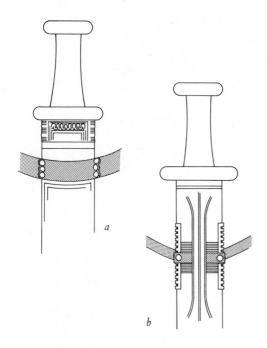

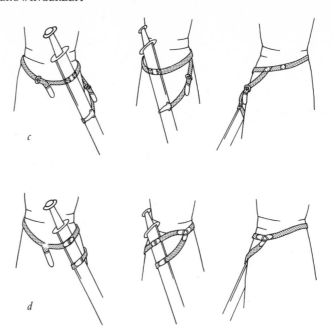

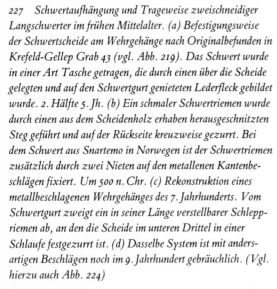

227 *Schwertaufhängung und Trageweise zweischneidiger Langschwerter im frühen Mittelalter. (a) Befestigungsweise der Schwertscheide am Wehrgehänge nach Originalbefunden in Krefeld-Gellep Grab 43 (vgl. Abb. 219). Das Schwert wurde in einer Art Tasche getragen, die durch einen über die Scheide gelegten und auf den Schwertgurt genieteten Lederfleck gebildet wurde. 2. Hälfte 5. Jh. (b) Ein schmaler Schwertriemen wurde durch einen aus dem Scheidenholz erhaben herausgeschnitzten Steg geführt und auf der Rückseite kreuzweise gezurrt. Bei dem Schwert aus Snartemo in Norwegen ist der Schwertriemen zusätzlich durch zwei Nieten auf den metallenen Kantenbeschlägen fixiert. Um 500 n. Chr. (c) Rekonstruktion eines metallbeschlagenen Wehrgehänges des 7. Jahrhunderts. Vom Schwertgurt zweigt ein in seiner Länge verstellbarer Schleppriemen ab, an den die Scheide im unteren Drittel in einer Schlaufe festgezurrt ist. (d) Dasselbe System ist mit andersartigen Beschlägen noch im 9. Jahrhundert gebräuchlich. (Vgl. hierzu auch Abb. 224)*

der in die Kehlung beidseitig aufgebrachte ›Schweißdamast‹, eine Schicht aus mehrfach ausgeschmiedeten Eisenbändern unterschiedlichen Härtegrades, die nach dem Ätzen »wurmbunte« Muster ergab. Die komplizierte Herstellung der Schwertklingen war kostspielig und setzte ein geschicktes und erfahrenes Schmiedehandwerk voraus. Neben dem rein materiellen Wert – noch in der ›Lex Ribuaria‹ wird der Wergeldsatz einer Spatha mit Scheide auf 7 Solidi veranschlagt – scheint die ideelle Bedeutung des Schwertes in den germanischen Heldensagen auf. Von magischen Kräften beseelt, machen sie ihren Besitzer unbesiegbar.

Fast gleichzeitig mit dem Wechsel in der Gürtelmode zu Beginn des zweiten Drittels des 6. Jahrhunderts stellt sich auch bei den Schwertern ein Wandel in der Ausschmückung ein. Viele Spathen, die nun aufgrund des vermehrten Fundanfalls infolge des Ausgreifens der Reihengräbersitte zahlreich überliefert sind, besitzen keine oder nur wenige Zierbeschläge an der Scheide. Die Ornamentierung beschränkt sich, wenn überhaupt, nur auf den Knauf, eine Tendenz, die bis zum Ende der Reihengräberzeit anhält. Neben einfachen Bronzeknäufen mit weitgehend rein funktionalem Zweck, fallen die kostbaren, pyramidenförmigen Knäufe aus vergoldetem, kerbschnittverziertem Silberguß auf, an denen zuweilen zwei ineinander greifende Ringe magischen Bedeutungsinhaltes angebracht sind (Abb. 226). Diese sogenannten Ringknäufe waren im 6. Jahrhundert vorwiegend in Skandinavien, Südengland und Nordfrankreich verbreitet und sind an reiche Grabfunde gebunden. In Skandinavien, wo dieser Typ anscheinend entwickelt wurde, ist er besonders langlebig.

228   (a) Zweischneidiges Langschwert mit Damaszierung
und Schmiedemarke aus Thalmässing, Kr. Hilpoltstein, 85 cm,
(b) Widerhakenlanzenspitze (Ango) aus Kaltenengers, Kr.
Koblenz (Länge 75 cm) und (c) Lanzen unterschiedlicher Form
von Kaltenengers, Kärlich (Kr. Koblenz), Pfahlheim (Ostalbkreis) und (d) eine Lanzenspitze mit Aufhaltern aus dem
Rhein bei Mainz. 6. bis 8. Jahrhundert n. Chr. (e) Äxte,
Bartäxte und Franzisken (Wurfbeile) aus fränkischen und
alamannischen Gräbern von Kärlich, Kaltenengers und Pfahlheim. Länge der einfachen Axt mit leicht geschweiftem Blatt
von Kärlich 16,5 cm. Spätes 5. bis Ende 6. Jahrhundert.
Germanisches Nationalmuseum, Nürnberg

Eine konzeptionelle Änderung des Griffaufbaues, die nicht nur geschmacksbedingt ist, kann allgemein zu Beginn des 7. Jahrhunderts parallel zum Auftreten der dreiteiligen Gürtelgarnituren festgestellt werden. Bestanden die Schwertgefäße bis dahin ausschließlich in ihren konstruktiven Teilen aus organischem Material, so haben jetzt Knauf und Parierstange Eisenfütterung, bis sie schließlich gegen Ende der Reihengräberzeit überhaupt massiv eisern gestaltet wurden. Die Knäufe aus Eisen oder Bronze sind von unterschiedlicher Form und silber- oder messingtauschiert. Bronzene, reliefverzierte Exemplare und manch andere Knauftypen haben regionale Verbreitungsschwerpunkte, die auf Werkstattkreise und beschränkte Absatzgebiete schließen lassen. Insgesamt sind Schwerter in Gräbern nur noch im austrasischen, d.h. östlichen Teil des Frankenreiches nachzuweisen. Im überwiegend romanischen Nordfrankreich scheint die Waffenbeigabe zu Beginn des 7. Jahrhunderts bereits weitgehend erloschen zu sein.

Die Langschwerter wurden an separaten Wehrgehängen getragen. In der Frühphase sind mehrere Schwertgurttypen mit unterschiedlichen geographischen Konzentrationen festzustellen. Spätrömische Traditionen vertreten breite Gurte mit Schnalle und Riemenzunge, auf denen die Scheiden aufgenietet waren. Weiter verbreitet war die Trageweise an einem schmalen Hüftgurt ohne Schnalle, an dem das Schwert mittels Riemenhalter im oberen Drittel der Scheide befestigt wurde. In der mittleren Merowingerzeit kam es zur Ausbildung von komplizierten Wehrgehängen, die aus einem Hüft- und einer Art Schleppriemen bestanden, an denen das Schwert im oberen und unteren Drittel festgezurrt war. Parallel zur Entwicklung der ›dreiteiligen Leibgurte‹ wurden auch die Wehrgehänge mit Beschlägen, sogenannten mehrteiligen Schwertgurtgarnituren, ausgestattet, die in Form, Material und Dekor im allgemeinen den Beschlägen des Leibgurts entsprachen. Häufig weisen Übereinstimmungen in der formalen Ausgestaltung und in der Zierweise von Knauf und Schwertgurtgarnitur auf die Herstellung in einer gemeinsamen Werkstätte hin. In unterschiedlicher Ausführung und entsprechenden allgemeinen Modeströmungen unterworfen, blieben die Wehrgehänge mit Schleppriemen bis in die Karolingerzeit in Gebrauch (Abb. 227).

Während die Spatha mit zeitlich abnehmender Exklusivität die gesamte Merowingerzeit in Gebrauch war, verschwand anfänglich vorhandenes Kriegsgerät aus dem Waffenarsenal, anderes wurde neu eingeführt. Lanze, bzw. Speer und Schild hingegen gehörten in formaler und funktionaler Differenzierung seit der römischen Kaiserzeit zur Standardausrüstung eines Kriegers. Mit der allgemeinen Verbreitung dieser Waffen hängt möglicherweise auch ihre besondere Rechtsbedeutung zusammen: König Gunthram erhebt seinen Neffen Childebert zum Erben

*Tafel 36   Scheiben- und sog. ›Vierpaßfibeln‹
aus Gräbern in Mertloch, Kr. Mayen. Gold mit
Filigran, einzeln gefaßten Stein-, Glaseinlagen
sowie Perlen. Durchmesser der Fibel rechts oben
7,5 cm. 2. Hälfte 7. Jh.
Auf einer bronzenen Grundplatte mit der Nadelkonstruktion ist über einem Tonkern der Zierteil
aufgesetzt. Vierpaßfibeln und entsprechende
Scheibenfibeln treten in ihrer Funktion als einzeln getragene Broschen in der Merowingerzeit
auf und bestimmen das Bild der Frauentracht bis
ins hohe Mittelalter. Die Vorbilder für die neue
Mode, die einen anderen Schnitt der Gewänder
voraussetzt, finden sich im mittelmeerisch-byzan-
tinischen Bereich.
Germanisches Nationalmuseum, Nürnberg*

Tafel 37   Inventar eines Frauengrabes der 2. Hälfte des 6. Jahrhunderts von Herbrechtingen, Kr. Heidenheim, Baden-Württemberg. Die mit Bügelfibelpaar, S-Fibel, cloisonnierter Brosche, Perlenkette und einem Amethystkollier mit goldenen Münzabschlägen nach Justinian I. bestattete Frau weist sich in der Eigenart ihres Trachtschmucks wahrscheinlich als Langobardin aus, die nach Alamannien verheiratet wurde und dort in der Zeit um 600 verstarb. Auf der einen Bügelfibel sind rückseitig die Anfangsbuchstaben des Runenalphabets als magischer Schutz eingeritzt.
Germanisches Nationalmuseum, Nürnberg, und Württembergisches Landesmuseum, Stuttgart

Tafel 38   Bursenreliquiar aus der Stiftskirche St. Dionysius in Enger, Westfalen. Goldblech, teilvergoldetes Silberblech auf Holzkern, Edelsteine, Gemmen, Perlen, Zelleneinlage und Zellenschmelz. Höhe 16 cm, Breite 14,5 cm, um 700. Die Gliederung der Schauseite, in der sich Kreuz, Rhombus und Quadrat ablesen lassen, verbunden mit der Vierersymbolik der Steine – hier zur Zwölfzahl erweitert –, erweist die vielschichtige, kosmologisch zu deutende Struktur des Schmuckes. Im Mittelpunkt steht das Kreuz mit dem von Perlen umgebenen Stein als Symbol Christi; von ihm gehen die Arme des Diagonalkreuzes als Himmelssymbol aus. Die fünf Löwen auf dem First sind hier die Wächter am Grab des Heiligen.
Stiftung Preußischer Kulturbesitz, Staatliche Museen Berlin, Kunstgewerbemuseum

Tafel 39   Becher mit Flechtbanddekor, Silber gegossen, innen Reste von Vergoldung. Höhe 10,3 cm. Gefunden im Kies der Regnitz bei Pettstadt, Kr. Bamberg, Franken (vgl. Abb. 270). Mitte 8. Jahrhundert. Form und Verzierung des Bechers weisen auf eine sakrale Bestimmung hin. Er gehört zu einer kleinen Gruppe kontinentaler Metallarbeiten, deren Tierornamentik mit den Zierformen insularen Stils in Zusammenhang steht (vgl. Abb. 270).
Germanisches Nationalmuseum, Nürnberg

und Teilhaber seines Reiches durch Überreichung einer Lanze: »Rec est indicium quod tibi omne regnum meum tradidi« *(Greg. tur. VIII, 35)*, sagte er (natürlich auf fränkisch). Ähnliches wird auch von den Langobarden berichtet, als sie den Neffen Luitprands zu ihrem König machten. Noch in karolingischer Zeit zeigt sich die Rechtsbedeutung der Lanze, wenn beispielsweise ein Edikt Karls des Großen den Hörigen den Gebrauch der Lanze ausdrücklich untersagt. Bei Zuwiderhandeln sollte der Lanzenschaft auf dem Rücken des Frevlers zerbrochen werden. Und in einem Kapitular aus dem Jahre 829 gilt die Niederlegung der Lanze – »quod est in lingua Thiudisca ›scaftlegi‹ id est armorum depositio vocatur« – als Zeichen der Waffenruhe *(Capitul. reg. Ludovici et Lothari 829)*.

Der Formenreichtum der Lanzenspitzen in der Merowingerzeit ist funktionsbedingt groß. Allgemeine Tendenzen sind nur in längeren Zeiträumen feststellbar. Die Entwicklung von schlanken und schmalen Spitzen des 5. und 6. Jahrhunderts, zu den massiven Eisen des späten 6. und 7. Jahrhunderts, die manchmal reiches Punzdekor und Tauschiermuster aufweisen, ist mannigfaltig. Einem gehobenen Milieu müssen hingegen saufederartige schwere Lanzenspitzen zugewiesen werden, die vom 4. bis ins 8. Jahrhundert vereinzelt in reichen Gräbern vorkommen und als reguläre Jagdwaffen gelten (Abb. 228).

Der Schild, die einzige Schutzwaffe des frühmittelalterlichen Kriegers, bestand aus einer mit Leder überzogenen Scheibe aus leichten Holzbrettern, die in der Mitte ein durch den eisernen Schildbuckel geschütztes Griffloch freiließen (Abb. 229). Obwohl keiner der Schilde im Original erhalten ist, kann aus den antiken Bilddarstellungen geschlossen werden, daß sie bemalt waren. Sidonius berichtet von den schneeweißen Schilden mit funkelnden Buckeln im Gefolge Sigimers. Karolingische Miniaturen zeigen buntfarbige Wirbelmuster der bis zu einem Meter durchmessenden flachen oder leicht gewölbten Schutzwaffen, die möglicherweise heraldische Zweckbestimmung hatten. Auch die Gestaltung der Schildbuckel, die vom 5. bis 8. Jahrhundert eine typologische Entwicklung vom flach-konischen Stangenbuckel bis zum zuckerhutförmigen Buckel durchmachte, zeigt in der Kaschierung der Schildniete mit Silber- oder Messingblechen in reichen Gräbern eine qualitative Differenzierung (Abb. 230). Der Verlust des Schildes, schon bei Tacitus als Schande angeprangert, wird auch noch in den fränkischen Volksgesetzen streng geahndet. Das Kriegsvolk wird nach Schilden gezählt und Chlodwig wurde die Herrschaft durch Erhebung auf den Schild übertragen, wie das auch bei den römischen Soldatenkaisern manchmal der Fall war.

Eine lange Tradition in der Bewaffnung hat das Beil. Es wurde nach den Zeugnissen von Prokop, Agathias, Sidonius Apollinaris und Gregor von Tours im 5. und 6. Jahrhundert unter der Bezeichnung ›securis‹,

Tafel 40 (Seite 244) Prunkschwerter aus karolingischer Zeit. Links Spatha aus dem Altrhein bei Mannheim. Der schweren zweischneidigen Waffe ist auf der Vorderseite der Klinge die Inschrift + VLFBEHT + mit tordierten Weicheisenstäben eingeschmiedet. Die Rückseite trägt in derselben Technik ein geometrisches Ornament, das als Schmiedemarke zu deuten ist (vgl. Abb. 272, 273). Vom Gefäß des Schwertes sind, flächendeckend schachbrettartig in silber- und messingtauschierter Knauf- und Parierstange erhalten. 9. Jahrhundert n. Chr. Rechts Spatha aus dem Flußkies der Donau bei Neuburg a. d. Donau. Das leichte zweischneidige Schwert steht technisch noch in der Tradition der Merowingerzeit. Auf die karolingische Zeitstellung weist eine unleserliche Klingeninschrift aus eingeschmiedeten Weicheisenstäben in Form von lateinischen Majuskeln hin, die auf der Klingenrückseite durch ein in einem Pfeil endendes Rautendekor begleitet wird. Das massiv eiserne Gefäß ist mit Messingfäden streifentauschiert und mit Messingbändern gefaßt, die eine verderbte Blattranke zeigen. Frühkarolingisch, 8. Jh. n. Chr. Germanisches Nationalmuseum, Nürnberg

229 *Der Kampf Davids mit Goliath. Psalterillustration um 800 n. Chr. Goliath ist in voller Rüstung mit zeitgenössischer Flügellanze, Schild mit zuckerhutförmigem Buckel und gegürtetem Schwert mit dreiteiligem Knauf dargestellt. Stuttgart, Württembergische Landesbibliothek*

›bipennis‹, ›francisca‹ und ›securis missilis‹ häufig verwendet. Man wird zwischen normaler Kampfaxt und dem Wurfbeil, der Franziska, unterscheiden müssen. Wie Lanze und Schild tritt das Kampfbeil schon in den spätrömischen Germanengräbern Nordfrankreichs und Südwestdeutschlands, oft kombiniert mit Pfeil und Bogen, vor allem in durchschnittlich ausgestatteten Gräbern auf. Es scheint die Waffe des gemeinen Mannes gewesen zu sein. Typisch fränkisch war das Wurfbeil, die Franziska (Abb. 228). Sie wurde – wie Prokopius zum gotischen Krieg in Italien berichtet – im infanteristischen Kampf verwendet und von den *Franken* auf Kommando in die gegnerischen Reihen geschleudert, um deren Schilde zu zertrümmern. Die Franziska, zahlenmäßig am häufigsten in fränkischen Gräbern vertreten, machte in der frühen Merowingerzeit eine typologische Entwicklung durch, wurde um 500 offensichtlich auch von den *Alamannen* rezipiert, bis sie gegen Ende des 16. Jahrhunderts außer Gebrauch kam.

Ein ähnliches Schicksal widerfuhr der Widerhakenlanze, dem Ango (Abb. 228). Dieses Kriegsgerät, das aus einer langen Eisentülle und einer kleinen Widerhakenspitze auf kurzem Holzschaft bestand, war vermutlich eine Kavalleriewaffe und hat sich möglicherweise noch in der Kaiserzeit aus dem römischen Pilum entwickelt. Der Ango ist in seinem Vorkommen auf reicher ausgestattete Gräber des 5. und 6. Jahrhunderts beschränkt.

Bereits in der mittleren Merowingerzeit ist eine gewisse Normierung der Waffenausrüstung festzustellen. Wurfbeil und Ango werden nicht mehr beigegeben. Als wichtige und weitverbreitete Waffe tritt der Sax zunehmend häufiger auf. Dieses einschneidige Hiebschwert hat sich vermutlich aus dem germanischen Kampfmesser entwickelt. Einschneidige

Hiebschwerter mit schmaler langer Klinge östlich-reiternomadischen Ursprungs sind vereinzelt in überdurchschnittlich reichen Gräbern der frühen Merowingerzeit belegt (Abb. 235). Diese säbelartigen Kavalleriewaffen haben jedoch kaum die Entstehung der Saxe beeinflußt, die bei Gregor von Tours »scramasax«, in der ›Lex Burgundiorum‹ »semispatha« und in einem Kapitular Pipins »semispatium« genannt werden. Die Formenreihe der ausgeprägten Nahkampfwaffe beginnt in der ersten Hälfte des 6. Jahrhunderts mit kurzen, messerartigen Schmalsaxen, die dann allmählich länger und breiter und vor allem schwerer werden, bis sie im 8. und 9. Jahrhundert ähnliche Längenabmessungen besitzen wie die Spathen und diese zum Teil auch ersetzen. In ihrer kampftechnischen Funktion sind die frühen Formen kaum mit den schweren, aufgrund der Grifflänge wohl beidhändig geführten Hiebschwertern der mittleren und späten Merowingerzeit vergleichbar. Wie vorher das Beil, war der Scramasax die Hiebwaffe des weniger begüterten Kriegers. Prunksaxe treten, ähnlich den Lanzen, in der mittleren Merowingerzeit auf. Die Klingen mit breiten Blutrillen tragen vereinzelt tauschierte Muster oder Runeninschriften. Ansonsten konzentriert sich das Schmuckbedürfnis auf die Lederscheiden, die mit Punzornamenten, Ziernieten und Ziernägeln versehen wurden. Der Sax war offensichtlich die Waffe, die der Krieger im Gegensatz zur Spatha ständig bei sich trug. Die Scheide war mit zwei Riemen links am Leibgurt eingehängt (Abb. 231).

Einen ähnlichen Rang in der Bewaffnung hatten Pfeil und Bogen, von denen meist nur die Pfeilspitzen erhalten sind. Vereinzelt ist zu beobachten, daß die Pfeile samt Köcher und Bogen niedergelegt wurden. Anfänglich scheint diese Fern- und wohl zugleich Jagdwaffe auch zur Ausrüstung der Vornehmen gehört zu haben. Komposit- und Reflexbögen, verbunden mit dreiflügeligen Dornpfeilspitzen, fanden jeweils in der 2. Hälfte des 5. und zu Beginn des 7. Jahrhunderts im Zuge attilazeitlicher bzw. awarisch-östlicher Einflüsse Eingang in die Ausrüstung der gehobenen Kriegerschicht. Ansonsten sind Pfeil und Bogen in der jüngeren Merowingerzeit als Beigaben auf die Begräbnisse einfacher Leute beschränkt.

Helm und Panzer waren offensichtlich exotische und der Oberschicht vorbehaltene Rüstungsteile. Sie sind nur in wenigen Grabfunden überliefert. Spangenhelme mediterraner Provenienz kommen vereinzelt in alamannischen, fränkischen und thüringischen Gräbern vor (Abb. 232). Kettenhemden sind überhaupt nur in den Gräbern von *Planig* in Rheinhessen und *Gammertingen* in Württemberg-Hohenzollern vertreten. Ganz besonders ungewöhnlich sind Lamellenhelm und -panzer aus einem Kriegergrab von *Niederstotzingen* (Abb. 233), die ihre nächsten Entsprechungen ikonographisch im Altaigebiet und auf byzantinischen Silberschalen und im langobardischen Italien (Abb. 234) finden. Daß das

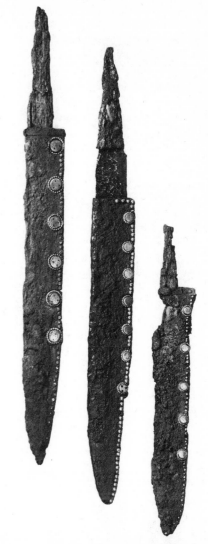

231 Saxe (einschneidige Hiebschwerter) des 7. Jahrhunderts aus Niederbreisig, Kr. Ahrweiler, Rheinland-Pfalz.
Die Saxe, maximale Länge 79,5 cm, stecken noch in ihren originalen mit Messing- und Silbernieten besetzten Lederscheiden. Die langen Holzgriffe sind den Klingen ohne Parierstange oder Knäufe aufgesetzt. Das zweite Schwert von links ist noch in der Scheide beweglich.
Germanisches Nationalmuseum, Nürnberg

*232   Der Spangenhelm aus Grab 1782 von Krefeld-Gellep,
1. Hälfte 6. Jh. Der 18 cm hohe vergoldete Helm besteht aus
sechs spitzovalen Eisenplatten, die von den aufgenieteten
Bronzespangen, dem Stirnreif und dem Scheitelknauf zusammengehalten werden. Die Wangenklappen und der (nicht
abgebildete) Nackenschutz aus eisernem Kettengeflecht waren
mit Lederriemen am Helm befestigt. Weinranken, Masken,
Tierdarstellungen und Fiedermuster in Treib- und Punztech-
nik bilden die Verzierung. Der Helmtypus ist weit verbreitet
und geht wohl ursprünglich auf persische Vorbilder zurück.
Landschaftsmuseum des Niederrheins, Burg Linn*

archäologische Fundbild in dieser Beziehung lückenhaft ist, zeigen einmal die häufig in Frauengräbern als Amulette auftretenden Fragmente
von Ringbrünnen und Lamellenharnischen, zum anderen antike Berichte. Helm und Panzer werden als Bestandteile der Rüstung fränkischer, langobardischer und gotischer Vornehmer erwähnt. Nach Prokopius tötet der byzantinische Feldherr Narses einen gepanzerten Goten-
führer durch einen Pfeilschuß in den Hals. Einem in Italien eingefallenen
Frankenheer tritt ein mit Helm und Panzer gewappneter Langobarde
mit der Herausforderung zum Zweikampf als Gottesurteil für den Ausgang des Krieges entgegen (590); er wird jedoch ganz einfach von mehreren Franken erschlagen.

Der Vergleich von Schrift- und Bildquellen mit dem archäologischen
Befund verdeutlicht, daß sich in der Grabausstattung tatsächlich die
reale Bewaffnung der Merowingerzeit abzeichnet, wenngleich sicher
nicht in jedem Einzelfall. Zugleich aber ist festzustellen, daß bestimmte
Waffen schon allein ihres Wertes wegen der gehobenen militärischen
Schicht zuzuweisen sind, wie überhaupt die volle Waffenausrüstung
bestimmter Perioden nur in den materiell aufwendigen Grablegen faßbar wird. Eine tabellarische Aufstellung von Gräbern in Auswahl verdeutlicht den Befund (Abb. 235).

Aus der frühen Merowingerzeit sind hauptsächlich reich ausgestattete
Gräber bekannt. Neben Bronze- und Glasgefäßbeigaben enthalten sie
meist Spatha, Lanze, Schildbuckel, Ango und Axt oder Wurfbeil und in
Ausnahmefällen, so in einem Grab von *Gültlingen* (1), Spangenhelm und
Sporn. Beigabenreichtum, Edelmetallbeschläge und manchmal auch
aufwendiger Grabbau weisen die Bestatteten als ›Adelige‹ aus. Vor-
nehmstes Rangabzeichen scheinen die reich verzierten Schwerter zu
sein, die – wie die Goldgriffspatha von *Rommersheim* (12) – allein schon
den hervorgehobenen Stand ihres Besitzers dokumentieren.

In der ersten Hälfte des 6. Jahrhunderts hebt sich eine Schicht von
Waffengräbern durch ihre volle Waffenausrüstung und reichen Beiga-
ben deutlich von der Masse ab. Die Gräber von *Planig* (19) mit Helm
und Kettenhemd, von *Krefeld-Gellep* (21) und anderen Plätzen sind deut-
lich als fürstliche Bestattungen vom sonst üblichen Milieu abgesetzt.
Das gilt ebenso für die Bestattungen der zweiten Hälfte des 6. Jahrhun-
derts von *Gammertingen* (37) und *Morken* (35), wobei in diesen beiden
Fällen im Waffeninventar ein stark konservativer Zug festzustellen ist.
Ango und Franziska beispielsweise gehörten bereits nicht mehr zum
Waffenarsenal, wie zahlreiche zeitgleiche Grabfunde belegen. Auch die
Spangenhelme machen am Ende des 6. Jahrhunderts einen antiquierten
Eindruck. Sie scheinen den letzten Vertretern einer frühfeudalen Adels-
schicht gehört zu haben, die bis in das 5. Jahrhundert zurückverfolgt
werden kann. Waren bis dahin die Waffenkombination und der Edelme-

233   Zeichnerische Rekonstruktion eines Lamellenhelmes und eines Lamellenpanzers aus Grab 12 von Niederstotzingen, Kr. Heidenheim, Baden-Württemberg. Die geschweifte Helmkalotte wird durch mit Lederbändern verbundene Eisenlamellen gebildet, die am Scheitelknauf zusammengefaßt sind, während sie unten durch Horizontalverknüpfungen zusammengehalten werden. Integriert ist eine massiv eiserne Stirnschutzplatte mit Nasenschutz (vgl. Abb. 234). Die Wangenklappen und der Nackenschutz sind mit Lederriemen befestigt.
Ähnlich beweglich konstruiert ist der zweiteilige Lamellenpanzer. Derartige Harnische wurden wohl im Sassanidenreich entwickelt und fanden Eingang in die Bewaffnung der Reitervölker im Osten, aber auch bei den Langobarden, Alamannen und Franken.
Württembergisches Landesmuseum, Stuttgart

234   Stirnplatte eines Lamellenhelmes aus vergoldeter Bronze mit hinterlegtem Eisen, sog. Agilulf-Platte, gefunden angeblich im Val di Nievole bei Florenz. Die in der Anordnung symmetrische Szene zeigt in der Mitte den Herrscher, möglicherweise den Langobardenherzog Agilulf, auf einem Thron in Segnungsgeste, während die Linke ein Schwert umfaßt. Flankiert wird er von zwei Leibwächtern mit Lamellenharnischen und Lamellenhelmen, Lanzen und Rundschilden. Von links und rechts bewegen sich Dreiergruppen, angeführt von Viktorien auf den Thron zu und überbringen Spangenhelme (?) oder Kronen (?) mit Kreuzaufsatz. Den äußeren Rand der Szene begrenzen Steintürme. Anfang 7. Jh.
Museo Bargello, Florenz

tallreichtum in den Gräbern Indiz für die Zuweisung zum frühmittelalterlichen Adel, so treten mit der mittleren Merowingerzeit andere Kriterien sozialer Zuweisung in den Vordergrund. Die Waffenausrüstung ist normiert und besteht in der Regel aus Spatha, Sax, Lanze und Schild, wobei keine der Waffen eine besondere Ausschmückung erfährt und Langschwerter auch zum Beigabenkanon normal ausgestatteter Kriegergräber gehören. Kennzeichnend wird nun vor allem die Beigabe des Pferdezaumzeuges mit Trense und oft reich verziertem Halfter. Frühe Beispiele dieser Sitte sind in *Krefeld-Gellep* Grab 1782 (21) und im thüringischen *Großörner* mit überaus aufwendigen Knebeltrensen gegeben. Die reiterliche Komponente des frühen Adels wird in der Beigabe des Reitzubehörs seit der mittleren Merowingerzeit archäologisch signifikant. Beritten war diese Schicht schon immer, und man kann davon ausgehen, daß die schwer bewaffneten Reiter, ähnlich den hochmittelalterlichen Rittern, mit einem oder zwei Knappen ins Feld zogen. Anders wäre die Handhabung des umfangreichen Waffenarsenals im Kampf gar nicht vorstellbar (Abb. 235).

Neben Pferdezaumzeug und Sporen – Steigbügel aus Metall sind äußerst selten – zeichnet sich die reiterlich-adelige Lebensweise in den Grabinventaren auch im 7. Jahrhundert durch die Beigabe von bronzenem Trinkgeschirr, meist gegossenen sogenannten koptischen Kannen

235 *Tabellarische Übersicht zur Beigabenkombination in
Schwertgräbern der Merowingerzeit.*
Horizontale Signaturen: *1) Langschwert (dreieckige Signatur Goldgriffspathen; 2) Sax (dreieckige Signatur: langer
Schmalsax östlicher Prägung); 3) Lanze; 4) Schild; 5) Pfeile;
6) Ango; 7) Wurfbeil/Franziska (dreieckige Signatur: Streitaxt); 8) Pferdezaumzeug; 9) Sporen; 10) Helm; 11) Panzer;
12) Glas; 13) Bronzegefäße; 14) Keramik; 15) Münzen.*
Vertikale Numerierung: *1 bis 53 Schwertgräber der Merowingerzeit aus Belgien, Deutschland und Frankreich in
Auswahl, dernologisch geordnet*

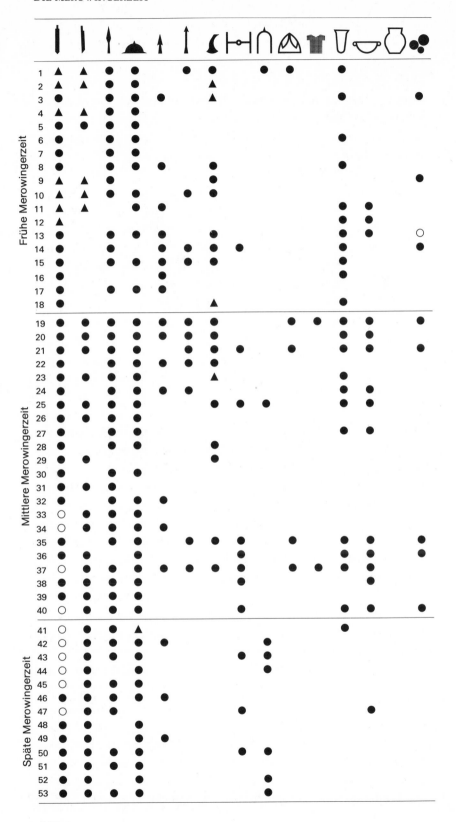

250

und Becken, metallbeschlagenen Holzeimern, Glas- und Tongefäßen sowie Brettspielen und Musikinstrumenten ab (Farbtafel 33, Abb. 249, 252).

Die mit diesen Realien ins Grab gelangte, archäologisch mehr oder weniger prägnant umschriebene Oberschicht, ist eingebettet in eine Zehntausende umfassende Gesamtzahl von Reihengräbern durchschnittlicher bis beigabenloser Ausstattung. Das betrifft mit zeitlichem Gefälle auch die Waffen. Neben den Spathagräbern der Frühzeit mit der jeweils zeittypischen Waffenkombination sind zahlreiche Gräber bekannt, die nur Axt und Pfeil, Lanze und Schild, später Sax, Lanze und Schild oder nur den Sax bzw. überhaupt nur einzelne Waffen beigegeben hatten. Von dieser mengenstatistisch staffelbaren, zeitlich und räumlich differenzierten Grundlage ausgehend, wurde vielfach versucht, die frühmittelalterliche Gesellschaft aufgrund der Waffenkombination weiter zu untergliedern. Man schlug beispielsweise vor, die weniger reichen Spathagräber der mittleren und späten Merowingerzeit den freien Hofbauern, Gräber mit Sax und Lanze den Halbfreien oder die beigabenlosen den Unfreien und Knechten zuzuweisen. Eine derartige Etikettierung ist nicht möglich, da zu viele Unwägbarkeiten archäologisch nicht faßbar sind und wir über die Rechtsstellung und die ständische Gliederung der Bevölkerung aus den beschreibenden Quellen und den germanischen Volksgesetzen nur soviel wissen, daß es außer den Dynastenfamilien eine rechtlich nicht näher definierte adelsähnliche Oberschicht mit überörtlicher Machtausübung, Freie, Halbfreie und Hörige oder Knechte gab. Wie weit Halbfreie und Knechte überhaupt waffenfähig waren, bleibt dahingestellt. Die Masse der klassifizierbar ausgestatteten Gräber wird wohl der Schicht der Freien zuzuweisen sein. Ihre wirtschaftliche und soziale Bedeutung erweist sich in der im Beigabenkanon statistisch faßbaren Besitzabstufung, die zudem durch aufwendigen Grabbau oder die Wahl des Bestattungsplatzes untermauert sein kann. Hervorragende Beispiele hierfür sind die Begräbnisse des Prinzen und der fürstlichen Dame unter dem *Kölner Dom*, die Bestattungen des merowingischen Adels unter der Kirche von *St. Denis*, deren bekannteste das Grab der Königin *Arnegunde* ist, oder die des Herrn von *Morken*, über dessen Grab sich ebenfalls eine Kirche erhob. Die Absonderung des ›Adels‹ wird gerade im Lauf des 7. Jahrhunderts auch in den ländlichen Nekropolen deutlich. Ob in *Niederstotzingen,* wo eine Adelsgruppe über maximal zwei Generationen gesondert bestattete, oder in *Sontheim an der Brenz,* wo deutlich verfolgt werden kann, wie eine adelige Familie ihr Begräbnis vom Ortsfriedhof weg an eine von ihnen gestiftete Kirche verlegt (Abb. 236), zeigt sich die allmähliche Herauslösung von Geschlechtern aus der Masse der Freien, deren Machtgrundlage Landbesitz und herzogliche oder königliche Privilegien sind, in

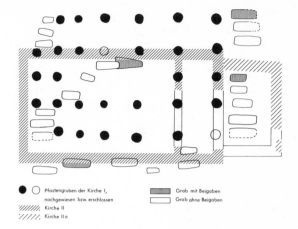

236 *Grundriß der ältesten frühmittelalterlichen Vorläuferbauten der Galluskirche in Brenz, Kr. Heidenheim, Baden-Württemberg, und die Lage der zugehörigen Gräber des 7. und 8. Jh. (Nach Dannheimer)*

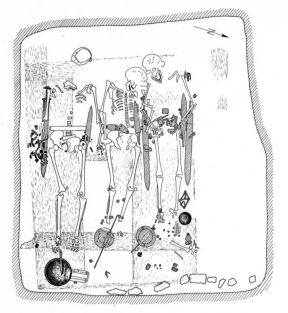

237 *Plan von Niederstotzingen Grab 3 mit der Dreifach-*
bestattung. (Nach Paulsen)

denen möglicherweise der mittelalterliche Ur- oder Hochadel wurzelt. Im Grunde nahmen sie – soweit dies aus dem dezimierten Sachbesitz in den Gräbern rekonstruierbar ist – bereits eine ritterlich-feudale Lebensweise vorweg.

Gesang und Brettspiele, Waffengänge und manierliche Eß- und Trinksitten sind nicht nur sagenhaft. Sie finden ihre Bestätigung in den Grabfunden. Ein beredtes Beispiel bietet Grab 3 von *Niederstotzingen* (Abb. 237), in dem ein junger Adeliger mit qualitätvoller Tracht- und Waffenausrüstung Arm in Arm mit zwei vollbewaffneten Männern in einer Grabkammer gleichzeitig bestattet wurde, von denen sich der eine durch Trinkhornbeschläge als Mundschenk zu erkennen gibt, der andere durch eine Halfterkette mit Glocke als Marschalk, d.h. als der, der den Pferdestall betreut. Wie diese drei Männer ums Leben kamen, wissen wir nicht. Kampfhandlungen dürften vorausgegangen sein, nimmt man nicht an, daß Mundschenk und Marschalk aus lauter Gefolgschaftstreue ihrem Herrn ins Grab gefolgt sind.

Bei einem anderen Adeligen kennen wir die Todesursache. Stromab von *Orsoy*, am linken Ufer des Niederrheins, wurden 1938 mehrere überdurchschnittlich reiche, teils gestörte Kammergräber ausgegraben. In Grab 3 lag der Tote in einer drei Meter langen und 1,65 Meter breiten Holzkammer mit Dielenboden in einem Holzsarg. Der 1,85 Meter große erwachsene Mann war mit Ringknaufschwert und einem Kurzsax in voller Tracht beigesetzt worden. Der rechte Arm lag ausgestreckt über der Spatha, der linke war über das Becken gewinkelt. Die rechte Hand umfaßte einen gläsernen Sturzbecher. Zwischen den Knien stand ein Tongefäß. Außerhalb des Sarges lagen auf einer 2-3 Zentimeter starken Schicht aus inkohltem organischem Material – wahrscheinlich die Reste von Blumen oder Blättern – das Pferdezaumzeug mit Ringtrense, ein getriebenes Bronzebecken, ein Schildbuckel und sechs symmetrisch angeordnete bronzeplattierte Schildniete, zwei Pfeilspitzen sowie eine Eisenschere. Neben dem unteren Sargbereich fanden sich Tierknochen, der Brustkorb eines Huhnes und ein Ei. Eine stempelfrische Goldmünze, geprägt nach einem Solidus des *Justinus I.* (518-527) oder *Justinian I.* (527-565) lag als Obolus im Mund des Toten und gibt einen sicheren Anhalt für die Datierung des Begräbnisses in die zweite Hälfte des 6. Jahrhunderts. Der wohlhabende Mann war nicht eines natürlichen Todes gestorben. Die linke Schädelseite ist durch einen schweren Schlag zertrümmert gewesen. Unter dem rechten Jochbein steckte eine Pfeilspitze und eine andere hatte die Wirbelsäule durchbohrt. Ein menschliches und für die Merowingerzeit nicht ungewöhnliches Schicksal nimmt Konturen an. Der Mann von *Orsoy* am Niederrhein trifft irgendwo auf den Feind oder gerät in einen Hinterhalt. Ein Pfeil schnellt von der Sehne und durchbohrt seine rechte Gesichtshälfte. Er wendet sein Pferd zur Flucht. Da wird er von einem zweiten Pfeil in den Rücken getroffen und stürzt. Einer eilt herbei und schlägt dem Todwunden auch noch den Schädel ein. Am Ufer des Rheines wird er bestattet, mit allem, was ein Mann braucht: Die standesgemäße reiterliche Ausrüstung, die Waffen, Weggeld und Wegzehrung für die Reise ins Jenseits werden ihm mitgegeben. Und selbst der gefüllte Becher fehlt nicht, ein Glas, das nur abgestellt werden konnte, wenn es ausgetrunken war. Unter Wehklagen und heidnischen Gesängen streute seine Sippe Blumen ins offene Grab. Siegfried und Hagen, Nibelungensage und Islandsagas nehmen Realität an. Und wer den Recken erschlagen hatte, zahlte sein Wergeld an die geschädigte Sippe oder ist von dieser selbst erschlagen worden. Das Recht wurde mit eigener Faust gewahrt. Fehden waren an der Tagesordnung. In den Zeiten von Rechtsunsicherheit und fehlender Zentralgewalt herrschte im Grunde permanenter Krieg. Nur ungern trennte sich der Mann von seinen Waffen.

TRACHT UND SCHMUCK DER FRAU

Frauen und Mädchen wurden entsprechend ihrer gesellschaftlichen Stellung im Totenbrauchtum gleich den Männern behandelt. Ihr persönlicher Besitz, die ›Gerade‹, ist naturgemäß anders geartet. Sie sind in ihrer Kleidung mit ihrem Schmuck, Toilettebedarf und Trinkservicen sowie Speise- und Trankbeigaben beerdigt worden. Neben einfachen Erdbestattungen sind Kammergräber und Kirchenbegräbnisse belegt. Den Idealtyp einer Frauenbestattung der ersten Hälfte des 6. Jahrhunderts stellt das Frauengrab unter dem *Kölner Dom* dar, in dem der Habitus einer vornehmen Dame von wahrscheinlich königlichem Geblüt erahnt werden kann.

Tief unter dem *Kölner Dom* wurden im Verlauf langjähriger, technisch äußerst schwieriger Ausgrabungen 1959 innerhalb der Grundmauern eines kleines Oratoriums, das wohl im Hof eines Vorgängerbaues des heutigen Domes errichtet war, zwei in Reihe angelegte Plattengräber angetroffen. Das eine barg die Bestattung eines Knaben mit der Waffenausrüstung eines Erwachsenen und dazu den Helm in Kindergröße, das andere die Bestattung einer vornehmen Frau mit überaus reichen Beigaben. Sie war in einem Holzsarg in der schmalen, aus Steinplatten ungenau gefügten Kammer beigesetzt. Von der ursprünglich mit einem orientalischen Knüpfteppich verhüllten Leiche hat sich bis auf geringe Reste nichts erhalten. In der Kopfgegend fand sich eine golddurchwirkte Stirnbinde mit almandinverzierter Befestigungsnadel, welche die Tote als Braut kennzeichnet (Abb. 238). Zum Kopfschmuck gehören weiter goldene Ohrringe mit almandin- und perlverzierten Polyederkapseln. Ein massiv goldener Handgelenkring und zwei goldene Fingerringe schmückten Arm und Hände. Den Hals umschloß ein Col-

238 *Stirnbinde aus Brokat mit Edelsteinbesatz der Dame unter dem Kölner Dom. Diözesanmuseum, Köln*

239 *Gefaßte Bergkristallkugel vom Gürtelgehänge der Dame unter dem Kölner Dom. Diözesanmuseum, Köln*

240 *Amulettkapsel (Bulla), Silbervergoldet mit Blattranken-*
dekor der Dame unter dem Kölner Dom.
Diözesanmuseum, Köln

241 *Bronzeblechbeschläge mit Stempelmustern und blauen*
Glaseinlagen eines Holzkästchens (Holzteile in Plexiglas
ergänzt) aus einem fränkischen Friedhof bei Kaltenengers,
Kr. Koblenz, Breite ca. 24 cm, 1. Hälfte 6. Jh.
Germanisches Nationalmuseum, Nürnberg

lier aus geösten Goldmünzen, filigrierten Goldplättchen, Cloisonnéan-
hängern und Glasperlen. Zwei durch eine Goldkette mit Münzanhänger
verbundene cloisonnierte Broschen waren an den Schultern befestigt. In
der Beckengegend fanden sich untereinander ein Paar vollständig cloisonnierte Bügelfibeln und eine massiv silberne Gürtelschnalle. An Le-
derriemchen mit Goldschnalle und feinen, filigranverzierten schmalen
Goldschiebern hingen eine gefaßte Bergkristallkugel (Abb. 239), ein
Messer mit goldener Griffhülse und ebensolchem Ortband, ein Beuteltäschchen mit Perlen, eiserner Schere in Schaflederetui und ostgotischen
Silbermünzen sowie, neben anderem, eine große Bulla aus Silberblech,
die Pflanzenreste enthielt (Abb. 240). Von der Beinbekleidung sind zwei
cloisonnierte Riemenzungen der Strumpfbänder und die Schuhschnallen
erhalten. Sie gehörten zu goldbestickten Schuhen mit feinen Schuster-
nähten. Außerhalb, am Fußende des Sarges, war die übrige Grabausstattung untergebracht. Allein sechs Gläser: zwei Schalen mit Obstkernen,
drei Flaschen und ein Sturzbecher. Zum Trinkservice gehörten weiterhin ein Trinkhorn aus zierlichem Ziegengehörn mit Silberbeschlägen
und ein Holzeimer mit Bronzeblechringen. Eine Pilgerflasche aus Holz
mit Leder und ein getriebenes Bronzebecken mit drei Füßen und dar-
übergelegtem Wollstoff – vielleicht ein Handtuch – komplettierten die
Ausstattung. In der äußersten Ecke der Grabkammer stand eine hölzerne, an der Vorderseite mit Bronzeblech und Glassteinen beschlagene
Schatulle, deren komplizierter Schließmechanismus samt Schlüssel noch
erhalten war (vgl. Abb. 241). Darin lagen verschiedene Stoffreste, ein
feines Tüchlein, Lederpantoffeln sowie eine Anzahl von Nüssen und
Kernen. Im ganzen Grab verteilt wurden Münzen gefunden, die wohl
während der Bestattungszeremonie ins Grab geworfen worden waren.
Ein Paar feine Lederhandschuhe, die wegen ihrer Größe nicht der Toten
gehört haben können, fanden sich in der Kammer. Möglicherweise
wurden sie bei der Herrichtung der Grabausstattung verwendet und
dann niedergelegt.

Die zeitliche Fixierung der Bestattung beruht auf der Bestimmung
der ostgotischen Münzen in der Gürteltasche. Es handelt sich um stempelfrische Halbsiliquen Theoderichs d. Gr. (493-526) und seines Nach-
folgers Athalarich (526-534), die den Zeitpunkt der Grablege im zweiten
Viertel des 6. Jahrhunderts wahrscheinlich machen.

Demselben sozialen Milieu gehört das Grab 49 aus der Basilika von
St. Denis bei Paris an. Ein Siegelring weist die Bestattete als *Arnegunde*,
die Witwe *Chlothars I.* (511-561) und Mutter des Königs *Chilperich I.*
(561-584) aus. Sie war eine Zeitgenossin der Radegunde, von der Venantius Fortunatus erzählt, sie habe ihre kostbaren Gewänder und goldenen Geschmeide auf dem Altar der Kirche niedergelegt und den
Schleier genommen. Arnegunde tat dies nicht. Sie wurde in vollem

Ornat in den sechziger Jahren des 6. Jahrhunderts in einem schlichten Steinsarkophag unter der Krönungskirche der Merowinger beigesetzt (Abb. 242). Neben der genauen Datierung und Identifizierung der Toten sind vor allem die Textilbefunde in diesem Grab von größter Bedeutung, da sie einen bildlichen Eindruck der höfischen Tracht vermitteln.

Die wenig wirksam einbalsamierte Leiche der etwa 45jährigen, nur 1,55 Meter großen blonden Frau mit Rundschädel, stark vorspringendem Unterkiefer und flachem Kinn, war mit einem Tuch aus Hanf zugedeckt. Auf dem Körper trug die Tote ein feines Leinenhemd, das über den Knien endete. Darüber ein knielanges Kleid aus violetter, leicht indigofarbener Seide, das die oberen, unverzierten Metallbeschläge der ledernen Strumpfbänder kaschierte, die verzierten Riemenzungen jedoch sichtbar ließ. Ein 4 Zentimeter breiter, durchbrochen gearbeiteter und golddurchwirkter Ledergürtel ohne Schnalle raffte es in der Taille. Die Beine steckten in Leinenstrümpfen, deren Stoff gröber als der des Hemdes war. Sie wurden von kreuzweise um die Waden gewickelten Riemen gehalten. An den Füßen trug die Tote Schuhe aus sehr dünnem Leder mit silbervergoldeter Schnallengarnitur des Riemenwerkes. Dieses kreuzte sich über der Ferse, führte auf das Schienbein zurück und war seitlich mit dem Strumpfband verbunden. Das Überkleid bildete eine rotbraun gefärbte, leinengefütterte, bis zu den Füßen reichende, auf der Vorderseite offene seidene Tunika. Ihre langen Ärmel besaßen etwa 7 Zentimeter oberhalb der weiten Ärmelstulpen einen mit Rosetten und Dreiecken aus Goldfäden gestickten Streifen roten Satins. Am Hals, bzw. oberhalb der Gürtellinie, schlossen zwei cloisonnierte goldene Scheibenfibeln die Tunika über dem Oberkörper. Sie öffnete sich nach unten so, daß das violette Kleid und die Zierbeschläge der Strümpfe und Schuhe zu sehen waren. Quer über der Brust steckte von links eine lange Nadel aus Silber und Gold in den Resten des Überkleides. Ein Schleier aus Satin verhüllte das Haupt und fiel über die Brust bis zu den Hüften herab. Er war im Haar mit zwei goldenen Nadeln befestigt und verdeckte zwei goldene Körbchenohrringe. Ein weiter Tuchmantel von kräftig roter Farbe reichte von den Schultern bis zu den Füßen.

Bei der Bestattung ist in Höhe der Ellbogen unter der Tunika ein breiter Gürtel mit reich verzierter silbervergoldeter Beschlaggarnitur und anhängender hölzerner Troddel niedergelegt worden. Daneben haben sich auch Reste des 6,5 Zentimeter breiten perforierten, mit Lederfäden kunstvoll durchwirkten Leibriemens erhalten. Der identifizierende goldene Siegelring steckte am Daumen der linken Hand. Als einzige ›echte‹ Beigabe im Sarkophag der *Arnegunde* ist eine bauchige Glasflasche anzusprechen, die in ein dickes weißes Leinentuch gewickelt war.

In diesen beiden fränkischen Grablegen der höchsten sozialen Schicht zeigt sich einmal der optimale Sachbesitz der Frau in zeitlicher und

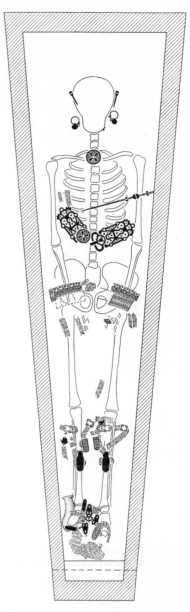

242 *Planzeichnung des Grabes der Königin Arnegunde unter St. Denis bei Paris mit Lage der Beigaben. (Nach France-Lanord)*

255

räumlicher Differenzierung und zugleich der Unterschied in der Tracht sowie in der Beigabensitte. Die Dame unter dem Kölner Dom, an ebenso exponierter Stelle im austrasischen Reichsteil bestattet wie die Königin Arnegunde in Neustrien – dem eigentlichen Zentrum des Frankenreiches –, bekam noch ihr Trinkservice, Toilettegerät und Schmuckkästchen mit in die geräumige Grabkammer. Bei der etwa eine Generation später verstorbenen Arnegunde fehlen derartige Beigaben. Sie wurde nur in ihrem kostbaren Ornat bestattet, der aufgrund günstiger Erhaltungsbedingungen fast vollständig rekonstruierbar ist. Fibelkombinationen und Schmuckensembles zeigen, daß in der milieugleichen Tracht gravierende Unterschiede bestanden haben müssen und die Beigabensitte in den westlichen Reichsteilen bereits in der zweiten Hälfte des 6. Jahrhunderts stark reduziert war, eine Erscheinung, die in der vorwiegend romanischen Umwelt Neustriens nicht verwundert. Zur Kleidung der Dame aus Köln gehören vier Fibeln, Hals-, Arm- und Fingerschmuck sowie Ohrringe. Die Tunika der Arnegunde hingegen wurde auf der Brust untereinander von zwei Scheibenfibeln zusammengehalten, Brust- und Armschmuck fehlen. Wie die Tracht der Kölner Dame allerdings im einzelnen zu rekonstruieren ist, bleibt dahingestellt.

Regelbefunde in der Zusammenschau der Frauengräber mit durchschnittlichen Ausstattungsmustern machen die Modetendenzen in der über 250 Jahre dauernden Entwicklung der merowingerzeitlichen Tracht deutlich. Im allgemeinen kann davon ausgegangen werden, daß die Frauenkleidung im Prinzip aus einem Hemd, Kleid, Überkleid, Strümpfen und Schuhen sowie einem Mantel bestand. Zum Schnitt der Kleidung lassen sich archäologisch noch keine exakten Aussagen treffen, sieht man von Ausnahmefällen ab. Die textiltechnische Analyse in Verbindung mit der Insitulage von Metallbeschlägen mit aufkorrodierten Stoffresten auf breitester Basis – ein Zukunftsprojekt der einschlägigen Forschung – wird hier weiterführen. Derzeit sind Trachteigentümlichkeiten nur aus der Kombination und Grablage von Fibeln, die zum Schließen der einzelnen Kleidungsteile dienten, und Riemenbeschlägen sowie sonstigen Schmuckaccessoires zu ermitteln.

In spätrömischer Zeit war die Frauentracht zwischen Loire und Elbe durch mehrere Fibeln gekennzeichnet, die sich im Bereich des Oberkörpers finden (Abb. 204). Ähnlich aufwendig war der Gebrauch von Gewandhaften – meist handelte es sich um Bügelfibeln – im mitteldeutschen und alamannischen Bereich, wobei die unterschiedliche Zahl und differierende Grablage möglicherweise auf Trachtprovinzen schließen läßt (Abb. 243 a).

Mitte des 5. Jahrhunderts schält sich in den alamannischen und fränkischen Landschaften allmählich eine für mehrere Generationen das Fundbild bestimmende Trachtkombination heraus (Farbtafel 29-32). Den Kopf schmückten ein silberner Haarpfeil und Ohrringe, den Hals umschloß ein Ring aus demselben Metall. Typisch sind einzeln getragene silberne Handgelenkringe und ein goldener Fingerring. Perlen aus Glas, Bergkristall oder Bernstein waren zu Kolliers zusammengefaßt bzw. auf den Kleidern aufgestickt. Die Fibeln sind meist auf zwei Paare beschränkt. In der Hals- und Schultergegend finden sich Kleinfibeln in Form von Vögeln oder auch almandinverzierte kleine Scheibenfibeln. Auffälligstes Schmuckstück sind die paarig getragenen großen Bügelfibeln aus Silber mit vergoldeten Kerbschnittreliefs und tierkopfförmigem Ende. In der Normallage werden sie schräg untereinander in der Beckengegend gefunden. Über ihre Funktion herrscht Unklarheit. Möglicherweise hielten sie ein Wickelgewand oder einen Wickelrock zusammen. Möglicherweise waren sie aber auch nur reines Zierelement, das die Aufgabe hatte, die Schmuckgehänge aus silbernen Ringkettchen oder schmalen Lederstreifen mit silbernen Pressblechbeschlägen zu halten, an denen neben dem Eßbesteck, einem Messerchen und allerlei Gegenständen magischer Funktion auch große Bergkristallkugeln zwischen den Schenkeln bis über die Knie herabhingen. Die Füße steckten in feinen, mit Bändern verschnürten Lederschuhen, von denen sich manchmal silberne Schnallen und Riemenbeschläge erhalten haben (Abb. 243 b).

In den Details sind während der ersten Hälfte des 6. Jahrhunderts Veränderungen im Schmuckensemble festzustellen. Haarpfeile, Ohrringe und Halsringe, wahrscheinlich östlichen Ursprungs, kamen aus der Mode. Dafür macht sich im gehobenen sozialen Milieu die Nachahmung byzantinischer Hoftracht bemerkbar. Die Kleider waren mit reichen Perlstickereien versehen. Zusammen mit den sicherlich vorauszusetzenden kostbaren Stoffen ergab sich ein ähnliches Erscheinungsbild, wie es in den byzantinischen Mosaiken von *Ravenna* farbenprächtig überliefert ist (Abb. 244).

In der mittleren Merowingerzeit scheint die Tracht eine grundlegende Veränderung erfahren zu haben. Bügelfibeln finden keine Verwendung mehr, wie das auch im Grab der Arnegunde festzustellen ist. In der Regel wurde nur noch eine reich verzierte Brosche in der Halsgegend getragen. Haarpfeile und Ohrringe kamen wieder in Gebrauch. Glasperlenketten, zum Teil als Kolliers getragen, schmückten Nacken und Hals. Die Röcke wurden kürzer. Metallverzierte Bänder, sogenannte Wadenbindengarnituren, material- und ornamentmäßig mit den Schuhschnallen korrespondierend, hielten Wickelstrümpfe aus Woll- oder Leinentuch. Der Gürtel mit seinen Gehängen bewahrte die unheilabwehrende Bedeutung. Neben dem am langen Band getragenen Beuteltäschchen mit Utensilien des täglichen Gebrauchs – Feuerzeug, Messerchen, Na-

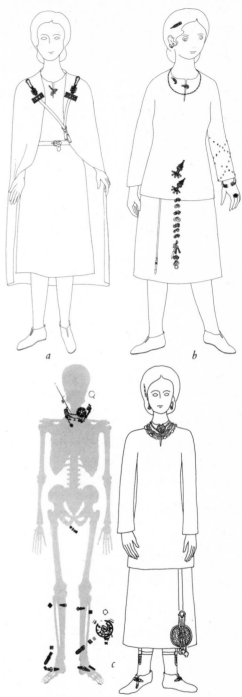

243 *Rekonstruktionsvorschläge zur Frauentracht. (Nach Christlein) (a) Tracht einer wohlhabenden Frau in der 2. Hälfte des 4. Jh. Nach Befunden in Gerlachsheim, Baden-Württemberg, Grab 3. (b) Rekonstruktion der Trachtlage des Schmuckes im Frauengrab 126 von Basel-Kleinhüningen, Schweiz. Um 500 n. Chr. (c) Grablage und Rekonstruktion des Trachtenschmuckes in einem Grab in der Kirche in St. Laurenzius in Bülach, Kt. Zürich. Mitte 7. Jh.*

257

245 Mehrteiliges Kettengehänge mit Bronze- und Eisengliedern sowie bronzenen Verteilerplatten, eine in Form eines Hahnes, Länge 40 cm. Aus einem Frauengrab des 7. Jahrhunderts in Mertloch, Kr. Mayen, Rheinland-Pfalz. Germanisches Nationalmuseum, Nürnberg

deln, Schlüssel – hingen durchbrochene Zierscheiben und komplizierte Gehänge aus Bronze in Höhe des Schienbeines vom schmalen Ledergürtel mit schlichter Eisenschnalle herab (Abb. 243 c, 245, 246). In der späten Merowingerzeit, als auch in den Männergräbern beinahe puristische Züge im Trachtzubehör festzustellen sind, reduziert sich auch in den Frauenbestattungen der Schmuck, nämlich auf Ohrgehänge meist mediterraner Herkunft, und auf Perlenketten. Eine Ausnahme bilden die reich mit Steineinlagen und Filigran verzierten Vierpaß- und Scheibenfibeln aus dem Ende des 7. Jahrhunderts (Farbtafel 36).

Insgesamt zeigen sich in der Entwicklung der Frauen- und Männertracht ähnliche Tendenzen. Einflüssen von außen stets offen, schloß sich die Oberschicht dem Modewandel schnell an und wurde dann mit zeitlicher Verzögerung von den einfachen Leuten imitiert. Anders als bei den Goten, deren Tracht noch im 6. Jahrhundert in derselben Tradition stand wie in ihren ursprünglichen Wohnsitzen in Südrußland, sind im Merowingerreich die Trachtsitten offensichtlich keineswegs konservativ. Anregungen aus dem Mittelmeerraum werden aufgenommen und nach eigenem Geschmack umgestaltet. Derartige Akkulturationsprozesse – im Trachtwandel wird nur ein Aspekt faßbar – setzen weitreichende Beziehungen politischer und wirtschaftlicher Art voraus, die nicht ins Bild von den vorgeblich dunklen Jahrhunderten des frühen Mittelalters passen.

SIEDLUNG, HANDWERK UND HANDEL

Abgesehen von den antiken Städten, in denen sich auch während der Merowingerzeit urbanes Leben nach antiker Tradition in beschränktem Maße fortsetzte, herrschten in den austrasischen Reichsteilen ländliche Siedlungsformen vor. Die frühmittelalterliche Besiedlung der Landschaften zwischen Nordfrankreich und der ungarischen Tiefebene kann indirekt aufgrund der Verbreitung der Reihengräberfelder erschlossen werden. Die eigentliche Siedlungsarchäologie in Mitteleuropa steckt allerdings noch in den Anfängen. Forschungsgeschichtlich und methodisch bedingt hatte die Untersuchung der Friedhöfe Priorität. Siedlungen, von denen sich aufgrund der Holzbauweise nur die Pfostenlöcher erhalten haben, sind im Gelände nur bei großflächigen Aufschlüssen zu erkennen oder überhaupt unzugänglich, weil sie unter den heutigen Dörfern und Städten liegen.

Neuere Ausgrabungen in *Sontheim im Stubental,* in *Burgheim,* Landkreis Neuburg a.d. Donau, und vor allem in *Kirchheim bei München* geben Aufschluß über den Bebauungsplan frühmittelalterlicher Hofplätze und weilerartiger Siedlungen. Die Höfe bestanden aus mehreren Gebäuden unterschiedlicher Funktion. Das Hauptgebäude war ein einräumiges Langhaus mit Firstkonstruktion auf fünf Säulenreihen von ca. 60 Quadratmeter Innenraum. Die Wände waren mit Brettern verschalt oder bestanden aus Flechtwerk mit Lehmbewurf (247a). Unterkellerung war unbekannt, die Herdstelle befand sich inmitten des eingeschossigen Raumes. Andere Großbauten mit Firstkonstruktion auf drei Säulenreihen können als Scheune mit Stall interpretiert werden, in denen bis zu 20 Stück Großvieh untergebracht waren (247b). Häufig ist ein dritter Gebäudetypus, das sogenannte Grubenhaus. Je drei Pfostenlöcher an den Schmalseiten der etwa einen Meter eingetieften und 3 bis 6 Meter langen Gruben machen einen einfachen Holzüberbau mit Stroh oder Schindeldach wahrscheinlich (Abb. 247c). Die Funktion der Grubenhäuser scheint mannigfaltig gewesen zu sein. Webgewichte und Gerätschaften deuten auf gewerbliche Nutzung hin. Zugleich konnten sie als Vorratskeller und Kühlräume genutzt werden. Ein letzter Gebäudetyp sind gestelzte Speicherbauten, in denen vermutlich das Getreide aufbewahrt wurde. Das Hofgelände war mit einem Zaun umgeben, dessen rechtliche Bedeutung in den germanischen Volksgesetzen sehr hoch veranschlagt wurde. Meist lagen die Höfe in Gruppen zusammen. Einzelgehöfte konnten bisher nicht nachgewiesen werden. Bezeichnend ist, daß zu jeder Hofgruppe auch ein Friedhof gehört, auf dem Herr und Gesinde bestattet wurden, so daß Zahl und Reichtum der Gräber Rückschlüsse auf Größe und Bedeutung der nur selten bekannten zugehörigen Siedlungen zulassen (Abb. 236).

Über die Inneneinrichtung der Häuser und die in der Landwirtschaft verwendeten zeitgenössischen Gerätschaften sind nur unter besonders günstigen Umständen konkrete Vorstellungen zu gewinnen. Einen derartigen Ausnahmefall stellt das alamannische Gräberfeld von *Oberflacht* in Württemberg dar, das zum größten Teil bereits in der ersten Hälfte des 19. Jahrhunderts ausgegraben wurde. Durch Vermoorung des Bo-

246 Durchbrochene Zierscheiben aus Bronze von Gürtelgehängen. Links und oben aus Niederbreisig, Kr. Ahrweiler, Rheinland-Pfalz, die eine mit Menschenpaardarstellung, Durchmesser 10 cm, und rechts eine verzinnte Reiterscheibe aus Vorges, Dép. Aisne. 7. Jh. n. Chr. Germanisches Nationalmuseum, Nürnberg

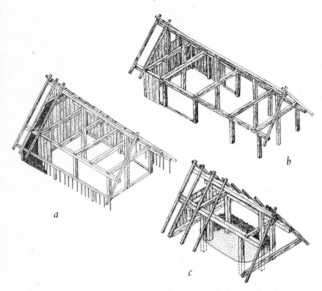

247 *Rekonstruktionen von frühmittelalterlichen Gebäudetypen nach Ausgrabungsbefunden in Kirchheim bei München vor dem Hintergrund der in der lex bajuwariorium genannten Hausformen. (Nach Dannheimer)*

248 *Eisernes Webschwert mit Damaszierung aus einem Frauengrab in Ellwangen-Pfahlheim, Baden-Württemberg. Bei dem Webgerät handelt es sich um ein zugerüstetes Schwertbruchstück. Länge 40 cm.*
Germanisches Nationalmuseum, Nürnberg

dens hatten sich dort die Holzeinbauten der reich ausgestatteten Gräber samt den Inventarteilen aus organischem Material erhalten. Sie vermitteln nicht nur einen Eindruck von der im allgemeinen archäologisch nicht mehr nachweisbaren Ausstattung, sondern auch von der Wohnkultur und dem Stand des holzverarbeitenden Handwerks. Berühmt ist das Grab 31 dieses Friedhofes, das Grab des ›Sängers‹, welches 1846 aufgedeckt worden ist. Eine aus Bohlen gezimmerte kleine Grabkammer barg in einem aufwendig getischlerten Baumsarg die Leiche eines Anfang des 7. Jahrhunderts verstorbenen jungen Mannes. Im rechten Arm hielt er Langschwert und Leier, im Becken lagen Gürtel und Sax in hölzerner Scheide. Außerhalb des Sarges war die Lanze niedergelegt. Am Fußende stand ein aus gedrechselten Ständern und Brettern gefügter Schrein, der in drei Fächern Pferdezaumzeug, Bronzebecken, Holzteller und gedrechselten Leuchter, einen Schuhleisten und ein hölzernes Spiel- oder Rechenbrett enthielt. Mit ähnlichen Holzeinbauten und Möbeln wird man sich auch die meisten anderen überdurchschnittlich reichen Gräber dieser Zeit vorstellen müssen. In einfacheren Gräbern hat es ein aus Brettern gefügter Sarg oder ein Totenbrett getan. Der Befund von *Oberflacht* und vereinzelt von anderen Stellen zeigt eindringlich, daß der in der Regel überkommene Sachbesitz nur ein Bruchteil des Realbestandes bäuerlicher Kultur ist, die in den Grundzügen ihres äußeren Erscheinungsbildes nicht sehr von der des 18. Jahrhunderts abgewichen sein dürfte.

Zimmerleute, Schreiner, Drechsler und Böttcher, deren Produkte vereinzelt in den Gräbern faßbar werden, waren sicherlich bereits spezialisierte Handwerker, die von einem festen Standort aus kleinere Einzugsgebiete mit ihren Produkten versorgten oder auf ›Stör‹ gingen. Dasselbe dürfte für Grobschmiede gegolten haben, die einfaches Ackergerät, Schlösser, aber auch Lanzenspitzen und möglicherweise Saxe herstellten. Eine typische Heimindustrie und Domäne der Frauen hingegen scheint die Weberei gewesen zu sein. In Frauengräbern begegnen häufig – wie schon in allen vorherigen vor- und frühgeschichtlichen Perioden – Spinnwirtel und in der Merowingerzeit manchmal auch eiserne Webschwerter. Normalerweise bestanden Webschwerter aus Holz und dienten zum Durchschließen des Fadens durch die mit Webgewichten beschwerten Kettfäden am stehenden Webstuhl. Eiserne Webschwerter sind in ihrem Vorkommen auf reichere Frauenbestattungen beschränkt und manchmal aus abgebrochenen Spathen zugerichtet (Abb. 248).

Die Töpferei scheint im rechtsrheinischen Germanien ebenfalls an spezialisierte Produktionsorte gebunden gewesen zu sein, deren Absatzgebiet offensichtlich nicht weit über kleinere Siedlungskammern hinaus ging (Abb. 249). Für höhere Ansprüche reichte die heimische Versorgung nicht aus. Goldschmiede und Gelbgießer, mit der Herstellung von

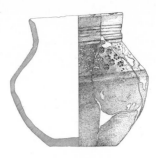

Schmuck und Gürtelzubehör befaßt, waren an ihre Auftraggeber an den Fürsten- und Adelssitzen gebunden. Es ist daher verständlich, daß Gußmodeln für Fibeln und Schnallen gehäuft an ehemaligen Zentralorten wie dem *Runden Berg bei Urach* oder auf dem *Glauberg* gefunden werden (Abb. 198). In der Sage von ›Wieland dem Schmied‹ wird deutlich, welche Rolle dieses Handwerk in der germanischen Gesellschaft spielte (Abb. 250). Goldschmiede waren gefragt. Die Vita Sancti Severini berichtet, daß zwei Goldschmiede aus fremdem Land am Hof des Rugierkönigs erst weiterziehen konnten, nachdem sie den Sohn der Königin in ihre Gewalt gebracht hatten und mit Morddrohung ihre Freiheit erpreßten. Vom Selbstbewußtsein dieser von Hof zu Hof ziehenden Handwerkszunft zeugen ihre Gräber, in denen sie mit ihren Instrumenten, Gußformen und Matrizen bestattet sind (Abb. 251).

Manches konnte jedoch überhaupt nicht im Lande hergestellt werden, sei es, daß die Rohstoffe oder das technische Know-how fehlten. Es mußte aus den mehr ›industrialisierten‹ Rheinlanden oder aus Nordgallien bzw. Italien und dem östlichen Mittelmeerraum eingeführt werden. Für diese Produktionsgebiete war das rechtsrheinische, unterentwickelte Germanien ein riesiger Absatzmarkt. Ob im 4. Jahrhundert Terranigra-Ware aus rheinischen Offizinen oder sogenannte Argonnensigillata, Glasgefäße aus *Köln* und Umgebung sowie bronzegegossene Militärgürtel, oder im 5. und 6. Jahrhundert unter fränkischer Regie getriebene Bronzegefäße und Schmuckkästchen, Glasbecher, Perlen und hartgebrannte Knickwandtöpfe: Diese Erzeugnisse fanden einen – nach dem Fundanfall zu urteilen – reißenden Absatz bei der potenten Käuferschicht rechts des Rheines zwischen Nordsee und Alpen. Im 7. Jahrhundert macht sich in Süddeutschland in den Gräbern der Reichen ein Importstrom aus dem östlichen Mittelmeerraum bemerkbar, dessen auffälligste Vertreter die sogenannten koptischen Bronzegeschirre sind (Abb. 252). Millefiori- und kompliziert gegossene Überfangperlen aus Italien sind weitere Indizien für diese weitreichenden Handelsverbindungen (Farbtafel 29). Unklar ist allerdings, wie dieser Handel vonstatten ging. Fernhandel, durch bestimmte Personengruppen betrieben, ist im Merowingerreich durchaus vorstellbar und war politisch-organisa-

249 *Tongefäße aus germanischen Gräbern des 6. und 7. Jahrhunderts. Die zum Teil auf der Scheibe gedrehten Keramiken sind sehr hart gebrannt und gelangten als Behältnisse für Speise und Trank in die Gräber. Höhe des Gefäßes mit Kleeblattausguß 20,5 cm. Germanisches Nationalmuseum, Nürnberg*

250 *Das Bilder- und Runenkästchen von Auzun in Frankreich. Das Fischbeinrelief, Länge 23 cm, zeigt in der linken Szene Wieland in seiner Schmiede, rechts die Anbetung der heiligen drei Könige. Die magisch-mythische Stellung und Bedeutung des Schmiedes und seines Handwerks in der germanischen Vorstellungswelt wird in der gleichwertigen Gegenüberstellung von Wielands Schmiede und der biblischen Szene deutlich. Auch in den übrigen Platten des Kästchens zeigt sich das Nebeneinander von heidnischen und christlichen Motiven. Die Runeninschrift bezieht sich auf das Werkmaterial und auf einen gestrandeten Fisch. Entstanden wohl um 700 in Northumbrien. British Museum, London*

251 Vorder- und Rückseite eines bronzenen Models zur
Herstellung von Zierblechen für Broschen. Durchmesser
5,0 cm. Aus Gammertingen, Kr. Sigmaringen.
Württembergisches Landesmuseum, Stuttgart

torisch auch möglich. Bezeichnenderweise tritt der ›Schock‹ ostmediter-
ranen Imports in den Gräbern erst nach dem Friedensschluß zwischen
Franken und Langobarden in Italien auf, als die Alpenpässe nach 590
wieder frei passierbar waren.

Die Wirtschaft war rein agrarisch strukturiert, ein regulärer Geldum-
lauf bestand in den Gebieten rechts des Rheines nicht. Im Rahmen des
täglichen Bedarfs herrschte mit Sicherheit Naturalhandel vor. Der Wert
des Geldes, im 5. und 6. Jahrhundert byzantinische goldene Solidi und
silberne Siliquen meist oberitalischer Herkunft sowie ihre barbarischen
Nachprägungen, später die fränkischen Trienten, war jedoch wohlbe-
kannt (Abb. 253). Die Münzen bildeten die Grundlage der Wertbemes-
sung, wobei nicht der Nominalwert, sondern das Metallgewicht den
Ausschlag gab. Wer mit Geld umging – und das waren nur Vertreter der
gehobenen Bevölkerungsschichten – hatte seine Feinwaage mit nach
byzantinischen Maßeinheiten genormten Gewichten auch im Grabe bei
sich (Abb. 254). Geld war zwar im Umlauf, doch bildete es im eigentlichen Sinn keine Währung. Gold- und Silbermünzen wurden gehortet,
als Schmuck verwendet oder, wegen fehlender Rohstoffvorkommen,
eingeschmolzen und zu Geschmeiden verarbeitet. Bei manchen
Schmuckstücken, etwa den massiv goldenen Handgelenkringen des späten 5. Jahrhunderts, kann aus dem Gewicht sogar die Zahl der einge-
schmolzenen Goldmünzen errechnet werden. Die Solidi bildeten auch
die Bemessungseinheit für die Bußgelder der in den germanischen Volksgesetzen festgelegten Wergeldsätze: »Si quis weregeldum solvere debet
scutum et lanceam pro duobus solidis tribuat« (Wer Wergeld erstatten
muß, zahlt für Schild und Lanze je zwei Solidi: *Lex Ribuaria, tit. XXXVI*).

Bezeichnend für das wirtschaftliche Strukturgefälle im Frankenreich
ist, daß in der mittleren und späten Merowingerzeit die Prägeorte der
fränkischen Trienten, die den Wert eines Drittel-Solidus darstellen, fast

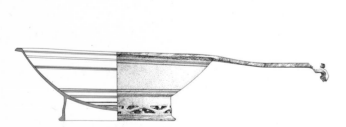

252 Gegossene Bronzekannen und Bronzebecken aus dem
Gräberfeld von Ellwangen-Pfahlheim, Ostalbkreis. Die mas-
siven Bronzegefäße dienten der Toilette nach mittelmeerischem
Vorbild. Höhe der Kanne 21,5 cm. 7. Jahrhundert n. Chr.
Württembergisches Landesmuseum, Stuttgart

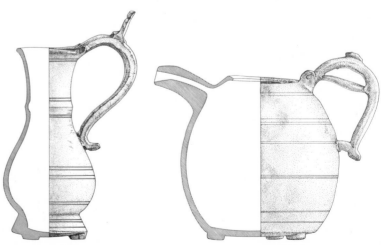

alle in den westlichen Reichsteilen zu lokalisieren sind, wo die Geldwirtschaft seit spätrömischer Zeit überdauert hatte. Bis auf das alamannische *Bodman* ist rechts des Rheines kein Sitz eines Münzmeisters überliefert, der als Monetarius durch königliches Privileg mit dem Recht zum Münzschlagen ausgezeichnet war. Dafür häufen sich in diesen Gebieten folgerichtig die Münzwaagen in den Gräbern.

Gold, Silber und Bronze sind auf mancherlei Weise in den Besitz der germanischen Völkerschaften gelangt. Einmal war das rechtsrheinische Germanien für die römischen Provinzen der Kaiserzeit sicherlich Rohstofflieferant. Unter anderem Felle, Tierhäute, Bernstein und Sklaven werden den Wareneinsatz gebildet haben. Im Rahmen der politischen Beziehungen ergoß sich zeitweise ein Strom von römischen Gastgeschenken, Tribut- und Soldzahlungen sowie von Beutegut in das Barbarikum. Reiche Grabausstattungen, Münzschätze und Depotfunde bilden den archäologischen Beleg. Der ständig steigende Wertzuwachs konzentrierte sich in den Händen der führenden Familien, deren Macht im Inneren sich wohl auf umfänglichen Grundbesitz gründete. Sie konnten eine ›adelige‹ Lebensweise führen und hatten die Mittel, das nötige Zubehör außerhalb ihres eigentlichen Machtbereichs zu beschaffen. Und durch Heiratsverbindungen wurde der Sachbesitz dieser Familien noch vermehrt. Nur die führende Schicht der frühfeudalen Gesellschaft konnte es sich leisten, Silber- und Goldschmuck zu tragen, Importware zu erwerben und mit ins Grab zunehmen.

KUNST UND RELIGION

Kennzeichnend für die Kunst der Merowingerzeit ist die germanische Tierornamentik, deren Entstehung und Genesis vom 5. bis 7. Jahrhundert und ihre Weiterentwicklung in Skandinavien bis ins hohe Mittelalter eine Unzahl kunsthistorischer und religionsgeschichtlicher Probleme birgt. Im Prinzip stellt sich der germanische Tierstil als das in einen

253 (a) Goldsolidus des Anastasius (491-518 n. Chr.). (b) Goldsolidus, barbarische Prägung nach Anastasius I., Obolus im ›Fürstengrab‹ von Krefeld-Gellep 1782. Landschaftsmuseum des Niederrheins, Burg Linn. (c) Fränkische Goldmünze, Triens (Drittelsolidus). Gefunden als Obolus im Mund einer Frauenbestattung in Thalmässing, Mittelfranken. Germanisches Nationalmuseum, Nürnberg

254 Münzwaagen aus Bronze unterschiedlichen Typs aus fränkischen Gräbern des 6. und 7. Jahrhunderts n. Chr. Balkenwaage mit Schiebegewicht und einer Schale (beide verloren) aus Andernach, Kr. Mayen und eine einfache Balkenwaage mit zwei Schälchen aus Mertloch, Kr. Mayen (Rheinland-Pfalz). Germanisches Nationalmuseum, Nürnberg

vorgegebenen Rahmen flächendeckend hineinkomponierte Ornament aus verschlungenen Tierleibern dar. Seine Auflösung ergibt in der Regel schlangen-, raubvogel- oder eberartige Tiere, die manchmal antithetisch menschliche Masken einfassen. Es scheinen Bildgeschichten zu sein, deren Inhalt und Aussage wir heute nicht entschlüsseln können. Möglicherweise handelt es sich bei den Tieren ursprünglich um Attribute germanischer Gottheiten, deren apotropäische Wirkung beschworen wird, oder die Bilddarstellungen sind Kürzel für mythologische Szenen (Abb. 255, Farbtafel 34).

Die Entstehung der Tierornamentik, die allenthalben auf Fibeln, Schnallen, Riemenzungen und anderen Metall- und Schmuckbeschlägen festzustellen ist, bleibt im Dunkeln. Man kann sie allerdings sicher auf die antike Bilderwelt zurückführen, mit der die Germanen schon während der römischen Kaiserzeit durch den Import von bemalten Glas- und reliefverzierten toreutischen Arbeiten in Berührung kamen (Abb. 151, 162). Die Tierfriese auf Trinkbechern und Hemmoorer Eimern, szenische Darstellungen auf spätrömischen Glasschüsseln und die Randtiere auf den Schnallen der Militärgürtel sowie die Kaiserbilder auf den Münzen mögen die Phantasie der germanischen Kunsthandwerker angeregt haben, ähnliches zu schaffen (Abb. 180, 182). Techniken und Bildszenen wurden aus dem antiken Bereich übernommen, nach germanischem Geschmack und Stilgefühl umgesetzt und mit neuem Bedeutungsinhalt versehen. Biblische Motive tauchen auf: Daniel in der Löwengrube zum Beispiel. Der Nimbus christlicher Heiliger wird in eine doppelköpfige Schlange umgewandelt, die sich schützend um das Haupt eines menschlichen Antlitzes *en face* legt. Auf silbernen Pressblechen treten Reiter auf, deren formale Gestaltung auf byzantinische Reiterheilige zurückgeht (Abb. 257).

Die Entwicklung des Tierstils war ornamental und motivisch seit der zweiten Hälfte des 5. Jahrhunderts immer wieder neuen Impulsen ausgesetzt. Die Rezeption von romanisch-gallischen oder italo-byzantinischen Zierelementen durch Franken und Langobarden bewirkte Stiländerungen, die jeweils bald im gesamten Verbreitungsgebiet dieser Kunstrichtung wirksam wurden. Flecht- und Knotenbänder, die später für die Buchmalerei und Bauplastik der karolingisch-ottonischen Zeit

256 Silberne Zierscheibe aus dem Thorsberger Moor, Kr. Schleswig. Die 13,2 cm durchmessende Scheibe ist in drei Zonen gegliedert. Um einen Mittelbuckel gruppieren sich neun Medaillons mit Medusenköpfen. Die breite Randzone ist durch vier Buckel in gleichgroße Zierfelder geteilt, die alle einen sitzenden Mars, umgeben von exotischen, Tieren und Fabelwesen, zeigen. Die Scheibe wurde mit einer zweiten werkstattgleichen in der Zeit um 200 n. Chr. im Moor von Thorsberg versenkt, das den Angeln vom 1. bis 4. Jahrhundert als zentrales Heiligtum diente. Möglicherweise wurden die beiden Scheiben von einem provinzialrömischen Handwerker speziell für diesen Zweck hergestellt. Arbeiten wie diese haben mit dem 2. Jahrhundert das Schaffen einheimischer germanischer Künstler beeinflußt.
Schleswig-Holsteinisches Landesmuseum für Vor- und Frühgeschichte, Schloß Gottorp

a

b

257 (a) Silbernes Preßblech der Schwertscheide von Guten-
stein, Kr. Konstanz. Dargestellt ist ein Krieger in Wolfsmaske
mit Panzerhemd und gegürtetem Sax, der in der linken Hand
ein Langschwert in der Scheide mit umgewickeltem Wehrgehänge hält. Die Darstellung ist möglicherweise als die eines
Wolfskriegers oder Werwolfs zu deuten, der seine Waffen dem
Totengott Wodan als Zeichen seiner Unterwerfung übergibt.
Staatliche Museen preußischer Kulturbesitz, Berlin.
(b) Preßmodel aus Messing von Torslunda auf Öland,
Schweden, Höhe 4,5 cm. Dargestellt sind offensichtlich zwei
Krieger beim kultischen Tanz. Der eine in Wolfsmaske (siehe
Abb. 257, 2) mit gesenkter Lanze, Sax und rechte Hand am Griff
des über die Schulter gehängten Schwertes, der andere um den
Wolfsvermummten herumtanzend mit Hörnerhelm, Schwert am
Schultergurt und in den Händen je eine Lanze, deren Spitze
rechts nach unten und links nach oben weist. Das Messingmodel
wurde mit drei anderen in den Grundrissen eines Hauses
gefunden, das aufgrund des Gesamtbefundes als Schmiedewerk-
statt gelten darf. Datierung: Zweite Hälfte 6. Jahrhundert oder
um 600 n. Chr. Statens Historiska Museum, Stockholm.
(c) Preßblecharbeiten mit figürlichen Darstellungen. Goldenes
Preßblech einer Scheibenfibel (Durchmesser 7,5 cm) aus
Pliezhausen, Kr. Reutlingen, Baden-Württemberg mit figür-
licher Darstellung. Die Szene (siehe Umzeichnung) zeigt einen
Reiter mit Rundschild und erhobener Lanze, die von einer
kleinen menschlichen, auf der Kruppe des Pferdes hockenden
Gestalt gestützt wird. Unter den Vorderhufen liegt ein Krieger,
der dem Pferd mit dem Schwert in die Brust sticht. Über dem Speer
kauern zwei löwenähnliche Tiere. Der Topos des Reiters über
einem besiegten Feind geht auf mittelmeerische Vorlagen zurück,
in denen der Kaiser, Reiterheilige oder Christus selbst dargestellt
sind. Im germanischen Bereich wurde dem Bild ein neuer
Sinngehalt gegeben. Wodan hilft dem Reiter seinen Speer zu
schleudern. Der Bildtypus ist vor allem in England und
Skandinavien während des 7. Jahrhunderts verbreitet. Württembergisches Landesmuseum, Stuttgart.
Die Beispiele (a)-(c) geben punktuelle Einblicke in die
germanische Mythologie, wie sie in einzelnen Szenen in
Remeniszenzen in den späteren Sagen und Sagas überliefert
sind. Eigenartig ist die Figürlichkeit der Darstellung, die
metaphernhaft Kulthandlungen aufzeigen und wertvolle
Quellen zur Tracht und Bewaffnung sind. Zugleich fällt der
Zusammenhang zwischen vereinzelten alamannischen Arbeiten mit der nordisch-heidnischen Bildwelt in Skandinavien auf.

typisch sind, werden seit der zweiten Hälfte des 6. Jahrhunderts in komplizierter Komposition mit aufgelösten Tierleibern arrangiert (Abb. 258).
Daneben besteht der polychrome Zierstil pontisch-byzantinischer Prägung weiter, und in den westlich-romanischen Gebieten des Frankenreiches behauptet sich die floralgeometrische Ornamentik spätantiker Tradition (Farbtafel 27-30), ganz abgesehen von dem ›figürlichen Stil des
7. Jahrhunderts‹ im fränkisch-alamannisch-burgundischen Raum, der
christliche Bildszenen in uns verständlicher Darstellungsweise überliefert. Eine Vermischung der verschiedenen Stilrichtungen ist in Einzelfällen augenscheinlich (Abb. 259). Das Spektrum uns bekannter Orna-
mentträger stellt sicher nur eine beschränkte Auswahl des vormals Vorhandenen dar. Holz und andere organische Werkstoffe, die inzwischen
zerfallen sind, waren mit geschnitzten Tierornamenten verziert. Auch
an Bemalung, etwa der Schilde und entsprechend geeigneter Flächen, ist
zu denken. Tierornamentik kam in den verschiedensten Techniken zur
Anwendung. Schmuck und Trachtzubehör aus Edelmetall oder Bronze

c

258 *Zaumzeugbeschlag aus Niederstotzingen Grab 3. Bronze gegossen und vergoldet mit aufgelegter flächenniellierter Silberplatte. Um 600 n. Chr.*
Württembergisches Landesmuseum, Stuttgart
(a) Zeichnung des Tiergeflechts. (b) Das der Komposition zugrundeliegende Zopfmuster. (c) Die Auflösung in zwei diagonal-symmetrische sich in den eigenen Leib beißende Tiere. (Nach Haseloff)

bzw. Messing können in der Form gegossen sein, wobei der Rohling eine aufwendige Nachbearbeitung erfuhr. Die Reliefvertiefungen sind manchmal mit Schwefelsilber ausgegossen, oder Niellobänder und Punkte konturieren die Tierleiber, so daß die polierten und häufig feuervergoldeten Oberflächen polychrom wirkten. Dünne Silber- und Goldbleche wurden mit Blei- oder Hornmodeln gepreßt und als Zierbeschläge von Gefäßen und Gürtelzubehör verwendet (Abb. 260). Auch Silber- und Messingtauschierung in Eisen war üblich. Eine große Zahl von Schnallen und Zaumzeugbeschlägen, Schwertknäufen und eisernen Scheibenfibeln des 7. Jahrhunderts sind auf diese Art ornamentiert (Abb. 261). Seit der zweiten Hälfte des 6. Jahrhunderts gab es eine Art Großproduktion gegossener bronzener Gürtelgarnituren, bei denen sich im Lauf der späten Merowingerzeit langsam eine Degeneration des Tierstils feststellen läßt, bis gegen Ende der Reihengräberzeit die Tierornamentik rein germanischer Prägung aus der Mode kommt und in Vergessenheit gerät. Nur in dem noch lange Zeit heidnischen Skandinavien wird der Stil weiterentwickelt und gelangt im 10. Jahrhundert zu einer späten Blüte (Abb. 262).

Ein ähnliches Schicksal wie der Tierstil, der als erste eigenständige germanische Kunstäußerung mit komplizierten Kompositions-Prinzipien zu gelten hat, erfuhren auch die Runen im kontinentalgermanischen Bereich. Runenzeichen – über ihre Herkunft und Ableitung von möglicherweise norditalisch-etruskischen Alphabeten wird seit langem diskutiert – finden sich auf Schmuckgegenständen und Waffen vereinzelt seit dem 2. Jahrhundert nach Christus (Abb. 250). Meist sind es nur die ersten Zeichen des Runenalphabets, des sogenannten ›futhark‹, die eine magische Bedeutung hatten, oder es ist ein Name eingeritzt. Manchmal nennt sich der Runenritzer selbst, in anderen Fällen bedeuten die Runen Beschwörungsformeln. Die Runen waren eine Art Geheimschrift, die nur der Kundige zu ritzen und zu lesen wußte. Es handelte sich um eine voll ausgebildete Schrift, deren Buchstaben eigene Namen hatten und mit Merkversen erlernt wurden, wie eine Salzburger Handschrift des 9. Jahrhunderts beweist.

Obwohl im kontinentalgermanischen Bereich seit Jahrhunderten eine eigene ›Schriftlichkeit‹ bestand, mit welcher aufgrund der 24 Buchstabenzeichen auch komplizierte Sachverhalte hätten ausgedrückt werden können, kam es nicht zu einer schriftlichen Überlieferung. Dies mag einmal mit der magischen, vielleicht von Tabus belasteten Bedeutung der Runenzeichen, zum anderen mit dem Vordringen des Christentums zusammenhängen, das diese Zeichen, ähnlich wie den germanischen Tierstil, als ›heidnisch‹ ablehnte. Jüngere Entwicklungen in Skandinavien, wo auf den Runensteinen der Wikingerzeit das Schicksal in der Fremde verstorbener Angehöriger in einem jüngeren Runenalphabet ausführlich geschildert wird, verdeutlichen den auf dem Kontinent anzunehmenden Bruch in der Entwicklung (Abb. 263).

Tierstilornamentik und Runen mit ihrem ursprünglich magisch-mythischen Sinngehalt geben sich im Denkmälerbestand des Frühmittelalters ebenso wie Beigabensitte und Grabriten als heidnische Komponenten zu erkennen. Zugleich aber macht sich im Fundmaterial ein starker christlicher Einfluß bemerkbar, der reale Hintergründe in der geistigen Kultur hat. Aus der schriftlichen Überlieferung ist bekannt, daß die *ostgermanischen* Völkerschaften und die Oberschicht der *Thüringer* arianische Christen waren. Vom Frankenkönig Chlodwig wissen wir, daß er und mit ihm eine große Zahl *fränkischer* Vornehmer am Vorabend der *Schlacht bei Zülpich* 496/97 sich taufen ließ, ein Ereignis, das für die mittelalterliche Geschichte von höchster Bedeutung ist. Der römische Bischof Gregor d. Gr. führte eine ausgiebige Korrespondenz mit der Langobardenkönigin Theodolinde, in der es um die Bekehrung der *Langobarden* vom Arianismus zur rechtmäßigen Lehre ging. Man darf annehmen, daß bereits zu Beginn des 6. Jahrhunderts zumindest die Oberschicht bei den genannten Stämmen christianisiert oder getauft war. Allerdings scheint das Christentum bei *Franken, Alamannen, Thüringern* und *Bajuwaren* noch keine allgemeine Verbreitung gefunden zu haben. *Sachsen, Friesen* und *Hessen* blieben dem Heidentum voll verhaftet und wurden erst durch die angelsächsische Mission erfaßt oder durch Karl den Großen mit Gewalt christianisiert.

Im Bereich der Reihengräberkultur macht sich dieses Nebeneinander unterschiedlicher religiöser Vorstellungen durch eine große Zahl von Synkretismen bemerkbar. Hervorragende Sachbeispiele für diese Erscheinung sind die Goldblattkreuze (Farbtafel 35). Zuerst eine Eigenart langobardischer Gräber in Italien, greift die Sitte in der Zeit um 600 auch auf Süddeutschland über. Sie weisen die so Bestatteten eindeutig als Christen aus. Die Langobarden scheinen dieses Brauchtum von den Romanen in Italien übernommen zu haben, denn in Pannonien, ihrem vorherigen Wohnsitz, kannten sie es nicht. Die Goldblattkreuze wurden ad hoc für die Bestattung hergestellt. Sie sind mit der Schere aus papierdünnem Goldblech ausgeschnitten und waren, wie die Perforationen an den Kreuzarmenden zeigen, auf eine Art Schweißtuch genäht, welches das Gesicht des Toten bedeckte. Häufig sind Goldblattkreuze mit germanischen Tierornamenten verziert, so, als ob sich der Tote nach zwei Seiten absichern wollte.

Die Verbindung christlicher und heidnischer Symbolik zeigt sich auch im Befund an einem Baumsarg aus dem alamannischen Gräberfeld von *Oberflacht*. Das aus einem ausgehöhlten, grob zugehauenen Baumstamm gefertigte Leichenbehältnis, dessen Deckel über die ganze Länge von einer aus dem Holz herausgeschnittenen doppelköpfigen Schlange,

259 *Der Reiterstein von Hornhausen, Kr. Oschersleben, Thüringen. Landesmuseum für Vorgeschichte, Halle Das Relieffragment aus Kalkstein wurde mit acht Bruchstükken von weiteren sieben Steinplatten im Bereich eines frühmittelalterlichen Friedhofes gefunden, die wahrscheinlich als Altarschranken in einer Kirche dienten. Das noch 78 cm hohe Plattenfragment war ursprünglich in drei Bildfelder gegliedert, von denen das mittlere mit dem Reiter und das untere noch vollständig erhalten sind. Am oberen abgeschlagenen Teil sind nur noch die Füße von fünf Personen erkennbar. Der bärtige langhaarige Reiter in Hosen und mit Rundschild, Schwert und Flügellanze bewaffnet, trabt auf seinem Hengst über eine mäandrierende Schlange, die die Trennung vom unteren Bildfeld mit einem symmetrischen Tiergeflecht bildet. Über Bildinhalt – Wodan oder christlicher Reiterheiliger – und Datierung – stilistisch 1. Hälfte 7. Jh., aufgrund der Flügellanze 8. Jh. n. Chr. – herrscht keine Einigkeit.*

260 *Preßblechverzierte Riemenzungen aus Bronze von einer Wadenbindengarnitur aus einem Frauengrab in Ellwangen-Pfahlheim, Ostalb-Kreis, Baden-Württemberg. 1. Hälfte 7. Jh. Germanisches Nationalmuseum, Nürnberg*

261 *Riemenzungen aus Eisen mit Silbertauschierung bzw. Silber- und Messingplattierung aus Gräbern in München-Feldmoching und Oberwarngau, Kr. Miesbach, Oberbayern. 1. Hälfte 7. Jh. Prähistorische Staatssammlung, München*

262 *Runenstein mit Tiergeschlinge und zwei gegenständigen Vierfüßlern, Litslena in Uppland, Schweden. 10. Jh.*

dem germanischen Lebenssymbol, geziert ist, gelangte bereits vor 1860 mit einem gleichartigen Exemplar in das Germanische Nationalmuseum nach Nürnberg (Abb. 264). Skelettreste oder Beigaben waren nicht vorhanden. Nur einige unscheinbare Obstkerne und etwas Erde fanden sich in dem massiven Sarg. 1965 sollte die trogförmige Höhlung von Unrat gesäubert und vor allem der vermutlich originale Bestattungsrest untersucht werden. Die Überraschung war groß, als sich herausstellte, daß die Obstkerne, vor allem von Kirschen und Äpfeln, nicht etwa von Museumsbesuchern im offenen ausgestellten Baumsarg deponiert worden waren, sondern daß es sich um die Kerne alter Obstsorten handelte. Noch größer aber war das Erstaunen, als aus einem steinhart vertrockneten Erdklumpen von den Restauratoren ein aus zwei farbigen Seidenstreifen zusammengenähtes Kreuz herauspräpariert werden konnte. Dieses im Fundmaterial nördlich der Alpen bisher einzigartige Beispiel eines textilen Kreuzes – auf wohlerhaltenen Stoffen koptischer Gräber Ägyptens sind aufgenähte Kreuze mehrfach überliefert – läßt ahnen, wie eingeschränkt die Möglichkeiten archäologischer Erkenntnis sind. Der im Baumsarg ›heidnischer‹ doppelköpfiger Schlange bestattete Mensch war nach Ausweis des Seidenkreuzes, das vermutlich dieselbe Funktion wie die Goldblattkreuze hatte, eindeutig Christ (vgl. Abb. 265). Unter ungünstigeren Bedingungen wäre der Stoff nicht erhalten geblieben und ein Zeugnis frühen Christentums bei den *Alamannen* verloren. Goldblattkreuze werden die Spitze eines Eisbergs von frühchristlichen Denkmälern sein, die sich aufgrund der Überlieferungsbedingungen unserer Kenntnis entziehen. Auffällig sind die Zusammenhänge zwischen Süddeutschland und Italien, wo das beschriebene Brauchtum in der Zeit um 600 beinahe gleichzeitig und in Verbindung mit dem Importstrom ostmediterraner Bronzegeschirre faßbar wird. Von manchen werden diese Erscheinungen als Indizien für eine Art langobardisch-italischer Mission in Süddeutschland gewertet, vor allem unter dem Gesichtspunkt, daß die oben erwähnte Theodolinde eine bajuwarische Herzogstochter war, die sich eifrig mit der Bekehrung ihrer *Langobarden* beschäftigte. Die Verbreitung der Goldblattkreuze ist in Süddeutschland konzentriert. Aus den fränkischen und thüringischen Gebieten sind nur ganz vereinzelte Beispiele bekannt. In diesen Räumen, die der christlichen Welt allein durch die spätantiken Traditionen in den Städten des Rheinlandes und Nordgalliens von Anfang an näher waren, ist mit einer schnelleren Christianisierung zu rechnen als auf dem Boden Innergermaniens oder Süddeutschlands.

Beispiele ungebrochener spätantik-christlicher Überlieferung bieten sich in den kontinuierlich weiterbenutzten Sakralbauten und den Friedhöfen bei Märtyrermemorien an. Auch bei den Kleinfunden in Gräbern belegen häufig Christogramme, Kreuze und von den Frauen an den

*263   Gotländischer Bildstein von Stora Hammar, Lärbrö auf
Gotland, mit szenischer Darstellung. 7. Jh.*

Gürteln getragene Bullae, Amulettkapseln nach mittelmeerischem
Brauch sowie Schnallen mit christlicher Symbolik das Christentum der
Bestatteten, wie überhaupt die Verflachung der Beigabensitte in diesen
Räumen im Verlauf des frühen 7. Jahrhunderts die Intensität der Chri-
stianisierung und kirchlichen Organisation offenbart. Dieser Vorgang
macht sich auch im *alamannischen* und *bajuwarischen Gebiet* bemerkbar.
Kirchen werden bei den Friedhöfen errichtet, oder wohlhabende Sippen
lassen Sakralbauten erstellen, in denen sie bestattet werden (Abb. 236).
Eine frühe Mission setzte ein, deren Träger anonym sind, und verbrei-

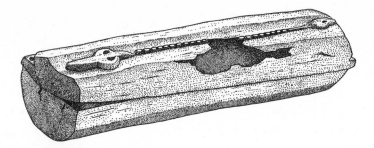

264   Sarg aus einem ausgehöhlten Eichenstamm von Oberflacht, Kr. Tuttlingen, Baden-Württemberg. Der Deckel zeigt
eine aus dem Holz herausgeschnitzte doppelköpfige Schlange.
Anfang 7. Jh. Germanisches Nationalmuseum Nürnberg

tete ein Christentum, auf dem Bonifatius und seine Mitbrüder im
8. Jahrhundert organisierend aufbauen konnten.

Folge der christlichen Durchdringung der germanischen Vorstellungswelt an Rhein und Donau, aber auch bei den Langobarden in
Italien war die Aufgabe der Beigabensitte und der Reihengräberfelder in
der Zeit um 700 n. Chr. Nur in kulturell retardierenden Landschaften
Süd- und Mitteldeutschlands wird das ursprünglich heidnische Totenbrauchtum von längst christlichen Bevölkerungen weiter gepflegt.
Grabfunde als archäologische Quellengattungen fallen für die Kernge-
biete des Karolingerreiches von nun an weitgehend aus. Der Verlust
wird ausgeglichen durch die reichlicher fließende schriftliche Überlieferung im 8. und 9. Jahrhundert.

265   Fränkischer Grabstein des 7. Jahrhunderts aus Königs-
winter-Niederdollendorf, Rhein-Sieg-Kreis, Nordrhein-West-
falen. Der 53 cm hohe Kalkstein zeigt im Flachrelief auf der
Vorderseite einen Krieger mit Sax, der sich zum Zeichen der
ungebrochenen Lebenskraft das Haar kämmt. Sein Haupt
umschließt schützend eine doppelköpfige Schlange (vgl. Abb.
264), ein weiterer Schlangenkopf öffnet sich zum Griff des
Hiebschwertes. In die Fläche hineingesetzt ist eine Pilger- oder
Feldflasche. Haarsymbolik und doppelköpfige Schlange wurzeln in der heidnisch-germanischen Vorstellungswelt des sicher
als Christ verstorbenen und ohne Beigaben bestatteten Kriegers
von Niederdollendorf. Rheinisches Landesmuseum, Bonn.
Rechts Kämme aus Bein, sog. Dreilagenkämme, gefunden in
fränkischen Gräbern bei Niederbreisig, Kr. Ahrweiler. 6. und
7. Jahrhundert. Germanisches Nationalmuseum, Nürnberg

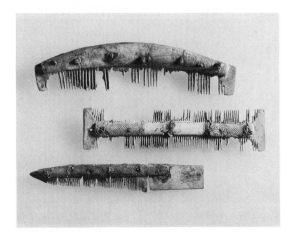

Mit der merowingischen Eroberung Galliens, Burgunds, Süd- und Mitteldeutschlands war ein Territorium geschaffen, das mehr oder weniger straff fränkischer Königsgewalt unterstand. Der östliche, austrasisch-germanische Reichsteil wurde allmählich kulturell mit dem fränkisch-romanischen Westen verbunden. Nur der Norden und Nordosten der ehemaligen Germania Magna, wo *Friesen* und *Sachsen* siedelten, lag noch außerhalb der fränkischen Einflußsphäre. Dies änderte sich im Laufe des 8. Jahrhunderts, als die kraftvolle karolingische Dynastie die fränkische Reichsgewalt restituierte und ihren Herrschaftsbereich erweiterte.

Schon zu Beginn der späten Merowingerzeit ist ein Verfall der Königsgewalt festzustellen. Hausmeier (majordomus) verwalteten die Regentschaft in den Teilreichen. Der Adel erkämpfte sich Vorrechte. Herzogtümer wie Alamannien und Bayern erstrebten weitgehende Selbständigkeit. Unter Pippin II., dem Mittleren, aus dem zwischen Maas und Rhein reich begüterten Geschlecht der Arnulfinger, später Karolinger genannt, verschob sich das kulturelle und dynastische Zentrum nach *Metz* in den austrasischen Reichsteil. Mit Pippin II. (687-714), der faktisch allein und zentral das Frankenreich regierte, beginnt die Karolingerzeit. Sein Sohn Karl Martell (714-741) war um die Reichseinheit bemüht. Er erreichte mit Feldzügen gegen *Aquitanier, Alamannen, Bayern* und *Thüringer* erneut die Anerkennung der fränkischen Oberhoheit. Zwischen *Tours* und *Poitiers* besiegte er 733 die Araber, ein Erfolg, der von der Geschichte ähnlich hoch eingeschätzt wird wie der Sieg über die Hunnen auf den Katalaunischen Feldern. In seiner Regierungszeit wurde auch der angelsächsische Mönch Winfried-Bonifatius von Papst Gregor II. mit dem Einverständnis des Frankenherrschers beauftragt, die von fränkischen und iroschottischen Missionaren unzulänglich geordneten Kirchen rechts des Rheines zu reorganisieren und, was Pippin weniger behagte, an Rom zu binden. Unter seiner Ägide und mit fränkischer Unterstützung wurde dem Heidentum mit zum Teil spektakulären Aktionen – so der Fällung der Donareiche bei *Geismar* in Hessen – endgültig der Garaus gemacht. Damit wurde germanisch-heidnisches Brauchtum, wie es in den Brandbestattungen der Hessen noch faßbar ist, unterbunden. Klostergründungen und die Errichtung einer Zahl von Bistümern – *Salzburg, Regensburg, Freising, Passau, Säben, Eichstätt, Büraberg bei Fritzlar, Erfurt* und *Würzburg* – gehen auf seine Initiative zurück (siehe Buchende). Den Tod fand Bonifatius, der Apostel der Deutschen, auf einer Missionsreise im 20 Jahre vorher von Karl Martell annektierten Friesland, wo ihn 754 bei *Dokkum* heidnische Nordfriesen erschlugen. Seine Beisetzung erfolgte in dem von ihm gegründeten benediktinischen Mutterkloster Fulda.

Pippin der Jüngere (741-768) ließ sich, nachdem er die von auseinanderstrebenden Kräften bedrohte Reichseinheit wieder hergestellt hatte,

Die Karolingerzeit

266 *Karl der Große (771-814) im Münzbild als Imperator.*
Nach 800.

267 *Evangeliar aus Gandersheim. Karolingischer Elfenbein-*
deckel mit Darstellung der Himmelfahrt Christi, Metz, um
860. Veste Coburg

751 im Einverständnis mit der hohen Geistlichkeit auf der Reichsversammlung von *Soissons* zum König der *Franken* wählen. Den letzten merowingischen Schattenkönig Childerich III. schickte er ins Kloster. Auf Drängen des Papstes griffen die *Franken* nach einer Pause von über 150 Jahren wieder nach Italien aus. Als ›Pontifex maximus‹ verlieh der Papst Pippin den Titel ›patricius romanorum‹. Der Kirchenstaat entstand unter fränkischem Patronat (Pippinsche Schenkung). Nach dem langobardischen Zwischenspiel sowie Feldzügen gegen die *Sachsen* in Westfalen unterwarf er bis 768 Südfrankreich, so daß bei seinem Tode das Reich ein Gebiet von Thüringen bis zu den Pyrenäen umfaßte. Die Regentschaft übernahmen seine Söhne Karl und Karlmann. Bevor dynastische Streitigkeiten wegen der Reichsteilung ausbrechen konnten, starb Karlmann. Karl wurde Alleinherrscher (771-814). 774 eroberte Karl das *Langobardenreich* und nannte sich fortan ›König der Franken und Langobarden‹. In langwierigen Kämpfen, die von 772 bis 804 dauerten, unterwarf er die *Sachsen*. Sie wurden zwangsgetauft und dem fränkischen Reich einverleibt. Dazwischen lagen Feldzüge gegen die Awaren und Slawen in Thüringen und im Donauraum, die Absetzung des letzten bayerischen Stammesherzogs Tassilo III. im Jahre 788, die Errichtung der spanischen Mark und die Kaiserkrönung zu Rom im Jahre 800.

In der Regierungszeit Karls des Großen (Abb. 266) wurden durch eine Reihe von Feldzügen und eine geschickte Politik die romanischen und germanischen Völker zu einem abendländischen Imperium zusammengefügt. Das bewußte Wiederaufgreifen antiker Traditionen, heute als Karolingische Renaissance bezeichnet, führte zu einer Kultursynthese, die für die folgenden Jahrhunderte bestimmend war und in Spuren noch heute wirksam ist. Das Kaisertum, das ganz bewußt an alte römische Vorstellungen anknüpft, pointiert dieses Streben. Die Eroberung Italiens, die engen Kontakte zu Rom und die Berührung mit den hochzivilisierten Arabern in Spanien hatten eine bewußt betriebene Kulturpolitik zur Folge. Ohne Ansehen der nationalen Herkunft versammelte Karl die führenden Geister der Zeit an seinem Hof. Zielstrebig wurden in den Schreibschulen und Schreibstuben der Klöster die verderbten, schwer entzifferbaren Schriften der Goten, Langobarden und Merowinger sowie die alten Majuskelschriften durch die Einführung der allgemein verbindlichen ›karolingischen Minuskel‹ reformiert. Codices und Evangeliare wurden mit gemalten Miniaturen versehen, die den Text mit ihren verschlungenen Initialen illustrierten und in manchen Fällen, so im Stuttgarter Bilderpsalter, in der Viviansbibel und im Lotharevangeliar wegen ihrer minutiösen Darstellungsweise Zeugnisse der zeitgenössischen Tracht und Bewaffnung sind (Abb. 224, 268). Die wertvollen Bücher waren wegen ihrer vorwiegend liturgischen Verwendung kostbar ausgestattet. Die Einbände sind häufig mit szenisch verzierten Gold-

268 Miniatur aus der Bibel von S. Paolo fuori le mura, Rom. Urteil des Salomon. Der Hof des Königs ist in zeitgenössischer fränkischer Tracht dargestellt. Um 870.

blechen oder vergoldeten Kupferblechen mit eingelegten Emailleplättchen und gefaßten Edelsteinen kaschiert. Im Zentrum finden sich szenisch reliefierte und ursprünglich bunt bemalte Elfenbeinplatten (Abb. 267). Figürliche Darstellungen, Reliefs und Treibtechnik sowie der Ranken- und Akanthusblätterdekor verraten nichts mehr von der germanischen Tierornamentik oder dem anglo-karolingischen Stil des *Tassilokelches* (Abb. 269) bzw. des *Pettstadter Bechers* (Abb. 270, Farbtafel 38). Goldschmiedearbeiten werden in hervorragender Weise auf den Reliquiaren dieser Zeit überliefert (Farbtafel 39). Codices, Reliquienbehälter und anderes liturgisches Gerät (Abb. 275) sind in den Kirchenschätzen

273

269 Der Tassilokelch von Kremsmünster wurde um 777 n. Chr. von Herzog Tassilo III. und seiner Gemahlin Luitpirc dem Benediktinerkloster Kremsmünster gestiftet. Der 25,5 cm hohe Kelch besteht aus teils vergoldetem, teils versilbertem und nielliertem Kupfer. In den Zwickeln der versilberten und niellierten Bildfelder auf Cuppa, Nodus und Fuß sind Tier- und Pflanzenornamente im insularen Stil kontinentaler Prägung aufgebracht, die den Kelch als eine Arbeit wahrscheinlich northumbrischer Handwerker bestimmen, die im Gefolge irischer Missionare nach Bayern kamen. Eine Umschrift am Rand des Fußes nennt die Stifter des Kelches. Benediktinerstift, Kremsmünster

auf uns gekommen. Baudenkmäler und Bauplastik, die an die römische Architektur anschließen, haben sich vereinzelt in Sakral- und Profanbauten wie Basiliken und Kaiserpfalzen noch erhalten. Monumentalität und stilistische Klarheit verdeutlichen Lebensgefühl und technisches Vermögen der Karolingerzeit, die in allen Bereichen der geistigen und materiellen Kultur spürbar sind (Abb. 271, 276).

Baudenkmäler, Buchkunst und sakrales Kunsthandwerk machen in den Kerngebieten des Karolingerreiches den Hauptbestand kunsthistorisch-archäologischer Quellen des 8. und 9. Jahrhunderts aus. Grabfunde, vorher ein Fundus zur Rekonstruktion der Sachkultur, sind kaum noch greifbar. Dem kargen materiellen Denkmälerbestand, der sich im wesentlichen aus Einzelfunden von Waffen und Schmuck in Siedlungen und Gewässern zusammensetzt, stehen reiche Grabfunde aus den nördlichen, östlichen und südöstlichen Kontaktzonen des Frankenreiches – aus Norddeutschland, Skandinavien, Böhmen und Mähren, Slowenien und Kroatien – gegenüber. Unter offensichtlich westlichem Einfluß setzten hier in einem vorher durch Brandgräber geprägten Milieu beigabenführende Körpergräber ein, die häufig Importgut aus den Zentren des Karolingerreiches enthalten oder Gegenstände aufweisen, die in stilistischer Abhängigkeit vom karolingischen Kunsthandwerk stehen. Beispielhaft kann die Quellensituation anhand der Verbreitung einiger Schwerttypen aufgezeigt werden.

Aus dem Rhein bei *Mannheim* und aus dem Donaukies bei *Neuburg an der Donau* wurden zwei Schwerter geborgen. Knauf und Parierstange bestehen aus Eisen und sind mit Messingfäden und -bändern tauschiert. Bei dem Schwert aus Neuburg zeigen die vertikalen und horizontalen Bänder ein Rankenmotiv, das zu einem Wellenband degeneriert ist (Farbtafel 40). Das Rankenmotiv und die intausierte, nicht leserliche Klingeninschrift in karolingischen Majuskeln (Abb. 272) weisen das Schwert als fränkische Produktion des 8. Jahrhunderts aus. Formal steht es in merowingischer Tradition, kann aber in den Reihengräberfeldern bereits nicht mehr nachgewiesen werden. Die Hauptverbreitung haben Schwerter dieser Art hingegen im norddeutschen Küstengebiet und in Skandinavien, wo sie noch in Gräbern auftreten. Bei Nichtberücksichti-

270 Umzeichnung des Ornamentbandes vom Boden des Pettstadter Bechers aus der 2. Hälfte 8. Jh. Links: Die einzelnen Tiere voneinander abgesetzt. Rechts: Das Bandwerk in das die Tiere einbezogen sind (vgl. Farbtafel 38). (Nach Haseloff)

271 *Thron Karls des Großen auf der Empore im Münster zu Aachen.*

gung der Quellensituation müßte die Verbreitung dahingehend interpretiert werden, daß die Schwertform norddeutsch-skandinavischer Provenienz ist. Noch deutlicher zeigt sich das archäologische Mißverhältnis bei den sogenannten Ulfberht-Schwertern des 9. bis 11. Jahrhunderts (Farbtafel 40). Es handelt sich um schwere Waffen, deren Klingen mit dem Namenszug + VLFBERHT + und einer rückseitigen Marke in Eisentausia signiert sind (Abb. 273). Die Klingen wurden wahrscheinlich – nach der Namensform und allgemeinen wirtschaftlichen Überlegungen – irgendwo im Rhein-Maasgebiet produziert. Aus Deutschland sind sie nur in wenigen Fällen überliefert, aus den Kerngebieten des Frankenreiches überhaupt nur in drei Exemplaren. Aus nordischen, bal-

272 *Umzeichnung von Inschrift und Ornament des Schwertes von Neuburg a. d. Donau, Bayern. Die nicht entzifferbare Inschrift ist in einen Personennamen und ... ME FECIT aufzulösen. Das Rautenornament auf der Rückseite endet in einen Pfeil (Länge 21,0 cm), Buchstaben und Ornament sind mit damaszierten Eisenstäben in die Klinge eingeschmiedet. Frühkarolingisch, Mitte 8. Jh. n. Chr. (vgl. Farbtafel 40).*

273 *Umzeichnung von Inschrift und Ornament des Prunkschwertes aus dem Rhein bei Mannheim-Friesenheimer Insel, Baden-Württemberg. Bei der 16,0 cm langen Inschrift – genannt ist wohl der Schmied VLFBERHT fehlt das R. Das sanduhrförmige Ornament ist ein Schmiedezeichen, das fast alle derartig signierten Klingen tragen (vgl. Farbtafel 40).*

274 *Verbreitung der Ulfberth-Schwerter des 9.-11. Jh. in Europa. (Nach Müller-Wille mit Ergänzungen)*

tischen, ost- und südosteuropäischen Gräbern hingegen sind sie mit den verschiedensten Grifftypen über hundertmal nachgewiesen. Sachsen und Slawen, später auch Normannen, kämpften mit qualitätvollen fränkischen Schwertern gegen fränkische Heere. Dies ist wohl ein Grund, daß Karl der Große im Diedenhofener Kapitular von 805 eine Art Waffenembargo erließ, das die Ausfuhr von Brünnen und Schwertern über die Ostgrenze des Frankenreiches untersagte. Nach Ausweis der archäologischen Befunde wurde dieses Waffenembargo häufig durchbrochen, und so finden sich in den Gräbern des Großmährischen und des Altkroatischen Reiches häufig Spathen mit den original-karolingischen Wehrgehängen, die in den Kerngebieten des Reiches nur aus gemalten Miniaturen bekannt sind (Abb. 224). Für die kulturell retardierenden Gebiete im Norden und Osten besaß der karolingische Westen nun dieselbe wirtschaftliche Bedeutung wie vordem das spätrömische Gallien für Franken und Alamannen. Beim Tode Karls des Großen im Jahr 814 erstreckte sich das Reich von jenseits der Pyrenäen bis an die Elbe, Unstrut und Enns, und von der Eider bis nach Italien und Karantanien (Kärnten). Ins christliche Abendland einverleibt waren die Sachsen, die bald, wie schon hundert Jahre früher Thüringer, Franken, Alamannen und Bayern, das heidnische Brauchtum aufgaben, in der Zeit um 800 von der Brand- zur Körperbestattung übergingen und die Beigabensitte ablegten. Die Bekehrung scheint intensiver und organisierter gewesen zu sein als zur Merowingerzeit. Ein Nachleben heidnischer Sitten in diesem Raum ist nur kurzzeitig festzustellen.

Östlich der Elbe, bei den slawischen Stämmen, die seit der Völkerwanderungszeit in die von germanischer Besiedlung aufgegebenen

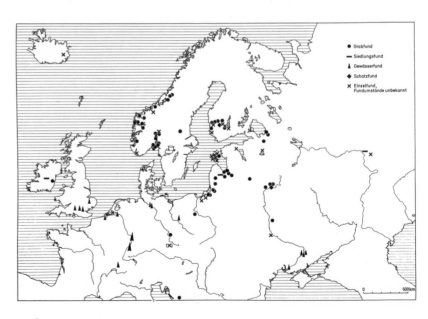

275　Sogenanntes Ardennenkreuz, ein Vortragekreuz aus der ersten Hälfte des 9. Jahrhunderts. Es besteht aus einem mit Gold- und vergoldetem Kupferblech beschlagenem, mit Edelsteinen und Glasflüssen besetzten Holzkern. Abmessungen 73 mal 75 cm. Die crux gemmata, das mit Edelsteinen besetzte Kreuz gilt seit der Spätantike in Liturgie und Kunst als Zeichen des Sieges Christi über Sünde und Tod und der Auferstehung. Germanisches Nationalmuseum, Nürnberg

276　Goldener Schläfenring mit Filigran und Granulation. Fundort unbekannt, 8./9. Jahrhundert n. Chr. Länge 10,5 cm. Sogenannte ›Schläfenringe‹ wurden nach Ausweis ost- und südosteuropäischer Grabfunde paarweise oder in Sätzen als Gehänge an einem Kopfband oder -tuch getragen. Sie sind typische Accessoires der byzantinisch beeinflußten Frauentracht der karolingisch-ottonischen Epoche. Germanisches Nationalmuseum, Nürnberg

Räume eingesickert waren, hielten sich Heidentum und Grabbräuche noch bis ins hohe Mittelalter, obwohl auch hier im Verlauf des 9. und 10. Jahrhunderts bereits ostfränkisch-christliche und politisch-soziale Einflüsse spürbar wurden. Sie waren die Vorboten der deutschen Ostkolonisation.

Im Norden grenzte das Karolingische Reich an Dänemark. Nördlich der Eider, in Jütland und auf den dänischen Inseln, in Norwegen und Island, Gotland und Schweden erlebte die germanische Kultur mit eigenständigen Stilentwicklungen, Grabbräuchen und Militärstrukturen eine späte Blüte. Seit dem späten 8. Jahrhundert kommt es zu den gut organisierten Raubzügen und Eroberungen der Wikinger in England, Irland und im Frankenreich, der Waräger im Osten, bis auch hier vom deutschen Teil des ehemals fränkischen Reiches aus die Mission und damit der kulturelle Ausgleich mit dem christlichen Abendland erfolgte.

Die Reichsteilung unter den Söhnen Karls des Großen im Vertrag von *Verdun* 843 besiegelt den Beginn der eigenständigen deutschen Geschichte. Die ›Straßburger Eide‹ vom 14. Februar 842 wurden von Ludwig dem Deutschen auf Althochdeutsch, von Karl dem Kahlen auf Altfranzösisch geschworen. Im Mittelreich Lothars verlief von Nord nach Süd die romanisch-germanische Sprachgrenze und teilte linguistisch territorial und kulturell zusammengehörige Gebiete.

277　Bildnis des Landesherrn in fränkischer Tracht (vgl. Abb. 267, 224). Fresko in St. Benedikt in Mals, Südtirol

Rückblick

Unter übergreifenden Aspekten wird deutlich, daß es eine ›deutsche‹ Vor- und Frühgeschichte nicht gibt. Von den frühesten Zeiten bis zum Beginn des Mittelalters sind im heutigen deutschen Sprachraum fast immer mehrere regional oder geographisch abgegrenzte, archäologisch beschreibbare, in gemeineuropäische Entwicklungen unterschiedlicher Orientierung eingebettete ›Kulturkreise‹ festzustellen.

Mit dem Aufkommen von Ackerbau und Viehhaltung in Mitteleuropa vor fast siebentausend Jahren zeigen sich in wechselnd starker Intensität Einflüsse aus West- und nachhaltigere noch aus Südosteuropa, der Brücke vom vorderen Orient in die Gebiete nördlich der Alpen. Kulturgruppen entstehen in Kleinräumen, die bei gleicher wirtschaftlicher Grundlage nur aufgrund formaler Unterschiede der Sachhinterlassenschaft voneinander zu trennen sind. In den Metallzeiten können infolge vergrößerten und differenzierteren Sachbesitzes großräumigere Kreise unterschieden werden. Die Süddeutsche Bronzezeit besitzt eine andere Ausprägung als die Nordische in der norddeutschen Tiefebene und in Südskandinavien. Grenze und Grauzone bilden, wie in den folgenden Perioden, die west-östlich orientierten, waldreichen Mittelgebirge. Den Austausch geistigen und materiellen Gutes verhinderten sie nicht (Abb. 57).

In der späten Bronzezeit breitete sich als eine beinahe gesamteuropäische Erscheinung die Urnenfelderkultur mit ihren spezifischen Eigenarten aus, die den norddeutschen Raum nur streifte, in Mittel- und Ostdeutschland aber die Herausbildung der bis tief in die Eisenzeit reichenden ›Lausitzer Kultur‹ bewirkte. Das 7. und 6. Jahrhundert war in Süddeutschland von der Hallstattkultur geprägt. Ein östlicher, der Böhmen, Bayern und das Ostalpengebiet, und ein westlicher Kreis, der Südwestdeutschland und Ostfrankreich gleichermaßen umfaßte, ist zu unterscheiden. Die überlegene Zivilisation, in der verstärkt Hochkultureinflüsse wirksam waren, strahlte bis an das Niederrheingebiet und über die Mittelgebirge in das Thüringer Becken aus. Im Norden herrschten weiter früheisenzeitliche Zustände, die auf den Verhältnissen der jüngeren nordischen Bronzezeit aufbauten. Der Osten war von den Nachfolgegruppen der Lausitzer Kultur, der Gesichts- und Hausurnenkultur bestimmt. Im Nordwesten griff die langlebige Niederrheinische Grabhügelkultur weit in die linksrheinischen Gebiete aus (Abb. 90). Die Unterschiede im Sachbesitz und im Brauchtum sind offenkundig. Zugleich ist festzustellen, daß die am Nordrand der Mittelgebirge verlaufende Kulturgrenze Bestand hat, während der Rhein in seinem Süd-Nordverlauf keineswegs eine Grenzlinie bildet.

Dies ändert sich auch nicht in der Latènezeit. Die vorher hallstättisch geprägten Gebiete werden jetzt von der keltischen Kultur erfaßt und rücken damit erstmals in das Gesichtsfeld antiker Historiographen. Oppida nach mittelmeerischem Vorbild mit der sie begleitenden Zivilisation entstanden in diesen Räumen (Abb. 120). Zugleich aber macht sich im Fundbild das Vordringen archäologischer Erscheinungen längs der Elbe bis nach Mitteldeutschland und Böhmen bemerkbar, die vorher nur in Norddeutschland aufgetreten sind, ebenso wie die Ausweitung des Verbreitungsgebietes bestimmter Sachtypen und Grabformen aus den Pommerschen Landschaften in das Weichselgebiet und darüber hinaus kulturelle und politisch-ethnische Vorgänge andeuten (Abb. 129).

Das Vordringen der Römer an Rhein und Donau veränderte die Gesamtlage im Westen und Süden grundlegend (Abb. 125). Der Rhein wurde zur West-Ostgrenze und teilte kulturell zusammengehörige Gebiete, denn links und rechts vom Niederrhein werden in geschichtlicher Zeit Kelten und Germanen genannt. Die Grenze des zivilisatorischen Süd-Nordgefälles verlagert sich von den Mittelgebirgen an die Donau. West- und Südgrenze der Germania magna werden ohne Rücksicht auf ethnische Verhältnisse von Rhein und Donau gebildet. Der augusteische Versuch, die Grenze an die Elbe vorzulegen, scheiterte. Diese Grenzverhältnisse wurden erst in der Völkerwanderungszeit wieder durchbrochen (Abb. 193).

Im Frankenreich bildete der Rhein keine Kultur- und Völkerscheide mehr. Beidseits wohnten Franken bzw. am Oberlauf Alamannen. Die ethnographischen Verhältnisse, wie sie schon zu Zeiten Caesars bestanden, waren in einem jahrhundertelangen Prozeß wiederhergestellt. Über den Rhein hinweg bahnte sich der kulturelle Ausgleich an, der im romanisch-germanischen Gesamtreich Karls des Großen seinen Gipfel fand. Was Rom nicht gelang, vermochte Karl der Große als später Rechtsnachfolger der Caesaren. Er schob die Grenze des Reiches bis an die Elbe vor und legte die Grenze zu den Slawen von der Ostsee bis an die Adria fest. ›Thiudisk‹, die ›Sprache des Volkes‹, deutsch, wurde in diesen Gebieten gesprochen, aber noch unter den Ottonen waren für die Verständigung zwischen Sachsen und Oberdeutschen Dolmetscher vonnöten. Die mittelalterlichen und neuzeitlichen Entwicklungen stehen hier außer Betracht, doch ist es sicher kein historischer Zufall, daß die heutigen Grenzlinien zwischen West und Ost im wesentlichen mit der Ostgrenze des Karolingerreiches übereinstimmen und daß in der Europäischen Gemeinschaft wesentliche Teile dieses Reiches zu neuer Zusammenarbeit streben.

Anhang

Almandin. Tiefroter, durchscheinender Halbedelstein der Granatgruppe. Almandine waren besonders im frühen Mittelalter beliebte Schmucksteine.

Amazonenaxt. Archäologischer Fachausdruck für Doppelaxt.

Arianer. Anhänger der Lehre des Arius von Alexandria (ca. 260–336), die die von der katholischen Lehrmeinung postulierte Wesensgleichheit Christi mit Gottvater in Abrede stellt. Die arianische Glaubensrichtung wurde bereits auf dem Konzil von Nicäa (325 n. Chr.) verurteilt; dennoch erreichte sie ihre Blütezeit erst im Lauf des 4. Jahrhunderts. Eine entscheidende Rolle für die Übernahme des Arianismus bei der Führungsschicht der ostgermanischen Reiche auf römischem Boden, Goten, Burgunder und Vandalen spielte die Vermittlung des gotischen Bischofs Ulfilas (310–338), der selbst Arianer war und dessen Übersetzung der Bibel ins Gotische im Dreißigjährigen Krieg nach Uppsala in Schweden verbracht wurde.

Aunjetitzer Kultur. Im östlichen Mitteleuropa über größere Räume verbreitete älterbronzezeitliche Kultur, benannt nach einem Fundort Unětice (Aunjetitz) in der Nähe von Prag.

Baden-Péceler-Kultur. Endneolithisch-kupferzeitliche Kulturgruppe im Gebiet der älteren Lengyel Kultur im Karpathen-Becken. Benannt nach Fundstellen bei Wien und bei Pécs (Fünfkirchen), Kom. Baranya. Ungarn.

Bering. Ausdruck für Umwallung bzw. Befestigungsring.

Berlocke. Kugelförmiger großer Anhänger aus Glas oder kugelförmig ausgetriebenem Metallblech, seit der frühen Bronzezeit als Schmuck getragen.

Bernsteinschieber. Brustgehänge aus platten- bzw. röhrenförmigem, mehrfach durchlochtem Bernstein, der auf ein kompliziertes Fadenwerk aufgezogen ist.

Brettchenweberei. Spezielle Webetechnik zum Herstellen von Bändern und Säumen.

Černjachov-Kultur. Benannt nach einem Dorf in der Ukraine (UdSSR). Sie bezeichnet Friedhöfe mit Brand- und Körpergräbern vom 2.–3. Jh. n. Chr. Es bestehen enge archäologische Zusammenhänge mit der rumänischen Sîntana de Mureş-Kultur. Die ethnische Zuweisung ist umstritten, doch dürfte es sich um ostgermanische Gräber handeln.

Cloisonné. ›Zellwerk‹, Goldschmiedetechnik, bei der mittels auf einer Unterlage aufgelöteter Metallstege gleich- oder verschiedengeformte Zellen gebildet werden, die mit Glasfluß, Email oder Edelsteinen gefüllt sind. Ziel der Cloisonné-Technik ist die optische Abwechslung von farbiger Zelleneinlage und den dazwischen sichtbaren Metallstegen.

Eisentausia. Einlage aus tordierten und verschweißten Eisenstäben unterschiedlichen Härtegrades in Metall.

Emmer. Triticum dicoccum, urtümliche, dem Speltgetreide nahestehende Weizenart.

Evangeliar. Liturgisches Buch, das die vier Evangelien vollständig mit Anmerkung der bei der Messe zu lesenden Abschnitte (Perikopen) enthält.

Feuerböcke. Auch als ›Mondidole‹ bezeichnet, waren vermutlich tönerne Auflagegeräte für Bratspieße mit kleineren Fleischstücken. Vgl. hierzu Abb. 61.

Futhark. Bezeichnung für das Runenalphabet, gebildet aus den ersten sechs Runen. Über die Herkunft der Runen, der ersten eigentlichen Schriftzeichen im Raum nördlich der Alpen, besteht keine einhellige Forschungsmeinung.

Gagat. Auch als ›schwarzer Bernstein‹ bezeichnet. Es handelt sich um fossiles, leicht polierbares Holz. In der Konsistenz ähnelt es schwarzglänzender Braunkohle. Seit dem Spätpaläolithikum zu Schmuck verarbeitet.

Glockenbecherleute. In der prähistorischen Forschung üblich gewordene Bezeichnung für die hinter der keramischen Form des Glockenbechers stehende spätneolithische Bevölkerung. Diese Bezeichnung gibt indirekt die Forschungsmeinung wieder, daß es sich dabei nicht um eine territorial gebundene, statische Kulturerscheinung handelt.

Griffdorn oder **Griffangel.** Dornartiger Fortsatz der Messer-, Dolch- oder Schwertklinge, auf den die Handhabe aus organischem Material aufgeschoben ist.

Griffzunge oder **Griffplatte.** Zungenartiger Fortsatz der Messer-, Dolch- oder Schwertklinge, auf den die Griffschalen aus organischem Material aufgenietet sind.

Hinkelstein-Gruppe. Neolithische Kulturgruppe in Rheinhessen, benannt nach dem Fundort eines stichbandkeramischen Gräberfeldes bei Monsheim, Kr. Worms. Das Wort ›Hinkelstein‹ bezeichnet heute in der Populärliteratur (Asterix) manchmal kleine Menhire.

Worterklärungen

Leichenbrand. Menschliche Knochen, die nach der Leichenverbrennung aus den Überresten des Scheiterhaufens ausgelesen und, mit oder ohne Behälter, beigesetzt wurden.

Lengyel Kultur. Mittel- bis jungneolithische Keramikgruppe, die sich durch spezifische Formen und Zierweisen (Bemalung nach dem Brand), Tonidole (Frauen- und Tierstatuetten) als stark südöstlich beeinflußt zeigt. Benannt nach einer Fundstelle (Befestigte Siedlung) in der Gemeinde Lengyel, Kom. Tolna. Ungarn.

Millefiori-Perlen. Meist tonnenförmige, buntfarbige Glasperlen aus Millefiori Glas (ital.: tausend Blumen), schon im Altertum sehr beliebt, wahrscheinlich zuerst in Ägypten hergestellt.

Niello. Von lat. ›nigellus‹: schwärzlich. Seit der Antike bezeugte Verzierungstechnik, meist von Silbergegenständen, bei der die in die Unterlage eingetieften Ziermuster mit einer pulverisierten Mischung hauptsächlich aus Schwefel und Silber gefüllt werden. Beim Erhitzen schmilzt das Schwefelsilber und erscheint als schwarze Verzierung auf der Unterlage.

Omphalosboden. Von griech. ›Omphalos‹: Nabel, bezeichnet als archäologischer Fachausdruck die buckelartige Aufwölbung von Gefäßböden.

osteologisch. Die Knochen, das Skelett betreffend.

Pektorale. Bronzene, silberne oder goldene auf der Brust getragene Platten unterschiedlicher Form.

Petschaft. Stempel zum Anfertigen von Siegeln. In der vor- und frühgeschichtlichen Terminologie bezeichnet ›Petschaftende‹ tempelartig ausgebildete Formen an Nadeln und sonstigen Gegenständen.

Pilum. Römischer Wurfspeer mit gedrungener Spitze, langgezogener Dorntülle und stark profiliertem, mit Handhabe versehenem Holzschaft.

Rapier. Relativ leichte Hieb- und Stichwaffe mit langer schmaler Klinge.

Ringbrünne. Panzerhemd aus kleinen, ausgestanzten, flachen ineinandergehängten Eisenringen.

Rudelnadeln. Bronzezeitliche Nadelform mit plattig (ruderähnlich) verbreitertem, am oberen Ende eingerolltem Kopf.

Sapropelit. Verfestigter, inkohlter Faulschlamm. Es handelt sich um ein schwarzglänzendes, nichtkristallines Material, das besonders in der Latènezeit zur Herstellung von Schmuck (Armreifen) verwendet wurde.

Schlickmalerei. Mit dünn aufgeschlämmtem Ton (Schlicker) auf den Gefäßkörper aufgebrachte Verzierung.

Schweißdamast. Mechanische Veredelung von Eisenklingen durch Zusammenschweißen von tordierten Eisenstäben unterschiedlichen Kohlenstoffgehaltes. Entweder den Kern der Klinge mit aufgeschmiedeten Stahlklingen bildend (Volldamast) oder beidseitig auf das Klingenblatt aus homogenem Eisen aufgeschmiedet (Schichtendamast) ergab der Damast, je nach Tordierung und Grad des Abschleifens, nach dem Ätzen sog. ›wurmbunte‹ Muster. Durch den Damast wurde eine höhere Elastizität der Klingen erreicht. Die nördlich der Alpen seit der Latènezeit geübte Damaszierung kam infolge verbesserter Schmiedetechnik im Verlauf des 8. Jahrhunderts n. Chr. außer Gebrauch. Im Orient dagegen, mit Zentrum Damaskus, hielt sich diese Technik bis in die Neuzeit. ›Damaszener Stahl‹ wurde im Abendland ein Begriff, das von Damaskus abgeleitete Wort ›Damast‹ in den deutschen Sprachgebrauch übernommen.

Silex. Feuerstein bzw. Flint. Scharfkantig brechende mineralische Substanz mit Hauptbestandteil Silicium. Silex war einer der wichtigsten Rohstoffe für die steinzeitliche Geräteherstellung. Die Hauptvorkommen liegen in den oberen Kreideformationen des nördlichen Mitteleuropa.

Sîntana de Mureş-Kultur. Fundort eines Körpergräberfeldes aus dem 4. Jh. n. Chr. in der Nähe von Tîrgu Mureş, Siebenbürgen, Rumänien. Die Nordsüd-orientierten Gräber mit reicher Beigabenausstattung werden den Westgoten zugewiesen. Die Sîntana de Mureş-Kultur bildet mit den Friedhöfen der Černjachov-

Kultur einen einheitlichen ethnischen Komplex.

Situla. Lat. Bezeichnung für Eimer. Eine sich nach unten verjüngende Gefäßform, deren Mündungsdurchmesser kleiner als ihre Höhe ist. In der Archäologie werden unter Situlen vor allem die aus Bronzeblech zusammengenieteten, reich verzierten, eimerartigen Henkelgefäße der Hallstattzeit verstanden. Vgl. Abb. S. 153

Spondylus Schmuck. Aus den dickschaligen Gehäusen der Spondylus gaedoropus hergestellte Zierstücke. Die bearbeiteten und durchbohrten Schneckenschalen waren besonders im Neolithikum als Schmuck beliebt.

Stratigraphie. Beobachtung der Schichtenfolge bei archäologischen Ausgrabungen.

Tauschierung. Seit der späten Bronzezeit belegte Verzierungstechnik, bei der in ein vorgeritztes Ziermuster, meist auf unedler Metallgrundlage, Edelmetallfäden eingelegt und eingehämmert werden.

Tatauierung oder *Tätowierung*. Seit der jüngeren Steinzeit vereinzelt überlieferte Technik des Körperschmuckes, bei der die Haut mit eingeritzten und mit der Tatauiernadel eingestochenen und eingefärbten Mustern versehen wurde.

Terra sigillata. Römische und provinzialrömische Feinkeramik aus rotem bis braun-rotem, hartgebranntem Ton mit glänzender Oberfläche.

Tordieren. Von ›Torsion‹: Verwindung. Drehen vierkantiger Metallstäbe, siehe Wendelringe, Abb. 143.

Toreutik. Abgeleitet von dem griech. Wort für ›treiben‹. Herstellungstechnik für Metallgegenstände, bei der die Form des Werkstücks allmählich durch Hämmern (›Treiben‹) gestaltet wird.

Tremolierstich. Von lat. ›tremere‹: zittern. Spezielle Gravurart, die mit einem Gravierstichel auf einer Metallunterlage bzw. auf Ton aufgebracht ist.

Überfangperlen. Meist kleine Perlen aus mit Metallstaub versetztem Glasfluß, die eine äußere Ummantelung aus durchsichtigem Glas aufweisen und im 6.-7. Jahrhundert n. Chr. sehr beliebt waren.

Wirtel oder *Spinnwirtel*. Durchbohrte linsenförmige Scheibe aus gebranntem Ton, Glas oder Bein, die der Spindel aufgesteckt ist und sowohl als Gewicht wie auch als Schwung-

scheibe beim Spinnen der Wolle oder des Flachs dient.

Ziste (Ciste). Bezeichnung für Metall- oder auch Holzgefäße zylindrischer Form. Vgl. Abb. S. 153.

Literatur

Aufgeführt sind hauptsächlich leicht zugängliche Monographien sowie wissenschaftliche Aufsätze in Zeitschriften, die hier gezeigte Fundstücke und Fragenkomplexe behandeln oder aus denen Abbildungen entnommen sind. Vollständigkeit konnte im gegebenen Rahmen nicht angestrebt werden.

Die Literaturhinweise sind in erster Linie als Belege und Erläuterung für die Bildauswahl gedacht, die dem weiterhin Interessierten Zugang zu Spezialarbeiten über vor- und frühgeschichtliche Themen ermöglichen sollen.

Abels, B.-U., Neue Ausgrabungen auf dem Staffelberg. In: Jahresber. d. bayer. Bodendenkmalpflege 21, 1980, 62–77 mit Beilage 3

Adam, K. D., Der Waldelefant von Lehringen – eine Jagdbeute des diluvialen Menschen. In: Quartär 5, 1951, 79 ff.

Almgren, O., Nordische Felszeichnungen als religiöse Urkunden. Frankfurt a. M. 1934

Altheim, F., Geschichte der Hunnen. Bde. 1–5. Berlin 1961–62

Althin, C. A., Studien zu den bronzezeitlichen Felszeichnungen von Skåne. Lund 1945

Ament, H., Chronologische Untersuchungen an fränkischen Gräberfeldern der jüngeren Merowingerzeit im Rheinland. In: 57. Ber. RGK, 1976, 285–336

Aner, E., u. K. Kersten, Die Funde der älteren Bronzezeit des nordischen Kreises in Dänemark, Schleswig-Holstein und Niedersachsen. Bde. 1–4. Kopenhagen u. Neumünster 1973–1978

Arntz, H., Handbuch der Runenkunde. Halle 1944²

Aubin, H., Vom Altertum zum Mittelalter. Absterben, Fortleben und Erneuerung. München, 1949

Baatz, D., u. H. Riediger, Römer und Germanen am Limes. Frankfurt 1966

Bach, H., u. S. Dušek, Slawen in Thüringen. Geschichte, Kultur und Anthropologie im 10. bis 12. Jahrhundert. Veröff. d. Museums für Ur- und Frühgeschichte Thüringens 2, Weimar 1971

Baiernzeit in Oberösterreich. Das Land zwischen Inn und Enns vom Ausgang der Antike bis zum Ende des 8. Jahrhunderts. Oberösterreichisches Landesmuseum, Katalog Nr. 96. Linz 1977

Bandi, H.-G., H. Breuil u. a., Die Steinzeit. Vierzigtausend Jahre Felsbilder. Kunst der Welt. Baden-Baden 1962²

Bandinelli, R. B., Rom. Das Zentrum der Macht. Die römische Kunst von den Anfängen bis zur Zeit Marc Aurels. Universum der Kunst. München 1970

Rom. Das Ende der Antike. Die römische Kunst in der Zeit von Septimius Severus bis Theodosius I. Universum der Kunst. München 1971

Baudou, E., Die regionale und chronologische Einteilung der jüngeren Bronzezeit im nordischen Kreis. Stockholm 1960

Beck, W. u. D. Planck, Der Limes in Südwestdeutschland. Stuttgart 1980

Behaghel, H., Die Eisenzeit im Raum des rechtsrheinischen Schiefergebirges, 1943

Behm-Blancke, G., Gesellschaft und Kunst der Germanen. Die Thüringer und ihre Welt. Dresden 1973

Behn, F., Hausurnen. Vorgeschichtliche Forschungen Bd. 1,1 Berlin 1924

Ein vorfränkisches Gräberfeld bei Lampertheim am Rhein. In: Mainzer Zeitschr. 28, 1933, 56–65

Behrends, R. H., Schwissel. Ein Urnengräberfeld der vorrömischen Eisenzeit aus Holstein. Neumünster 1968

Behrens, H., Die Jungsteinzeit im Mittelelbe-Saale-Gebiet. Veröff. d. Landesmuseums für Vorgeschichte in Halle Bd. 27. Berlin 1973

ders. u. F. Schlette (Hrsg.), Die neolithischen Becherkulturen im Gebiet der DDR und ihre europäischen Beziehungen. Veröff. d. Landesmuseums für Vorgeschichte in Halle Bd. 24. Berlin 1969

Bergmann, J., Die ältere Bronzezeit Nordwestdeutschlands. Kasseler Beitr. zur Vor- und Frühgeschichte Bd. 2. Marburg 1970

Bierbrauer, V., Zu den Vorkommen ostgotischer Bügelfibeln in Raetia II. In: Bayer. Vorgeschichtsbl. 36, 1971, 131 ff.

Die ostgotischen Grab- und Schatzfunde in Italien. Biblioteca degli ›Studi medievali‹ VII. Spoleto 1974

Bittel, K., Die Kelten in Württemberg. RGF 8. Berlin u. Leipzig 1934

Bogaers, J. E., u. C. B. Krüger (Hrsg.), Der niedergermanische Limes. Materialien zu seiner Geschichte. Köln 1974

Bodmer, J.-P., Der Krieger der Merowingerzeit und seine Welt. Geist und Werk der Zeiten. Heft 2. Zürich 1957

Böhner, K., Der fränkische Grabstein von Niederdollendorf am Rhein. In: Germania 28, 1944–50, 63 ff.

Die fränkischen Gräber von Orsoy, Kreis Moers. In: Bonner Jahrb. 149, 1949, 146 ff. mit Taf. 8–13

Die fränkischen Altertümer des Trierer Landes. GDV Ser. B, Bd. 1 (1958)

Zur Zeitstellung der beiden fränkischen Gräber unter dem Kölner Dom. In: Kölner Jahrb. für Vor- und Frühgeschichte 9, 1967/68, 124 ff.

Ausgrabungen von kaiserzeitlichen Siedlungen im freien Germanien. In: Ausgrabungen in Deutschland. Teil 2. Mainz 1975, 3 ff.

Böhme, H. W., Germanische Grabfunde des 4. bis 5. Jahrhunderts zwischen unterer Elbe und Loire. Studien zur Chronologie und Bevölkerungsgeschichte. Münchener Beitr. zur Vor- und Frühgeschichte 19. München 1974

Archäologische Zeugnisse zur Geschichte der Markomannenkriege (166–180 n. Chr.). In: Jarb. RGZM 22, 1975, 153–217 mit Taf. 76–80

Borger, H., Die Abbilder des Himmels in Köln. Kölner Kirchenbauten als Quelle zur Siedlungsgeschichte des Mittelalters Bd. 1 (1979)

Bosinski, G. Der Magdalénien-Fundplatz Gönnersdorf. In: Ausgrabungen in Deutschland. Teil 1. Mainz 1975, 42 ff.

Brandt, K. H., Studien über steinerne Äxte und Beile der jüngeren Steinzeit und der Stein-Kupferzeit Nordwestdeutschlands. Münstersche Beitr. zur Vorgeschichtsforschung Bd. 2. Hildesheim 1967

Braunfels, W. (Hrsg.), Karl der Große, Lebenswerk und Nachleben. Bde. 1–4. Düsseldorf 1965–67

Brøndsted, J., Danmarks Oldtid. Bronzealderen. Kopenhagen 1939

Danmarks Oldtid. Bde. 1–3. Gyldendal 1957 bis 1960 deutsche Übersetzung: Nordische Vorzeit. Bde. 1–3. Neumünster 1960–1963

Brunn, W. A. v., Die Kultur der Hausurnengräberfelder in Mitteldeutschland zur frühen Eisenzeit. Jahresschr. für mitteldeutsche Vorgeschichte 30, 1939

Mitteldeutsche Hortfunde der jüngeren Bronzezeit. RGF 29. Berlin 1968

Capelle, W., Die Germanen der Völkerwanderungszeit aufgrund der zeitgenössischen Quellen dargestellt. Kröners Taschenausgabe Bd. 147. Stuttgart 1939

Casson, L., Reisen in der Alten Welt. München 1974

Die Seefahrer der Antike. München 1979

Christlein, R., Die Alamannen. Archäologie eines lebendigen Volkes. Stuttgart/Aalen 1978

Ein Goldschmiedemodell des 7. Jahrhunderts aus Gammertingen. In: Fundber. aus Baden-Württemberg 4, 1979, 357 ff.

Claus, M., Die thüringische Kultur der älteren Eisenzeit. Grab-, Hort- und Einzelfunde. Irmin Bd. 2/3. Jena 1942

Clauß, G., Beobachtungen an merowingerzeitlichen Gräbern bei Hockenheim, Rhein-Nekkar-Kreis. In: Archäologisches Korrespondenzbl. 6, 1976, 55 ff.

Csallány, D., Archäologische Denkmäler der Awarenzeit in Mitteleuropa. Budapest 1956

Archäologische Denkmäler der Gepiden im Donaubecken 454-568 u. Z. Archaeologia Hungarica 38. Budapest 1961

Dannheimer, H., Zur Geschichte von Brenz und Sontheim im frühen Mittelalter. In: Fundber. aus Schwaben NF 19, 1971, 298 ff.

Die frühmittelalterliche Siedlung bei Kirchheim (Ldkr. München, Oberbayern). Vorbericht über die Untersuchungen im Jahre 1970. In: Germania 51, 1973, 152 ff. mit Beilage 1

›Neue‹ Gravierungen der Altsteinzeit aus Bayern. In: Archäologisches Korrespondenzblatt 3, 1973, 7 ff.

Dietz, K., U. Osterhaus, S. Rieckhoff-Pauli, K. Spindler, Regensburg zur Römerzeit. Regensburg 1979

Doppelfeld, O., u. R. Pirling, Fränkische Fürsten im Rheinland. Die Gräber aus dem Kölner Dom, von Krefeld-Gellep und Morken. Schriften d. Rheinischen Landesmuseums Bonn Bd. 2. Bonn 1966

Römisches und fränkisches Glas in Köln. Köln 1966

Drescher, H., Der Überfangguß. Ein Beitrag zur vorgeschichtlichen Metalltechnik. Mainz, 1958

Eggers, H. J., Der römische Import im Freien Germanien. Atlas der Urgeschichte 1. Hamburg 1951

Lübsow, ein germanischer Fürstensitz der älteren Kaiserzeit. In: Prähistorische Zeitschr. 34/35, 1949/50 (1953), 58 ff.

ders. u. a., Kelten und Germanen in heidnischer Zeit. Kunst der Welt. Baden-Baden 1964

Eichhorn, G., Der Urnenfriedhof auf der Schanze bei Großromstedt. Leipzig, 1927

Elbern, V. H., Das Engerer Bursenreliquiar und die Zierkunst des frühen Mittelalters. In: Niederdeutsche Beitr. zur Kunstgeschichte 10, 1971, 41 ff.

Filtzinger, Ph., D. Planck u. B. Cämmerer, Die Römer in Baden-Württemberg. Stuttgart u. Aalen 1976²

Fischer, F., Der Heidengraben bei Grabenstetten. Ein keltisches Oppidum auf der Schwäbischen Alb bei Urach. Führer zu vor- und frühgeschichtlichen Denkmälern in Württemberg und Hohenzollern Heft 2. Stuttgart 1971

France-Lanord, A., u. M. Fleury, Das Grab der Arnegund in Saint-Denis. In: Germania 40, 1962, 341 ff. mit Taf. 29-37

Freund, G., Die Blattspitzen des Paläolithikums in Europa. Quartär-Bibliothek Bd. 1. Bonn 1952

Die ältere und mittlere Steinzeit in Bayern. In: Jahresbericht der bayerischen Bodendenkmalpflege 4, 1963, 9 ff.

Zum Stand der Ausgrabungen in der Sesselfelsgrotte im unteren Altmühltal. In: Ausgrabungen in Deutschland. Teil 1. Mainz 1975, 25 ff.

Frey, O.-H., Die Entstehung der Situlenkunst. RGF 31. Berlin 1969

(Hrsg.), Marburger Beiträge zur Archäologie der Kelten (Festschrift W. Dehn). Fundber. aus Hessen, Beiheft 1. Bonn 1969

Garbsch, J., Der spätrömische Donau-Iller-Rhein-Limes. Limes-Museum Aalen. Kleine Schriften zur Kenntnis der römischen Besetzungsgeschichte Südwestdeutschlands Bd. 6. Stuttgart 1970

Römische Paraderüstungen. Münchener Beitr. zur Vor- und Frühgeschichte 30. München 1978

Gebühr, M., Zur Definition älterkaiserzeitlicher Fürstengräber vom Lübsow-Typ. In: Prähistorische Zeitschr. 49, 1974, 82 ff. mit Beilage 1-4

Der Trachtschmuck der älteren römischen Kaiserzeit im Gebiet zwischen unterer Elbe und Oder und auf den westlichen dänischen Inseln. Göttinger Schriften zur Vor- und Frühgeschichte 18. Neumünster 1976

Geißlinger, H., Horte als Geschichtsquelle, dargestellt an den völkerwanderungs- u. merowingerzeitlichen Funden des südwestlichen

Ostseeraumes. Offa-Bücher Bd. 19. Neumünster 1967

Gehrig, U., Der Hildesheimer Silberfund. Berlin 1959

Genrich, A., Der Friedhof bei Liebenau in Niedersachsen. In: Ausgrabungen in Deutschland. Teil 3. Frühmittelalter II (1975), 17 ff.

Germania Romana I. Römerstädte in Deutschland. Gymnasium Beihefte 1. Heidelberg 1960

Germania Romana II. Kunst und Kunstgewerbe im römischen Deutschland. Gymnasium Beihefte 5. Heidelberg 1965

Graham, R., u. H. J. Müller-Beck, Urgeschichte der Menschheit. Stuttgart 1967

Grenz, R., Die slawischen Funde aus dem hannoverschen Wendland. Göttinger Schriften zur Vor- und Frühgeschichte 2. Neumünster 1961

Hachmann, R., Die frühe Bronzezeit im westlichen Ostseegebiet und ihre mittel- und südosteuropäischen Beziehungen. Hamburg 1957

Die Gesellschaftsordnung der Germanen in der Zeit um Christi Geburt. In: Archaeologia Geographica. Beitr. zur vergleichenden geographisch-kartographischen Methode in der Urgeschichtsforschung 5/6, 1956/57, 7-24 mit Karten 1 ff. u. Tab. 1-3

Die Chronologie der jüngeren vorrömischen Eisenzeit. Studien zum Stand der Forschung im nördlichen Mitteleuropa und in Skandinavien. In: 41. Ber. RGK, 1960

ders., G. Kossack u. H. Kuhn, Völker zwischen Germanen und Kelten. Neumünster 1962

Die Germanen. Archaeologia Mundi. Genf 1971

Haffner, A., Die westliche Hunsrück-Eifel-Kultur. RGF 36. Berlin 1976

Haseloff, G., Der Tassilokelch. Münchener Beitr. zur Vor- und Frühgeschichte 1. München 1951

Zum Ursprung der germanischen Tierornamentik – die spätrömische Wurzel. In: Frühmittelalterliche Studien 7, 1973, 406 ff.

Der Silberbecher aus der Regnitz bei Pettstadt, Ldkr. Bamberg. In: Jahresber. d. bayer. Bodendenkmalpflege 17/18, 1976/77, 132 ff. mit Beilage 1

Kunststile des frühen Mittelalters. Völkerwanderungs- und Merowingerzeit. Württembergisches Landesmuseum Stuttgart 1979

Hatt, J.-J., Kelten und Galloromanen. Archaecologia Mundi. Genf 1970

Hennig, H., Die Grab- und Hortfunde aus Ober- und Mittelfranken. Materialhefte zur bayerischen Vorgeschichte, Bd. 23. Kallmünz 1970

Herrmann, F.R., Die Funde der Urnenfelderkultur in Mittel- und Südhessen. RGF 27. Berlin 1966

ders. u. A. Zippelius, Hausgrundrisse aus einer urnenfelderzeitlichen Siedlung von Künzing (Niederbayern). In: Ausgrabungen in Deutschland. Teil 1. Vorgeschichte und Römerzeit. Mainz 1975, 155 ff.

Herrmann, J. (Hrsg.), Archäologie als Geschichtswissenschaft. Studien und Untersuchungen. Schriften zur Ur- und Frühgeschichte 30. Berlin 1977

(Hrsg.), Die Slawen in Deutschland. Geschichte und Kultur der slawischen Stämme westlich von Oder und Neiße vom 6. bis 12. Jahrhundert. Berlin 1970

Hoernes, M., u. O. Menghin, Urgeschichte der bildenden Kunst in Europa von den Anfängen bis um 500 vor Christi. Durchgesehen und ergänzt von Oswald Menghin. Wien 1925³

Hübener, W. (Hrsg.), Die Alamannen in der Frühzeit. Veröff. d. Alamannischen Instituts Freiburg i. Br. Nr. 34. Bühl 1974

(Hrsg.), Die Goldblattkreuze des frühen Mittelalters. Veröff. d. Alamannischen Instituts Freiburg i. Br. Nr. 137. Bühl 1975

Jacob-Friesen, G., Einführung in Niedersachsens Urgeschichte. Teil 3: Eisenzeit. Hildesheim 1974

Jacob-Friesen, K. H., Der Bronzeräderfund von Stade. In: Prähistorische Zeitschr. 18, 1927, 154 ff.

Einführung in Niedersachsens Urgeschichte. Teil 1: Steinzeit. Hildesheim 1959⁴

Teil 2: Bronzezeit. Bearbeitet von G. Jacob-Friesen. Hildesheim 1963⁴

Jacobsthal, P., Early Celtic Art. Oxford 1944

Jettmar, K., Die frühen Steppenvölker. Kunst der Welt. Baden-Baden 1964

Joachim, H. E., Die Hunsrück-Eifel-Kultur am Mittelrhein. Bonn 1968

Itten, M., Die Horgener Kultur. Monographien zur Ur- und Frühgeschichte der Schweiz, Bd. 17. Basel 1970

Ivanova, J. K., Das geologische Alter des fossilen Menschen. Archaeologia Venatoria 1. Stuttgart, 1965

Karl der Große. Werk und Wirkung. Ausstellung des Europarates in Aachen 26. Juni bis 19. September 1965. Aachen 1965

Kastelic, J., Situlenkunst. Meisterschöpfungen prähistorischer Bronzearbeit. Wien u. München 1964

Keiling, H., Die Formenkreise der vorrömischen Eisenzeit in Norddeutschland und das Problem der Entstehung der Jastorf-Kultur. In: Zeitschr. für Archäologie 2, 1968, 161 ff.

Keller, E., Die spätrömischen Grabfunde in Südbayern. Münchener Beitr. zur Vor- und Frühgeschichte 14. München 1971

Das spätrömische Gräberfeld von Neuburg an der Donau. Materialhefte zur bayer. Vorgeschichte. Reihe A, Bd. 40. Kallmünz 1979

Ein frühvölkerwanderungszeitliches Frauengrab von Götting, Ldkr. Bad Aibling. In: Bayer. Vorgeschichtsbl. 36, 1971, 168 ff. mit Taf. 17

Kellner, H.-J., Die Römer in Bayern. München 1971

Der römische Verwahrfund von Eining. Münchener Beitr. zur Vor- und Frühgeschichte 29. München 1978

Die Kelten in Mitteleuropa. Kultur, Kunst, Wirtschaft. Salzburger Landesausstellung 1. Mai bis 30. September 1980 im Keltenmuseum Hallein, Österreich. Salzburg 1980

Kimmig, W., Die Heuneburg an der oberen Donau. Führer zu vor- und frühgeschichtlichen Denkmälern in Württemberg und Hohenzollern 1 (1968), 56 Abb. 25

Klumbach, H., u. L. Wamser, Ein Neufund zweier außergewöhnlicher Helme der römischen Kaiserzeit aus Theilenhofen, Landkreis Weißenburg-Gunzenhausen. In: Jahresber. d. bayer. Bodendenkmalpflege 17/18, 1976/77, 41 ff.

Kossack, G., Studien zum Symbolgut der Urnenfelder- und Hallstattzeit Mitteleuropas. RGF 20. Berlin 1954

Südbayern während der Hallstattzeit. RGF 24. Berlin 1959

ders. u. G. Ulbert (Hrsg.), Studien zur vor- und frühgeschichtlichen Archäologie (Festschrift J. Werner). Münchener Beitr. zur Vor- und Frühgeschichte, Ergänzungsbd. 1/I-II. München 1974

Krämer, W., Der keltische Bronzetier von Weltenburg in Niederbayern. In: Germania 28, 1944/50, 210 ff.

Manching II. Zu den Ausgrabungen in den Jahren 1957 bis 1961. In: Germania 40, 1962, 293 ff.

Das keltische Gräberfeld von Nebringen (Kreis Böblingen). Veröff. d. Staatl. Amtes für Denkmalpflege Stuttgart, Reihe A, Heft 8. Stuttgart 1964

Prähistorische Brandopferplätze. In: Helvetia Antiqua (Festschrift E. Vogt), Zürich 1966, 111 ff.

Zwanzig Jahre Ausgrabungen in Manching 1955 bis 1974. In: Ausgrabungen in Deutschland. Teil 1. Vorgeschichte u. Römerzeit. Mainz 1975, 287 ff.

Krieger und Salzherren. Hallstattkultur im Ostalpenraum. Ausstellungskataloge des Römisch-Germanischen Zentralmuseums Mainz Bd. 4 (1970)

Kromer, K., Das Gräberfeld von Hallstatt. Florenz 1959

Kühn, H., Die Kunst Alteuropas. Stuttgart 1954

Kunkel, O., Pommersche Urgeschichte in Bildern Bd. 1-2. Schriften aus dem Provinzialmuseum Pommerscher Altertümer in Stettin. (1931)

Die Jungfernhöhle bei Tiefenellern. Eine neolithische Kultstätte auf dem fränkischen Jura bei Bamberg. Münchener Beitr. zur Vor- und Frühgeschichte 5. München 1955

La Baume, W., Zur Bedeutung der bildlichen Darstellungen auf Gesichtsurnen der frühen Eisenzeit. In: Prähistorische Zeitschr. 34/35, 1949/50, 158 ff.

Lauffer, S., Kurze Geschichte der antiken Welt. München 1971

Rom. München 1971

Laux, F., Die Bronzezeit in der Lüneburger Heide. Veröff. d. urgeschichtlichen Sammlungen des Landesmuseums zu Hannover Bd. 18. Hildesheim 1971

Lenerz-De Wilde, M., Zirkelornamentik in der Kunst der Latènezeit. Münchener Beitr. zur Vor- und Frühgeschichte 25. München 1977

Lindquist, S., Gotlands Bildsteine. Bd. 1-2. Stockholm 1941-42

Magisches Gold. Kultgerät der späten Bronzezeit. Ausstellung des Germanischen Nationalmuseums Nürnberg 26. Mai-31. Juli 1977 (W. Menghin u. P. Schauer). Nürnberg 1977

Mahr, G., Die Jüngere Latènekultur des Trierer Landes. Berliner Beitr. zur Vor- und Frühgeschichte Bd. 12. Berlin 1967

Maier, F., Zur bemalten Spätlatènekeramik in Mitteleuropa. In: Germania 41, 1963, 259 ff.

Maier, R. A., Die jüngere Steinzeit in Bayern. In: Jahresber. d. bayer. Bodendenkmalpflege 5, 1964, 9 ff.

Mandera, H. E., Versuch einer Gliederung der Aunjetitzer Kultur in Mitteldeutschland. Jahresschr. für mitteldeutsche Vorgeschichte 37. Halle 1953

Martin, M., Die Schweiz im Frühmittelalter. Vom Ende der Römerzeit bis zu Karl dem Großen. Bern 1975

Mauser, P. F., Die jungpaläolitische Höhlenstation Petersfels im Hegau. In: Badische

Fundberichte. Sonderheft 13. Freiburg i. Br.
1970

Meier-Arendt, W., Die Hinkelsteingruppe. Der
Übergang vom Früh- zum Mittelneolithikum in Südwestdeutschland. RGF 35. Berlin 1975

Menghin, W., Aufhängevorrichtung und Tragweise zweischneidiger Langschwerter aus
germanischen Gräbern des 5.-7. Jahrhunderts. In: Anzeiger d. Germanischen Nationalmuseums 1973, 7 ff.

mit P. Schauer, Magisches Gold. Kulturgerät
der späten Bronzezeit. Ausstellungskatalog
des Germanischen Nationalmuseums.
Nürnberg 1977

Frühmerowingische Schmuckkästchen aus
Kaltenengers, Kr. Koblenz. In: Anzeiger d.
Germanischen Nationalmuseums 1977, 7 ff.

Die vor- und frühgeschichtliche Sammlung.
In: Das Germanische Nationalmuseum
1852-1977. Herausgegeben im Auftrag des
Museums von B. Deneke und R. Kahsnitz.
München u. Berlin 1978, 664 ff.

Neue Inschriftenschwerter aus Süddeutschland und die Chronologie karolingischer
Spathen auf dem Kontinent. In: Vorzeit
zwischen Main und Donau. Erlanger Forschungen. Bd. 26, 1980

Messikommer, H., Die Pfahlbauten von Robenhausen. L'Époque Robenhausienne. Zürich
1913

Meyer, E., Die germanischen Bodenfunde der
spätrömischen Kaiserzeit und der frühen
Völkerwanderungszeit in Sachsen. Arbeits-
und Forschungsber. zur sächsischen Bodendenkmalpflege, Beiheft 9. Berlin 1971

Mildenberger, G., Studien zum mitteldeutschen
Neolithikum. Leipzig 1953

Mitteldeutschlands Ur- und Frühgeschichte.
Leipzig 1959

Die thüringischen Brandgräber der spätrömischen Zeit. Mitteldeutsche Forschungen
Bd. 60 (1970)

Milojčić, V., Chronologie der jüngeren Steinzeit
Mittel- und Südosteuropas. Berlin 1949

Moosbrugger-Leu, R., Die Schweiz zur Merowingerzeit. Die archäologische Hinterlassenschaft der Romanen, Burgunder und Ala
mannen. Handbuch der Schweiz zur Römer-
und Merowingerzeit. Bd. 1-2. Bern 1971

Moreau, J., Die Welt der Kelten. Große Kulturen
der Frühzeit. Stuttgart 1958

Much, R., Die Germania des Tacitus. Hrsg. von
W. Lange, kommentiert von H. Jankuhn.
Germanische Bibliothek, Reihe 5. Heidel-
berg 1967

Müller, W. (Hrsg.), Zur Geschichte der Alemannen. Wege der Forschung Bd. C. Darmstadt
1975

Müller-Karpe, H., Niederhessische Urgeschichte. Schriften zur Urgeschichte Bd. IV. Melsungen 1951

Das urnenfelderzeitliche Wagengrab von Hart
a. d. Alz, Oberbayern. In: Bayer. Vorgeschichtsbl. 21, 1955, 46 ff.

Beiträge zur Chronologie der Urnenfelderzeit
nördlich und südlich der Alpen. RGF 22.
Berlin 1959

Handbuch der Vorgeschichte. Bisher erschienen: Bde. 1-3. München 1966-1974

Zur urnenfelderzeitlichen Besiedlung der
Gegend von Steinkirchen, Niederbayern.
In: Ausgrabungen in Deutschland. Teil 1.
Mainz 1975, 171 ff.

Einführung in die Vorgeschichte, Beck'sche
Elementarbücher München 1975

Müller-Wille, M., Ein neues Ulfberht-Schwert
aus Hamburg. Verbreitung, Formenkunde
und Herkunft. In: Offa 27, 1970, 65 ff.

Narr, K. J., Urgeschichte der Kultur. Kröners
Taschenausgabe 213. Stuttgart 1961

Kultur, Umwelt und Leiblichkeit des Eiszeit-
menschen. Stuttgart 1963

(Hrsg.), Handbuch der Urgeschichte. Bd. 1:
Ältere und mittlere Steinzeit. Bonn 1966
Bd. 2: Jüngere Steinzeit und Steinkupferzeit.
Bonn 1975

Neustupný, E., u. J., Czechoslovakia before the
Slavs. Ancient Peoples and Places. New
York u. Washington 1961

Nierhaus, R., Das swebische Gräberfeld von
Diersheim. RGF 28. Berlin 1966

Noll, R., Kunst der Römerzeit in Österreich.
Salzburg 1949

Eugippius. Das Leben des Hl. Severin. (1963)

Nowothnig, W., Brandgräber der Völkerwanderungszeit im südlichen Niedersachsen.
Göttinger Schriften zur Vor- und Frühgeschichte 4. Neumünster 1964

Oldenstein, J., Zur Ausrüstung römischer Auxi-
liareinheiten. In: 57. Ber. RGK, 1976, 49-284
mit Taf. 9-90

Osterwalder, Chr., Die mittlere Bronzezeit im
schweizerischen Mittelland und Jura. Monographien zur Ur- und Frühgeschichte der
Schweiz Bd. 19. Basel 1971

Pätzold, J., u. H. P. Uenze, Vor- und Frühgeschichte im Landkreis Griesbach. Kataloge
der Prähistorischen Staatssammlung Bd. 6.
Kallmünz 1963

Poulik, J., Jižní Morava země dávných Slovanů.
Brünn 1948-1950

Pauli, L., Keltischer Volksglaube. Amulette und
Sonderbestattungen am Dürrnberg bei Hallein und im eisenzeitlichen Mitteleuropa.
Münchener Beitr. zur Vor- und Frühgeschichte 28. München 1975

Der Dürrnberg bei Hallein III. Auswertung
der Grabfunde. Münchener Beitr. zur Vor-
und Frühgeschichte 18. München 1978

Die Alpen in Frühzeit und Mittelalter. Die
archäologische Entdeckung einer Kultur-
landschaft. München 1980

Paulsen, P., Alamannische Adelsgräber von Nie-
derstotzingen (Kr. Heidenheim). Veröff. d.
Staatl. Amtes für Denkmalpflege Stuttgart,
Reihe A, Heft 12, 1-2. Stuttgart 1967

ders. u. H. Schach-Dörges, Holzhandwerk der
Alamannen. Stuttgart 1972

Pescheck, Chr., Ein reicher Grabfund mit Kesselwagen aus Unterfranken. In: Germania
50, 1972, 29 ff. mit Taf. 3-5

Germanische Gräberfelder in Kleinlangheim,
Ldkr. Kitzingen. In: Ausgrabungen in
Deutschland. Teil 2. Frühmittelalter. Mainz,
1975, 211 ff.

Die germanischen Bodenfunde der römischen
Kaiserzeit in Mainfranken. Münchener
Beitr. zur Vor- und Frühgeschichte 27.
München 1978

Petersen, E., Die frühgermanische Kultur in
Ostdeutschland und Polen. Vorgeschichtliche Forschungen Bd. 2,2. Berlin 1929

Pirling, R., Das römisch-fränkische Gräberfeld
von Krefeld-Gellep. GDV Ser. B, Bd. 2,1-2
(1966)

Powell, T. G. E., The Celts. Ancient Peoples and
Places. London 1958

Preidel, H., Die germanischen Kulturen in Böhmen und ihre Träger. Bd. 1-2. Kassel 1930

Preuß, J., Die Baalberger Gruppe in Mitteldeutschland. Veröff. d. Landesmuseums für
Vorgeschichte in Halle 21. Berlin 1966

Raddatz, K., Der Thorsberger Moorfund. Gürtelteile und Körperschmuck.

Reallexikon der Germanischen Altertumskunde.
Begründet von J. Hoops. 2. Aufl., hrsg. von
H. Beck, H. Jankuhn u. a. Bisher erschienen:
Bde. 1-3, Bd. 4, Lfg. 1/2. Berlin 1973-79

Reindel, K., Staat und Herrschaft in Raetien und
Noricum im 5. und 6. Jahrhundert. In: Ver-
handl. d. Historischen Vereins von Oberpfalz 106, 1966, 23 ff.

Grundlegung: Das Zeitalter der Agilolfinger
(bis 788). In: Handbuch der bayerischen
Geschichte, hrsg. von M. Spindler, Bd. 1,
71 ff. München 1968

Rempel, H., Reihengräberfriedhöfe des 8. bis

11. Jahrhunderts aus Sachsen-Anhalt, Sachsen und Thüringen. Deutsche Akademie der Wissenschaften zu Berlin. Schriften der Sektion für Vor- und Frühgeschichte 20, Teil 1. Berlin 1966

Riek, G., u. H.-J. Hundt, Der Hohmichele. Ein Fürstengrabhügel der späten Hallstattzeit bei der Heuneburg. Heuneburgstudien I. RGF 25. Berlin 1962

Rieth, A., Zur Technik antiker und prähistorischer Kunst: Das Holzdrechseln. In: IPEK 1939/40, 85 ff.

Zur Technik der Steinbohrung im Neolithikum. In: Zeitschr. für Schweizerische Archäologie und Kunstgeschichte 18, 1958, 101 ff.

Römer am Rhein. Katalog der Ausstellung des Römisch-germanischen Museums in Köln vom 15. April bis 30. Juni 1967

Rogers, E., The Copper Coinage of Thessaly. London 1932, 68 ff. mit Abb. 80 ff.

Rosenstock, D., Die Ausgrabungen in Geismar und die jüngere Eisenzeit im oberen Leinetal. In: Neue Ausgrabungen und Forschungen in Niedersachsen. Hildesheim 1979

Rostovtzeff, M., Gesellschaft und Wirtschaft im römischen Kaiserreich. Leipzig 1931

Roth, H., Die Ornamentik der Langobarden in Italien. Eine Untersuchung zur Stilentwicklung anhand der Grabfunde. Antiquitas Reihe 3, Bd. 15. Bonn 1973

ders. u. a., Kunst der Völkerwanderung. Propyläen Kunstgeschichte, Supplementbd. IV. Oldenburg i. O. 1979

Sachsen und Angelsachsen. Ausstellung des Helms-Museums, Hamburgisches Museum für Vor- und Frühgeschichte, 18. Nov. 1978-28. Febr. 1979. Veröff. d. Helms-Museums 32 (1978)

Sacken, E. Freih. v., Das Grabfeld von Hallstatt in Oberösterreich und dessen Altertümer. Wien 1868

Sage, W., Gräber der älteren Merowingerzeit aus Altenerding, Ldkr. Erding (Oberbayern). In: 54. Ber. RGK, 1974, 211 ff. mit Taf. 70-84

Sangmeister, E., Die Glockenbecherkultur und die Becherkulturen. Die Jungsteinzeit im nordmainischen Hessen, Teil III. Schriften zur Urgeschichte Bd. III, 1. Melsungen 1951

ders. u. K. Gerhardt, Schnurkeramik und Schnurkeramiker in Südwestdeutschland. Badische Fundber. Sonderheft 8. Freiburg i. Br. 1965

Schaaf, U., u. Taylor, A. K., Spätkeltische Oppida im Raum nördlich der Alpen. Kommen-

tar zur Karte. In: Ausgrabungen in Deutschland. Teil 3. Mainz 1975, 322 ff.

Schach-Dörges, H., Die Bodenfunde des 3. bis 6. Jahrhunderts nach Chr. zwischen unterer Elbe und Oder. Offa-Bücher Bd. 23. Neumünster 1970

Schirnig, H. (Hrsg.), Großsteingräber in Niedersachsen. Veröff. d. urgeschichtlichen Sammlungen d. Landesmuseums Hannover. Hildesheim 1979

Schlabow, K., Trachten der Eisenzeit. Schleswig-Holsteinisches Landesmuseum für Vor- und Frühgeschichte in Schleswig. Wegweiser durch die Sammlungen Heft 5. Neumünster 1961

Der Thorsberger Prachtmantel, Schlüssel zum altgermanischen Webstuhl. Veröff. d. Fördervereins Textilmuseum Neumünster Heft 5. Neumünster 1965

Textilfunde der Eisenzeit in Norddeutschland. Göttinger Schriften zur Vor- und Frühgeschichte 15. Neumünster 1976

Schleiermacher, W., Der römische Limes in Deutschland. Berlin 1967[3]

Schmid, P., Die vorrömische Eisenzeit im nordwestdeutschen Küstengebiet. In: Probleme der Küstenforschung im Gebiet der südlichen Nordsee Bd. 6, 1957, 49 ff.

Die Keramik des 1. bis 3. Jahrhunderts n. Chr. im Küstengebiet der südlichen Nordsee. In: Probleme der Küstenforschung im Gebiet der südlichen Nordsee Bd. 8, 1965, 9 ff.

Schmidt, B., Die späte Völkerwanderungszeit in Mitteldeutschland. Veröff. d. Landesmuseums für Vorgeschichte in Halle 18. Berlin 1961

Die späte Völkerwanderungszeit in Mitteldeutschland, Katalog Südteil. Veröff. d. Landesmuseums für Vorgeschichte in Halle 25. Berlin 1970

Die späte Völkerwanderungszeit in Mitteldeutschland, Katalog Nord- und Ostteil. Veröff. d. Landesmuseums für Vorgeschichte in Halle 29. Berlin 1975

Schmidt, L., Geschichte der deutschen Stämme bis zum Ausgang der Völkerwanderung. Die Ostgermanen. München 1934[2] Die Westgermanen. München 1938[2]

Schmidt-Thielbeer, E., Das Gräberfeld von Wahlitz, Kr. Burg. Ein Beitrag zur frühen römischen Kaiserzeit im nördlichen Mitteldeutschland. Veröff. d. Landesmuseums für Vorgeschichte in Halle 22. Berlin 1967

Schönberger, H., Das augusteische Römerlager Rödgen und die Kastelle Oberstimm und Künzing. In: Ausgrabungen in Deutsch-

land. Teil 1. Vorgeschichte und Römerzeit (1975), 372 ff.

Schubert, F., Manching IV. Vorberichte über die Ausgrabungen in den Jahren 1965 bis 1967. In: Germania 50, 1972, 110 ff.

Schütze, A., Mithras-Mysterien und Urchristentum. Stuttgart 1960

Schulz, W., Das Fürstengrab und das Grabfeld von Haßleben. RGF 7. Berlin u. Leipzig 1933

Leuna, ein germanischer Bestattungsplatz der spätrömischen Kaiserzeit. Deutsche Akademie der Wissenschaften zu Berlin. Schriften der Sektion für Vor- und Frühgeschichte Bd. 1. Berlin 1953

Schulze, M., Einflüsse byzantinischer Prunkgewänder auf die fränkische Frauentracht. In: Archäologisches Korrespondenzbl. 6, 1976, 149 ff. mit Taf. 42

Schwarz, K., Die Geschichte eines keltischen Temenos im nördlichen Alpenvorland. In: Ausgrabungen in Deutschland. Teil 1. Vorgeschichte und Römerzeit. Mainz 1975, 324 ff.

Der frühmittelalterliche Landesausbau in Nordost-Bayern archäologisch gesehen. In: Ausgrabungen in Deutschland. Teil 2. Mainz 1975, 338 ff.

Seyer, R., Zur Besiedlungsgeschichte im nördlichen Mittelelb-Havel-Gebiet um den Beginn unserer Zeitrechnung. Schriften zur Ur- und Frühgeschichte 29. Berlin 1976

Simon, K., Die Hallstattzeit in Ostthüringen. Berlin 1972

Spindler, K., Führer zum Magdalenenberg. Villingen 1970

Magdalenenberg. Der hallstattzeitliche Fürstengrabhügel bei Villingen im Schwarzwald. Bde. I-VI. Villingen 1971-1980

Sprockhoff, E., Niedersächsische Depotfunde der jüngeren Bronzezeit. Hildesheim 1932

Die nordische Megalithkultur. Handbuch der Urgeschichte Deutschlands Bd. 3. Berlin u. Leipzig 1938

Staehlin, F., Die Schweiz in römischer Zeit. Basel 1948

Stampfuß, R., Das Vordringen der Germanen zum nördlichen Niederrhein und die Ausbreitung der Harpstedter Kultur. In: Mannus 17, 1926, 287 ff.

Stein, F., Adelsgräber des 8. Jahrhunderts in Deutschland. GDV Ser. A, Bd. 9. Berlin 1967

Strahm, Chr., Die Gliederung der schnurkeramischen Kultur in der Schweiz. Acta Bernensia VI. Bern 1971

Struve, K., Die Einzelgrabkultur in Schleswig-Holstein und ihre kontinentalen Beziehungen. Neumünster 1955

Sudholz, G., Die ältere Bronzezeit zwischen Niederrhein und Mittelweser. Münstersche Beitr. zur Vorgeschichtsforschung Bd. 1. Hildesheim 1964

Tacitus, Germania. Die Annalen. Goldmanns Gelbe Taschenbücher Bd. 437/38 (1964)

Tacitus, Germania. Lateinisch und deutsch, hrsg. von J. Lindauer. Lateinische Literatur Bd. 12. Rowohlt 1968

Tackenberg, K., Die Wandalen in Niederschlesien. Vorgeschichtliche Forschungen Bd. 1, 2. Berlin 1925

Fundkarten zur Vorgeschichte der Rheinprovinz. Beihefte der Bonner Jahrb. Bd. 2 (1954)

Taute, W., Ausgrabungen zum Spätpaläolithikum und Mesolithikum in Süddeutschland. In: Ausgrabungen in Deutschland. Teil 1. Mainz 1975, 64 ff.

Torbrügge, W., Die Bronzezeit in der Oberpfalz. Materialhefte zur bayer. Vorgeschichte 13. Kallmünz 1959

Die Hallstattzeit in der Oberpfalz II. Die Funde und Fundplätze in der Gemeinde Beilngries. Materialhefte zur bayer. Vorgeschichte 20. Kallmünz 1965

Die Hallstattzeit in der Oberpfalz I. Auswertung und Gesamtkatalog. Materialhefte zur bayer. Vorgeschichte 39. Kallmünz 1979

ders. u. H.P. Uenze, Bilder zur Vorgeschichte Bayerns. Konstanz, Lindau u. Stuttgart 1968

Europäische Vorzeit. Kunst im Bild. Baden-Baden 1968

1. Vorzeit bis zum Ende der Keltenreiche. In: Handbuch der bayer. Geschichte, hrsg. von M. Spindler, Bd. 1 (1968), 1 ff.

Figürliche Zeichnungen der Hallstattzeit aus Nordostbayern und ihre Beziehungen zur antiken Welt. In: Festschrift M. Spindler (1969), 1 ff.

Vor- und frühgeschichtliche Flußfunde. Zur Ordnung und Bestimmung einer Denkmälergruppe. In: 51./52. Ber. RGK, 1970–71. Berlin 1972

Tuulse, A., J. Sonne, N. Lukman, Asger Jorn, Gotlands Didrek. Silkeborg 1978

Uslar, R. v., Westgermanische Bodenfunde des ersten bis dritten Jahrhunderts n. Chr. aus Mittel- und Westdeutschland. Germanische Denkmäler der Frühzeit 3. Berlin 1938

Bemerkungen zu einer Karte germanischer Funde der älteren Kaiserzeit. In: Germania 29, 1951, 44 ff. mit Abb. 1

Studien zu frühgeschichtlichen Befestigungen zwischen Nordsee und Alpen. Graz 1964

Zur germanischen Stammeskunde. Wissenschaftliche Buchgemeinschaft. Darmstadt 1972

Wahle, E., Deutsche Vorzeit. Wissenschaftliche Buchgemeinschaft. Tübingen 1950

Wankel, H., Bilder aus der Mährischen Schweiz. Wien 1882

Waterbolk, H.T., Hauptzüge der eisenzeitlichen Besiedlung der nördlichen Niederlande. In: Offa 19, 1962, 9 ff.

Webster, G., The Roman Imperial Army. New York 1969

Wegewitz, W., Die Urnenfriedhöfe von Dohren und Daensen im Kr. Harburg aus der vorrömischen Eisenzeit. Die Urnenfriedhöfe in Niedersachsen Bd. 5. Hildesheim 1961

Das langobardische Brandgräberfeld Putensen, Kr. Harburg. Die Urnenfriedhöfe in Niedersachsen Bd. 10. Hildesheim 1972

Weidemann, K., Ausgrabungen in der karolingischen Pfalz Ingelheim. In: Ausgrabungen in Deutschland. Teil 2. Frühmittelalter 1. Mainz 1975, 437 ff.

Wels-Weyrauch, U., Schmuckausstattungen aus Frauengräbern der jüngeren Hügelgräberbronzezeit in Deutschland (14. Jh. v. Chr.). In: Ausgrabungen in Deutschland. Teil 3. Mainz 1975, 300 ff. mit Beilage 45–47 (a.a.O. Teil 4)

Wenskus, R., Stammesbildung und Verfassung. Das Werden der frühmittelalterlichen gentes. Köln 1977²

Werner, J., Die Bedeutung des Städtewesens für die Kulturentwicklung des frühen Keltentums. In: Die Welt als Geschichte 4, 1939, 380 ff.

Die beiden Zierscheiben des Thorsberger Moorfundes. Ein Beitrag zur frühgermanischen Kunst- und Religionsgeschichte. RGF 16. Berlin 1941

Beiträge zur Archäologie des Attila-Reiches. Abhandl. d. Bayer. Akademie der Wissenschaften, Phil.-hist. Klasse NF 38. München 1956

Kriegergräber aus der ersten Hälfte des 5. Jahrhunderts zwischen Schelde und Weser. In: Bonner Jahrb. 158, 1958, 372 ff.

Fernhandel und Naturalwirtschaft im östlichen Merowingerreich nach archäologischen und numismatischen Zeugnissen. In: 42. Ber. RGK, 1961, 307 ff.

Die Langobarden in Pannonien. Beiträge zur Kenntnis der langobardischen Bodenfunde vor 568. Abhandl. d. Bayer. Akademie der

Wissenschaften, phil.-hist. Klasse NF 55. München 1962

Das Aufkommen von Bild und Schrift in Nordeuropa. Sitzungsber. d. Bayer. Akademie der Wissenschaften, Phil.-hist. Klasse Bd. 4. München 1966

Bemerkungen zur mitteldeutschen Skelettgräbergruppe Haßleben-Leuna. Zur Herkunft der ingentia auxilia Germanorum des gallischen Sonderreiches in den Jahren 259-274 n. Chr. In: Mitteldeutsche Forschungen Bd. 74/1 (Festschrift W. Schlesinger), 1973, 1 ff.

Bewaffnung und Waffenbeigabe in der Merowingerzeit. Siedlung, Sprache und Bevölkerungsstruktur im Frankenreich. In: Wege der Forschung Bd. 49, Darmstadt 1973, 326 ff.

Zu den alamannischen Burgen des 4. und 5. Jahrhunderts. In: Zur Geschichte der Alemannen. Wissenschaftliche Buchgemeinschaft, Darmstadt 1975, 67 ff.

Spätes Keltentum zwischen Rom und Germanien. Münchener Beitr. zur Vor- und Frühgeschichte, Ergänzungsbd. 2, hrsg. von L. Pauli. München 1979

Wetzel, G., Die Schönfelder Kultur. Veröff. d. Landesmuseums für Vorgeschichte in Halle 31. Berlin 1978

Wilhelmi, K., Beiträge zur einheimischen Kultur der jüngeren vorrömischen Eisen- und älteren römischen Kaiserzeit zwischen Niederrhein und Mittelweser. Bodenaltertümer Westfalens Bd. 11. Münster 1967

Wolfram, H., Geschichte der Goten. Von den Anfängen bis zur Mitte des 6. Jahrhunderts. Entwurf einer historischen Ethnographie. München 1979

Zürn, H., Eine hallstattzeitliche Stele von Hirschlanden, Kr. Leonberg (Württemberg). In: Germania 42, 1964, 27 ff.

Das jungsteinzeitliche Dorf Ehrenstein, Kr. Ulm. Teil 1: Die Baugeschichte. Veröffentlichungen des staatlichen Amtes für Denkmalpflege Stuttgart. Serie A, Heft 10. Stuttgart 1965

Hallstattforschung in Nordwürttemberg. Die Grabhügel von Asperg (Kr. Ludwigsburg), Hirschlanden (Kr. Leonberg) und Mühlacker (Kr. Vaihingen). Veröff. d. Staatl. Amtes für Denkmalpflege Stuttgart, Reihe A, Heft 16. Stuttgart 1970

Die nachgestellten kursiven Zahlen verweisen auf Abbildungsseiten im Text, Gl. auf das Glossar, d. h. auf die ›Worterklärungen‹